MICROCRÉDITO
O MISTÉRIO NORDESTINO E O GRAMEEN BRASILEIRO

Org.

Marcelo Neri

MICROCRÉDITO

O MISTÉRIO NORDESTINO E O GRAMEEN BRASILEIRO

Perfil e performance dos clientes do CrediAMIGO

Banco do Nordeste

CREDIAMIGO
PROGRAMA DE MICROCRÉDITO DO BANCO DO NORDESTE

FGV cps Centro de Políticas Sociais

FGV EDITORA

ISBN — 978-85-225-0680-4

Direitos desta edição reservados à
EDITORA FGV
Rua Jornalista Orlando Dantas, 37
22231-010 — Rio de Janeiro, RJ — Brasil
Tels.: 0800-21-7777 — 21-2559-4427
Fax: 21-2559-4430
e-mail: editora@fgv.br — pedidoseditora@fgv.br
web site: www.fgv.br/editora

Impresso no Brasil / *Printed in Brazil*

1ª edição — 2008

PREPARAÇÃO DE ORIGINAIS: Maria Lucia Leão Velloso de Magalhães

EDITORAÇÃO ELETRÔNICA: FA Editoração Eletrônica

REVISÃO: Aleidis de Beltran e Mauro Pinto de Faria

CAPA: Alvaro Magalhães

Web site do projeto Microcrédito, o Mistério Nordestino e o Grameen Brasileiro:
www.fgv.br/cps/crediamigo

Ficha catalográfica elaborada pela
Biblioteca Mario Henrique Simonsen / FGV

Microcrédito, o mistério nordestino e o Grameen brasileiro: perfil e performance dos clientes do CrediAmigo / Marcelo Neri (org.). — Rio de Janeiro : Editora FGV, 2008.
376 p. + 1 encarte

Projeto patrocinado pelo Banco do Nordeste.
Inclui bibliografia.

1. Microfinanças. 2. Pequenas e micro empresas — Financiamento. I. Neri, Marcelo Cortes. II. Fundação Getulio Vargas.

CDD – 332.742

Sumário

Prólogo

> Dizer que os pobres não podem tomar empréstimos porque não têm colateral é o mesmo que dizer que o homem não pode voar porque não tem asas.
>
> *Muhammad Yunus*
>
> Fundador do Grameen Bank e Nobel da Paz de 2006

O grande momento de um investigador empírico é quando ele descobre algo que não esperava. Instante comparável à emoção de um garoto que acha uma moeda rara jogada na calçada. Similarmente, o apogeu de um avaliador engajado na proposição de políticas econômicas ou sociais é quando ele descobre uma experiência que vale a pena replicar, reproduzir. O CrediAmigo constitui tal experiência, com a vantagem de combinar os dois lados da moeda: a cifra com a efígie humana, uma política econômica com características sociais e vice-versa. Descobrir as possibilidades de uma política pública com características privadas, de um programa que dá lucro e amplia o protagonismo de segmentos de baixa renda sem custar nada aos cofres públicos, equivale a uma moeda valiosa jogada, despercebida, nas calçadas das cidades mais pobres do Brasil. No meu caso, o prazer de aferir os resultados do programa foi especial, pois visitei e estudei o CrediAmigo, que completou em março de 2008 10 anos, nos seus primórdios, em 2000, tecnicamente ainda no século passado. Melhor que conhecer uma política pública interessante é reconhecer o valor de uma.

Quem quiser conhecer uma experiência de microcrédito de qualidade, com escala, sustentabilidade, retorno privado aos clientes e, portanto, conseqüência social, não precisa sair do país, ou se meter em aventuras por terras estrangeiras, desenvolvidas ou exóticas. Basta visitar o CrediAmigo, espalhado pelo Nordeste. Apesar de pouco conhecido do público brasileiro, o programa não fica nada a dever às melhores iniciativas internacionais, sendo o segundo programa de crédito produtivo popular das Américas em número de clientes — 300 mil — e caminhando a passos largos para o topo do *ranking* do continente.

Obviamente, a ação social ideal é uma utopia, como um santo graal que nunca é atingido, mas cuja busca conduz a melhoras sucessivas. O sentido de avaliação e reinvenção é fundamental em microcrédito, como em outras iniciativas. O próprio Grameen Bank foi inicialmente denominado Experimental Grameen em sua fase embrionária, em 1977. Muhammad Yunus compara os idos do Grameen Bank ao primeiro vôo de avião dos irmãos Wright, ocorrido em 1903. Recentemente, tive a oportunidade de conhecer Wilbur Wright, que, além de responsável por experiências de microcrédito no Peru com a Inter-American Foundation, é bisneto homônimo de um dos irmãos Wright. Disse a ele: — Soube que você é ancestral do inventor do avião. E ele me respondeu, orgulhoso: — Sim, é verdade! Completei: — Eu não sabia que Santos Dumont tinha voado tão longe!

Na verdade, o vôo de Santos Dumont está mais em linha com a idéia de sustentabilidade do microcrédito. Cabe lembrar o espírito pioneiro brasileiro no campo das microfinanças: no Nordeste nasceu uma das primeiras experiências de crédito produtivo popular do mundo em desenvolvimento — o UNO, de Pernambuco, ainda em 1972, uma espécie de *14-Bis* do microcrédito. Enquanto o Grameen Bank começa a adentrar Nova York, o próximo destino do CrediAmigo talvez seja cobrir todo o Brasil. Tão importante quanto a invenção é a difusão. A vantagem do CrediAmigo é a capacidade de replicação em massa.

O norte a ser perseguido é o mesmo apontado pela bússola de Muhammad Yunus: os segmentos mais pobres e informais brasileiros. A ação desejada é ir — e voltar — com microcrédito até onde este nunca foi antes — e voltou. O fato de o CrediAmigo conhecer o segmento produtivo das cidades de renda mais baixa do país como nenhuma outra instituição financeira, pública ou privada, sem perder de vista as melhores práticas internacionais de colaterais alternativos, confere-lhe a posição ímpar de chegar à pobreza sem perder o rumo da volta dos recursos.

Todos concordam que a melhor política de combate à pobreza é um posto de trabalho que proveja não apenas o sustento, mas a dignidade aos homens, para que estes realizem suas aspirações. O microcrédito pode fornecer asas, em especial à pequena empresária, para que ela alce vôo em busca de outra realidade. O trajeto rumo à superação da pobreza passa pelo estreitamento de relações, pela soma de esforços, pelo compartilhamento de informações e caminhos com os programas sociais existentes — como o Bolsa-Família — que almejam o mesmo destino. Os serviços levados aos pobres devem ser cada vez mais adaptados às necessidades e às possibilidades do público mais carente, serviços que, pelo tamanho requerido, denomino aqui nanocréditos, acompanhados de um leque cada vez maior de outros serviços, do ramo que se pode chamar de nanofinanças.

Obviamente, a busca dessa nova fronteira creditícia implica formidáveis dilemas. Como chegar aos mais pobres dos pobres, permitindo a eles sair com as próprias pernas de níveis de subsistência e de estilos de vida subterrâneos e, ao mesmo tempo, garantir visibilidade de informações e compatibilidade de incentivos ao repagamento dos empréstimos e à continuidade do programa? Os pobres não devem ser protegidos dos mercados. A política deve ser justamente a oposta: dar a eles acesso sustentável aos mecanismos de mercado. O bom microcrédito faz isso, não caindo nas taxas escorchantes dos agiotas, nem sendo incensado por subsídios distorcidos. Os tubarões, os mais ferozes habitantes do mar, servem de apelido aos agiotas (*sharks*), enquanto o sol tem sido usado como símbolo da solidariedade (como, por exemplo, o BancoSol boliviano). Nessa analogia, a rota do microcrédito não é nem tanto ao sol, nem tanto ao mar. É como na instrução mitológica dada a Ícaro por Dédalo, seu pai: voar a uma altura média, não muito próximo do sol, para que o calor não derretesse a cera que colava as penas de suas asas, nem muito baixo, para que o mar não as molhasse.

O resultado geral do presente projeto são dois produtos integrados: um livro e um site na internet, composto de bancos de dados amigáveis e interativos. O livro explicita a visão dos pesquisadores sobre as maiores conquistas, percalços e desafios do principal programa de microcrédito do país. Estamos cientes de que ela percorre apenas uma rota entre as inúmeras outras possíveis, não sendo a única, ou mesmo a mais relevante. Uma função pedagógica do livro é exemplificar — como um guia — as possibilidades de uso do amplo banco de dados disponibilizado pelo projeto.

O site <www.fgv.br/cps/crediamigo> é como um mapa, que permite a cada um escolher seus objetos de estudo preferidos em diferentes destinos, como o mercado potencial de microcrédito em seu município, ou, em alguns casos, em áreas de residência. Ou ainda analisar a penetração de outros serviços de microfinanças, como, por exemplo, o seguro de vida, digamos, entre as empresárias potiguares. Os principais modelos de regressão estimados foram convertidos e disponibilizados em interfaces amigáveis no site do projeto, de forma a permitir ao interessado isolar variáveis específicas, ou simular cenários alternativos. A filosofia do Centro de Políticas Sociais da Fundação Getulio Vargas (CPS/Ibre/FGV) é avaliar experiências sociais, permitindo a cada um fazer o mesmo, a partir de sua própria perspectiva. Convido a todos a explorar esse mapa e a refletir sobre o microcrédito e o setor informal. Boa viagem!

Marcelo Neri
marcelo.neri@fgv.br
Centro de Políticas Sociais do Ibre e da EPGE,
Fundação Getulio Vargas

Introdução

Marcelo Neri

O mistério nordestino

Apesar do crescimento recente, o volume relativo de crédito no Brasil é inferior ao de países com níveis similares de renda, além de ser baixa a qualidade dos empréstimos, uma vez que o mercado de crédito brasileiro privilegia mais o consumidor do que o produtor, os empréstimos são mais de curto do que de longo prazo e atingem mais a alta do que a baixa renda. E, finalmente, quando o evento raro da cessão de empréstimos ocorre, isso se dá a taxas exorbitantes, seja pela alta taxa básica de juros (Selic), seja pelo alto *spread* financeiro envolvido nas taxas dos empréstimos. A inanição creditícia tupiniquim pode ser sintetizada no que Claudio González Vega, especialista internacional em microcrédito, chamou, em palestra proferida no BNDES em 1997, de "misterio brasileño". Por que o microcrédito pouco se desenvolveu no Brasil? De lá para cá houve iniciativas de microcrédito em diversos níveis de governo e da sociedade. Entretanto, o processamento dos dados públicos da economia informal (Ecinf), produzidos com maestria pelo IBGE, indica que o percentual de nanoempresas urbanas com crédito manteve-se estagnado entre as duas últimas edições da pesquisa (1997 e 2003). Ou seja, o "mistério brasileiro" da baixa quantidade e qualidade do crédito persistia.

Por outro lado, a mesma Ecinf demonstra, no Nordeste urbano, um crescimento diferenciado do crédito produtivo popular definido aqui como unidades conta-próprias ou empregadoras (até cinco empregados). Nessas unidades, a captação de empréstimos nos três meses anteriores à pesquisa passou de 3,97% para 6,27%, enquanto nas outras áreas urbanas brasileiras passou de 5,34% para 5,99%. O estudo revela, de modo estatisticamente significante e robusto, um crescimento creditício urbano mais forte no Nordeste do que no restante do país, o que elevou o uso efetivo do crédito entre os nanonegócios nordestinos aos níveis mais altos do país. Mas por que o crédito produtivo popular urbano, embora ainda muito baixo, se desenvolveu mais no Nordeste do que em outras regiões brasileiras? Por que "o mistério nordestino"?

Um parêntese: o precursor da literatura de mistério na área financeira foi o saudoso Stephen Goldfeld, ex-professor da Universidade de Princeton, autor do seminal *The case of the missing money*, publicado pela Brookings Papers on Economic Activity em 1976 e inspirado no detetive Poirot dos romances de Agatha Christie, que investigou as causas da superestimação da demanda de moeda americana pelos modelos da época.

Intriga o fato de o crédito produtivo, um serviço de luxo, prosperar mais no Nordeste, que era — e continua sendo — a área urbana mais pobre e informal do Brasil. Durante trabalho de campo que fiz recentemente em cinco estados do Peru para avaliar iniciativas de microcrédito, pude constatar os frutos de um programa de titulação fundiária que promovia, em certos casos e em outros não, o crescimento das operações de microcrédito. Esse programa foi proposto por Hernando De Soto no início dos anos 1990 e consolidado na tese de seu *best-seller O mistério do capital*. Segundo ele, a alta informalidade da propriedade implica deterioração da liquidez, do risco e do valor de mercado dos ativos dos pobres, que seriam uma espécie de capital morto. Assim sendo, o reconhecimento formal do direito de propriedade dos pobres ressuscitaria o capital e daria vida ao mercado de crédito de baixa renda.

Da mesma forma que nas investigações policiais se procura enxergar, pelas lentes do suspeito, o motivo do crime, na investigação de um caso de aumento de crédito, a busca do colateral é crucial, pois dele depende a motivação do emprestador. O problema da linha De Soto de investigação é que o mistério nordestino não foi antecedido por qualquer movimento de regularização da propriedade territorial urbana. Ou seja, o capital fundiário do pobre brasileiro, nordestino ou não, continua morto e enterrado a sete palmos na chamada economia subterrânea.

Observa-se, é verdade, outro tipo de atuação diferenciada do Estado no Nordeste: a expansão dos programas oficiais de transferência de renda. Isso nos leva a uma segunda linha de investigação: o efeito colateral — nesse caso quase involuntário — da expansão das políticas de transferência de renda, que aquece as transações monetárias nos mercados de produtos dos nanonegócios, por oferecer ao mesmo tempo a possibilidade de melhores garantias de empréstimos a partir de transferências sociais. Ou seja, o mistério nordestino poderia ser explicado pelo uso do fluxo de rendimentos futuros como alavanca de garantias na concessão de empréstimos. Entretanto, o grosso da expansão dos benefícios sociais urbanos, assim como a possibilidade de consignação explícita — apesar da franca expansão do movimento de colateralização de aposentadorias — são mais recentes que o aparecimento do mistério nordestino. Nesse caso, o suspeito tem um álibi.

Como a área urbana de cobertura da pesquisa Ecinf corresponde à área de atuação do CrediAmigo, associado ao Banco do Nordeste, e dada a importância relativa do programa em termos regionais e nacionais, os impactos do CrediAmigo no acesso ao crédito constituem o melhor candidato para a solução do mistério nordestino. As evidências dos microdados da Ecinf não nos permitem rejeitar a hipótese de o CrediAmigo, que completa estes 10 anos de atuação, ser o responsável-chave pelo crescimento diferenciado do microcrédito nas áreas urbanas mais pobres do país. O uso de metodologia de diferenças em diferenças controladas ou não pelas características sociodemográficas dos empresários e dos atributos de seus negócios, que envolvem uma série de outras medidas de acesso a crédito produtivo, indica um resultado estatisticamente significante e robusto de crescimento creditício urbano mais forte no Nordeste (grupo de tratamento) do que no restante do país (grupo de controle).

Em certo sentido, a tese de que o crescimento do crédito deve ter sido antecedido pela melhoria das garantias de empréstimo, o que nos levou às pistas do capital morto e da colateralização dos benefícios sociais dos pobres, é procedente. O CrediAmigo aplica em larga escala a metodologia do colateral solidário de empréstimos de grupo que deu o Nobel da Paz de 2006 ao Grameen Bank e a seu fundador, Muhammad Yunus.

Mais recentemente, a invasão (com reféns) do segmento nordestino urbano de microcrédito por grandes bancos nacionais (Real) e estrangeiros (FinSol e, prospectivamente, Azteca), usando metodologia similar à do CrediAmigo, consolida minhas suspeitas acerca do mistério nordestino. Todas essas evidências, em particular a fatia de mais de 60% do mercado de microcrédito direcionado do país baseada na tecnologia social do Grameen Bank, são, mal comparando, como uma arma fumegante nas mãos do principal suspeito: o CrediAmigo. Elementar, meu caro leitor.

O Grameen brasileiro

O fato de o microcrédito se difundir mais nas cidades brasileiras da região mais pobre do país é admirável, mas, para ser considerada uma virtude, é preciso permitir que as boas oportunidades de negócios floresçam e que as más oportunidades preferencialmente não. É preciso avaliar tanto a eqüidade quanto a eficiência alocativas da concessão do microcrédito. Nesse ponto, o CrediAmigo pode ser chamado de o Grameen Bank brasileiro, não só por usar tecnologia similar de aval solidário, também chamado de colateral social, mas pelo foco e pelos resultados obtidos pelo programa.

Aspecto urbano

Antes de traçar o paralelo proposto, é interessante começar pelas ortogonalidades. Há uma diferença básica entre o Grameen e o CrediAmigo. O nome *Grameen*, que vem de *gram* ou vila, quando adjetivado, significa "rural" ou "de vila rural", refletindo o seu foco de atuação, enquanto o CrediAmigo é um programa de cobertura urbana. Agora, essa diferença fundamental não é dos programas, mas do caso brasileiro (e latino-americano, nesse aspecto) *vis-à-vis* o caso de Bangladesh (e do Sudeste asiático), onde boa parte da população, em particular o produtor pobre, vive no campo. No Brasil, 85,8% da população moram em áreas urbanas (sendo 32% em cidades metropolitanas) e apenas 14,2% em áreas rurais. É verdade que como a pobreza rural é maior, uma proporção maior dos brasileiros pobres (30,1%) mora na área rural, mas, ainda assim, quase 70% são urbanos. O foco nordestino garante por si só a cobertura de mais da metade dos pobres (53,2%). Em suma, um programa urbano tem um potencial de ganhos de bem-estar em geral e de redução da pobreza maior do que se fosse restrito à área rural. O fato de o CrediAmigo ser urbano reflete uma adaptação à paisagem em que o Grameen tupiniquim está inserido.[1]

Aval solidário

O crédito produtivo não cria em si oportunidades, mas permite que boas — e más — oportunidades de negócio sejam aproveitadas. O que não é tarefa trivial, dada a tênue linha divisória entre finanças empresariais, pessoais e familiares, um verdadeiro Tratado de Tordesilhas. A abordagem à carência de garantias dos pobres do Grameen Bank, denominada "aval solidário" ou "colateral social" também é utilizada pelo CrediAmigo. Nesse esquema, cada membro de um grupo de tomadores de empréstimo garante o pagamento dos demais membros do grupo. Vizinhos conhecem melhor os detalhes de sua capacidade de pagamento do que uma instituição financeira jamais poderia sonhar. A disposição de se entrar num esquema do tipo "um por todos e todos por um" informa aos credores tudo que gostariam de saber sobre os devedores sem precisar investigar. O esquema do aval solidário é ilustrativo da possibilidade de soluções simples e baratas para afrouxar a restrição de crédito dos pobres.

---

[1] Outra diferença, mais aparente que fundamental, refere-se à dicotomia público/privado. O Grameen Bank, em seus primeiros anos, era ligado ao Estado, enquanto na operação do CrediAmigo o papel formal de uma ONG sem fins lucrativos é essencial.

Sustentabilidade do programa

A característica mais fundamental de um programa de crédito bem-sucedido é o retorno propiciado aos agentes envolvidos. Se os ganhos da transação penderem muito para o lado dos intermediários financeiros, a transação não é boa para os clientes e pode, ao fim e ao cabo, ser prejudicial para o emprestador, por atrair um cliente de pior qualidade, como no exemplo de seleção adversa que deu o Nobel de Economia a Joseph Stiglitz. Por outro lado, se o empréstimo embute *spreads* de juros negativos, como no caso de experiências de crédito subsidiado, o programa não será sustentável. No caso do CrediAmigo o lucro é positivo, mas não abusivo (cerca de R$ 50 por devedor ao ano), o que gera a sustentabilidade da relação com os clientes. O CrediAmigo completa 10 anos com movimento ascendente de quem está começando, projetando taxas de crescimento de sua clientela de aproximadamente 30% ao ano até 2011 — uma trajetória diversa daquela assumida por programas públicos de curto prazo.

Retorno dos clientes

A avaliação das pequenas unidades produtivas servidas pelo programa constatou taxas de crescimento de faturamento e de lucro, entre o primeiro e o último empréstimo, da ordem de 35% e taxas de aumento de consumo familiar de 20%, com redução da dependência de outras fontes de rendas, sem a existência de subsídio implícito ou explícito na operação. Exercícios controlados pelas características do empresário e do seu negócio indicam uma melhora significativa nas principais variáveis relativas ao desempenho dos negócios, em termos tanto de fluxo quanto de estoque. O lucro bruto médio dos clientes, que era de R$ 1.166, passou para R$ 1.576, um crescimento de 35,1%, resultado de um crescimento na média de recebimento de vendas de 34,6%. A única variável que apresentou redução entre os períodos foi justamente a que não tem relação direta com a ampliação do acesso ao crédito. Observou-se uma redução de 5,6% nas outras rendas da família, de uma média de R$ 359 quando do primeiro empréstimo feito pelo cliente para uma média de R$ 339 em

2006, o que pode ser considerado uma emancipação de outras fontes de renda, incluindo as públicas.

Além disso, houve um aumento de 28,2% nas despesas pessoais dos clientes e de suas famílias, que em média se elevaram de R$ 364 para R$ 466, assim como em seus valores medianos, que também se elevaram, embora um pouco menos (22,8%), de R$ 289 para R$ 355. Uma análise controlada apontou um crescimento de 13% dessas despesas relativas ao consumo das famílias entre os períodos.

As duas medidas de retorno utilizadas, por sua vez, apresentaram uma alteração maior. O retorno sobre o investimento (ROI) passou de 4,4% para 4,8% ao mês, enquanto o retorno sobre o patrimônio líquido se ampliou de 4,5% para 5% ao mês, indicando algum grau de alavancagem financeira dos resultados. Todos esses números representam valores de retorno de investimento bastante elevados.

No que se refere às variáveis de estoque, pôde-se observar, pelo balanço, que a média do ativo total de um cliente do CrediAmigo apresentou um considerável crescimento de 18,1%, passando de R$ 20.987 no momento de sua adesão ao programa para R$ 24.782 em dezembro de 2006. O cliente mediano, por sua vez, experimentou um incremento de 39% no valor de seu ativo total, o que demonstra uma convergência entre os ativos dos clientes do programa, isto é, uma melhoria relativa dos que tinham ativos mais reduzidos. Ou seja, há uma acumulação de capital dos clientes, que é a chave da porta de saída da pobreza, ou o ingresso no espetáculo do crescimento sustentável — a preços populares.

Foco nas mulheres

Uma das características mais essenciais do Grameen Bank é sua clientela predominantemente feminina (94%). Nas avaliações de microcrédito que tive a oportunidade de fazer pela América Latina observei que quem comanda os negócios são as mulheres; os homens, quando presentes, ficam observando da cadeira de balanço suas mulheres comandar as ações. São elas as verdadeiras protagonistas econômicas dos negócios da família. Nesse sentido, o microcrédito funciona como a fonte de financiamento da chamada revolução feminina. Seria isso válido no Nordeste, dada a imagem machista associada à região? Lembro-me que ainda em 2000, tecnicamente no século passado, conheci uma fábrica de fundo de quintal na periferia de Fortaleza comandada por uma menina de 15 anos que empregava 14 pessoas, a maioria parentes, na produção de calcinhas de aparente boa qualidade. A calcinha mais barata custava à época R$ 0,80 e o modelo de luxo, chamado de Tiazinha, era vendido por R$ 1.

Mas vamos aos números: 62% da clientela do CrediAmigo são mulheres, contra 38% de homens, o que inverte a proporção entre os sexos dos empreendedores urbanos, composta de 65% de homens e 35% de mulheres. Ou seja, as proporções entre homens e mulheres no CrediAmigo e no segmento dos nanoempresários urbanos nordestinos estão basicamente trocadas.

O crédito pode chegar mais às mulheres, mas isso não significa necessariamente que elas façam bom proveito das oportunidades abertas pelo programa. Os dados sobre a performance dos clientes do programa indicam que as mulheres em geral apresentam um lucro operacional 21,17% inferior ao dos homens, embora tenham apresentado, entre os dois períodos, um crescimento relativo de 4,1% acima do dos homens. Esse tipo de resultado é generalizado para as demais variáveis econômicas do negócio. Outro dado a destacar refere-se ao aumento das despesas familiares dos clientes, ou seja, àquelas não associadas ao negócio, apesar de se mostrarem 12,3% menores nas famílias das microempresárias em relação à dos microempresários, as primeiras tiveram uma melhoria relativa de desempenho de 2,1% em relação aos últimos. O consumo representa um indicador importante do ponto de vista do bem-estar social, na medida em que capta não só a situação de suprimento de necessidades presentes como de expectativas de cumprimento dessas necessidades no futuro. Em suma, para além dos atributos comuns entre o CrediAmigo e o Grameen Bank, o foco e o retorno superior obtido pelas mulheres são uma espécie de ponto G do microcrédito nacional. Heuristicamente, o microcrédito, em geral, e o CrediAmigo, em particular, funcionam como a fonte de financiamento da chamada revolução feminina, que ainda está em sua fase inicial.

Combate à pobreza

Os resultados do programa de empréstimos do CrediAmigo em termos de redução da pobreza dos beneficiários são expressivos: apenas 1,5% dos não-miseráveis cruzaram, no sentido descendente, a linha de pobreza, enquanto 60,8% daqueles que se situavam abaixo da linha de pobreza saíram dessa condição de miserabilidade. Reporto aqui os resultados a partir da linha de R$ 117, regionalizados pelo custo de vida calculado a partir da linha da FGV, que é robusta em relação às linhas de outras instituições como o Ipea, ou que usam o salário mínimo como linha de corte. Observo também que a proporção de clientes em situação inversa, ou seja, de redução da renda ao nível de pobreza, foi muito pequena, sugerindo a alta eficácia líquida do programa em retirar pessoas da condição de pobreza inicial em que se encontravam.

Em suma, dadas as características de aval solidário, sustentabilidade, retorno privado, retorno social (leia-se emancipação da pobreza), foco e retorno das mulheres e ao fato de ocupar mais de 60% do mercado brasileiro de microcrédito, o CrediAmigo pode ser considerado o autêntico Grameen tupiniquim.

A agenda futura

A melhora das condições econômicas da população associada à participação no CrediAmigo é mais geral do que a cauda inferior da distribuição de renda. Apesar de bem focado na população pobre, existe espaço para se aumentar o impacto do programa em termos de redução da pobreza. Se a expansão da transferência de renda nas áreas mais pobres talvez não ajude a resolver o mistério nordestino pregresso, dá início a uma agenda futura de políticas de natureza estrutural que talvez permita abrir as chamadas portas de saída da pobreza, levando o microcrédito até onde este nunca foi antes. Combinar o aspecto compensatório de programas como o Bolsa-Família com um programa de crédito, através da medida administrativa relativamente simples de permitir a consignação, pode fazer com que o beneficiário pobre deixe de ser pobre beneficiário e aproveite as oportunidades criadas pelo próprio programa nas áreas de saúde e educação, determinantes da produtividade individual, assim como pela injeção monetária propiciada na economia local. Isso permitiria que cada beneficiário realizasse oportunidades produtivas mais a altura de suas possibilidades. A Argentina começa agora a experimentar um programa de bancarização a partir de seus programas sociais que está sendo avaliado pelo BID e deveria ser acompanhado com atenção. Dedicarei especial atenção a esse ponto.

O projeto

O projeto de estudo do microcrédito em suas múltiplas dimensões, a partir da teoria e da prática do programa CrediAmigo, aborda tanto os seus clientes ativos quanto seu mercado potencial, formado por trabalhadores por conta própria e pequenas unidades empregadoras do Nordeste urbano brasileiro. Examina as relações dos clientes presentes e futuros do microcrédito com a informalidade e o mundo financeiro, enfatizando mecanismos de garantia das operações e a complementaridade com outros serviços de microfinanças. Outro ponto investigado é a relação entre o microcrédito e o combate à pobreza em termos empíricos, conceituais e de desenho de políticas públicas. A análise explicita quem são os clientes do microcrédito e o impacto deste em seus negócios e em suas vidas.

O objetivo final é subsidiar a aplicação de ações de incremento do acesso ao crédito e da qualidade do acesso ao crédito nas atividades microempresariais urbanas nordestinas. É dada ênfase à análise das limitações, dos recursos e das atitudes dos pequenos empresários no que se refere à área creditícia. A expansão das ações de apoio ao acesso ao crédito representa um grande desafio para uma instituição como o Banco do Nordeste. Há que se optar pela melhor forma de realizar esse esforço, uma vez que um apoio diferenciado ao acesso a mercados no varejo implicaria aumentar ainda mais a capilaridade da oferta na rede de serviços da instituição. A proposta aqui é a provisão de um sistema de informações, de modelos de análise e de um marco conceitual, a fim de propiciar ao CrediAmigo insumos para serem incorporados ao desenho e à implantação de suas estratégias de expansão. O primeiro elemento foi a elaboração deste livro aplicado ao Nordeste urbano como um todo e sua comparação com o segmento urbano do restante do país, tendo segmentos específicos como guias práticos para a aplicação do sistema de informações disponibilizado no âmbito do projeto para estados e localidades específicas. O segundo elemento foi a criação de um site na internet para permitir a divulgação das análises a um amplo conjunto de usuários de forma interativa e amigável. Tanto o livro quanto o site têm linguagem acessível e são acompanhados de notas explicativas para facilitar a navegação e o entendimento dos usuários. Foram abordados de forma pedagógica e seqüencial os diversos exercícios empíricos, que são na verdade extensões do mesmo tipo de análise. As metodologias empíricas — desde análises bivariadas até a análise de diferenças-em-diferenças, baseada em regressões com controles e variáveis com termos interativos — serão "didatizados" mediante a realização de simuladores e panoramas com vídeos pedagógicos e *pop-ups* explicativos no site do projeto, complementados com anexos técnicos e caixas de texto amigáveis ao longo do livro.

Esse conjunto de instrumentos visa propiciar a incorporação de conteúdo conceitual e empírico nas decisões tomadas, respeitando as especificidades dos negócios individuais, das localidades e dos segmentos de mercado em questão, mas ao mesmo tempo uniformizando, pelo menos em parte, o tratamento empírico dado. O objetivo último é, através de análises quantitativas e qualitativas do mercado efetivo e potencial de microcrédito, propiciar ações que permitam ao programa CrediAmigo aproveitar as oportunidades de mercado disponíveis. O trajeto passa por um maior conhecimento do mercado, uma melhor definição do público-alvo e das estratégias adotadas, a fim de levar o crédito produtivo até onde ele não costuma ir.

O livro contém: o marco conceitual de estruturação das ações de acesso ao crédito, combinando elementos teóricos e institucionais, assim como análises empíricas, a partir das bases existentes; a aplicação ao universo dos pequenos negócios do Nordeste urbano, a fim de formar modelos de análise decisória passíveis de generalização para os estados nordestinos e segmentos específicos dentro desse universo; a identificação do perfil sociodemográfico dos microempresários em relação a uma série de temas e subtemas ligados ao crédito *vis-à-vis* outros tópicos, como os relacionados com políticas de apoio a pequenos negócios e mesmo a políticas sociais; o mapeamento das características do mercado corrente e potencial de microempresas; e a estruturação do sistema de monitoramento dos pequenos produtores urbanos.

O site na internet contém um sistema de informações com panoramas e simuladores amigáveis de variáveis discretas, a partir de tabulações bivariadas e modelos multivariados (por exemplo, probabilidades de acesso a crédito produtivo — binomiais —, ou razões para não se querer ter acesso a crédito — multinomiais) e de variáveis contínuas, a partir de regressões (por exemplo, valor do crédito de acordo com os atributos do negócio, do microempresário, domiciliares e geográficos); um completo banco de dados que permite a consulta de informações e a geração de gráficos e tabelas de forma simples; e um banco de dados georreferenciado para ser incorporado ao sistema de geoprocessamento do CrediAmigo. Esses instrumentos otimizarão e facilitarão a consulta, o processamento e a análise das informações locais.

O livro: objetivos e estrutura

Este livro traça, a partir de um arcabouço conceitual e empírico, um diagnóstico do maior programa de crédito produtivo popular do país, abordando o papel do microcrédito em geral na vida dos pequenos produtores do Nordeste urbano. Avalia o perfil socioeconômico dos clientes correntes do CrediAmigo, assim como do conjunto de pessoas físicas e jurídicas de menor porte do Nordeste urbano — os trabalhadores por conta própria e empregadores —, a partir da combinação de dados administrativos do programa com um amplo acervo de bases de microdados. A análise inclui, portanto, tanto clientes ativos do programa quanto clientes potenciais do microcrédito, pertencentes aos segmentos formais e informais dos mercados de trabalho, bens e serviços financeiros e não-financeiros. Um objetivo paralelo é reunir, analisar e disponibilizar o maior acervo de informações já reunido sobre o funcionamento, as limitações e as potencialidades do chamado setor informal nordestino, e sua relação com o crédito. Dá-se especial ênfase ao acesso, à utilização e ao retorno de serviços financeiros diversos das pequenas unidades produtivas.

Este livro processa, pela primeira vez, a base de dados do cadastro dos clientes do programa e seus demonstrativos de resultados e balanços. Essa base oferece a oportunidade ímpar de se acompanhar, no universo dos clientes do programa, a evolução individual de seus quadros completos de fluxos e estoques, integrando pessoas jurídicas e físicas. A partir disso, foi possível examinar certas características do programa CrediAmigo, algumas baseadas em experiências bem-sucedidas em outros países, e outras idiossincráticas ao programa. Foram analisados, em particular, o esquema de empréstimos a grupos com responsabilidade conjunta e questões correlacionadas com a capacidade de se resolver problemas de assimetria de informações, a fim de atingir os segmentos mais pobres da sociedade, que estão à margem do setor bancário tradicional. Foram estudadas as interações do programa com políticas públicas diversas, em particular com programas de transferência de renda como o Bolsa-Família, aposentadorias e pensões. E também discutida a possibilidade de arranjos complementares para aprimorar as informações do programa acerca de seus clientes e, em conseqüência, para expandir o crédito a um número maior de pessoas sem comprometer a adimplência e o retorno do programa. De maneira geral, a pesquisa revelou a importância estratégica do CrediAmigo, o maior programa de microcrédito produtivo orientado do Brasil, o qual, pelo êxito que vem alcançando e pela metodologia de crédito solidário que utiliza, pode ser intitulado de o "Grameen Bank brasileiro".

Além desta introdução contendo os objetivos do projeto, o livro está organizado em capítulos, complementados por anexos técnicos. O primeiro capítulo oferece uma visão conceitual geral do microcrédito, em particular do CrediAmigo e do Grameen Bank, analisando suas principais características e mecanismos utilizados, que serão depois comparados à estrutura adotada por outros programas latino-americanos e brasileiros. O segundo detalha a metodologia empírica adotada ao longo do livro, descrevendo cada base de dados e as técnicas econométricas utilizadas. O terceiro capítulo apresenta, a partir da Pesquisa Nacional por Amostra de Domicílios (Pnad), as principais características dos donos de negócios no Nordeste urbano, funcionando como um mapeamento do mercado de clientes passíveis de serem incorporados ao programa, suas famílias e o ambiente social em que estão inseridos, além de conter uma análise da evolução temporal dessas variáveis, sua comparação com o restante do país e de como o lucro desses negociantes se diferencia para cada conjunto de características. A Pesquisa de Orçamentos Familiares (POF) também foi utilizada para analisar variáveis ligadas a percepções subjetivas dos indivíduos. O quarto capítulo analisa em detalhe, a partir da Pesquisa de Economia Informal, os determinantes do acesso ao microcrédito e o papel dos colaterais. O capítulo seguinte trata do crescimento diferencial do acesso ao microcrédito no Nordeste na fase posterior ao CrediAmigo, a fim de investigar as causas do chamado mistério nordestino. E, em seu final, traça, a partir da Ecinf, um panorama mais amplo do acesso a outros serviços de microfinanças. O sexto capítulo estima as correlações entre o uso do microcrédito e a performance microempresarial. O sétimo descreve o programa CrediAmigo e analisa brevemente o perfil de seus clientes, assim como de seus negócios e dos empréstimos por eles tomados junto ao programa, examinando algumas das mudanças ocorridas entre a época do primeiro empréstimo e a posição em 31 de dezembro de 2006. O oitavo capítulo calcula as probabilidades de os clientes do CrediAmigo e suas famílias entrarem e saírem da pobreza e as principais variáveis associadas à saída da pobreza, com destaque para as variáveis dos empréstimos. O nono capítulo discute conceitualmente a relação entre crédito e combate à pobreza e os desafios associados — o que também é, em parte, analisado de forma mais aplicada pelo capítulo seguinte a partir da última POF. O capítulo 10 descreve o acesso e o uso de crédito, bem como o potencial de inadimplência dos trabalhadores por conta própria e dos empregadores como pessoas físicas, logo clientes potenciais do CrediAmigo. O capítulo 11 descreve a cobertura espacial do acesso a serviços financeiros na área de atuação do CrediAmigo. Na conclusão são resumidas as principais evidências do estudo.

1

Microcrédito: teoria e prática

Marcelo Neri
Gabriel Buchmann
Helen Harris
Ana Andari

Éramos pobres... Economicamente, nos levantamos.
Homem, Peru

Ninguém manda em mim mais, pois ninguém me mantém.
Mulher, México

Sou pai e mãe... Graças ao empréstimo me levantei, após ter contraído uma dívida — e isso me ajudou a não perder a minha casa. Hoje, minha loja vai bem e tenho tantas mercadorias que é preciso expô-las na calçada.
Mulher, Nicarágua

Um pouco da história do microcrédito

Na metade do século XX, governos do mundo inteiro decidiram apoiar iniciativas de fornecimento de crédito em larga escala para os menos favorecidos, especialmente em áreas rurais. Estratégias de redução da pobreza via crédito subsidiado foram abundantes entre as décadas de 1950 e 1980. Mas essa primeira tentativa de disseminação do microcrédito foi um fracasso generalizado, devido principalmente à ineficiência, à corrupção e a taxas de juros altamente subsidiadas, que acabaram gerando altíssimas taxas de inadimplência, custos crescentes dos subsídios, cooptação dos benefícios por aqueles politicamente mais favorecidos[1] e, conseqüentemente, racionamento de crédito. Os bancos

[1] Adams e Von Pischke, 1992.

tiveram que reduzir os juros dos depósitos para compensar os baixos juros dos empréstimos e, no fim das contas, pouca poupança foi coletada, pouco crédito fornecido e as taxas de inadimplência explodiram quando os tomadores perceberam que os bancos não durariam muito tempo. Segundo Berger e outros (2006), "ironicamente, o crédito barato visando a reduzir a desigualdade acabou tornando-a ainda mais severa".

A experiência do Grameen Bank foi um ponto de mutação nesse enredo. O Grameen fez importantíssimas contribuições metodológicas para o campo das microfinanças, hoje utilizadas por grande parte das instituições ao redor do mundo. Entre as principais estão a utilização de empréstimos solidários como mecanismos de seleção de tomadores e garantias, volumes de empréstimos adaptáveis e com termos sazonais, a visão de um banco proativo que "vai em direção às pessoas" e a utilização de micropoupanças e microsseguros como parte da gama de produtos oferecidos. O Bank Rayat, da Indonésia, por sua vez, foi um dos primeiros a demonstrar que as microfinanças poderiam ser lucrativas. Suas principais inovações foram mecanismos de incentivos relacionados aos funcionários do banco e um modelo simples e *low-tech* de gerenciamento de um sistema de informação sem computadores.

Enquanto o Grameen Bank engatinhava em Bangladesh, aqui também, no continente, uma série de experiências começava a surgir. Pode-se dizer que a primeira iniciativa do continente nessa nova onda do microcrédito foi o Projeto Uno, de Recife. Esse projeto, baseando-se no princípio de que a agilidade na aprovação e no desembolso de empréstimos costuma ser mais importante para os tomadores do que a taxa de juros em si, introduziu o procedimento de funcionários jovens e proativos que íam a campo, estabeleciam relações pessoais com os clientes e se responsabilizavam por todos os aspectos do ciclo do empréstimo, desde a origem até a recuperação. Outras iniciativas pioneiras foram um fundo para os *tricicleros* da República Dominicana e o Fedecrédito em El Salvador. Na América Latina, foram criados inúmeros programas de provisão de microcrédito, como BancoSol, Caja Los Andes, Prodem, FIE e Sartawi, na Bolívia; a Caja Social, na Colômbia;

Adopem, na República Dominicana; a Financiera Calpiá, em El Salvador; Compartamos, no México; MiBanco, no Peru; e o CrediAmigo, no Brasil.[2]

Definições de microcrédito e de microfinanças

As últimas décadas presenciaram o advento de tecnologias que possibilitaram o acesso a crédito a milhões de indivíduos excluídos do setor financeiro tradicional, no que ficou conhecido como microcrédito. O termo "microcrédito" encontra diferentes definições. Para Gulli (1998), consiste em serviços financeiros de pequena escala, isto é, que envolvam valores baixos, enquanto Schreiner (2001) não define o termo pelo valor emprestado, mas como o crédito concedido a pessoas de baixa renda. Combinamos aqui as duas definições, designando como microcrédito os empréstimos de baixo valor concedidos a pessoas de baixa renda.

O microcrédito se encaixa no campo das microfinanças e envolve o fornecimento de crédito a clientes não atendidos pelo setor bancário tradicional, abarcando apenas o setor de empréstimos. Já microfinanças referem-se a uma gama de serviços financeiros diversos, que incluem microcrédito, micropoupanças, microsseguros, crédito imobiliário, remessas de imigrantes, para citar apenas os principais. Outros exemplos de programas no campo das microfinanças seriam a abertura de postos bancários no comércio tradicional (por exemplo, padarias e mercearias), o que foi recentemente liberado pelo Banco Central, e mesmo programas de regularização fundiária, caso se adote um sentido ainda mais amplo.

As instituições de microfinanças fornecem serviços financeiros a clientes que foram excluídos do setor bancário formal, buscando servir pessoas que as instituições bancárias tradicionais não consideram valer a pena atender e tendo como principais clientes microempreendimen-

[2] Segundo Mezerra (2003), em pesquisa para a OIT, em 2000 havia no Brasil cerca de 6 milhões de clientes prováveis de microcrédito com uma demanda de aproximadamente R$ 11 bilhões; porém, nessa mesma época, as instituições de microcrédito só atendiam por volta de 115 mil clientes com uma carteira ativa de tão-somente R$ 85 milhões. Assim, fica claro o quanto o microcrédito pode crescer no Brasil.

tos (ou nanonegócios). Pode-se entender por microempreendimentos atividades econômicas independentes que envolvam um volume reduzido de recursos, o que compreende desde um vendedor ambulante até uma lojinha com poucos empregados, incluindo qualquer negócio entre esses extremos. Apesar de pequenas, essas atividades podem ser consideradas empresas na medida em que envolvem agentes que assumem riscos com seus próprios ativos. Esses microempreendimentos, por sua natureza tipicamente informal e muitas vezes familiar, freqüentemente não possuem documentação legal, propriedades, nem tampouco salários regularizados, que consistem nas garantias exigidas pelas instituições bancárias tradicionais. A chave do sucesso das microfinanças, portanto, é desenvolver produtos e tecnologias que permitam prover serviços financeiros a esses clientes de forma sustentável. Isso se tornou possível com o desenvolvimento de tecnologias de sistemas e métodos de gerenciamento de risco que permitem a concessão de empréstimos a esses indivíduos com sérias restrições de ativos, sem documentação formal de renda e sem histórico de crédito. Criaram-se, assim, canais viáveis de distribuição de empréstimos, conseguindo-se reduzir os custos de transação dos pequenos empréstimos e superar os altos custos fixos unitários associados aos empréstimos muito pequenos, o que sempre foi um entrave para o acesso dos pobres ao crédito.

Resumindo, as microfinanças têm por objetivo aumentar a capilaridade do sistema financeiro nos seus diversos segmentos, dando ênfase especial ao crédito, e também à poupança e ao seguro, e podem ser percebidas como uma provisão de serviços financeiros de pequena escala para negócios e famílias tradicionalmente mantidas à margem do sistema financeiro.

Assimetria de informações e restrição de crédito

A relação entre credores e devedores é marcada pela assimetria de informações. Há dois principais problemas descritos na literatura: seleção adversa e risco moral. A primeira envolve o desconhecimento do credor com relação ao tipo do tomador, isto é, o emprestador não sabe quão propenso ao risco o tomador é, quão honesto, quão responsável etc. Já o risco moral envolve falta de informação do emprestador sobre o tipo de ação que o tomador pode vir a tomar, nesse caso específico, o que o tomador fará com o empréstimo, que tipo de investimento escolherá. Em artigo seminal, Stiglitz e Weiss (1981) descrevem como se dá o racionamento do crédito em equilíbrio. Segundo os autores, o retorno do banco não cresce sempre com o aumento da taxa de juros, pois, a partir de certo ponto, um aumento nos juros causa redução na qualidade média dos tomadores, ao atrair tomadores mais dispostos a assumir grandes riscos e ao aumentar sua propensão a realizar investimentos mais arriscados, reduzindo assim a taxa de adimplência, devido a um problema de seleção adversa e/ou de risco moral. Existe uma taxa de juros que torna máximo o retorno do banco e, se para essa taxa de juros houver mais demandantes de crédito que ofertantes, haverá racionamento de crédito, isto é, muitos agentes não terão acesso a crédito mesmo estando dispostos a pagar taxas de juros mais altas por eles. Esses aspectos estão resumidos no "Anexo ao capítulo 1".

A existência de assimetrias na avaliação de contratos entre credores e devedores proporciona uma quantia menor de crédito disponível do que a demandada. Grande parte do problema se deve ao fato de o devedor tipicamente dispor de conhecimentos e tecnologia não compartilhados pelo emprestador, caso contrário o emprestador seria também o empreendedor.

Há uma extensa literatura sobre o papel das garantias que suprem essas falhas de mercado de natureza informacional. Coco (2002) é um dos que destacam o uso do colateral para resolver parcialmente esse problema, uma vez que a oferta de garantias como lastro de financiamentos permitiria superar assimetrias de informação, dispensando custosos processos de busca e monitoramento. Entretanto, os ativos dos pobres não são em geral garantias válidas de empréstimos, uma vez que estes não possuem nem propriedades regularizadas, nem fluxos de renda comprováveis.

Dessa forma, o problema dos pobres não se restringe à carência de ativos ou de oportunidades, estende-se também à baixa qualidade desses ativos, que diminuem a capacidade deles de aproveitar as parcas oportunidades disponíveis. Berger e Undell (1998), analisando a disponibilidade das fontes de crédito em função do tamanho, da idade e da disponibilidade de informações da empresa, demonstram que empresas pequenas e recém-criadas, provavelmente sem colateral, são em geral financiadas pela família e pelos amigos do empreendedor. Somente quando as empresas crescem é que obtêm acesso a crédito por intermediação financeira e rede bancária. Por conseguinte, se o indivíduo não tiver capital inicial próprio ou conhecidos que o tenham, dificilmente terá acesso a capital produtivo através do setor financeiro tradicional, e sua única opção será apelar para agiotas.

Algumas soluções já foram propostas para o problema da falta de colateral dos pobres. Boa parte do problema informacional poderia ser, por exemplo, em tese, contornado pela constituição do bem financiável em um colateral adequado para empréstimos, como no caso de duráveis e automóveis. No que se refere ao crédito habitacional, a imobilidade do ativo objeto do financiamento possibilita que este seja usado como garantia de si mesmo, mas a alta informalidade das habitações acaba sendo um sério empecilho.

As múltiplas dimensões do microcrédito

Uma das razões principais do fascínio e da admiração despertados pelo microcrédito é que ele parece ser uma potencial solução ganha-ganha — o que os economistas chamam de melhora no sentido de Pareto —, uma vez que tanto as instituições quanto os clientes se beneficiam. Isso é ilustrado pelo fato de que, enquanto alguns vêem as microfinanças como uma estratégia de redução da pobreza, outros enxergam a experiência como uma inovação dos bancos para aumentarem seus lucros.

O microcrédito, na verdade, pode ser encarado, em uma ou mais dimensões, como uma política pública realizada com o espírito privado, devendo-se seu sucesso principalmente ao fato de se alicerçar em mecanismos de incentivos, o que permite atingir resultados eficientes. Com isso, as instituições privadas maximizadoras de lucro se beneficiam, por ampliarem seu portfólio com novos clientes antes considerados não atraentes, ao mesmo tempo em que contribuem para o combate à pobreza, mediante o fornecimento de serviços financeiros a pessoas de baixa renda antes à margem do sistema financeiro.

Suas características combinam virtudes admiradas por correntes de pensamento as mais diversas. Enquanto pessoas mais à esquerda destacam aspectos como o foco na comunidade e em mulheres, e a ajuda aos menos favorecidos, as mais à direita salientam a idéia de reduzir a pobreza via incentivos ao esforço e ao trabalho, seu aspecto não-governamental e o uso de mecanismos de mercado.

A dimensão social

As experiências demonstram que se o microcrédito for bem aplicado funciona como alavanca para a melhoria da renda e das condições de vida dos seus clientes. São muitos os casos em que esses programas geraram uma verdadeira revolução, ao ajudarem milhares de pessoas a sair da pobreza e mesmo da indigência. O microcrédito promove uma espécie de choque de capitalismo nos pobres, permitindo aos sem capital acesso a capital produtivo. Com recursos e confiança, o pobre consegue realizar investimentos que podem servir de porta de saída estrutural da pobreza.

Além disso, o produtor pobre consegue estabelecer uma história de crédito e confiança, e os membros da família experimentam um aumento de auto-estima, dignidade e capacidade, dadas as oportunidades criadas pelos serviços de acesso ao crédito. Para Muhammad Yunus (1999), que fundou o Banco Grameen e é um pioneiro do microcrédito, o direito ao crédito financeiro deveria ser um direito universal, devido ao seu imenso potencial de impacto social. Segundo Yunus, o que os mais pobres necessitam é de dinheiro e não de treinamento, pois de alguma forma eles já possuem uma habilidade geradora de renda, faltando-lhes capital para concretizar ou dinamizar essa capacidade. Segundo ele, o microcrédito, apesar de seu grande potencial para retirar pessoas da pobreza, não deve ser visto como uma política assistencialista. Deve ser administrado, por gestor privado ou mesmo por gestor público, mas sempre de forma a propiciar retornos positivos, para poder ser sustentável. O perdão de dívidas, por exemplo, é extremamente nocivo a qualquer negócio de microcrédito, pois prejudica sua reputação, tornando não-críveis ameaças de punição à inadimplência e gerando incentivos incorretos para os devedores. O que Yunus recomenda, por exemplo, é que, diante de choques adversos para os devedores, as dívidas sejam alongadas e as prestações reduzidas, mas nunca perdoadas.

Em sua dimensão social, além dos benefícios diretos do acesso ao crédito, o microcrédito gera incentivos para que seu cliente se envolva em atividades produtivas para poder pagar sua dívida, o que faz com que ele se esforce para aumentar sua renda. Além de política social, o microcrédito é uma política de desenvolvimento econômico, uma vez que gera aumentos de produtividade, lucro e estabilidade no setor das microempresas.

A dimensão da instituição financeira

O desafio do microcrédito não é apenas realizar operações com montantes reduzidos e conseguir chegar aos menos favorecidos, é efetuar esses empréstimos e "conseguir o dinheiro de volta" de forma lucrativa. Economias de escala são importantes, mas o tamanho mínimo do portfólio necessário para que uma instituição seja sustentável não é tão grande quanto se imaginava. As instituições de melhor desempenho na América Latina demonstraram que com US$ 1 milhão é possível alcançar boas taxas de retorno.

A lucratividade média mundial das instituições, calculada pelo Boston Consulting Group, é de 13%. As instituições financeiras latino-americanas incluídas no *MicroBanking Bulletin* relataram em média 15,6% ROE (*return on equity*), contra 12,4% das asiáticas. Além disso, pesquisa recente do The Microfinance Exchange (MIX) e do *MicroBanking Bulletin* mostrou que são necessários em média de cinco a sete anos para que uma instituição de microcrédito se torne sustentável.

Os três caminhos possíveis rumo à sustentabilidade e à lucratividade, segundo Berger (2006), seriam:

- *upgrading*, que envolve a criação de uma instituição financeira regulada por uma ONG. Fortalece-se uma instituição sem fins lucrativos e depois ela é transformada em instituição lucrativa. O custo de *upgrading* é considerado o mais elevado dos três;

- *downscaling*, que consiste em instituições financeiras já estabelecidas passarem a abarcar microclientes. Bancos em *downscaling* geralmente começam com microempreendimentos maiores e só quando adquirem certo *know-how* passam a se expandir na direção de clientes menores. Segundo Beatriz Marulanda (2006), instituições financeiras formais entram no mercado de microcrédito basicamente por três razões: por ser um nicho de mercado lucrativo, para diversificar produto e mercado, e para preencher uma função social;
- *greenfields*, que envolvem a criação de instituições totalmente novas.

Características e tecnologias das microfinanças

A restrição ao crédito para indivíduos menos favorecidos está relacionada a dois grupos de fatores principais: a) o alto custo operacional das pequenas operações; e b) a falta de garantias e de informações (curtas histórias de crédito) e dificuldades de monitoramento. Os programas de microcrédito obtiveram sucesso exatamente por desenvolverem tecnologias e inovações que tornaram possível contornar esses obstáculos. Vejamos as mais importantes inovações utilizadas por grande parte das experiências de microfinanças.

Empréstimo solidário

Provavelmente, a principal contribuição metodológica para o campo do microcrédito foi o empréstimo solidário (*group lending*), que consiste na concessão de crédito não a um indivíduo, mas a um grupo de indivíduos, que tomam empréstimos juntos e são conjuntamente responsáveis (*joint liability*) por seu pagamento. Nesse esquema, cada membro de um grupo de tomadores de empréstimo garante o pagamento dos demais membros do grupo, sendo esse mecanismo, por isso, também conhecido como colateral social. Ou em linguagem mais técnica: "os membros do grupo monitoram uns aos outros e, através de responsabilidade conjunta, modificam os retornos esperados, contingentes ao estado da natureza, dos empréstimos de seus membros, transformando-os em ativos com outro patamar de risco-retorno".[3] Isto é, cada membro do grupo toma um empréstimo e o aplica em atividades que produzem retornos diferentes, possivelmente não-correlacionados, ou seja, se o empreendimento de um vai mal em algum estado da natureza, o empreendimento de outro pode ir bem. Se os membros do grupo estão ligados pela responsabilidade mútua do pagamento de seus empréstimos, o conjunto de empréstimos ao grupo pode ser encarado como um ativo com características diferentes daquele da carteira de empréstimos individuais do grupo.

O grande segredo desse mecanismo é que vizinhos conhecem melhor os detalhes da capacidade de pagamento uns dos outros do que uma financeira jamais poderia sonhar. Ao se transformar vizinhos ou pessoas da comunidade em co-signatários de um empréstimo, mitigam-se problemas de assimetria informacional entre emprestadores e tomadores, mediante a exploração de mecanismos que envolvem capital social e facilidade de monitoramento. Vizinhos têm incentivos para monitorar uns aos outros (*peer monitoring*) e excluir a participação de tomadores arriscados no grupo, possibilitando adimplência mesmo na ausência de colateral.

O uso de associações nesse processo pode aumentar o poder de pressão (*peer pressure*) para que os empréstimos sejam pagos, utilizando-se para isso o capital social dos indivíduos e, no caso de inadimplência, recorrendo a punições que podem envolver desde punições coletivas subjetivas, como a perda de capital simbólico dentro da comunidade, até mesmo agressões físicas, ou qualquer outro tipo de sanção social.

Outra chave do sucesso desse tipo de esquema, conforme demonstrado por Ghatak (1999), é que a responsabilidade conjunta proporciona incentivos para que os grupos sejam formados por indivíduos semelhantes, ou seja, tomadores mais arriscados tendem a se unir com mais arriscados e vice-versa, uma vez que não há benefício mútuo na união de tomadores diferentes. Esse processo de seleção (*sorting*) é importante, na medida em

[3] Prescott, 1997:24.

que mitiga o problema da seleção adversa, por permitir aos bancos cobrarem taxas diferenciadas de grupos diferenciados, de acordo com sua capacidade de repagamento, o que ajuda a gerar altos índices de adimplência e taxas de juros menos elevadas, aumentando o bem-estar social.[4]

Outro aspecto fundamental do empréstimo solidário é o chamado monitoramento dos pares (*peer monitoring*), que se alicerça na maior capacidade de pessoas próximas monitorarem umas às outras, o que acaba induzindo os tomadores a não assumirem riscos excessivamente elevados, atenuando o problema do risco moral.[5] Com isso, os bancos podem cobrar juros menores e aumentar sua taxa de adimplência. O esquema do crédito solidário é ilustrativo da possibilidade de soluções simples e baratas como meio de afrouxar as restrições de crédito dos pobres.

Existem ainda os problemas inerentes à formação de grupos. Para que esse tipo de esquema funcione a contento, deve haver um forte elo de ligação entre os membros do grupo. Mas é um assunto controverso se pessoas têm maior propensão a impor sanções mais duras ou mais leves a pares próximos do que a pares mais distantes.

Incentivos dinâmicos

Uma estratégia muito usada, que explora as interações repetidas entre tomadores e emprestadores, é criar a seguinte regra de interação: o banco fornece empréstimos crescentes ao longo do tempo (*progressive lending* ou *step lending*), condicionados ao pagamento dos anteriores, e não renova o empréstimo se ocorrer o contrário. Essa ameaça crível de não renovação do contrato com os tomadores no caso de calote (*default*), reforçada pelo esperado fluxo futuro crescente de empréstimos, atua como um forte incentivo ao pagamento.

Além disso, o fato de se começar a relação com pequenos montantes permite ao banco testar os tomadores antes de expandir o valor do empréstimo, e separar os maus tomadores antes da expansão.[6]

---

[4] Ver também Varian, 1989; e Armendaris e Gollier, 1997.

[5] Stiglitz, 1990; e Besley e Coate, 1995.

[6] Ghosh e Ray, 1996.

É fundamental também que o relacionamento não tenha um fim definido, para evitar a dificuldade clássica de todos os relacionamentos com horizontes finitos, que é o incentivo ao calote no último período, que, por indução retroativa, acaba por desincentivar o primeiro pagamento.

Calendário de pagamentos regulares

Diferentemente de modalidades tradicionais de crédito, nas quais empréstimos de um ano são devolvidos com juros ao final do ano, em boa parte dos programas de microfinanças o pagamento se dá de forma regular e se inicia pouco tempo após o desembolso. Na fórmula do Grameen Bank, por exemplo, calcula-se o total do montante devido, divide-se por 50, e o pagamento é feito semanalmente, começando apenas duas semanas após a concessão do empréstimo.

Isso traz algumas vantagens. Primeiro, discrimina os tomadores menos disciplinados dos responsáveis, ajudando-os a prever futuros problemas. Segundo, permite ao banco receber de volta o dinheiro antes que este seja consumido ou gasto em algo indevido. Terceiro, como pagamento começa antes do retorno do investimento em questão, é necessário que a família tenha alguma renda inicial, o que faz com que o banco assuma um risco menor de inadimplência e não dependa apenas do risco do empreendimento.

Foco nas mulheres

Há algumas razões para que ter mulheres como tomadoras seja vantajoso para um programa de microcrédito. Primeiramente, as mulheres em geral apresentam menor mobilidade, reduzindo o risco de o cliente "pegar o dinheiro e sumir". Além disso, há também motivos culturais muito fortes. Mulheres parecem ser mais sensíveis a punições sociais, como a hostilidade verbal. Evidências empíricas mostram também que as mulheres investem mais na educação e na saúde dos filhos do que os homens, por isso, um investimento social na família através da mulher tem maior probabilidade de aumentar o bem-estar familiar, fato importante a ser considerado se a idéia de um programa é melhorar as condições de vida dos pobres. Ademais, as mulheres são geralmente menos favorecidas que os homens e, em muitas culturas, têm um *status* social inferior ao deles. Logo, o microcrédito seria uma ferramenta de redução da desigualdade de renda entre os sexos. As várias experiências de banco da mulher buscam financiar a chamada revolução feminina. No caso brasileiro, a maior escolaridade feminina (um ano a mais de estudo) e a crescente presença de famílias chefiadas por mulheres na população tornam mais altos os impactos individuais e familiares da ferramenta creditícia.

Contato direto e pessoal dos agentes

Um dos segredos do sucesso do microcrédito é a lealdade dos clientes, conseguida pela confiança das instituições na sua clientela e pelos bons serviços fornecidos a ela. É necessário conhecer bem os clientes e buscar produtos que satisfaçam suas necessidades. Um traço relevante de diversos programas de microcrédito, que os diferenciam do fornecimento de crédito tradicional, é que há contato direto e pessoal entre o funcionário da instituição emprestadora e seus clientes. Boa parte dos programas possui um razoável número de funcionários, que se dirigem aos clientes em potencial para divulgar informações a respeito do microcrédito e acompanham toda a trajetória do empréstimo, desde o desembolso até o pagamento, e que muitas vezes são remunerados de acordo com seu desempenho, o que faz com que os diversos incentivos aplicados aos vários atores envolvidos estejam alinhados com o sucesso da iniciativa.

A questão dos subsídios

Diversos especialistas, baseados em grande parte nas experiências malsucedidas do passado, aconselham que os empréstimos e seus juros não sejam substancialmente subsidiados. Segundo Robinson (1988-1995), clientes de microcrédito tendem a pegar emprestado o mesmo valor, independentemente de as taxas de juros terem ou não crescido um pouco, ou seja, a demanda por microcrédito seria pouco sensível a variações na taxa de juros. Nesse sentido, subsidiar o crédito poderia não ser uma boa política, pois, além de desnecessário, o crédito subsidiado acaba sendo limitado em volume. As instituições que emprestam crédito subsidiado são menos propensas à sustentabilidade, pois têm pouco incentivo à eficiência. Nessas instituições, há incentivo à corrupção dos funcionários, que, diante de uma demanda maior de crédito que a oferta disponível, começam a cobrar ágio para liberá-lo. Geralmente o crédito subsidiado está ligado a elites que capturam benesses estatais fazendo com que esse crédito não chegue aos mais necessitados.

Outras características essenciais para um projeto de microcrédito bem-sucedido são: tecnologia adequada de crédito, bom sistema de tecnologia da informação, sistema de gerenciamento de risco e governança corporativa eficiente, além de capital humano, aí incluídos conhecimento do sistema bancário, empresarial e financeiro e práticas de gerenciamento.

Complementaridade entre microcrédito e programas sociais

Outro ponto (que será explorado em seções posteriores) é o aproveitamento de economias de escala e de escopo nas operações de políticas públicas destinadas a um grande número de pessoas. Por exemplo, o cadastro da população de baixa renda elaborado para permitir seu acesso a programas sociais pode ser aproveitado por instituições creditícias, que se beneficiam desse custo já ressarcido. Complementarmente, a análise comparativa dessas informações, feita em conjunto pelos programas, proporciona economias de escopo. O aumento da quantidade de informações incorporadas às decisões relativas a contratos de crédito pode também magnificar as percepções de outros gestores públicos.

Outra possibilidade relacionada com a combinação do microcrédito com outras políticas públicas é a idéia de colateralizar a renda advinda de programas de transferência de renda condicional, como o Bolsa-Família. Essa proposta busca conciliar ao mesmo tempo instrumentos de políticas públicas e do mercado privado para promover uma saída estrutural da pobreza e a inclusão social de longo prazo.

O CrediAmigo

O CrediAmigo, que será detalhado no capítulo 7 deste livro, oferta hoje sozinho mais microcrédito que todos os outros programas brasileiros juntos. Ele permite o acesso de produtores pobres ao crédito, graças à metodologia de aval solidário, em que três a 10 microempresários formam um grupo, que se responsabiliza pelo pagamento integral dos empréstimos. A falta de capacidade do empreendedor de baixa renda de oferecer garantias e colaterais físicos — o que o impede de tomar crédito convencionalmente — é compensada por esse compromisso coletivo. Em 2004, a taxa de inadimplência do CrediAmigo foi de 0,84%.

O CrediAmigo oferece um serviço que atende aos clientes no próprio local em que eles desenvolvem seu negócio. O crédito é liberado em até sete dias úteis. Os primeiros empréstimos variam de R$ 100 a R$ 2 mil. Os empréstimos que envolvem capital de giro com aval solidário são os mais utilizados, comportando, em dezembro de 2006, 90% dos clientes ativos do programa. A média geral dos valores emprestados é R$ 868. No total, foram emprestados em 2004, R$ 441 milhões em 508 mil empréstimos. A maior parte da clientela do CrediAmigo (92%) se concentra no setor do comércio. Outras características dos clientes são que 62% deles têm menos de quatro anos de escolaridade, 58% têm renda familiar inferior a R$ 1 mil e 62,6% são mulheres. Segundo o próprio programa, em dezembro de 2004, a estimativa do mercado de microcrédito na área atendida era de 2,2 milhões de demandantes e o CrediAmigo atendia a 163 mil clientes. Em dezembro de 2006, o CrediAmigo já contava com 236 mil clientes ativos.

Os tipos de empréstimos oferecidos são:

1. *Giro popular solidário*, no qual o crédito é voltado para a compra de matéria-prima ou de mercadorias com valores variando entre R$ 100 e R$ 1 mil. Esse crédito tem taxa de juros de 4% ao mês, mais 3% de

taxa de abertura de crédito, prazo de até seis meses para ser pago, pagamentos fixos quinzenais ou mensais, e sua garantia é o compromisso solidário feito pelo grupo a que pertence o devedor.

2. *Giro solidário*, que se assemelha ao anterior, mas com valores variando de R$ 1.100 a R$ 8 mil, com taxa de juros de 4% ao mês, mais uma taxa de abertura de crédito de até 3% sobre o valor liberado, e descontos pela pontualidade nos pagamentos.
3. *Capital de giro individual*, semelhante ao *giro solidário*, porém sem o aval solidário, pois esse crédito é da total responsabilidade de quem o toma (havendo necessidade de avalista), que precisa comprovar renda para obtê-lo.
4. *Investimento fixo*, com crédito destinado à aquisição de máquinas e equipamentos, instalações e pequenas reformas no negócio, com valores até R$ 3 mil, taxa média de juros de 2,2% ao mês, prazo de pagamento de até 36 meses, com pagamentos fixos mensais e garantia individual, com renda comprovada.
5. *Crediamigo comunidade*, que se destina a financiar capital de giro e pequenos equipamentos para a população de áreas urbanas e semi-urbanas, comerciantes, prestadores de serviços, vendedores ambulantes e pequenos fabricantes, com empréstimos que variam de R$ 100 a R$ 1 mil para grupos de 15 a 30 pessoas.

Segundo o site do Banco do Nordeste, "o CrediAmigo está presente em 1.420 municípios da área de atuação do banco (Região Nordeste e norte dos estados de Minas Gerais e Espírito Santo). O atendimento se dá por meio de uma estrutura logística que dispõe de 170 agências e 26 postos de atendimento a clientes".

Atributos vencedores do microcrédito (e do CrediAmigo)

As principais características dos programas bem-sucedidos de microcrédito, segundo Rhyne e Holt (1994), são:

- criação de grupos de pessoas que tomam emprestado juntas e se responsabilizam conjuntamente pelo pagamento das dívidas;

- contato direto dos agentes do banco com a realidade e o ambiente dos clientes, em um sistema pouco dependente de agências físicas;
- empréstimos de baixos valores e progressivos, de acordo com a adimplência do cliente;
- flexibilidade das formas e das datas dos pagamentos no caso de choques exógenos;
- nem juros nem empréstimos subsidiados, tampouco propensão ao perdão de dívidas.

Todas essas características integram o desenho do CrediAmigo.

Outros aspectos do CrediAmigo

De maneira geral, o que se busca é uma estrutura de incentivo que garanta ao microempresário, de acordo com sua capacidade de pagamento, a escolha da metodologia de crédito que mais lhe seja adequada. A seguir, serão descritos, brevemente, alguns outros aspectos do CrediAmigo, cujo tratamento formal se encontra no "Anexo ao capítulo 1". É discutida a lógica não só do grupo solidário como de incentivos que o fundo de aval, novos sócios, agentes de crédito e poupança trazem para o processo de recursos de um programa como o CrediAmigo. Teremos uma visão esquemática, partindo do caso mais simples do sistema financeiro tradicional.

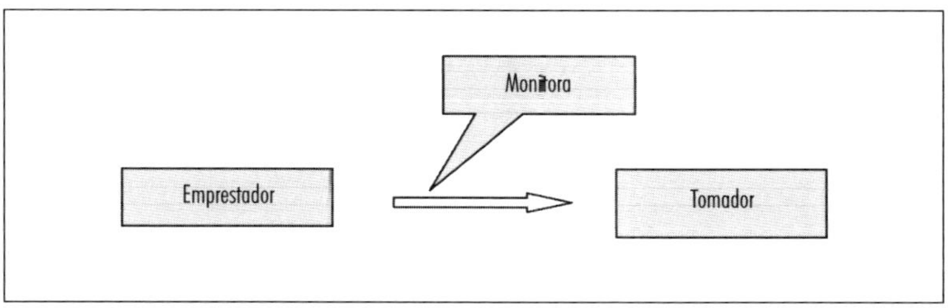

No setor bancário formal, o banco possui informações imperfeitas sobre os tomadores, dada sua distância em relação a eles.

O setor bancário formal aproveita as informações obtidas pelo agente de crédito local,[7] distinguindo os tipos de tomadores e fornecendo taxas de juros mais adequadas. É preciso atentar para o custo de monitoramento do empréstimo. Quando se trata de pequenos créditos, esses gastos podem se tornar tão significativos que não justifiquem a oferta de crédito pelo emprestador. Uma solução é transferir o custo de monitoramento para um terceiro, um agente de crédito. Ou seja, pessoas próximas do grupo-alvo de tomadores. O efeito básico de uma ação desse tipo é, conforme Diamond (1984), o efeito diversificação: o aumento da quantidade de projetos diminui o risco. Diminuindo-se este, diminuirá o custo de monitoramento. Assim sendo, na seção a seguir, primeiramente será estudado como terceirizar, por assim dizer, o monitoramento, transferindo seus custos para um monitor. Sempre vale observar que o retorno do projeto é dividido entre o emprestador, o tomador e o monitor delegado. Cada uma das partes deve se sentir empenhada no sucesso da missão.

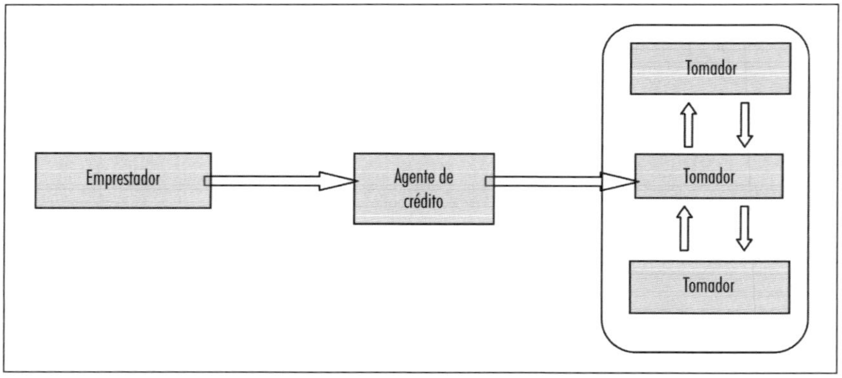

Outra solução complementar é conseguir novos sócios dispostos a dividir despesas e riscos. Um exemplo típico do que pode ser feito é o *fundo de aval*, através do qual outros agentes (organismos internacio-

[7] Pode ser pensado como um banco que terceiriza o departamento de monitoramento e prestação de serviços. No caso, o monitor delegado local é o agente de crédito (*moneylender*).

nais, sindicatos e prefeituras) transferem recursos para o CrediAmigo para que este possa redistribuí-los.

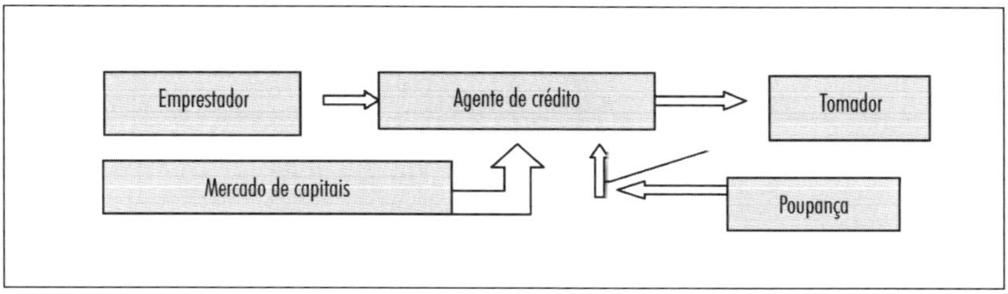

O detalhamento técnico presente no "Anexo ao capítulo 1" demonstra que, mesmo com uma escolha ótima, determinados tomadores ainda se vêem excluídos do mercado, devido à incapacidade deste de estender o crédito a um maior número de tomadores, dados os custos elevados. Por outro lado, com o desenvolvimento de novas metodologias creditícias e gerenciais, de tecnologias de informação e comunicação e de políticas públicas e cadastros governamentais, os programas de crédito têm que estar sempre se reinventando, o que lhes permitirá não só enfrentar uma concorrência maior e inevitável em ações exitosas, como levar o microcrédito até onde este nunca chegou antes.

Os desafios do microcrédito: lições de experiências latino-americanas

O CrediAmigo tem mostrado resultados extremamente encorajadores no cenário do microcrédito brasileiro. O mérito da iniciativa é irrefutável, porém o futuro ainda reserva desafios a serem superados pela instituição no que toca à expansão de seus serviços, ao incremento do acesso ao crédito e à qualidade desse acesso. Os dados da presente pesquisa fornecem, sem dúvida, dados imprescindíveis sobre o mercado do CrediAmigo, seu potencial e suas limitações. Mas conhecer e superar as limitações do mercado de microcrédito é um desafio constante e relativamente incipiente no Brasil e no mundo. Por isso, pode-se aprender muito com as experiências empíricas de outros países, em especial com nossos vizinhos latino-americanos, inclusive por semelhanças históricas, estruturais e circunstanciais.

Nesse particular, o Centro de Políticas Sociais da Fundação Getulio Vargas avaliou no último ano o impacto de longo prazo de 11 iniciativas de microcrédito de três países: Peru, Nicarágua e México. Embora cada projeto tenha objetivos diversos, todos sem exceção utilizaram instrumentos de microcrédito em maior ou menor escala. A riqueza da aprendizagem de tais experiências deriva não só dessa diversidade, mas também da metodologia de avaliação utilizada. Foi privilegiada uma metodologia qualitativa, na qual os avaliadores visitavam cada projeto por cerca de sete a 10 dias, e uma amostra proposital de beneficiários era submetida a uma entrevista semi-estruturada. Dessa forma, pôde-se evidenciar a dinâmica por trás da decisão de tomar um empréstimo, os elementos determinantes para o pagamento, a extensão subjetiva dos impactos etc. Uma análise institucional também foi feita para analisar o impacto do microcrédito na viabilidade da organização.

O CrediAmigo e as demais experiências latino-americanas apresentam mais diferenças do que similaridades. Embora esse traço possa parecer contrário ao didatismo, não tem maior importância, já que as principais distinções entre o CrediAmigo e tais experiências chamadas "de base" dizem mais respeito ao modo de operação do que aos clientes e mercados em si. Vale lembrar: as lições das experiências de base podem ser valiosas para uma reflexão sobre os desafios futuros do CrediAmigo. A despeito dessas considerações, cabe explicitar, ainda que brevemente, as principais distinções entre tais experiências.

Enquanto o CrediAmigo provém de uma instituição de primeiro piso, as demais experiências latino-americanas referem-se invariavelmente ao segundo piso. No mais, em contraste, os projetos de nossos vizinhos (próximos ou nem tanto) têm como foco, predominantemente, os clientes rurais, sendo por isso mais arriscados, devido a dificuldades de informação, acesso a mercados e aos riscos inerentes à produção agrícola. Outra diferença fundamental é a tecnologia de crédito, já que, contrariamente ao CrediAmigo, a maioria das experiências latino-americanas avaliadas privilegia o crédito individual, ainda que com variantes solidárias no tocante à garantia. No que concerne aos impactos de gênero, a escassez de dados agregados sobre os projetos latino-americanos não permite uma comparação estrita. Embora o impacto dos projetos nas mulheres participantes tenha sido grande, não se pode precisar o alcance de tais programas no universo de clientes.

Para melhor contextualizar a comparação, cabe ressaltar o atual momento do mercado de microfinanças nos três países. No México, o alcance do sistema financeiro é baixo, apenas 15-25% da população urbana e 6% da população rural.[8] De acordo com uma estimativa de 2005, o México tinha 39 instituições microfinanceiras (IMFs), com um portfólio total de US$ 471 milhões e mais de 1 milhão de tomadores. Entre as instituições, a Compartamos Financiera apresentava o maior retorno sobre ativos, 17,9%.[9] A Nicarágua, por sua vez, conta com 21 IMFs e um portfólio total de US$ 266 milhões e cerca de 300 mil tomadores. De acordo com um *ranking* de países do Caribe e da América Latina, a Nicarágua apresentava o maior número de clientes de IMFs em relação à população total (7%). Para se ter uma idéia, no Brasil há cerca de 290 mil clientes de IMFs ou 1,3% do universo de 22,5 milhões de microempresas. Já no Peru, o mercado de microcrédito cresceu particularmente na década de 1990, quando, em 1997, por exemplo, o crescimento foi de 32%.[10] O México e o Peru apresentam uma similaridade importante: o marco regulatório para o setor financeiro está estabelecido, o que facilita as operações das IMFs, principalmente no Peru, já que se decidiu que o Estado não deveria intervir no sistema financeiro e que as instituições eram livres para determinar as taxas de juros. Além disso, o sistema de monitoramento de tais instituições foi reforçado e unificado.

O papel do microcrédito no desenvolvimento e na redução da pobreza está sendo crescentemente reconhecido por tais países, embora na Nicarágua o marco regulatório ainda esteja sendo definido. Os custos de tal demora na Nicarágua não estão claros, já que a metaanálise das avaliações mostrou que o mesmo ambiente regulatório pode abarcar ex-

[8] Klaehn, Helms e Deshpande, 2006.
[9] Navajas e Tejerina, 2006.
[10] FAO, 2003.

periências bem e malsucedidas, o que indica que outros fatores são mais importantes para a viabilidade da instituição — embora claramente não se possa subestimar o papel desse marco no desenvolvimento de um mercado competitivo de crédito.

Além da regulação do mercado, os projetos avaliados tiveram outros percalços tão (ou mais) importantes para transpor. A forma que encontraram para fazer isso e as lições aprendidas é que podem ajudar a elucidar os caminhos do microcrédito no futuro.

Primeiramente, está claro que a aplicação do microcrédito não pode ser indiscriminada. Onde há boas intenções, pode haver também um alto risco de débito social no futuro. Uma análise realista do contexto em questão ajuda a definir a melhor estratégia para a eficácia da iniciativa. É importante ressaltar que "para o microcrédito ser adequado, é necessário um nível preexistente de atividade econômica, capacidade empresarial e talento gerencial".[11] Deve-se, portanto, saber se o nível de atividade econômica é suficiente para gerar renda e se há acesso a mercados, por exemplo. Além da capacidade empresarial, também se pode acrescentar aqui outro fator imprescindível para o sucesso da iniciativa: a existência de capital social.

Os projetos avaliados defrontaram-se com tais questões cedo ou tarde, porém, em vista dos impactos observados, é válido afirmar que os investimentos feitos no sentido de incrementar a atividade econômica, a capacidade empresarial e o capital social deram retornos favoráveis ao desenvolvimento local e produziram impacto nos indivíduo, em sua família e na comunidade.

Utilizando a metodologia qualitativa, foi possível observar os impactos vivenciados pelo indivíduo, entre os quais o mais marcante é a diminuição de sua vulnerabilidade aos choques externos e aos riscos. Quando, por exemplo, o empréstimo viabiliza o investimento necessário ao negócio empresarial, pode-se "liberar" outros bens e/ou rendas para satisfazer as necessidades básicas da família. Quanto mais ajustado aos ciclos econômicos dos clientes, tanto mais eficaz será o empréstimo

[11] Ver CGAP, 2001. Disponível em: <www.cgap.org>.

em reduzir a vulnerabilidade. Dependendo do acesso aos mercados, por exemplo, o empréstimo também pode viabilizar a redução da pobreza, em termos de aumento de renda e consumo.

Os desafios dos projetos incluíram tanto o tamanho das terras dos tomadores, quanto sua titularidade; a idade dos produtores; seu conhecimento técnico e sua experiência financeira. Em vista de tais desafios, o papel de liderança das instituições que implantaram os projetos provou-se crucial. Para ajudar os pobres, o fundo de crédito não poderia se limitar ao fornecimento puro e simples de empréstimos, deveria consistir também em assistência técnica e financeira aos tomadores (em sua maioria, produtores rurais). Quanto ao problema da titularidade das terras, alguns projetos lançaram mão da tecnologia solidária como garantia para os empréstimos. Porém, como em muitos casos era baixo o nível de capital social, tal metodologia não se incorporou à prática rotineira. Portanto, também nesse ponto, a liderança da instituição foi determinante para fomentar o capital social.

Incrementar o capital social das comunidades não é tarefa simples. Porém, alguns projetos conseguiram fazê-lo de maneiras diversas. Cabe ressaltar aqui o caso em que o aumento do acesso a mercados produziu também o aumento do capital social. Foram concedidos empréstimos à associação de produtores, que, coletivamente organizados, alcançaram mercados externos com um produto único e diferenciado (por ter certificado orgânico). Outra maneira de aumentar o capital social foi investir parte dos ganhos do fundo de crédito em projetos de investimento social de interesse da comunidade, o que se conseguiu congregando seus membros em torno de uma discussão sobre os melhores usos para os recursos. Também foi possível aumentar a participação e o capital social através das próprias atividades de capacitação empresarial. Observou-se nesse sentido que, antes, os participantes tomavam decisões baseadas num horizonte de tempo limitado e em fatores primordialmente individuais. Após o processo de capacitação (em que eram abordados outros temas), observou-se um aumento da consciência coletiva na tomada de decisões — sinal de maior confiança mútua, o que é fundamental não só para a atividade econômica como também para as atividades estritas de crédito.

O desenho institucional foi um dos principais fatores conducentes à sustentabilidade do projeto como um todo. Institucionalmente, as experiências de maior êxito apresentaram traços semelhantes no que diz respeito à divisão de tarefas. As organizações tinham atividades distintas de crédito e de desenvolvimento e bem-estar, e tais operações eram feitas separadamente. Dessa forma, a divisão ensejou não só a especialização em temas de microcrédito, buscando uma maior eficiência, mas também evitou um "dilema institucional" em relação aos clientes. Isso porque os objetivos das operações de crédito e das demais operações aqui chamadas "de desenvolvimento" são distintos — e também a relação com os clientes e respectivas demandas.

As principais lições dessas experiências estão descritas a seguir:

- *A disposição para tomar um empréstimo é em grande parte influenciada pela propriedade da terra e/ou de outros bens.* No que diz respeito às experiências latino-americanas, a exigência de colateral em muitos casos influenciou a decisão individual contra a tomada do empréstimo, demonstrando que a disposição para emprestar não é determinada apenas, por exemplo, pelo perfil empresarial.
- *A capacidade de pagamento do cliente não pode ser subestimada.* As experiências corroboraram o fato de que a baixa renda não impede o pronto pagamento dos empréstimos, dado que os tomadores pobres foram tão pontuais em suas obrigações quanto os tomadores de maior renda. De fato, o hábito de subestimar a capacidade de pagamento dos tomadores é nocivo, por ser preguiçoso: é mais trabalhoso, porém mais frutífero, conhecer o perfil do cliente e adequar os termos do empréstimo às suas condições.
- *Diversificação do portfólio.* As iniciativas mais bem-sucedidas e duradouras tiveram o cuidado de distribuir os riscos associados às atividades agrícolas, por exemplo, emprestando para setores urbanos ou atingindo diferentes áreas simultaneamente, a fim de diversificar os prazos de produção agrícola.
- *Os custos de mediação social valem a pena.* A mediação social inclui esforços no sentido de reforçar a capacidade, as habilidades e a confian-

ça dos tomadores potenciais. Em todas as iniciativas avaliadas, esses esforços foram instrumentais para obter bons resultados nas atividades de crédito (pagamento pontual, diminuição da vulnerabilidade e aumento da renda).

- *A melhora do acesso aos mercados.* O acesso a mercados constitui um dos fatores decisivos para o aumento da renda e, conseqüentemente, para melhorar as condições de vida dos produtores pobres. Em muitos casos, isso foi conseguido através da organização de pequenos produtores em cooperativas, de modo a superar a limitação da produção em virtude do tamanho reduzido das terras.
- *A diminuição dos custos de monitoramento.* Para se alcançar uma boa escala de atendimento, alguns custos tiveram de ser baixados. Nesse caso, foi preciso utilizar a criatividade, tirando proveito, por exemplo, de informações já disponíveis sobre a boa conduta financeira do cliente e sobre seu poder aquisitivo (checar os registros de pagamento de contas de água etc.).

2

Metodologia empírica

Marcelo Neri
Luisa Carvalhaes
Samanta Monte
Paloma Madanelo

> A tecnologia da informação e da comunicação nos dá esperança de um mundo livre de intermediários de poder e de conhecimento... O cidadão comum terá a mesma quantidade de informações que o líder do governo. A liderança terá que se basear em visão e integridade, ao invés de na manipulação da informação.
>
> *Muhammad Yunus*

Descrição geral

O crédito é um meio e não um fim em si mesmo. Por isso, são necessárias tanto a análise da rentabilidade e da sustentabilidade do programa, pelo lado do ofertante, quanto a análise de seus efeitos sobre os diversos campos da vida dos clientes. No campo individual/familiar, a análise de variáveis de renda individual e domiciliar (pobreza), posse de ativos, estrutura de gastos, saúde e condições sanitárias, acesso a serviços públicos, acesso a programas sociais, capacitação profissional, além de variáveis referentes a características sociodemográficas, como sexo, idade, educação, raça, migração e localização geográfica, entre outras. No campo dos estabelecimentos, a análise de variáveis de resultado, como acesso a crédito e a outros instrumentos financeiros; volume de ativos microempresariais; faturamento, despesas e lucro; formalidade; cooperativação; tipos de insumos; acesso a tecnologia e a programas de apoio microempresarial em diversas áreas; modalidades de gestão, entre outras, além de variáveis de controle, como setor de mercado, estrutura de mercado, localização geográfica.

O projeto propõe desenvolver sistemas de provisão de informações interativos e amigáveis, voltados para os gestores dos programas e a população local, com produtos em linguagem acessível e acompanhados de notas explicativas, como simuladores de probabilidades desenvolvidos a partir de modelos logísticos binomiais e multinomiais e panoramas com informações univariadas e bivariadas, além de mapas e banco de dados disponibilizados na internet, a fim de facilitar a navegação e o entendimento dos usuários. Os vários exercícios serão didatizados através de esquemas e *pop-ups* explicativos e as diversas abordagens empíricas, que na verdade são extensões do mesmo tipo de análise, serão apresentadas de forma pedagógica e seqüencial. O trabalho busca incrementar o uso de informações de microcrédito para o desenvolvimento das localidades, permitindo que cada pessoa analise sua realidade a partir de uma perspectiva local.

Para facilitar o entendimento das metodologias que serão adotadas na elaboração dos produtos gerados são detalhadas a seguir, individualmente, as bases de dados e os procedimentos econométricos aplicados. Foram realizadas análises bivariadas e multivariadas (regressões) para variáveis tanto contínuas quanto discretas e também a análise de diferenças-em-diferenças, baseada em regressões sem e com controles e variáveis interativas, de forma a isolar possíveis impactos no grupo de tratamento do programa *vis-à-vis* os grupos de controle.

A pesquisa consistiu no processamento, descrição, análise e consolidação de um conjunto amplo de microdados, que permitirão analisar a performance do programa e mapear o mercado de microcrédito no Nordeste no nível de clientes efetivos e potenciais. Para tanto, foram utilizados:

- dados constantes na base de dados de todos os clientes atendidos pelo programa CrediAmigo em dezembro de 2006, comparando-os com os dados da primeira operação do programa. A partir dessas análises, foram realizados cruzamentos com um amplo conjunto de bases de microdados;

- microdados de outras bases. As pesquisas domiciliares tradicionais permitem a análise de um amplo conjunto de atributos dos negócios, dos proprietários e de suas famílias, de empregados (familiares ou não) e da localidade onde a atividade está inserida, seja ela formal ou informal, explorando as inter-relações das pessoas física e jurídica do microempresário. Entre as bases externas utilizadas estão a Ecinf, que constitui a melhor base disponível de microdados empresariais da economia subterrânea. Trata-se de uma pesquisa que investiga as características de funcionamento das unidades produtivas de trabalhadores autônomos e empregadores com até cinco empregados nos domicílios. A vantagem é captar aquelas atividades excluídas, ou que são apenas parcialmente captadas, por pesquisas de estabelecimentos formais e pela rede de arrecadação tributária oficial. O censo demográfico possibilita a abertura municipal e inframunicipal das informações. As Pnads permitem análises mais atuais, agregadas em termos espaciais, além da evolução temporal de diversos elementos. O aspecto longitudinal da PME (o acompanhamento das mesmas pessoas ao longo do tempo) permite a análise do risco individual ocupacional e de renda, bem como da probabilidade de crescimento da ocupação, do lucro e da formalização dos negócios. Foram utilizadas bases específicas para captar diferentes indicadores. Por exemplo, os suplementos especiais da Pnad forneceram referências sobre acesso a programas de transferência de renda, o que potencializou o uso de colaterais alternativos. A POF complementou a análise da estrutura da demanda por bens e serviços, do estoque de ativos e das percepções subjetivas de diversos aspectos da vida, com ênfase maior na pessoa física dos empreendedores, utilizando os domicílios como unidades de análise. O censo demográfico possibilitou captar informações similares às da Pnad, mas com um detalhamento espacial no nível dos municípios e dentro deles. A PME permitiu colher informações similares às da Pnad, mas restritas às maiores áreas metropolitanas para o ano corrente. Todas as bases mencionadas têm a virtude de captar a operação da economia informal, o que é particularmente importante para a análise em questão, que foi pontual e eventualmente complementada por informações de mapeamento espacial e monitoramento por registros administrativos de estabelecimentos formais.

Bases de dados

A pesquisa consistiu no processamento, descrição, análise e consolidação de um conjunto amplo de microdados, a fim de analisar o desempenho e a importância do programa CrediAmigo, suas principais características e de seus clientes — ativos e potenciais — e seu papel na evolução do mercado de microcrédito no Nordeste. Utilizou-se para isso a base de dados do programa e um amplo conjunto de bases de microdados, descrito a seguir.

Mapa das bases de microdados

Pesquisas domiciliares Sociodemográficas, de empresários e famílias	Pesquisas de estabelecimentos Crédito, negócios e performance informais e formais
Pnad (100 mil domicílios/ano) *Cross-section anual 1992-2005* *Lucro, duração e tamanho de empresa* *Mapas estaduais detalhados* Suplemento (programas sociais)	**CrediAmigo** (255 mil clientes) *Registros administrativos longitudinais* *Dezembro de 2006 e primeiro empréstimo* *Balanços e demonstrativos completos* *Empresas e famílias usuárias de microcrédito*
POF (48 mil famílias) *Orçamentos de pessoa física 2003* *Percepções e condições de vida* *Acesso e uso do crédito e inadimplência* *Despesas e fluxos financeiros*	**Ecinf** (50 mil unidades) *Estabelecimentos e proprietários 1997* *Estabelecimentos e proprietários 2003* *Crédito, motivações e desempenho* Suplemento (microfinanças)

Continua

Mapeamento

Censo (18 milhões de indivíduos)
Mapas municipais detalhados
Informações inframunicipais (principais)

Monitoramento

PME (36 mil domicílios/mês)
Longitudinal e séries temporais 1982-2007

Estabelecimentos formais

Mapeamento e monitoramento

Cadastros de empresas
Ministério do Trabalho

Estatísticas financeiras

Banco Central (diversos dados municipais)

Base do programa CrediAmigo

A principal fonte de dados deste trabalho foi a base de dados do próprio programa. As observações abrangeram todos os 255 mil clientes ativos em dezembro de 2006, de um universo de 650 mil clientes já atendidos pelo programa desde 1998. A data de entrada de cada cliente no programa varia, mas a data final é fixa, dezembro de 2006.

Uma das vantagens dessa base de dados no que diz respeito à confiabilidade é que, diferentemente de outras bases, os interrogadores têm total incentivo a extrair informações as mais verdadeiras possíveis, uma vez que é com base nas informações fornecidas pelos clientes que o empréstimo é fornecido, e a remuneração do funcionário que realiza o cadastro depende do desempenho do tomador.

Ecinf

Entre as bases externas utilizadas temos a Pesquisa de Economia Informal Urbana, criada pelo IBGE para captar informações que permitam conhecer o papel e a dimensão do setor informal na economia brasileira, e que constitui a melhor base disponível de microdados do lado empresarial da economia subterrânea. Trata-se de uma pesquisa que procura identificar os trabalhadores por conta própria e os pequenos empregadores envolvidos em negócios com cinco ou menos pessoas, com 10 anos ou mais de idade, ocupados em atividades não-agrícolas, e moradores em áreas urbanas, nos domicílios em que moram e através deles, visando investigar as características de funcionamento das unidades produtivas. A vantagem é captar aquelas atividades excluídas, ou que são apenas parcialmente captadas, por pesquisas de estabelecimentos formais e pela rede de arrecadação tributária oficial. A Ecinf permite mergulhar no funcionamento da chamada economia subterrânea, tradicionalmente à margem das políticas e das estatísticas oficiais.

O planejamento dessa pesquisa teve início em 1990 com os primeiros resultados dos censos econômicos de 1985. Em 1994, foi realizada uma pesquisa-piloto no município do Rio de Janeiro. Porém, a pesquisa só foi de fato implementada em 1997, abrangendo todos os domicílios situados em áreas urbanas do Brasil. A Ecinf só voltou a ser realizada em 2003, com o apoio do Sebrae e incluindo informações mais detalhadas sobre as características individuais dos proprietários.

A Ecinf é composta de dois questionários. O primeiro é um questionário individual, que permite a obtenção das mais diversas informações sobre os micronegócios e o trabalho dos trabalhadores por conta própria, como tipos de gastos em investimentos, receitas, despesas, lucro médio, capital envolvido, área de atuação, motivo da abertura do negócio, período do ano em que funciona, formas de pagamento aceitas, número de clientes e funcionários, nível de formalização, entre muitas outras. O outro questionário diz respeito ao domicílio e provê dados sobre características das pessoas ocupadas nas microempresas, como sexo, idade, nível de instrução, vínculo empregatício, ocupação, posição na ocupação, renda familiar, número de pessoas que moram com elas no mesmo domicílio, entre outras.

Em 1997, a pesquisa coletou dados de 44.711 unidades econômicas, distribuídas entre as áreas urbanas de todas as unidades federativas, e em 2003 chegou a 54.595 domicílios selecionados. Portanto, a Ecinf consiste em uma pesquisa rica em dados e dispõe de uma amostra suficientemente grande para gerar análises e inferências consistentes. Além disso, é importante ressaltar que as pesquisas de 1997 e 2003 foram feitas na mesma época do ano, o que elimina o risco interferência de fatores sazonais no resultado.

A pesquisa adota um recorte urbano, não apenas metropolitano, mas deixa de cobrir as atividades não-agrícolas desenvolvidas por moradores de domicílios de áreas rurais. Tal procedimento é justificado não só pela heterogeneidade dos setores rurais e urbanos, como pela característica do negócio e pela própria exigência do trabalho de campo. Parece fazer sentido restringir a Ecinf aos segmentos dos menores produtores urbanos e deixar a análise do seu complemento para outras pesquisas de campo, como o Censo Agrícola do IBGE.[1] Pode-se combinar perguntas referentes a estabelecimentos e às famílias, o que permite estudar as inter-relações existentes entre informalidade e pobreza.

Entre as principais variáveis de interesse da Ecinf para esta pesquisa figuram respostas às seguintes perguntas: se o entrevistado, autônomo ou pequeno empregador, utilizou nos três meses anteriores à pesquisa algum empréstimo, crédito ou financiamento para exercer sua atividade; se o entrevistado possui uma dívida que esteja pagando; que fatores os microempreendedores acham que mais dificultam o seu negócio, e qual a origem do capital empregado para abrir o negócio.

POF

A Pesquisa de Orçamentos Familiares (POF) tem como finalidade principal obter a estrutura de consumo da população. O objetivo da pesquisa é atualizar a cesta básica de consumo e obter novas estruturas de ponderação tanto para os índices de preços do IBGE quanto para os índices de outras instituições. Os dados podem ser utilizados também para traçar perfis de consumo das famílias pesquisadas e atender a diversos interesses relacionados com as áreas de estudo e de planejamento.

A primeira POF foi realizada pelo IBGE em 1987/1988 e tem a mesma abrangência geográfica da pesquisa realizada em 1995/1996, que compreendeu as regiões metropolitanas de Belém, Fortaleza, Recife, Salvador, Belo Horizonte, Rio de Janeiro, São Paulo, Curitiba, Porto Alegre,

[1] Não são consideradas pessoas ligadas a atividades criminosas, circunscrevendo-se a análise ao espectro de práticas econômicas "socialmente aceitas".

Distrito Federal e município de Goiânia. A POF 1996, cujas informações foram coletadas de outubro de 1995 a setembro de 1996, conta com uma amostra de 16.060 domicílios, nos quais foram obtidas informações sobre despesas realizadas durante distintos períodos de referência (sete, 30, 90 dias ou seis meses).

Em 2003, o IBGE voltou a campo e coletou informações em 48.470 domicílios. Além de ser realizada em todo o território nacional, a nova POF apresenta diferenças importantes em relação às anteriores, como a inclusão de aquisições não-monetárias e opiniões das famílias sobre qualidade de vida. Neste livro foi utilizada, majoritariamente, a POF 2003.

O objetivo do uso da POF no presente estudo foi complementar a análise da pessoa física dos negociantes, com aspectos da demanda de bens e serviços relacionados, como acesso a cartão de crédito e cheque especial, despesas com crédito, atraso de contas, além de percepções subjetivas sobre diversos aspectos da vida dos indivíduos.

Pnad

A Pesquisa Nacional por Amostra de Domicílios (Pnad) é coletada anualmente pelo IBGE desde 1976. Abrange todo o Brasil, com a exceção das áreas rurais de Rondônia, Acre, Amazonas, Roraima, Pará e Amapá, e só não é realizada nos anos do censo demográfico, como 1980, 1991 e 2000, para evitar sobreposição de dados. A partir de 1992, a Pnad foi reformulada, o questionário foi aumentado e foram realizadas mudanças conceituais, cujos impactos ainda não foram completamente definidos.

A Pnad tem uma amostra probabilística de cerca de 100 mil famílias e contém informações sobre diversas características demográficas e socioeconômicas da população. Especificamente:

- características dos domicílios: localização, tipo e estrutura do domicílio, número de cômodos e dormitórios, condição de ocupação, abastecimento de água, esgotamento sanitário, destino do lixo, iluminação elétrica, bens duráveis;
- características dos indivíduos: sexo, idade, religião, cor, raça, nacionalidade e naturalidade;

- características das famílias: composição da família e relação de parentesco;
- características educacionais: alfabetização, escolaridade e nível de instrução, espécie de cursos;
- características da mão-de-obra: ocupação, posição na ocupação, ramo de atividade, carteira de trabalho, horas trabalhadas, rendimento, contribuição previdenciária, procura de emprego e trabalho anterior.

Ao se realizar uma análise comparativa, a partir de dados da Pnad, entre os negócios com até cinco empregados situados na área urbana *versus* os demais, verifica-se que apenas 2,9% dos empregadores encontram-se na área rural, sendo esse percentual bem mais expressivo (21,7%) quando se analisam os trabalhadores por conta própria. Isso significa que a Ecinf, ao realizar a pesquisa apenas na área urbana, acaba excluindo uma parcela significativa da população dos trabalhadores por conta própria. A partir da análise da Pnad, observa-se também que a Ecinf, por se restringir aos empregadores com até cinco empregados, exclui cerca de 26% dos empregadores (com mais de cinco empregados).

PME

O IBGE implantou a Pesquisa Mensal de Emprego (PME) em 1980. A PME é uma pesquisa de periodicidade mensal sobre mão-de-obra e rendimento do trabalho, e inclui as seis principais áreas metropolitanas do Brasil: Belo Horizonte, Porto Alegre, Recife, Rio de Janeiro, Salvador e São Paulo.

A PME é uma pesquisa em painel, e replica o esquema de amostragem do *US Current Population Survey* (CPS), visando coletar informações do mesmo domicílio por oito vezes durante um período de 16 meses. É realizada em bases rotativas, através de entrevistas mensais com as famílias durante quatro meses consecutivos, retirando-as da amostra por oito meses e, em seguida, entrevistando-as novamente por mais quatro meses (os últimos). De 4.500 a 7.500 famílias são entrevistadas por mês em cada uma das seis áreas metropolitanas, somando ao todo, aproximadamente, 35 mil famílias. Em agosto de 1988, o tamanho da amostra foi reduzido para cerca de 30 mil famílias/mês. O aspecto longitudinal da PME — isto é, o fato de acompanhar as mesmas pessoas ao longo do tempo — permite analisar o risco individual ocupacional e de renda, bem como a probabilidade de crescimento e de formalização dos negócios. Desde a implantação da PME, ocorreram modificações na pesquisa, com o objetivo de melhor captar as características da população em idade ativa e sua inserção no sistema produtivo. Os temas tornaram-se mais amplos, englobando os efeitos conjunturais e as transformações do mercado de trabalho. Contudo, as questões gerais de demografia e de trabalho são as mesmas desde fevereiro de 1982.

A disponibilidade de informações mensais, construídas a partir da PME, permite que se trabalhe com médias anuais, o que evita problemas de sazonalidade, além de possibilitar uma análise detalhada da dinâmica do processo. A principal restrição à PME diz respeito à abrangência do conceito de renda utilizado, uma vez que a pesquisa trabalha apenas com a renda proveniente do trabalho. Isso não prejudicou tanto a pesquisa de que trata este livro, na medida em que a renda do trabalho representa o lucro dos trabalhadores por conta própria e dos empregadores.

Censo demográfico

O censo demográfico é uma pesquisa domiciliar que ocorre de 10 em 10 anos e procura entrevistar 10% da população brasileira em todo o território nacional. O censo detalha características pessoais e ocupacionais de todos os membros dos domicílios e dispõe de informações detalhadas sobre fontes de renda, acesso a moradia, serviços públicos e bens duráveis, entre outros. A pesquisa concernente aos domicílios restringe-se aos domicílios ocupados e permite traçar um perfil da população brasileira com informações referentes a educação, renda e acesso a ativos. O censo tem como grande vantagem a possibilidade de abertura municipal e inframunicipal das informações.

O censo permite analisar as tendências de longo prazo da população e da renda. O desenho amostral adotado compreende a seleção sistemática e com eqüiprobabilidade, dentro de cada setor censitário, de uma amostra dos domicílios particulares e das famílias ou componentes de grupos conviventes recenseados em domicílios coletivos, com fração amostral constante para setores de um mesmo município. A coleta de dados do Censo 2000 foi realizada de 1º de agosto a 30 de novembro, abrangendo 215.811 setores censitários, que constituem as menores unidades territoriais da base operacional do censo. A operação censitária pesquisou 54.265.618 domicílios nos 5.507 municípios existentes em 2000 em todas as 27 unidades da federação.

Todas as bases mencionadas têm a virtude de captar a operação da economia informal, o que é particularmente relevante para a análise em questão.

Técnicas utilizadas

Análises univariadas e bivariadas

O objetivo das análises univariadas e bivariadas é traçar um perfil descritivo das variáveis indicativas da natureza dos pequenos empresários, formais e informais, e de suas empresas em relação aos principais atributos pessoais, como sexo, raça, idade, escolaridade etc., assim como de variáveis relativas aos estabelecimentos, como ramo de atividade, tempo de atividade do negócio, local de funcionamento, número de empregados, entre outros.

A análise univariada apenas descreve a extensão ou a importância de cada variável, informando, por exemplo, que fração da população tem despesa com crédito, ou qual a percentagem de pessoas sem instrução na população.

A análise bivariada, por sua vez, envolve o cruzamento de duas variáveis, mostrando como se dá a distribuição de uma variável em cada segmento. Informa, por exemplo, que fração das pessoas tem condições de moradia ruins e não tem acesso a crédito, ou qual a poupança média dos indivíduos com mais de 70 anos. Mas a análise bivariada retrata o papel de cada atributo tomado isoladamente, isto é, desconsiderando possíveis e prováveis inter-relações entre as variáveis explicativas. Por exemplo, o fato de que negócios realizados fora do domicílio (oficinas, lojas etc.) apresentam maior acesso a crédito não significa necessariamente que o lugar dos negócios determina o acesso a crédito, uma vez que negócios realizados fora do domicílio, em lugar próprio, tendem a pertencer a indivíduos mais instruídos e com maior renda, sendo possivelmente essas variáveis que determinam o maior acesso a crédito.

Para uma descrição completa das estatísticas univariadas e bivariadas relativas a este trabalho, basta acessar os diversos panoramas presentes no site da pesquisa.

Análises multivariadas

A análise multivariada procura dar conta das inter-relações mencionadas através da análise das regressões de diversas variáveis explicativas tomadas conjuntamente, com o objetivo de isolar o efeito de cada uma delas. Continuando no exemplo anterior, a análise multivariada permite distinguir se o que determina o acesso ao crédito é o local do negócio ou outro atributo como educação, através de comparações de indivíduos iguais em tudo que é observável (escolaridade, renda etc.), exceto no que diz respeito ao local de negócios.

A análise multivariada desempenha um papel fundamental neste estudo, pois permite isolar as diversas instâncias de atuação das políticas. Consiste no desenho de regressões, o que envolve a escolha de uma variável a ser explicada, uma ou mais variáveis explicativas de interesse e algumas variáveis de controle, apenas para excluir o possível efeito dessas variáveis e permitir a comparação de indivíduos iguais nas características em questão. Esses exercícios de regressão nos informam se existe alguma correlação entre as variáveis explicativas e a variável explicada, se essa correlação é significativa estatisticamente, se a correlação é positiva ou negativa e sua magnitude.

Depois de determinar que variáveis devem ser analisadas nas regressões, surge o desafio de "desenhar as regressões", isto é, de determinar que fatores serão testados como explicativos das variações dos fatores estudados.

Para uma descrição completa dos exercícios multivariados realizados neste trabalho, basta acessar os simuladores presentes no site da pesquisa.

Apresentação dos resultados

Sistemas de informação para subsidiar a decisão de gestores

Os sistemas de informações, interativos e amigáveis, são desenvolvidos para subsidiar a tomada de decisão dos gestores do programa e como ferramenta para auxiliar o monitoramento do acesso a microcrédito e o desempenho microempresarial da população local. Alguns desses instrumentos podem ser adaptados como material didático para o programa, como, por exemplo, simuladores e panoramas.

Simuladores

Um sistema de simuladores de probabilidades foi desenvolvido a partir de modelos multivariados aplicados às variáveis de interesse contínuas (como lucro do negócio) ou discretas (por exemplo, acesso a crédito), controlado por atributos individuais e geográficos derivados de várias fontes de microdados. Os resultados estimados permitem identificar, por exemplo, vários fatores relativos ao acesso ao crédito e seus impactos. Uma vez encontrados, todos esses fatores são sintetizados num único indicativo de probabilidade. Esse exercício permite aos gestores do programa, ou a um público mais geral, calcular a probabilidade de um indivíduo ter acesso a crédito, dadas as suas características sociodemográficas, geográficas e econômicas.

Panoramas

O panorama permite obter uma visão bastante ampla de indicadores diversos, cruzados com características gerais da população (demográficas, socioeconômicas e espaciais). Com ele é possível saber, por exemplo, que fração de indivíduos de determinado segmento é inadimplente. O censo possibilita a abertura da taxa de contribuição por esses atributos no nível de municípios e distritos. Esse instrumento otimiza e facilita a consulta, o processamento e a análise dos dados georreferenciados.

Elementos da análise empírica

O objetivo geral do diagnóstico empírico aqui discutido é subsidiar a aplicação de políticas de incremento das atividades nanoempresariais nas áreas urbanas. Em particular, foi enfatizada a análise dos recursos de pequenos empresários e empreendido um estudo de caso dos microempresários urbanos nordestinos. Constatou-se, por exemplo, que mais forte do que a escassez de recursos privados — capital físico, humano ou social — é a escassez de serviços financeiros e de políticas públicas. Nesse sentido, o universo aqui analisado constitui um laboratório privilegiado acerca dos constrangimentos e carências que devem ser combatidos através da ação pública e suas possíveis interações com ações privadas.

Na escolha de um elenco de políticas incentivadoras das atividades nanoempresariais, seja como porta de saída da pobreza, seja como política fomentadora das atividades produtivas em geral, deve-se avaliar a efetividade da restrição ou da escassez dos diversos tipos de recursos enfrentada pelos microempresários (aqui, o interesse mais específico é na aplicação de políticas de crédito produtivo popular).

No caso de políticas nanoempresariais, é fundamental identificar não só o potencial gerador de lucro do conjunto de ativos como também a pobreza, o risco e a capacidade de arrecadação tributária associada. Outro elemento fundamental para a determinação do potencial de crescimento das unidades é diferenciar a alocação de recursos para consumo e para investimento no âmbito das pequenas firmas/unidades familiares, pois há estreita ligação entre o lado pessoa física dos nanoempresários e o lado pessoa jurídica, mesmo que informal, de seus respectivos negócios. A sobreposição dessas duas facetas implica que o entendimento da estrutura e do funcionamento dessas empresas deve levar em conta as características de seus donos e de suas famílias.

Taxonomia de efeitos

Veremos aqui, brevemente, como construir uma ligação entre os resultados empíricos gerados e medidas que busquem a expansão do crédito produtivo.

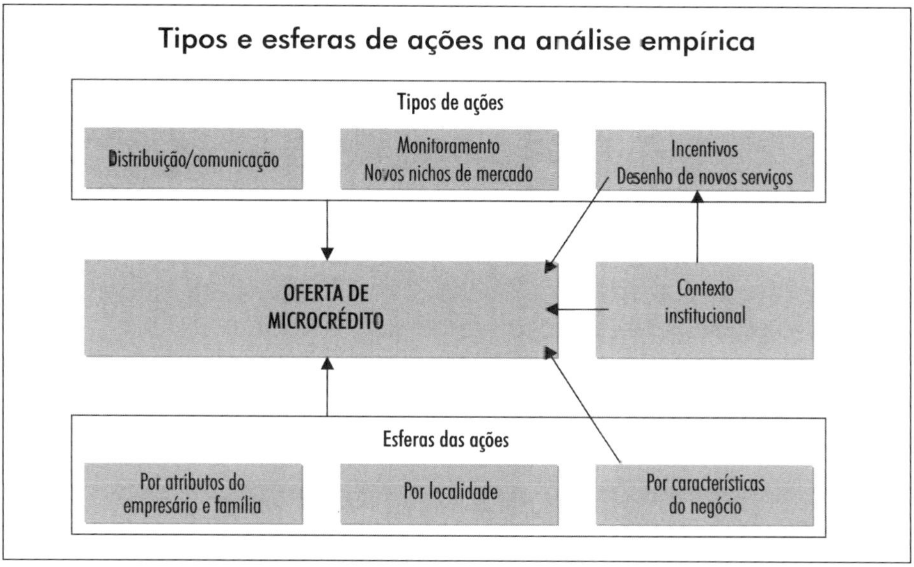

De maneira geral, existem dois tipos de políticas para o aumento da oferta de crédito: as estruturais e as operacionais. No grupo de medidas estruturais figuram, por exemplo, mudanças no sistema de incentivos para a oferta e a demanda de crédito via alterações na estrutura do programa (por exemplo, financiamento de investimento fixo) ou mudanças externas de legislação (por exemplo, instituição do crédito consignado). Entre as medidas operacionais estão ações na área de comunicação, como propaganda, criação de postos ambulantes, interação com a mídia etc. Em ambos os casos, a análise dos fatores correlacionados com o acesso, o uso e a qualidade do crédito e dos produtos relacionados (por exemplo, seguro e poupança) pode ser de extrema valia na escolha do foco de medidas operacionais ou estruturais.

Em termos de comunicação, fiscalização ou regulação, a identificação das características das pessoas física e/ou jurídica, formais ou informais — por exemplo, se a atividade é exercida no domicílio ou fora dele —, pode servir de orientação para as políticas. Políticas setoriais também são importantes, e para isso deve-se acompanhar a evolução de variáveis como a taxa de acesso a crédito por setor de atividade em diferentes níveis de agregação. Além disso, há também as políticas regionais, cujo foco é a distribuição espacial da demanda reprimida por crédito nos níveis estadual, municipal e local, de forma a nortear políticas de oferta. O CrediAmigo, visto a partir deste conjunto nacional de políticas, seria, nessa classificação, uma política regional (Nordeste urbano), que acaba atendendo, na prática, mais o setor do comércio e pessoas de baixa renda. A parte empírica deste livro estuda a clientela passada, atual e potencial do microcrédito, a fim de subsidiar o direcionamento de estratégias de oferta creditícia como meio de alcançar melhoras sustentáveis de bem-estar social e de combate à pobreza.

No caderno em cores pode-se ver alguns dos beneficiários do CrediAmigo em seus estabelecimentos, uma amostra do website da pesquisa e mapas temáticos que exploram espacialmente os dados mais relevantes deste estudo.

Clientes do CrediAmigo

Site da pesquisa: www.fgv.br/cps/crediamigo

Dispositivo amigável de consulta de dados

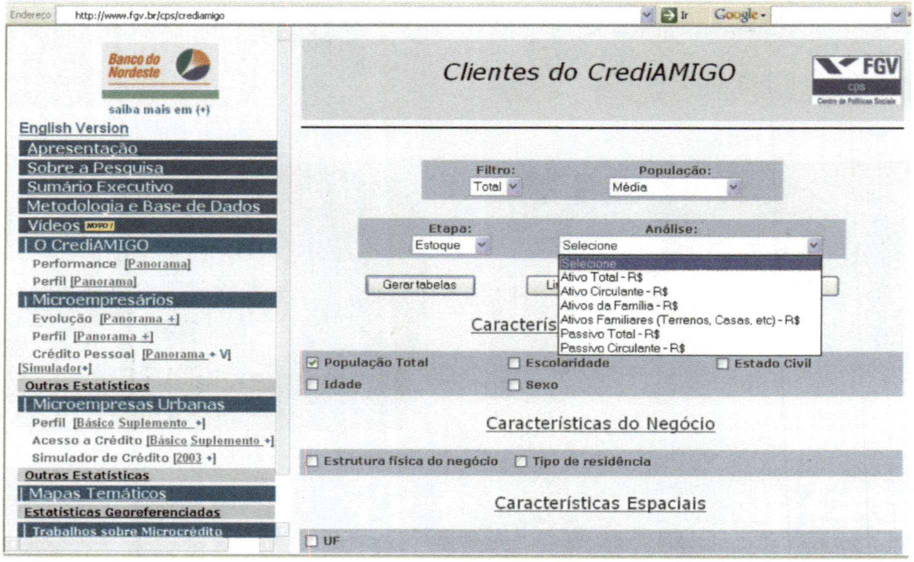

O mistério nordestino
Acesso a crédito: 1997-2003

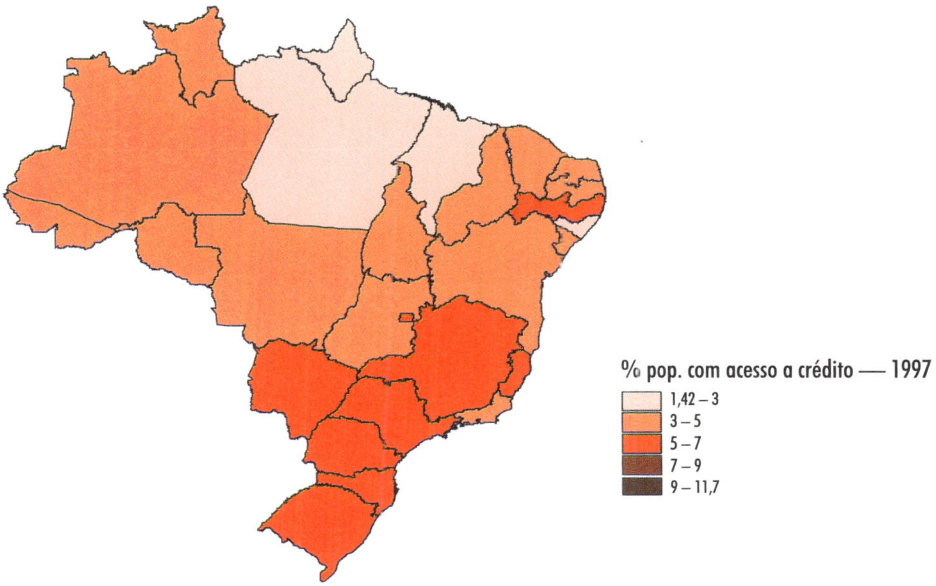

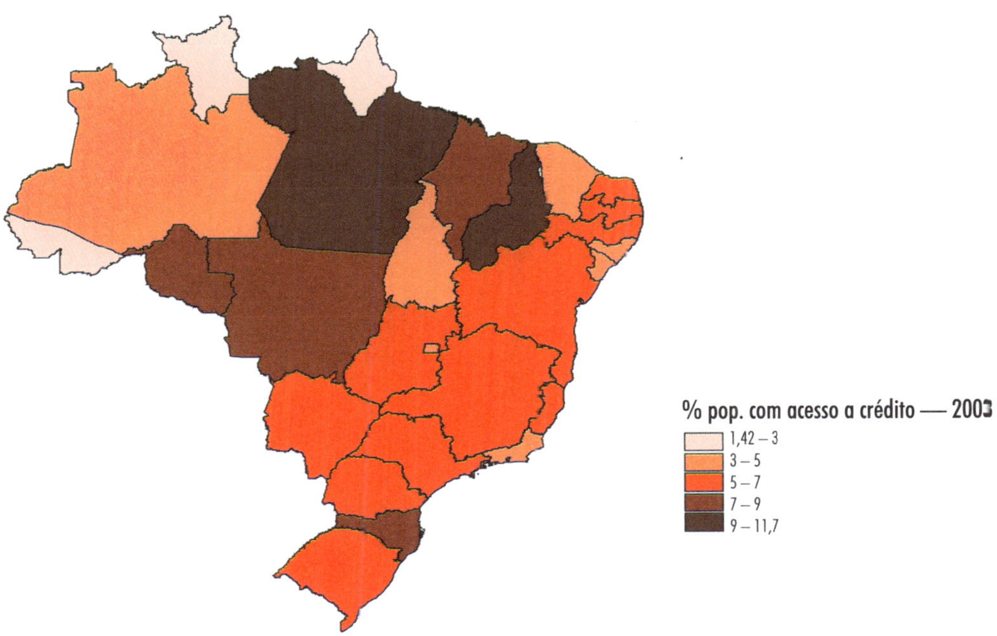

Fonte: CPS/FGV, a partir dos microdados da Ecinf/IBGE.

O mistério nordestino

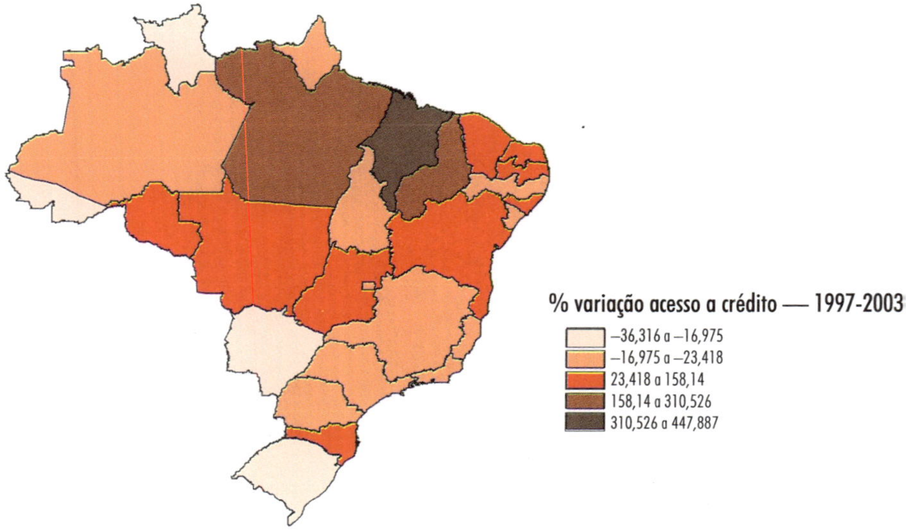

Fonte: CPS/FGV, a partir dos microdados da Ecinf/IBGE.

Mercado potencial

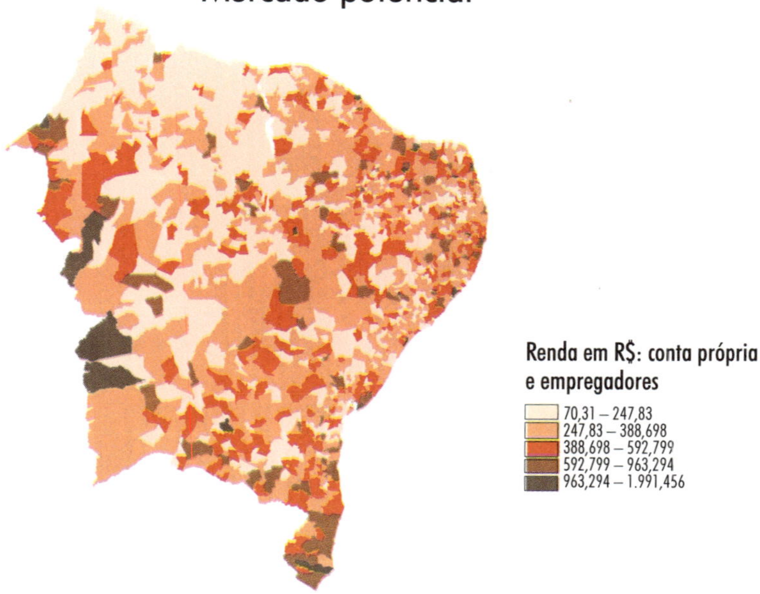

Fonte: CPS/FGV, a partir dos microdados do Censo 2000/IBGE.

Mapas municipais — Nordeste

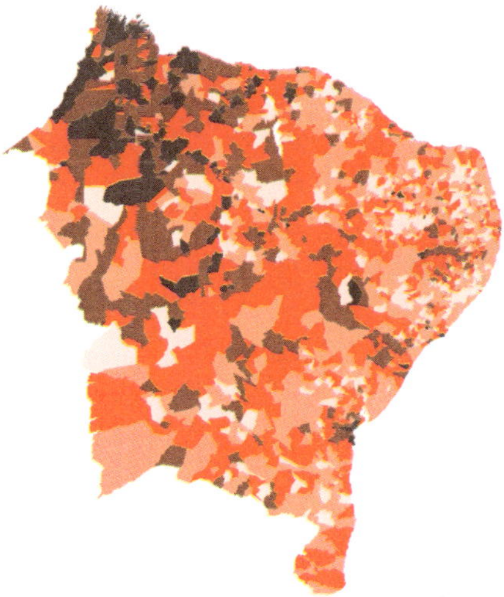

Fonte: CFS/FGV, a partir dos microdados do Censo 2000/IBGE.

Mapas inframunicipais — Nordeste

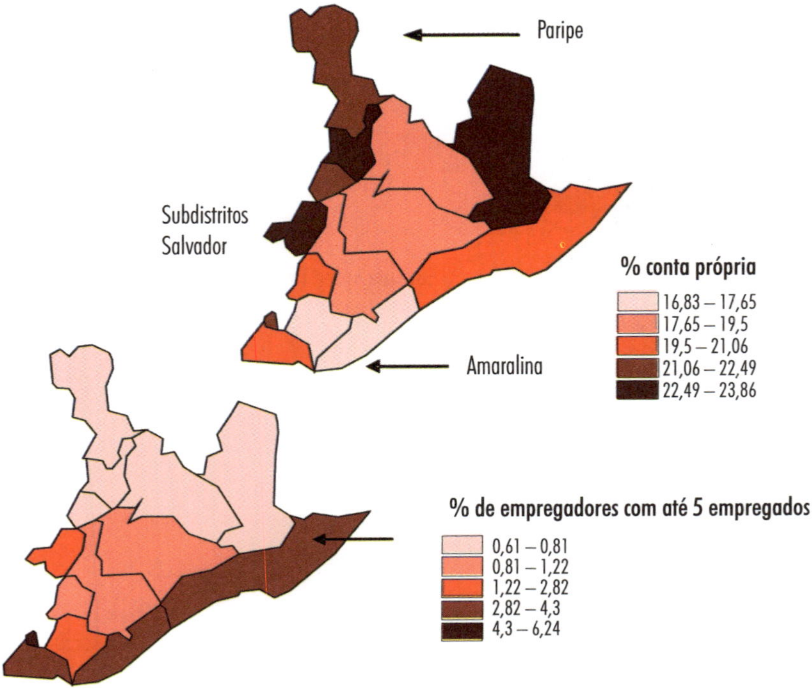

Mapa inframunicipal na área de atuação do CrediAmigo fora do Nordeste, por distritos

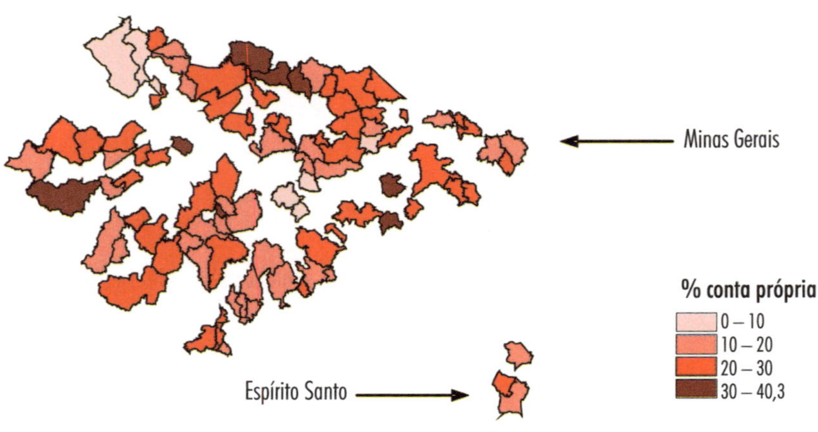

Fonte: CPS/FGV, a partir dos microdados do Censo 2000/IBGE.

Mapas municipais — área de atuação

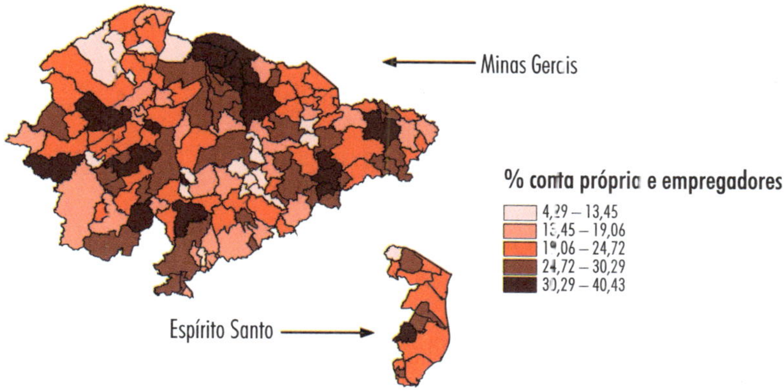

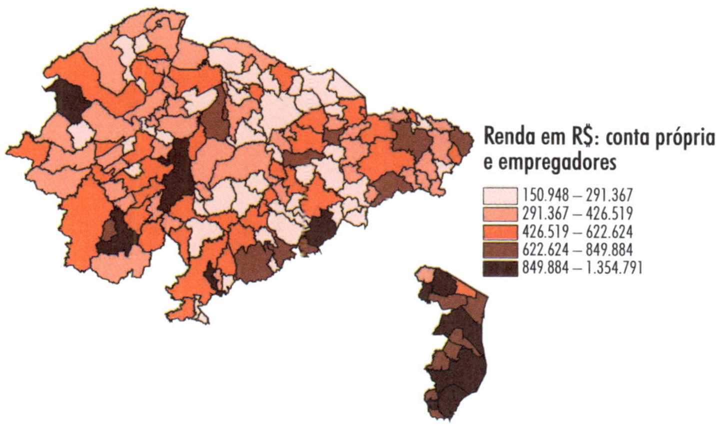

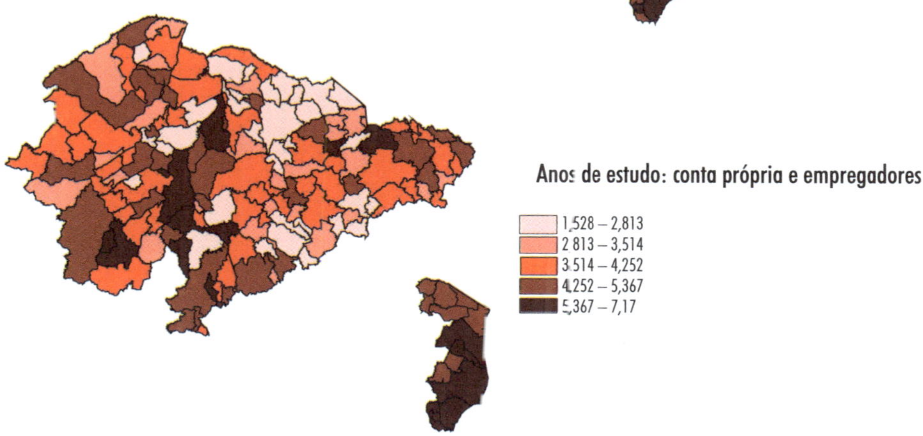

Fonte: CPS/FGV, a partir dos microdados do Censo 2000/IBGE.

Mapas mesorregionais dos microempresários na área de atuação do CrediAmigo Pré-programa

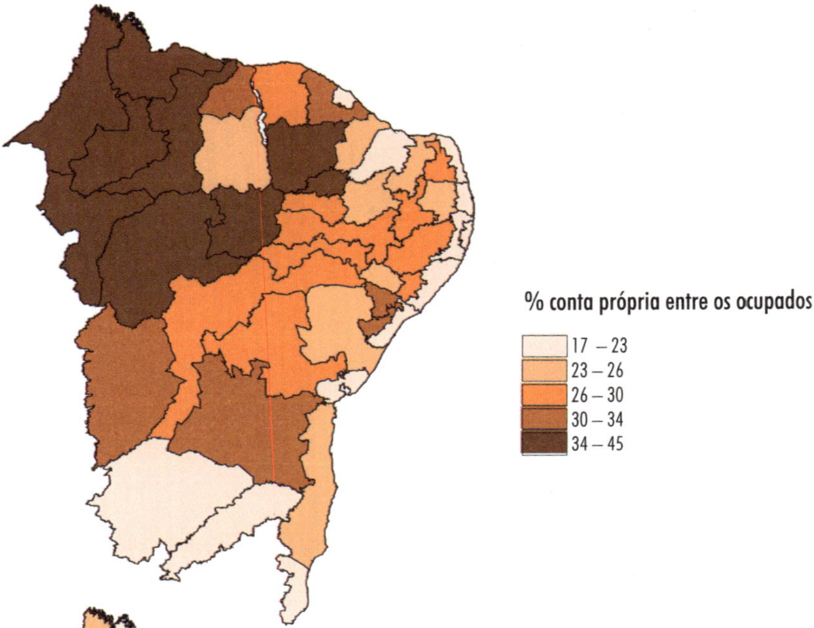

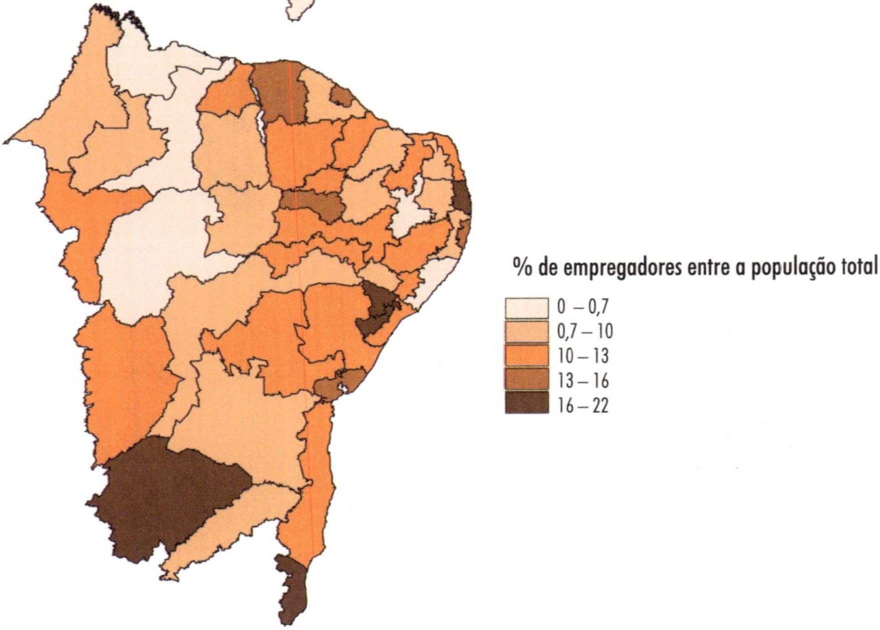

Fonte: CPS/FGV, a partir dos microdados da Pnad 1996 a 1999/IBGE.

Mapas mesorregionais dos microempresários na área de atuação do CrediAmigo
Pré-programa

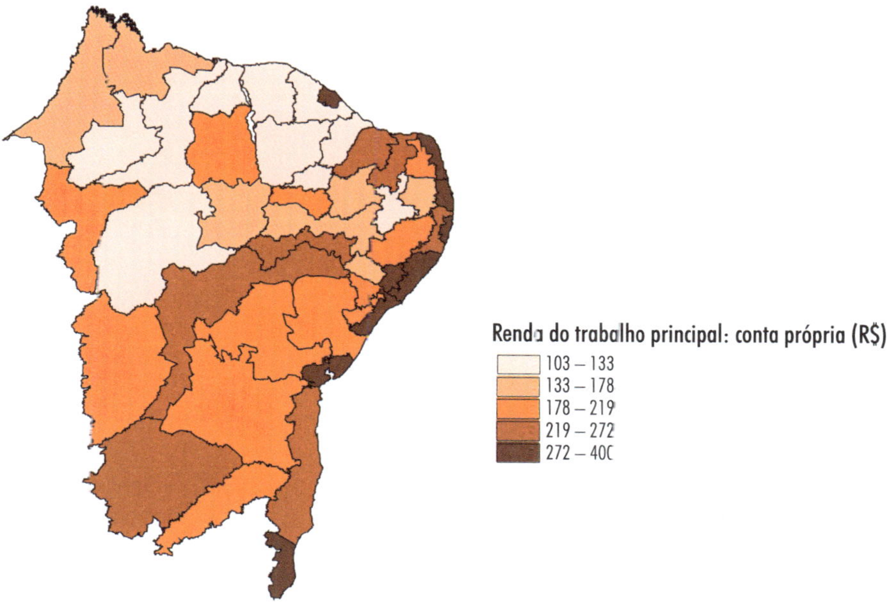

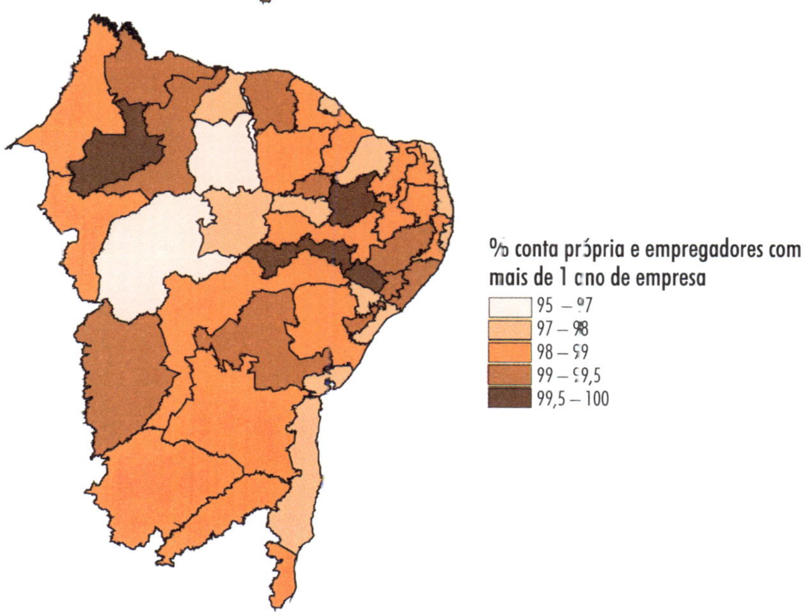

Fonte: CPS/FGV, a partir dos microdados da Pnad 1996 a 1999/IBGE.

Mapas mesorregionais dos microempresários na área de atuação do CrediAmigo Pré-programa

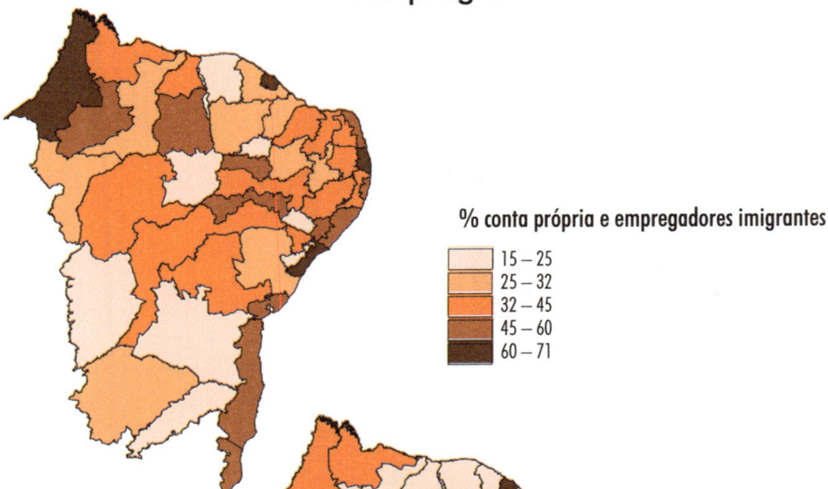

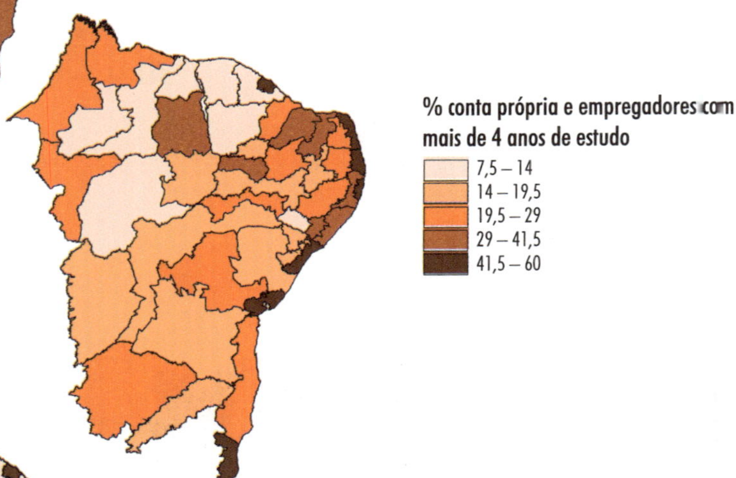

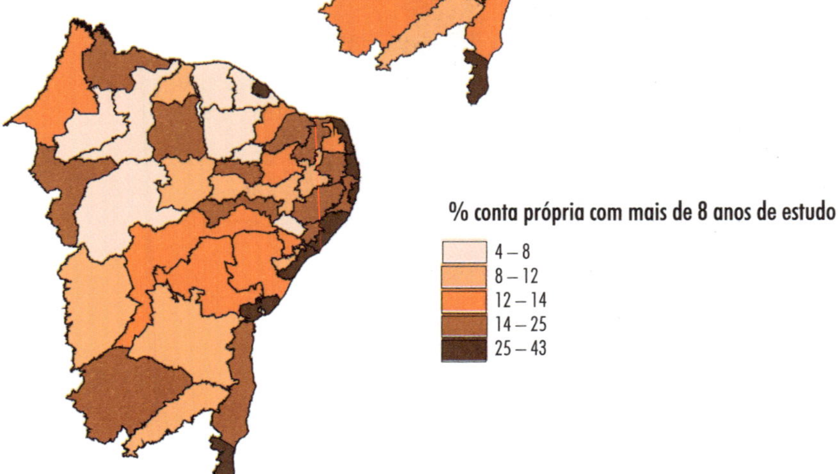

Fonte: CPS/FGV, a partir dos microdados da Pnad 1996 a 1999/IBGE.

Mapas mesorregionais dos microempresários na área de atuação do CrediAmigo Pré-programa

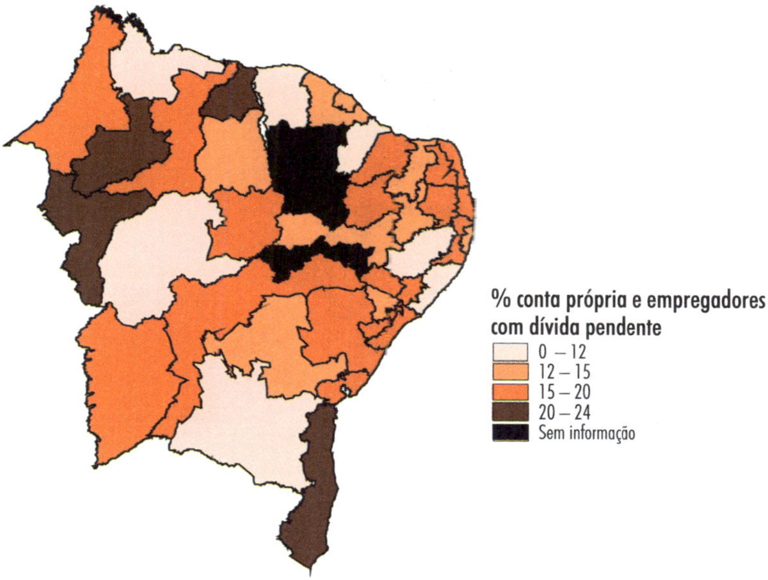

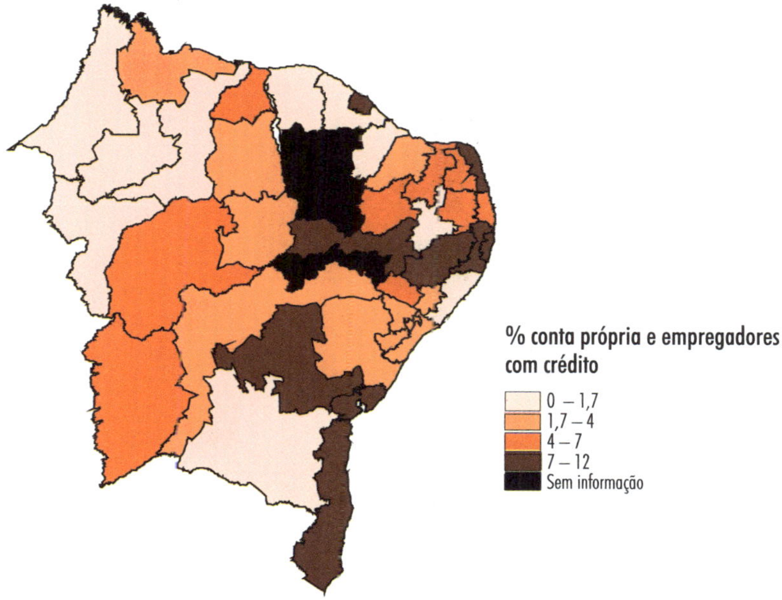

Fonte: CPS/FGV, a partir dos microdados da Ecinf 1997/IBGE.

Mapas mesorregionais dos microempresários na área de atuação do CrediAmigo Pré-programa

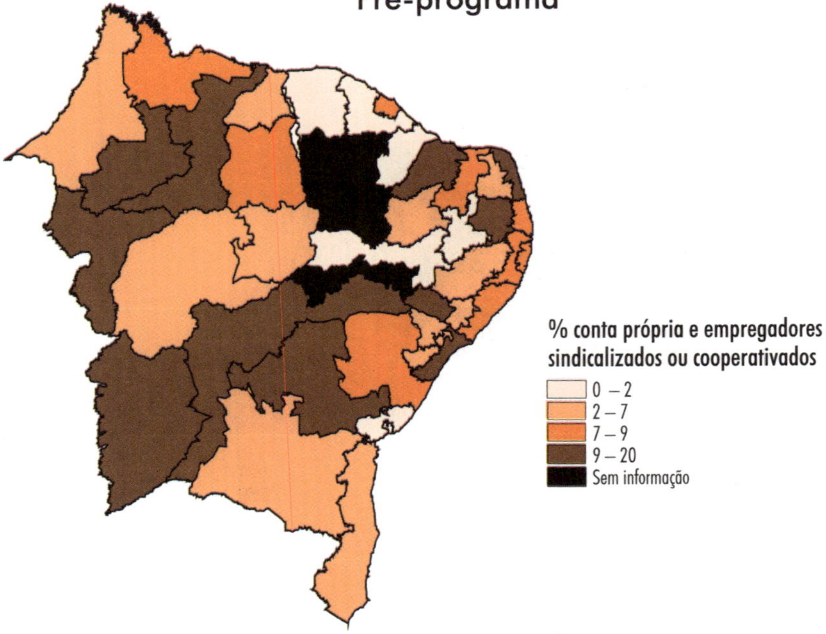

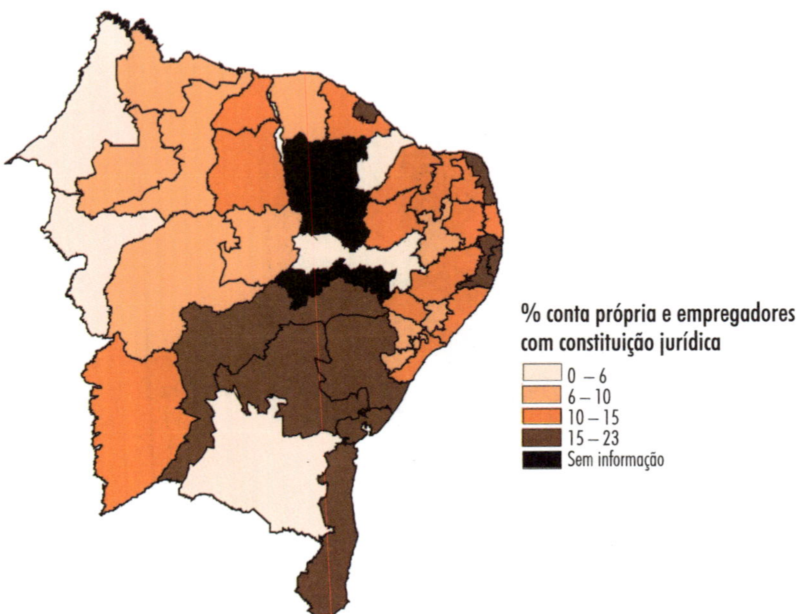

Fonte: CPS/FGV, a partir dos microdados da Ecinf 1997/IBGE.

Mapas estaduais dos microempresários na área de atuação do CrediAmigo

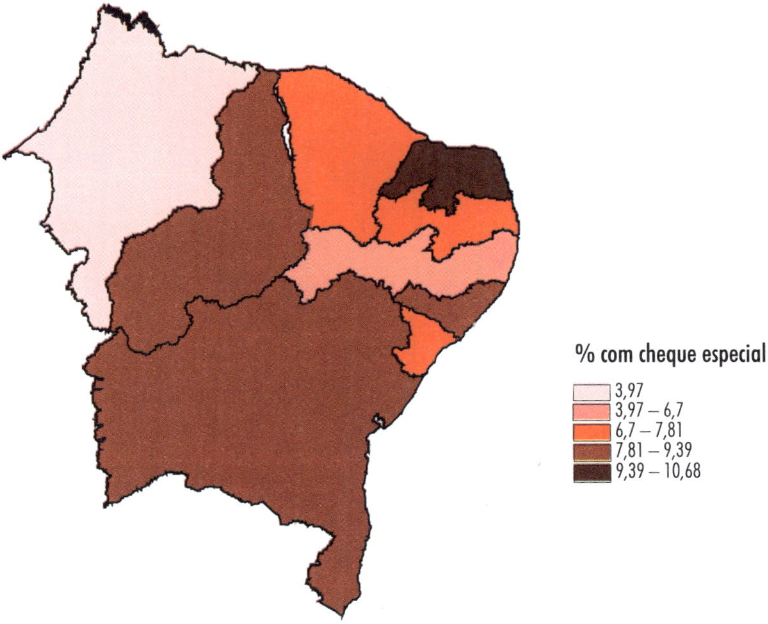

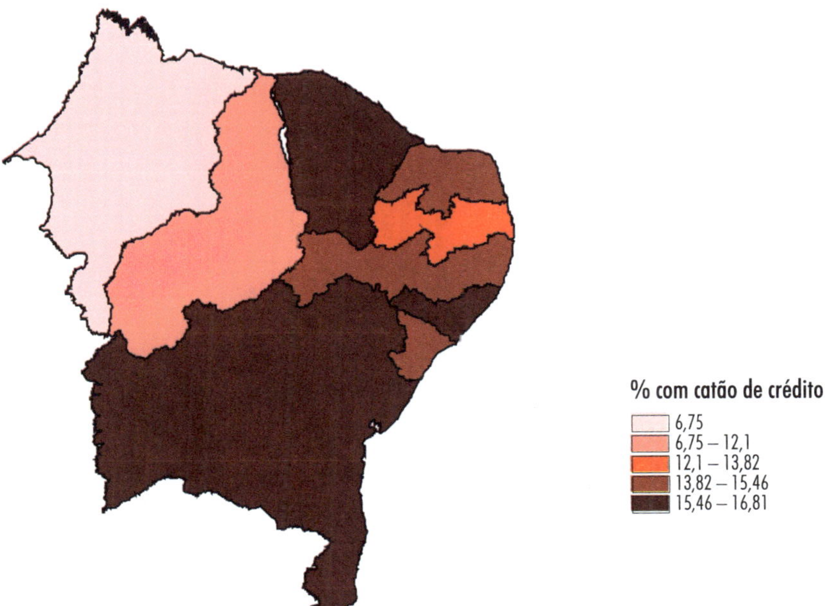

Fonte: CPS/FGV, a partir dos microdados da POF 2002 a 2003/IBGE.

Mapas estaduais dos microempresários na área de atuação do CrediAmigo

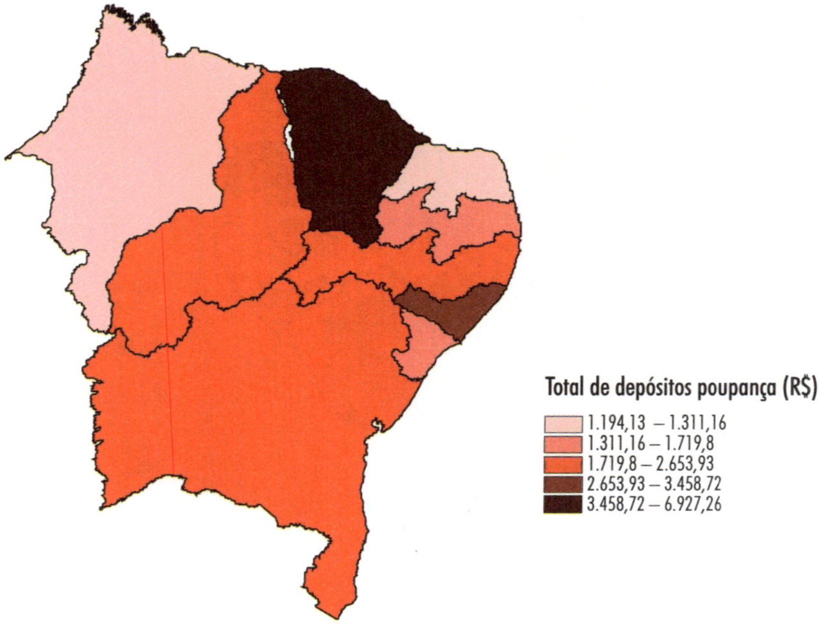

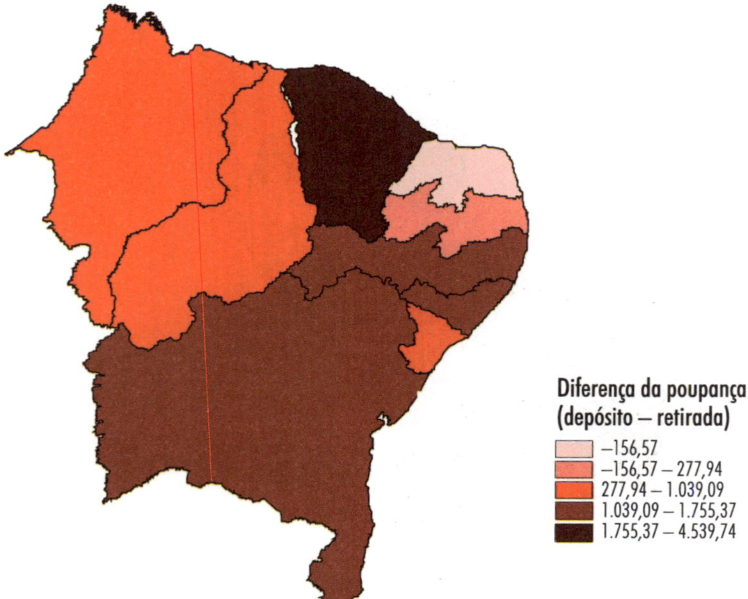

Fonte: CPS/FGV, a partir dos microdados da POF 2002 a 2003/IBGE.

Mapas estaduais dos microempresários na área de atuação do CrediAmigo

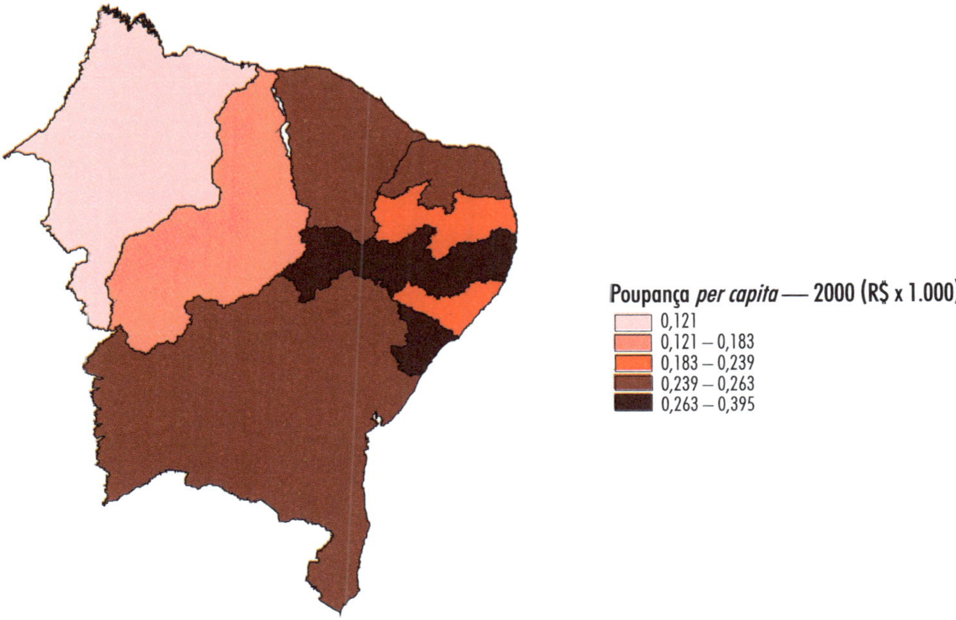

Fonte: Banco Central.

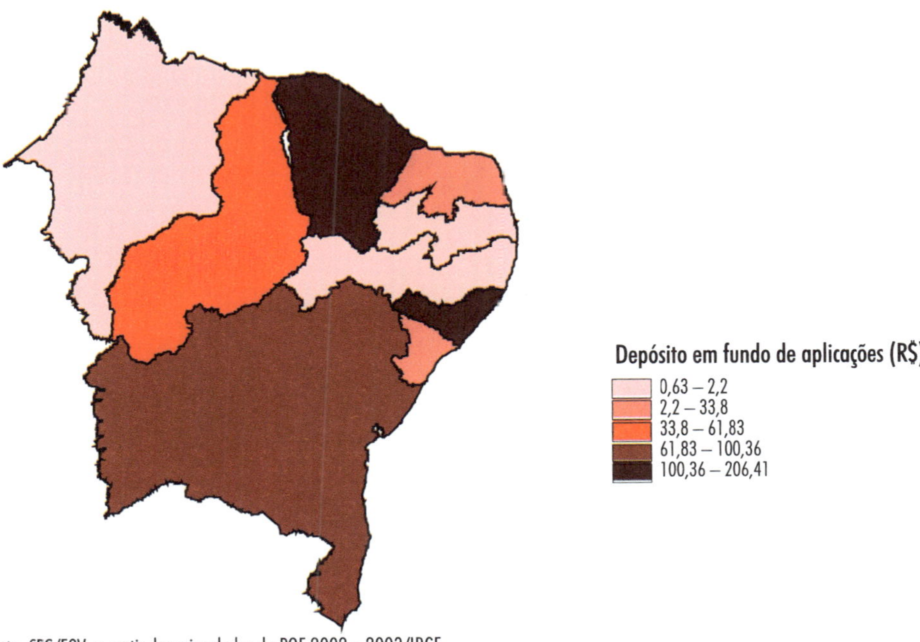

Fonte: CFS/FGV, a partir dos microdados da POF 2002 a 2003/IBGE.

Mapas municipais da população total na área de atuação do CrediAmigo

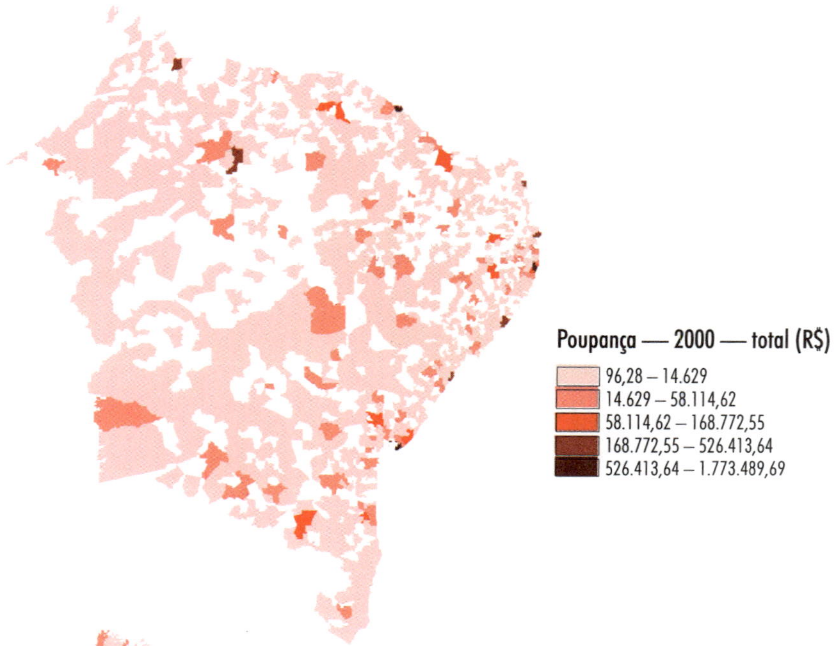

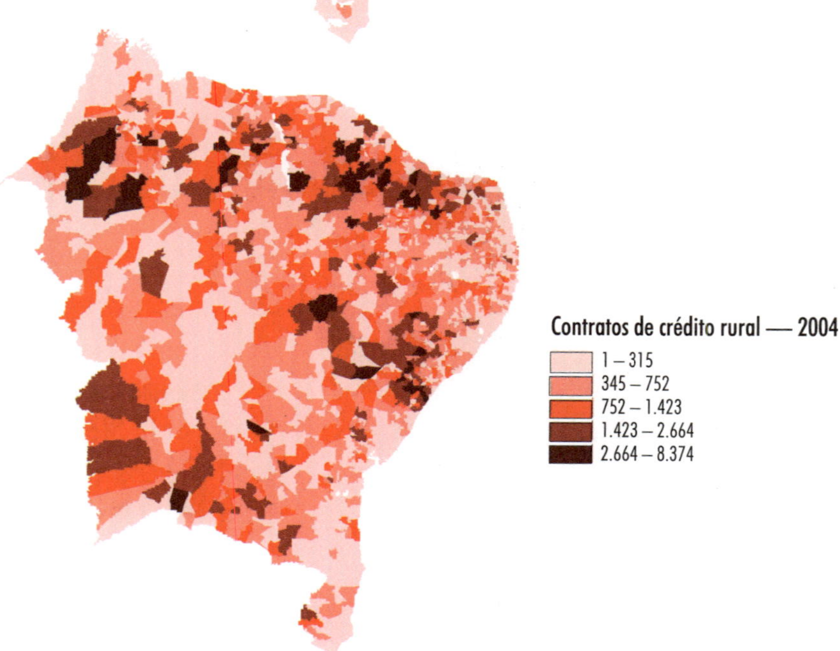

Fonte: Banco Central.

3

Retrato dos nanoempreendedores do Nordeste urbano

Marcelo Neri
Luisa Carvalhaes
Samanta Monte

Nesse estágio, começa a ser traçado um retrato dos trabalhadores por conta própria e dos empregadores do Nordeste urbano, a partir do processamento e da análise de diferentes bases de microdados. Este capítulo avalia a dimensão humana dos microempreendedores, a fim de mapear os atributos pessoais observados no mercado potencial de clientes que podem ser úteis no desenho de estratégias de expansão do CrediAmigo. Para tanto, são utilizadas a Pesquisa Nacional por Amostra de Domicílios (Pnad) e a Pesquisa de Orçamentos Familiares (POF), que permitem captar a distribuição e a evolução temporal de atributos sociodemográficos dos microempreendedores e sua respectiva renda individual e familiar, assim como variáveis subjetivas relativas à percepção do empresário e de sua família sobre sua condição de vida. A Pnad, por ser anual e nacional, permite monitorar a evolução de diversos indicadores relevantes, o que não é possibilitado nem pela POF, nem tampouco pela Ecinf. O período total coberto se estende de 1992 a 2005, embora por vezes se dê mais atenção a 2003 — ano-base tanto da análise da segunda Ecinf quanto da POF — e a ênfase maior recaia sobre o período 1997-2005. O ponto final em 2005 corresponde à última Pnad disponível, que foi estendida mediante o uso de outras pesquisas menos abrangentes. Já 1997 foi escolhido pelo critério de comparabilidade e consistência, por ser o ano da primeira Ecinf e, principalmente, pelo fato de marcar o início do programa CrediAmigo. Ou seja, essa comparação permite contextualizar o cenário sociodemográfico dos empreendedores urbanos durante o período de vigência do programa CrediAmigo.

Definições

Microempresa é o termo mais popular utilizado para caracterizar os empreendimentos de menor porte, embora não haja unanimidade quanto à delimitação desse segmento. Observa-se, na prática, uma variedade de critérios para definir esses empreendimentos, por parte tanto da legislação específica, quanto de instituições financeiras oficiais e órgãos representativos do setor, que se baseiam ora no valor do faturamento, ora no número de pessoas ocupadas, ora em ambos. A utilização de conceitos heterogêneos decorre do fato de a finalidade e os objetivos das instituições que promovem seu enquadramento serem distintos (regulamentação, crédito, estudos etc.).

A Lei nº 9.841/99 classifica as microempresas segundo sua receita anual, que pode chegar a R$ 244 mil. O Sebrae já usa o número de empregados, classificando como microempresas as que têm até nove empregados. A categoria microempresa, além de possuir múltiplas definições, abarca grupos cujo faturamento supera em muito o universo coberto pela Ecinf. Por exemplo, o BNDES inclui na categoria de microempresa negócios cujo faturamento atinge até cerca de R$ 940 mil anuais (US$ 400 mil), enquanto o faturamento médio dos aqui chamados negócios nanicos foi de apenas R$ 1.754 ao mês em 2003, ou cerca de R$ 21 mil anuais — mais de 40 vezes menor que o valor máximo estipulado pelo BNDES.

O objeto fundamental desta pesquisa, formado por trabalhadores por conta própria e empregadores com até cinco empregados é aqui chamado de nanoempresa, em alusão à nanotecnologia, ou simplesmente de negócios nanicos. Independentemente de nomenclaturas, a Ecinf permite que se mergulhe no funcionamento da chamada economia subterrânea, tradicionalmente à margem das políticas e das estatísticas oficiais.

A partir de cálculos com dados do Censo Demográfico 2000, apresentamos no caderno em cores mapas municipais da taxa de trabalhadores por conta própria entre os ocupados do Nordeste, por renda e educação. E também mapas municipais da área de atuação do CrediAmigo fora do Nordeste, em distritos do norte do Espírito Santo e de Minas Gerais. Mais adiante, temos mapas inframunicipais para o Nordeste (mais especificamente para subdistritos de Salvador) e para distritos de Minas Gerais e Espírito Santo, a título de exemplo da base georreferenciada disponibilizada pelo projeto.

Descrição geral da população de microempresários e do lucro

Descreveremos em seguida as principais características de um universo de 4.552.381 trabalhadores por conta própria e empregadores do Nordeste urbano, baseados principalmente na Pnad 2005, a última disponível. Os dados do Nordeste serão comparados com os de outras regiões fora do Nordeste (apresentados entre parênteses), que correspondem a um universo de 13.314.052 trabalhadores por conta própria e empregadores urbanos. O universo em questão correspondia em 1992 a 3 milhões, em 1998 já era de 3,5 milhões, em 2003 chegara a 4,3 milhões e, em 2005, já alcançava 4,5 milhões. A amostra analisada corresponde a 9,3 mil observações em 1998, 11,7 mil em 2003 e 12,3 mil em 2005, sempre do universo de empregadores e trabalhadores por conta própria do Nordeste urbano.

Seguindo nessa linha, o mercado potencial de microcrédito não se resume aos que hoje já têm o próprio negócio e são empreendedores — os trabalhadores por conta própria e empregadores —, abrange também os capitalistas em potencial, que muitas vezes não têm um negócio exatamente pela falta de capital para iniciá-lo. Há milhões de pobres no Nordeste que não são empreendedores, mas que se tornariam caso o microcrédito chegasse até eles. Optamos por diagnosticar os trabalhadores por conta própria e empregadores presentes, dada a regra usual de financiar os negócios que já estão em operação. O banco de dados permite observar medidas mais abrangentes de mercado potencial de beneficiários do crédito, dependendo do contexto, como o universo de ocupados em diversas posições, a população economicamente ativa (PEA) e a população em idade ativa (PIA). A tabela 1 mostra que, em 2005, a parcela de microempresários nordestinos na PEA era de 27,4% e na PIA, de 19,07%; portanto, numa visão mais abrangente, o tamanho máximo seria de quatro a cinco vezes o usado neste capítulo.

Tabela 1
Percentagem de trabalhadores por conta própria e empregadores

Categoria	Nordeste			Fora do Nordeste		
	1992	1997	2005	1992	1997	2005
% da PEA	29,19	29,53	27,37	22,56	23,77	22,43
% da PIA	19,55	19,51	19,07	15,75	16,47	16,44

Fonte: CPS/FGV, a partir dos microdados da Pnad, do IBGE.

Lucro e renda

Feitas essas ressalvas, voltemos ao nosso universo central de análise: a população nordestina de trabalhadores por conta própria e empreendedores urbanos. A tabela 2 apresenta a renda individual do trabalho, que nesse caso equivale ao lucro dos trabalhadores por conta própria entre os ocupados e dos empregadores com até cinco empregados.

Tabela 2
Panorama da renda individual

	População total					
	Nordeste			Fora do Nordeste		
	População	Lucro	Todas as fontes	População	Lucro	Todas as fontes
Total	4.552.381	600,17	684,66	13.314.052	1.205,84	1.354,65

Fonte: CPS/FGV, a partir dos microdados da Pnad 2005, do IBGE.

Como estamos examinando especificamente a situação dos empregadores e trabalhadores por conta própria, observamos que a renda do trabalho corresponde a seus lucros, sendo este o motivo que nos levou a escolhê-la como a variável em torno da qual concentramos nossa análise.

Considerando todo o mercado potencial, os dados revelam um lucro anual agregado de R$ 33 bilhões e uma renda agregada de todas as fontes de R$ 37 bilhões, o equivalente a cerca de 22% e 25% da renda agregada de todas as fontes do Nordeste como um todo, respectivamente.

É importante destacar que consideramos nessas estatísticas apenas os empreendedores, mas o impacto social de suas atividades aumenta quando se leva em conta suas famílias. Como as famílias dos trabalhadores por conta própria e empregadores têm em média 4,64 membros, aproximadamente 21 milhões de pessoas são diretamente impactadas pelas atividades produtivas por eles exercidas, incluindo a possibilidade de acesso a crédito por parte dos negociantes. Nesse caso, estamos falando, nada mais nada menos, de 42 % do total da população do Nordeste, o que corresponde a 50,5 milhões de residentes, de acordo com a Pnad 2005.

Apresentamos também aqui alguns dados referentes às famílias dos microempresários que possibilitam avaliar a extensão dos impactos econômicos e sociais diretos da atividade microempresarial. Dados sobre a taxa de miséria, a renda domiciliar *per capita* média e a razão entre esta e a mediana da renda domiciliar *per capita* servem para observarmos a desigualdade em cada segmento analisado. Esses dados dão ao leitor uma idéia da extensão potencial das conseqüências sociais do microcrédito e serão posteriormente incorporados ao nono capítulo, que trata da relação entre crédito e combate à pobreza. Na próxima seção analisaremos algumas variáveis relativas às percepções do empresário e de sua família acerca de sua renda *vis-à-vis* as necessidades percebidas.

Tabela 3
Panorama da renda domiciliar *per capita*

	População total					
	Nordeste			Fora do Nordeste		
	% de miséria	Média / mediana	Média	% de miséria	Média / mediana	Média
Total	27,65	1,98	395,08	8,25	1,89	811,74

Fonte: CPS/FGV, a partir dos microdados da Pnad 2005, do IBGE.

No que concerne as tendências temporais da renda média de todas as fontes da população em questão, observadas pela Pnad, esta aumentou de R$ 605 em 1992 para R$ 933 em 1996, começou a cair progressivamente a partir de então até atingir o patamar de R$ 634 em 2003, próximo daquele de 1992, e voltou a subir, atingindo R$ 685 em 2005, último ano para o qual dispomos de dados. Já a renda individual média do trabalho, que era de R$ 535 em 1992, passou a R$ 849 em 1996 e regrediu até R$ 548 em 2003, voltando a subir até atingir R$ 600 em 2005. A renda mediana do trabalho, por sua vez, variou menos, de R$ 330 em 1998 para R$ 300 em 2005. As evidências de que o lucro mediano dos empreendedores em questão corresponde à metade de seu lucro médio certamente se devem ao fato de esse universo incluir também grandes capitalistas, que, apesar de pouco representativos numericamente na amostra, acabam por elevar substancialmente a média de lucro, e não a mediana, que corresponde ao valor que divide igualmente o número de pessoas com lucro superior e inferior a esse valor. À guisa de exemplo, pode-se dizer que, se hoje um empreendedor bilionário se mudasse para alguma cidade grande do Nordeste, ele elevaria a média de renda da região, mas não a mediana.

Gráfico 1

Renda de trabalhadores por conta própria e empregadores urbanos, 1992-2005

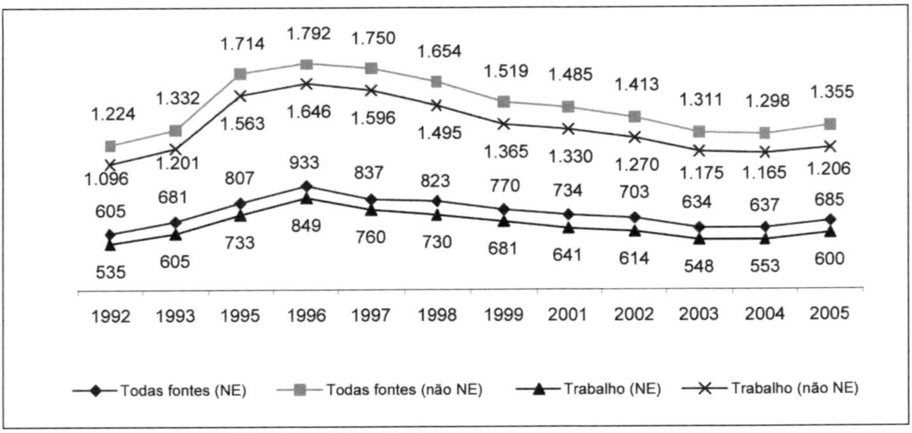

Fonte: CPS/FGV, a partir dos microdados da Pnad, do IBGE.

Trajetória similar pode ser observada na renda domiciliar *per capita* média de todas as fontes de rendimentos, cujos valores partem de R$ 267 em 1992, chegam ao auge de R$ 426 em 1996, sofrem um decréscimo paulatino até R$ 352 em 2003 e se recuperam a R$ 395 em 2005, como se pode observar no gráfico 2. Agora, quando usamos medidas de bem-estar baseadas em renda notamos um desempenho melhor à medida que ampliamos as fontes de renda e restringimos mais a análise na cauda inferior da distribuição de rendimentos (por exemplo, passando da média para a mediana e desta para a miséria). Conforme os gráficos ilustram, quando usadas medidas de miséria e a mediana, ambas baseadas na renda *per capita* de todas as fontes, a Pnad 2005 demonstra a melhor posição histórica dos microempresários urbanos nordestinos, o que não acontece quando é usada a renda média, por exemplo.

Gráfico 2
Renda domiciliar *per capita* (R$)

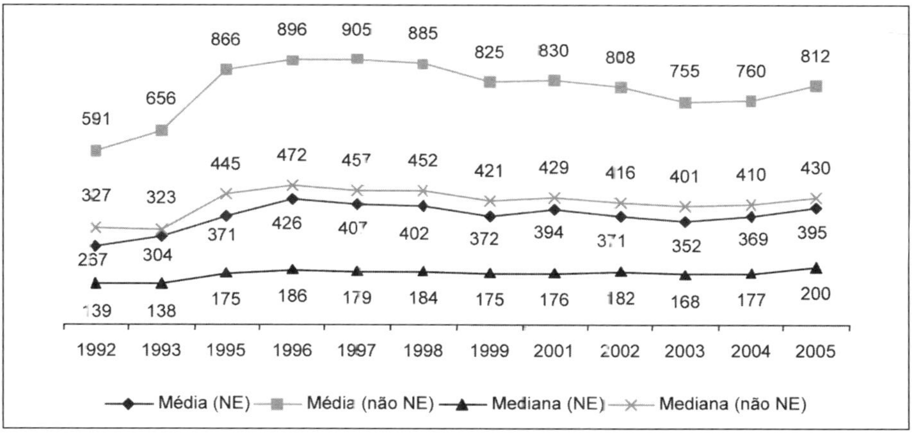

Fonte: CPS/FGV, a partir dos microdados da Pnad, do IBGE.

Gráfico 3

Razão (média/mediana) de renda domiciliar *per capita*

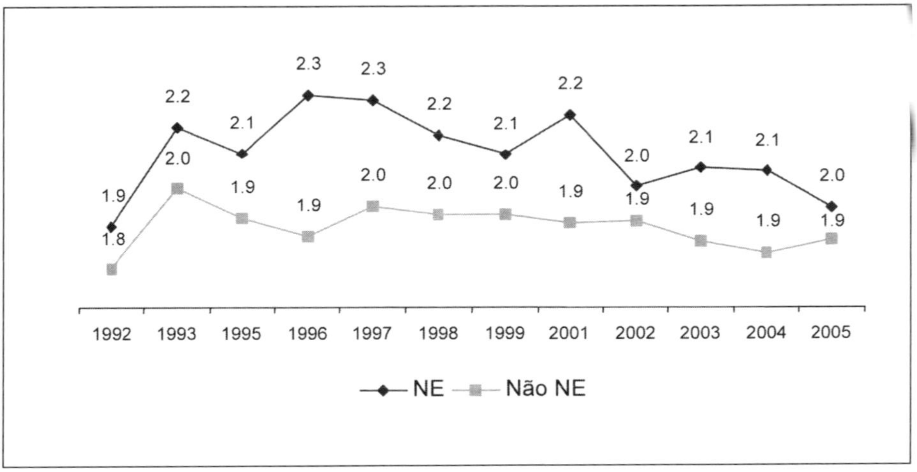

Fonte: CPS/FGV, a partir dos microdados da Pnad, do IBGE.

Gráfico 4

Percentagem de miseráveis

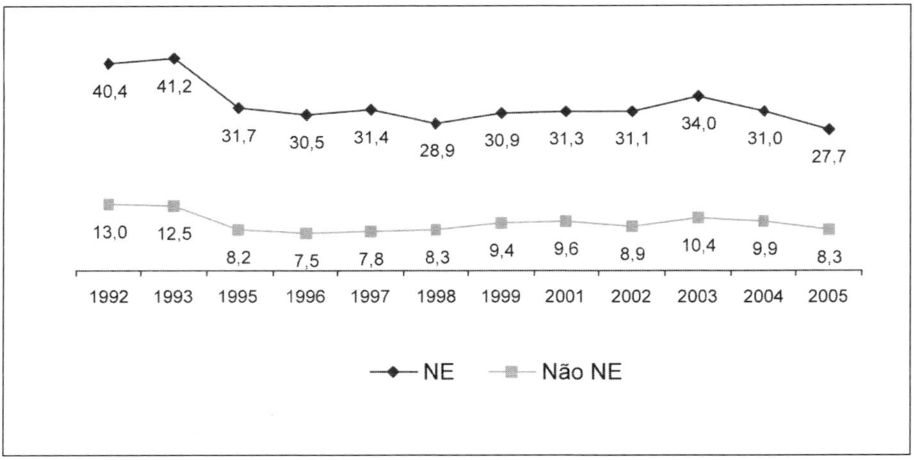

Fonte: CPS/FGV, a partir dos microdados da Pnad, do IBGE.

Passemos agora à análise aberta por atributos sociodemográficos e dos negócios em si.

Posição na ocupação

O mercado potencial de crédito produtivo que estamos analisando corresponde a 4 milhões de trabalhadores por conta própria e a 520 mil empregadores, em valores em 2005. Em 1997, esses números eram 3,1 milhões e 400 mil e, em 2003, 3,8 milhões e 490 mil, respectivamente; isto é, do universo em questão, 87,7% (79,5%) correspondiam a trabalhadores por conta própria e 12,3% (20,5%) a empregadores nordestinos (não-nordestinos). Ou seja, a proporção de trabalhadores por conta própria (os capitalistas sem empregados) entre os empregadores em geral é consideravelmente maior no Nordeste do que no restante do país, o que pode ser explicado pelo fato de a região Nordeste ser mais pobre do que as demais.

No período 1997-2003, a renda média do trabalho dos trabalhadores por conta própria caiu de R$ 522 para R$ 377 e, a partir de então, apresentou uma modesta recuperação, chegando a R$ 389 em 2005. Já a renda do trabalho mediana variou menos, de R$ 269 em 1998 para R$ 250 em 2005, regredindo ao mesmo valor de 1992. Essa diferença entre lucro médio e lucro mediano provavelmente se deve ao fato de estarem incluídos entre os trabalhadores por conta própria profissionais liberais de alta renda, como dentistas, médicos e trabalhadores especializados autônomos em geral.

Os empregadores, nesse mesmo período, também sofreram uma grande queda de lucro, passando de R$ 2.500 para R$ 1.897 e chegando depois a R$ 2.110. Seu lucro mediano, que era de R$ 1.433 em 1998, passou a R$ 1.000 em 2005, valor praticamente igual ao de 1992. Nesse caso, percebe-se claramente uma enorme diferença entre o lucro médio e o lucro mediano, a qual se deve ao fato de, entre os empregadores, figurarem tanto pequenos empregadores, com seus nanonegócios, quanto grandes empregadores, que, apesar de representarem uma parcela muito reduzida desse universo, acabam aumentando muito a média de lucro, por corresponderem a uma escala muito mais elevada de receitas, vendas e lucros.

Ao se observar, portanto, o nível de lucro médio dos trabalhadores por conta própria *vis-à-vis* o dos empregadores, percebe-se que se trata na verdade de indivíduos bem heterogêneos e em situações econômicas bastante distintas. Apesar de haver oito vezes mais trabalhadores por conta própria do que empregadores, o lucro anual agregado dos primeiros equivale a aproximadamente R$ 19 milhões e o dos segundos a R$ 13 bilhões.

Idade

Quanto à idade, variável relevante na medida em que remete à experiência dos empreendedores, os dados dos extremos do espectro etário revelam que 5,2% (2,5%) têm de 10 a 19 anos de idade e 27,3% (29,4%) estão com mais de 50 anos. A população de empreendedores nordestinos tem um perfil mais jovem do que no restante do país, apresentando uma proporção duas vezes maior de adolescentes e menos pessoas com mais de 50 anos, proporções que se compensam, fazendo com que os empreendedores de 20 a 50 anos estejam igualmente distribuídos no Nordeste e no restante do país, que concentram 68% (68%) dos empreendedores. Houve uma ligeira tendência de envelhecimento da população. Na literatura empírica de microempreendedorismo, a acumulação de experiência profissional empregatícia (capital humano específico) e financeira normalmente precede a abertura de negócios próprios. Essa limitação estaria mais presente no Nordeste do que no restante do Brasil. Isso tende a agravar a restrição de crédito, uma vez que os jovens em fase de estudo têm sua riqueza mais intensiva em um tipo de capital não-colateralizável — o capital humano.

Tabela 4

Perfil de trabalhadores por conta própria e empregadores por faixa etária

Categoria	Nordeste			Fora do Nordeste		
	1992	1997	2005	1992	1997	2005
10-14 anos	1,74	1,46	1,20	0,90	0,51	0,41
15-19	4,73	3,95	4,02	3,16	2,51	2,11
20-24	8,68	7,88	7,96	7,40	6,33	5,47
25-29	12,49	11,09	11,07	12,15	10,35	9,27
30-35	16,14	17,09	14,36	18,09	17,74	14,45

Continua

Categoria	Nordeste			Fora do Nordeste		
	1992	1997	2005	1992	1997	2005
36-39	10,41	10,75	10,39	11,75	12,00	11,00
40-44	12,09	12,12	12,56	13,37	14,68	14,20
45-49	9,41	11,37	11,11	9,94	11,99	13,59
50-54	7,82	8,29	9,35	8,37	8,88	11,51
55-59	6,27	6,14	7,10	5,99	6,43	7,89
60 ou mais	10,22	9,84	10,88	8,88	8,57	10,03

Fonte: CPS/FGV, a partir dos microdados da Pnad, do IBGE.

Gráfico 5

Percentagem de trabalhadores por conta própria e empregadores, por faixa etária, 1992 e 2005

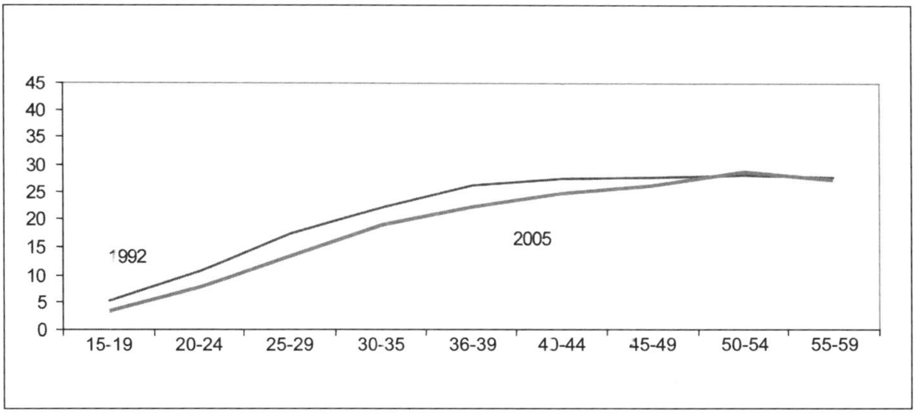

Fonte: CPS/FGV, a partir dos microdados da Pnad, do IBGE.

Os maiores valores de lucro médio concentram-se nas faixas intermediárias de idade, sendo os mais elevados os da faixa etária de 50-54 anos (R$ 851) e os da faixa de 40-44 anos (R$ 803), ficando os valores mais baixos para os microempresários mais jovens (lucro médio de R$ 348 entre 20 e 24 anos) e mais velhos (lucro médio de R$ 550 para os com mais de 60 anos). Esse perfil é condizente com as evidências da literatura econômica sobre a trajetória de renda ao longo do ciclo da vida num ambiente com imperfeições de crédito.

Tabela 5

Panorama da renda individual por faixa etária

Categoria	Nordeste			Fora do Nordeste		
	População	Lucro	Todas as fontes	População	Lucro	Todas as fontes
10 a 14 anos	54.498	49,62	52,57	55.221	82,51	85,12
15 a 19	182.906	174,67	184,74	281.569	363,93	377,69
20 a 24	362.513	348,38	361,21	728.682	671,25	693,89
25 a 29	503.930	519,47	540,66	1.233.697	989,26	1.022,71
30 a 35	653.753	532,95	565,27	1.923.603	1.140,39	1.180,06
36 a 39	472.955	674,15	705,65	1.464.319	1.249,96	1.297,08
40 a 44	571.695	803,44	844,64	1.890.945	1.332,43	1.410,67
45 a 49	505.995	679,75	752,67	1.809.317	1.380,81	1.488,49
50 a 54	425.751	850,72	948,68	1.532.219	1.374,40	1.579,24
55 a 59	323.040	631,93	786,83	1.050.422	1.373,88	1.700,46
60 ou mais	495.127	550,47	912,18	1.335.459	1.229,56	1.809,48

Fonte: CPS/FGV, a partir dos microdados da Pnad 2005, do IBGE.

Tabela 6

Panorama da renda domiciliar *per capita* por faixa etária

Categoria	Nordeste			Fora do Nordeste		
	% de miséria	Média/mediana	Média	% de miséria	Média/mediana	Média
10-14 anos	64,12	1,18	112,77	26,51	1,28	198,26
15-19	39,86	1,46	207,49	16,31	1,55	412,27
20-24	28,66	1,76	307,57	8,65	1,89	637,12
25-29	32,16	2,13	375,61	8,86	1,94	776,74
30-35	33,51	1,85	319,45	9,88	1,89	738,57
36-39	31,53	2,12	381,85	9,95	1,91	714,90
40-44	27,86	2,21	411,52	8,89	1,85	738,63
45-49	24,53	1,95	408,03	7,84	1,77	796,08
50-54	23,68	2,30	482,03	6,46	1,81	904,68
55-59	24,17	2,20	456,83	6,15	2,00	999,32
60 ou mais	10,91	1,82	544,71	4,19	2,06	1.133,82

Fonte: CPS/FGV, a partir dos microdados da Pnad, do IBGE.

Análise geracional

A análise temporal de uma dada variável pode ser feita de várias maneiras. Por exemplo, a partir de cortes transversais nos dados, comparando-se a trajetória de determinada variável ao longo do ciclo da vida em diferentes anos. O gráfico 6 compara a distribuição etária da taxa de microempreendedorismo no Nordeste urbano em alguns pontos no tempo: 1992, 1997, 2002 e 2005.

Gráfico 6

Percentagem de trabalhadores por conta própria e empregadores, por faixa etária, 1992, 1997, 2002 e 2005

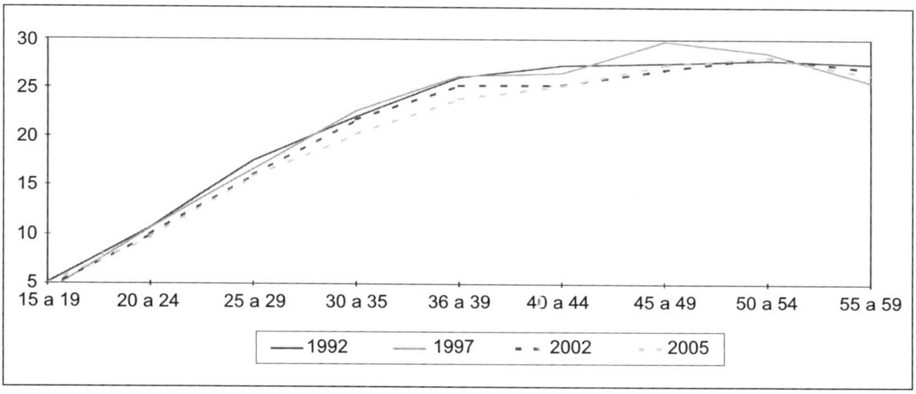

Fonte: CPS/FGV, a partir dos microdados da Pnad, do IBGE.

Esse tipo de gráfico permite distinguir as taxas de microempreendedores de diferentes idades em um mesmo ano, ou de uma mesma idade em anos diferentes. A taxa média de microempresários em cada faixa etária por construção não é influenciada pelo crescimento demográfico diferenciado nos diversos grupos etários citados, pelo efeito composição derivado do crescimento da participação, da ocupação e do microempreendedorismo entre os ocupados. No caso específico, observam-se poucas mudanças no perfil etário dos microempresários urbanos. O gráfico 7 mostra isso com mais clareza, comparando os anos iniciais e finais da série.

O gráfico explora uma visão alternativa dos mesmos dados, refazendo a trajetória de uma mesma geração ao longo dos diferentes anos.

Mal comparando, na análise do perfil etário, foram tirados retratos de diferentes gerações em anos diferentes; na chamada análise de coorte, esses mesmos retratos foram combinados de forma a compor o filme da vida de cada geração.

Gráfico 7

Percentagem de trabalhadores por conta própria e empregadores, por geração

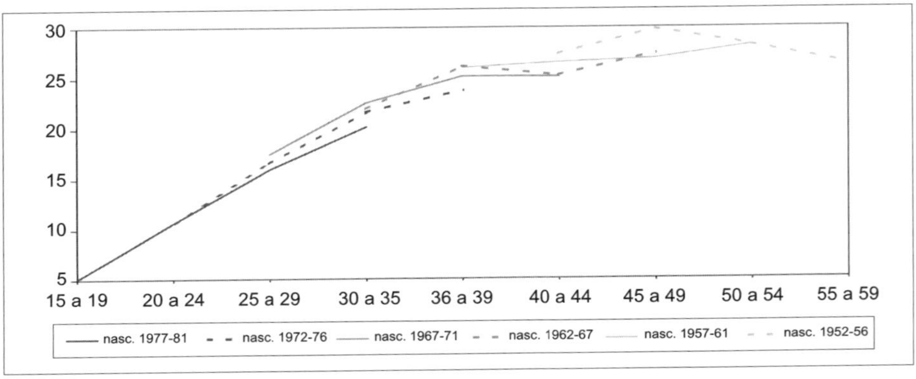

Fonte: CPS/FGV, a partir dos microdados da Pnad, do IBGE.

Os dados da coorte são substitutos de dados longitudinais, que acompanham os mesmos indivíduos ao longo do tempo. Na verdade, as coortes referem-se à média de um conjunto de indivíduos com idênticas características. Isto é, explicitamos a trajetória da vida de um dado grupo, conectando os dados de um grupo com a mesma década de nascimento, buscando ao longo dos anos a sua respectiva faixa etária.

A fim de fixar o conceito, vejamos uma pessoa da geração que nasceu em 1962, por exemplo. Em 1992 essa pessoa tinha entre 30 e 35 anos de idade, chegando em 2002 com 10 anos mais, situando-se na faixa dos 40-45 anos de idade. O gráfico apresenta a trajetória das gerações nascidas em décadas anteriores (representadas nas linhas mais à direita) e posteriores (linhas mais à esquerda), permitindo a leitura da trajetória do ciclo da vida do microempreendedorismo de gerações específicas. Nesse caso, a relativa constância ao longo do tempo do perfil etário dos microempreendedores na análise de coorte revela resultados similares ao corte transversal.

Análise de coorte: metodologia

Os dados de coorte são substitutos imperfeitos de dados longitudinais, uma vez que não fornecem informações sobre os mesmos indivíduos ao longo do tempo. Na verdade, as informações são de diferentes indivíduos que têm certo conjunto de características idênticas, como data e local de nascimento, gênero, raça etc.

Esses dados apresentam como vantagem sobre os dados de painel a ausência de problema de atrito na amostra, isto é, em geral consegue-se observar indivíduos de uma mesma coorte em anos distintos, o que é mais simples do que observar o mesmo indivíduo ao longo do tempo.[1] Como a informação de coorte refere-se à média ou a outro momento da distribuição, diminui-se o erro da medida oriundo das informações de um mesmo indivíduo, acompanhado em momentos distintos.

Educação

A escolaridade dos microempreendedores é um importante determinante da produtividade dos negócios, conforme se pode ver na regressão que correlaciona anos completos de estudo do microempresário e o lucro do respectivo negócio, ambos calculados a partir do mapa municipal nordestino com dados do censo. Uma elasticidade do lucro em relação à escolaridade de 0,89 significa que, tomando-se os resultados pelo valor de face, cada 10% de aumento na escolaridade média do segmento (cerca de 0,6 ano, que aumentou de 1997 para 2005) geraria um aumento de lucro de 8,9%. A tabela 7 mostra a comparação da mediana com a média de anos, a fim de ilustrar a desigualdade de acesso à educação nesse grupo.

Tabela 7
Educação média e mediana

Categoria	Nordeste			Fora do Nordeste		
	1992	1997	2005	1992	1997	2005
Média	4,2	5,0	5,9	6,3	7,0	7,9
Mediana	4,0	4,0	5,0	5,0	6,0	8,0

Fonte: CPS/FGV, a partir dos microdados da Pnad, do IBGE.

[1] O equivalente ao problema de atrito amostral no campo das coortes são os diferenciais de mortalidade entre as características analisadas, como homens e mulheres, brancos e negros, pobres e não-pobres. Observamos que as mulheres vivem mais do que os homens, que a proporção de negros e pardos diminui com o aumento da idade e que o nível de pobreza entre os idosos também é menor do que no restante da população.

Gráfico 8
Log lucro x log educação

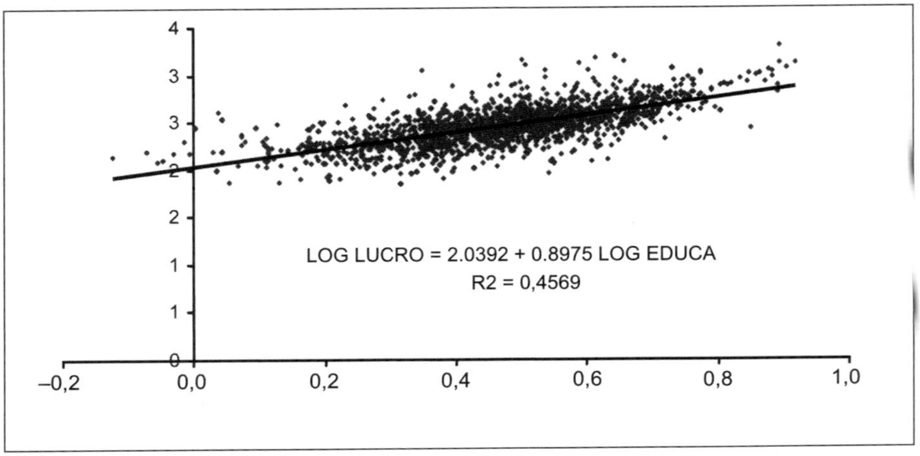

Fonte: CPS/FGV, a partir dos microdados do censo do IBGE.

Como o mercado determina o retorno da educação

Na prática, o retorno da educação pode ser entendido como o preço que o mercado de trabalho, regido pelas leis da oferta e da procura, determina para o atributo educação.

Observamos o equivalente a uma corrida entre a oferta de qualificação de mão-de-obra, proporcionada por uma expansão da educação, e a procura por mão-de-obra qualificada, advinda do progresso tecnológico. É justamente essa tensão entre demanda e oferta do atributo educação que define seu preço, na forma do retorno da educação. Segundo Langoni (1973), por exemplo, para o caso do Brasil na década de 1970, a educação deveria se expandir a uma taxa de 1,23% ao ano para ganhar a corrida contra o progresso tecnológico e impedir que os retornos se elevassem ainda mais, o que aumentaria a desigualdade.

O gráfico 9 compara a média de anos de estudo no Nordeste com a do restante do país, sempre usando o universo dos microempresários urbanos.

A escolaridade média dos microempresários nordestinos, após ficar estagnada entre 1996 e 1999, apresentou um incremento expressivo, subindo 0,9 desde então até o final da série, em 2005. O diferencial absoluto entre as duas regiões se manteve em dois anos de estudo. Como a taxa de incremento da escolaridade média brasileira em termos históricos é de quase um ano completo de estudo por década, os microempresários nordestinos estariam duas décadas atrasados em educação em relação aos brasileiros em educação, ou menos, usando a expansão educacional dos microempresários durante esta década. Não fica claro, porém, se a maior escolaridade deriva da difusão de programas de educação para adultos ou, o que é mais provável, da entrada de pessoas mais escolarizadas no contingente de nanoempresários urbanos nordestinos em relação àquelas que deixaram o segmento. De toda forma, apesar do nível ainda baixo de educação formal nordestina, esse aumento de escolaridade implica a abertura de novas possibilidades de negócios para o empresário e maior demanda por crédito.

Gráfico 9
Anos médios de estudo, 1992-2005

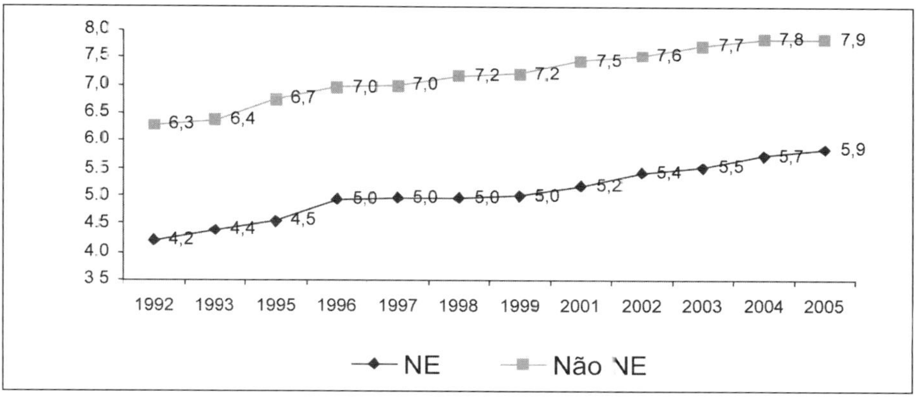

Fonte: CPS/FGV, a partir dos microdados do censo do IBGE

Faixas de escolaridade. Como se viu na introdução deste capítulo, o lucro dos nanoempresários urbanos nordestinos corresponde à metade do de suas contrapartes no restante do país. Mas, quando se comparam pessoas de mesma escolaridade, essa diferença de lucro cai bastante, especialmente entre aquelas mais escolarizadas — 6% a menos de lucro para aquelas com pelo menos ensino superior incompleto. Ou seja, o problema não é tanto que os universitários ganham menos, mas que há menos universitários comandando os nanonegócios nordestinos. Somente 5,8% (14,8%) deles possuem pelo menos o nível superior incompleto — 12 anos ou mais de escolaridade —, tendo esse diferencial regional aumentado ao longo dos anos, o que indica a necessidade de ações expansionistas na linha da universalização do ensino médio e da implantação do Programa Universidade para Todos (ProUni), por exemplo.

Como o capital humano é, por definição, incorporado e intransferível, não serve como colateral no mercado de crédito. Mais educação significa provavelmente mais demanda por crédito, e não mais oferta de crédito. Portanto, percebe-se a especial importância de promover o acesso ao crédito dos indivíduos em ascensão educacional, de forma a permitir que utilizem mais plenamente o ganho de produtividade trabalhista e empresarial adquirida através da educação formal. Euristicamente, a fim de que a revolução educacional proposta pelo Plano de Desenvolvimento Educacional (PDE) proporcione mobilidade de renda, é de fundamental importância a operação de um mercado ativo de microcrédito. Algumas extensões do Bolsa-Família estão sendo discutidas para premiar aqueles que terminam o ensino médio.

Examinando o extremo inferior do espectro educacional, temos que 41,4% (19,5%) são analfabetos funcionais (0 a 3 anos de escolaridade). Há também uma redução na fração de analfabetos funcionais no Nordeste, que passaram de 49,3% em 1997 para 41,4% em 2005. Essa tendência se estendeu a todo o país e reflete a grande expansão do ensino fundamental e da alfabetização de adultos. Esse dado dilui a má notícia de que os nanoempresários analfabetos funcionais não só são mais numerosos, mas ganham menos do que no Nordeste.

Tabela 8

Perfil de trabalhadores por conta própria e empregadores, em anos de estudo

Categoria	Nordeste			Fora do Nordeste		
	1992	1997	2005	1992	1997	2005
0	31,37	26,46	20,50	12,12	9,05	7,28
1 a 3 anos	24,17	22,83	20,87	18,05	16,04	12,24
4 a 7	24,11	25,13	25,41	35,02	33,78	30,68
8 a 11	16,63	19,38	27,05	23,80	27,77	34,54
12 ou mais	3,29	5,93	5,81	10,27	12,57	14,77

Fonte: CPS/FGV, a partir dos microdados da Pnad, do IBGE.

De maneira geral, o conjunto de tabelas de distribuição da população e da renda média por anos de estudo permite que se observe em detalhe que a escolaridade dos trabalhadores por conta própria e empregadores urbanos do Nordeste é bem mais baixa que a do restante do país. Como esperado, a renda do trabalho se revelou mais elevada conforme a escolaridade dos indivíduos: os pequenos empreendedores com nenhuma escolaridade obtiveram um lucro de apenas R$ 235, contra um lucro médio de R$ 770 dos que tinham ensino fundamental completo e um lucro médio de R$ 2.847 daqueles com ensino médio completo. A diferença de lucro médio entre pessoas sem escolaridade e pessoas com pelo menos ensino médio completo (12 anos ou mais de estudo) manteve-se quase constante entre 1998 e 2003, situando-se em torno de um valor 10 vezes maior, que depois passou para 12 vezes maior em 2005. Já a razão entre o lucro dos que completaram o ensino fundamental e os sem escolaridade, que era quatro vezes maior em 1997, diminuiu para 3,5 vezes em 2003. Ou seja, durante o período 1997-2003, os retornos da educação, ou o prêmio educacional, aumentaram no caso dos níveis de escolaridade mais elevados, mas diminuíram no dos níveis educacionais mais baixos. Em linguagem econômica, tornaram-se mais convexos.

Tabela 9

Panorama da renda média individual, em anos de estudo

Categoria	Nordeste			Fora do Nordeste		
	População	Lucro	Todas as fontes	População	Lucro	Todas as fontes
0	933.447	234,87	305,92	968 636	439,75	511,87
1 a 3 anos	950.139	301,40	360,64	1.629.868	538,46	630,95
4 a 7	1.156.860	449,33	505,70	4.085.321	758,61	853,59
8 a 11	1.231.297	770,41	859,93	4.598.197	1.220,57	1.339,24
12 ou mais	264.307	2.847,27	3.169,21	1.966.712	3.027,12	3.441,85

Fonte: CPS/FGV, a partir dos microdados da Pnad 2005, do IBGE.

Tabela 10

Panorama da renda domiciliar *per capita*, em anos de estudo

Categoria	Nordeste			Fora do Nordeste		
	% de miséria	Média/mediana	Média	% de miséria	Média/mediana	Média
0	40,19	1,25	180,33	17,16	1,28	316,18
1 a 3 anos	37,83	1,42	212,25	14,73	1,35	376,54
4 a 7	27,36	1,53	276,60	10,62	1,46	481,89
8 a 11	16,32	1,74	493,56	4,91	1,57	785,61
12 ou mais	0,97	1,56	1.876,00	1,52	1,44	2.157,66

Fonte: CPS/FGV, a partir dos microdados da Pnad, do IBGE.

Tempo de negócio

Uma variável oferecida pela Pnad crucial para a operação de programas de financiamento é o tempo de negócio. Entre os microempresários do Nordeste (fora do Nordeste) urbano, a larga maioria, 53,2% (55,4%), têm seu negócio há mais de cinco anos, tempo suficiente para se estabelecerem. Observa-se que, entre os restantes, 11,6% (12,4%) dos negócios têm entre três e cinco anos de existência, 18,9% (19,3%), de um a três anos e apenas 16,3% (13%), menos de um ano. O padrão de longevidade microempresarial do Nordeste, portanto, acompanha, com pouca defasagem, o restante do país e tampouco se modificou muito intertemporalmente. A longevidade é uma variável relevante para a análise do crédito, uma vez que, *per se*, já fornece uma sinalização de que o negócio de alguma forma obteve êxito, além de algumas inferências *a priori* acerca de boas práticas comerciais e atitudes do negociante, como organização, racionalidade, visão empresarial, sucesso na manutenção de clientela e, a mais importante, não se tratar de um tomador demasiadamente arriscado. Além disso, a literatura mostra que um negócio mais longevo, com mais de cinco anos, por exemplo, tem menor probabilidade de ir à falência do que um que acabou de abrir.

Tabela 11

Perfil de trabalhadores por conta própria e empregadores, por tempo da empresa

Categoria	Nordeste			Fora do Nordeste		
	1992	1997	2005	1992	1997	2005
Até 1 ano	16,42	14,57	16,34	15,33	14,89	12,91
1 a 3	19,78	19,62	18,88	22,23	21,79	19,3
3 a 5	12,19	12,01	11,62	12,45	12,65	12,43
Mais de 5	51,60	53,80	53,16	48,99	50,67	55,36

Fonte: CPS/FGV, a partir dos microdados da Pnad, do IBGE.

Com relação ao tempo da empresa, verificou-se que os microempresários estabelecidos há mais tempo haviam obtido uma renda média do trabalho (ou média de lucro) maior do que os nanoempresários estabelecidos há menos tempo. Os donos de negócios com menos de um ano apresentaram um lucro médio de R$ 342, os que já tinham entre três e cinco anos de negócio tiveram um lucro médio de R$ 633 e os com mais de cinco anos, um lucro de R$ 715.

Tabela 12

Panorama da renda média individual, por tempo de empresa

Categoria	Nordeste			Fora do Nordeste		
	População	Lucro	Todas as fontes	População	Lucro	Todas as fontes
Até 1 ano	743.771	342,15	394,83	1.718.496	603,61	700,97
1 a 3	859.412	480,49	545,62	2.569.762	880,83	991,54
3 a 5	528.988	632,55	705,39	1.655.384	1.139,07	1.261,37
Mais de 5	2.420.210	714,88	818,58	7.370.410	1.474,57	1.654,62

Fonte: CPS/FGV, a partir dos microdados da Pnad 2005, do IBGE.

Tabela 13

Panorama da renda domiciliar *per capita*, por tempo de empresa

Categoria	Nordeste			Não Nordeste		
	% de miséria	Média/ mediana	Média	% de miséria	Média/ mediana	Média
Até 1 ano	35,99	1,86	279,44	13,38	1,73	528,00
1 a 3	28,65	1,96	366,66	9,75	1,85	693,65
3 a 5	26,52	2,01	402,86	7,95	1,93	809,14
Mais de 5	24,97	2,09	439,01	6,60	1,86	919,66

Fonte: CPS/FGV, a partir dos microdados da Pnad, do IBGE.

Migração

A Pnad permite que se quantifiquem os estoques migratórios, bastante relevantes no contexto do Nordeste. Verificamos que 51,8% (41,4%) do público potencial eram nativos do estado e que essa proporção era 10 pontos percentuais maior no Nordeste do que fora dele, especialmente no tocante à fração dos que haviam migrado há mais de 10 anos. A fração de nordestinos migrantes corresponde provavelmente a pessoas que migraram do interior da região — do agreste ou do sertão — para regiões metropolitanas litorâneas. Já a proporção de migrantes fora do Nordeste corresponde em grande parte a imigrantes nordestinos que hoje se encontram em outras regiões do país. Há estudos que sugerem que os migrantes costumam ser aquelas pessoas com maior espírito empreendedor e potencial gerador de renda, o que já foi observado no Brasil e fora dele. A imigração pode ser vista como um empreendimento familiar, embora de natureza distinta, pois a mudança do local de moradia envolve um planejamento e uma logística similares aos da montagem de um novo negócio. Nesse sentido, a redução das taxas de migração para fora do Nordeste pode significar maior retenção, nas fronteiras da região, de talentos empresariais, de pessoas mais dispostas a identificar e assumir bons riscos. Por outro lado, significa maior demanda de crédito para que esse potencial se realize. A conexão de remessas de imigrantes como fonte de financiamento de pequenos negócios tem ganhado destaque na América Latina.

Tabela 14

Perfil de trabalhadores por conta própria e empregadores, por imigração

Categoria	Nordeste			Fora do Nordeste		
	1992	1997	2005	1992	1997	2005
Não migrou	48,44	48,28	51,75	38,20	40,55	41,36
Menos de 4 anos	3,77	2,96	3,04	4,07	3,14	2,84
De 5 a 9 anos	3,49	2,94	2,47	4,40	3,62	3,27
Mais de 10 anos	12,90	14,59	15,17	26,14	25,93	27,13

Fonte: CPS/FGV, a partir dos microdados da Pnad, do IBGE.

Os nativos têm uma renda média do trabalho ou, neste caso, de lucro muito menor (apenas R$ 524) do que os que já migraram, se comparada com os R$ 882 dos que migraram há menos de quatro anos, dos R$ 1.059 dos que migraram entre cinco e nove anos atrás e dos R$ 805 dos que migraram há mais de 10 anos.

Área

Outra diferença substancial entre o Nordeste e as demais regiões do país aparece quando se examina o tipo de cidade onde vivem os trabalhadores por conta própria e empregadores. No Nordeste, enquanto apenas 26,2% (39,5%) vivem em metrópoles, isto é, em capitais ou regiões metropolitanas, 73,8% (60,5%) vivem em áreas urbanas não-metropolitanas. Essa variável demográfica pode exercer influência sobre o mercado de crédito, particularmente no caso de uma experiência como a do CrediAmigo, que se baseia no colateral social, uma vez que as relações interpessoais se dão de forma diferenciada em grandes metrópoles e em cidades pequenas. Nestas últimas, os indivíduos são mais conhecidos e, portanto, o custo de "pegar o empréstimo e fugir" é maior do que nas grandes cidades, o que reduz a probabilidade de calote. Além disso, as relações sociais são mais estreitas e pessoais, o que afeta a força da pressão coletiva sobre os indivíduos (*peer pressure*).

Tabela 15
Perfil de trabalhadores por conta própria e empregadores, por tamanho da cidade

Categoria	Nordeste			Fora do Nordeste		
	1992	1997	2005	1992	1997	2005
Metrópole	25,65	25,01	26,15	38,75	38,25	39,48
Urbana	74,35	74,99	73,85	61,25	61,75	60,52

Fonte: CPS/FGV, a partir dos microdados da Pnad 2005, do IBGE.

Observou-se também que os microempresários de áreas metropolitanas têm um lucro médio de R$ 830 (R$ 1.300), muito mais elevado que o daqueles de áreas urbanas não-metropolitanas — R$ 519 (R$ 1.144), o que se deve provavelmente ao maior dinamismo das economias, a mais oportunidades e ao maior acesso a mercados das metrópoles.

Tabela 16
Panorama da renda média individual, por tamanho de cidade

Categoria	Nordeste			Fora do Nordeste		
	População	Lucro	Todas as fontes	População	Lucro	Todas as fontes
Metrópole	1.190.507	830,29	937,67	5.256.073	1.299,93	1.466,02
Urbana	3.361.874	518,68	595,07	8.057.979	1.144,47	1.282,01

Fonte: CPS/FGV, a partir dos microdados da Pnad 2005, do IBGE.

Tabela 17

Panorama da renda domiciliar *per capita*, por tamanho de cidade

Categoria	Nordeste			Fora do Nordeste		
	% de miséria	Média/mediana	Média	% de miséria	Média/mediana	Média
Metrópole	20,58	2,27	552,92	8,82	2,00	920,26
Urbana	30,15	1,88	339,19	7,88	1,82	740,96

Fonte: CPS/FGV, a partir dos microdados da Pnad, do IBGE.

Estados

Por último, observando-se a distribuição da população de interesse entre os diferentes estados, verificou-se que o estado do Nordeste que concentra a maioria de seus capitalistas é a Bahia, com 26%, seguido pelo Ceará, com 18,4%, por Pernambuco, com 16%, e pelo Maranhão, com 12,6%, que juntos concentram 73% da população de capitalistas da região.

Tabela 18

Perfil de trabalhadores por conta própria e empregadores, por estado

Categoria	1992	1997	2005
Maranhão	11,00	10,09	12,63
Piauí	5,48	5,88	6,17
Ceará	15,71	17,14	18,36
Rio Grande do Norte	5,61	5,70	5,54
Paraíba	6,75	8,03	7,07
Pernambuco	18,78	18,52	16,01
Alagoas	4,62	4,11	4,32
Sergipe	3,58	3,89	3,92
Bahia	28,48	26,63	25,98

Fonte: CPS/FGV, a partir dos microdados da Pnad, do IBGE.

O estado do Nordeste onde os trabalhadores por conta própria e nanoempregadores têm maiores lucros é o Rio Grande do Norte, com R$ 800, seguido de Pernambuco (R$ 693) e Sergipe (R$ 635). Já os menores lucros estão no Maranhão (R$ 456) e no Piauí (R$ 463).

Tabela 19

Panorama da renda média individual, por estado do Nordeste

Categoria	População	Lucro	Todas as fontes
Maranhão	575.063	455,56	500,89
Piauí	280.794	463,31	574,54
Ceará	835.978	567,14	664,74
Bahia	1.182.593	611,02	684,69
Sergipe	178.373	634,59	699,20
Alagoas	196.577	624,29	702,00
Paraíba	321.723	624,20	710,91
Pernambuco	728.906	692,63	798,40
Rio Grande do Norte	252.374	799,71	906,07

Fonte: CPS/FGV, a partir dos microdados da Pnad 2005, do IBGE

Tabela 20

Panorama da renda domiciliar *per capita*, por estado do Nordeste

Categoria	% de miséria	Média / mediana	Média
Maranhão	35,61	1,74	263,02
Piauí	32,54	2,04	340,33
Ceará	31,37	2,02	382,34
Rio Grande do Norte	19,30	2,13	525,08
Paraíba	28,24	2,06	390,93
Pernambuco	25,08	2,29	480,38
Alagoas	25,41	2,04	408,48
Sergipe	25,92	1,93	409,57
Bahia	23,81	1,89	397,70

Fonte: CPS/FGV, a partir dos microdados da Pnad, do IBGE.

Sexo

Como primeira clivagem analisada, observou-se que, dos clientes potenciais, 64,9% (66,2%) eram homens, contra 35,1% (33,8%) de mulheres, isto é, a proporção feminina do Nordeste é ligeiramente superior à da população de microempresárias do restante do país, como se pode conferir nas tabelas 21, 22 e 23. Houve uma redução na proporção de homens — de 68% em 1997 para 65% em 2005 —, corroborando a tendência atual de crescente independência financeira das mulheres e convergência de funções entre os sexos. Essa tendência não foi observada nos cinco anos anteriores ao CrediAmigo.

Tabela 21

Perfil de trabalhadores por conta própria e empregadores, por sexo

Categoria	Nordeste			Fora do Nordeste		
	1992	1997	2005	1992	1997	2005
Homem	68,08	67,96	64,87	70,77	70,86	66,23
Mulher	31,92	32,04	35,13	29,23	29,14	33,77

Fonte: CPS/FGV, a partir dos microdados da Pnad, do IBGE.

Analisando diferenças de renda entre diversas características dos indivíduos para o ano de 2005, observamos que a média de renda dos homens (R$ 767) é muito mais elevada que a das mulheres (R$ 533), sendo essa diferença ainda maior no caso da renda do trabalho (R$ 688 contra R$ 438). Mas, quando a medida é a renda domiciliar *per capita*, as mulheres levam vantagem sobre os homens, com uma renda de R$ 425, enquanto a deles é de apenas R$ 379. A diferença entre as rendas, por gênero, é muito menor quando a medida é a renda domiciliar *per capita* porque há um casamento de pessoas com diferentes atributos (*assortative matching*), no qual os indivíduos discriminados negativamente (mulheres) se casam com os positivamente discriminados (homens). Assim sendo, a média familiar dilui a diferença, uma vez que as famílias geralmente são compostas de homens e mulheres.

Tabela 22
Panorama da renda média individual, por sexo

Categoria	Nordeste			Fora do Nordeste		
	População	Lucro	Todas as fontes	População	Lucro	Todas as fontes
Homem	2.952.971	688,22	766,56	8.817.385	1.387,89	1.539,11
Mulher	1.599.410	437,61	533,46	4.496.667	848,87	992,96

Fonte: CPS/FGV, a partir dos microdados da Pnad, do IBGE.

Tabela 23
Panorama da renda domiciliar *per capita*, por sexo

Categoria	Nordeste			Não Nordeste		
	% de miséria	Média/mediana	Média	% de miséria	Média/mediana	Média
Homem	28,98	2,02	378,80	8,80	1,93	791,44
Mulher	25,18	2,05	425,15	7,19	1,87	851,56

Fonte: CPS/FGV, a partir dos microdados da Pnad, do IBGE.

Raça

Quanto à raça, a larga maioria — 60,2% (30,3%) — é parda, seguida por 31,7% (62,9%) de brancos e 7,7% (5,3%) de pretos. Nesse caso, porém, observou-se que a distribuição do Nordeste difere bastante do restante do país, uma vez que a grande maioria da população não-nordestina é composta de brancos, sendo menos de um terço pardos. Como tendência de longo prazo, constatou-se um aumento considerável na proporção de negros entre os microempresários — de 4,9% para 7,7% —, com uma pequena diminuição das demais raças. Essa mesma tendência se verifica no restante do país, onde houve aumento na proporção de negros e redução na de brancos, mas dessa vez com aumento também de pardos, diferentemente do Nordeste.

Tabela 24

Perfil de trabalhadores por conta própria e empregadores, por cor ou raça

Categoria	Nordeste			Fora do Nordeste		
	1992	1997	2005	1992	1997	2005
Indígena	0,03	0,14	0,22	0,03	0,10	0,23
Branca	29,97	33,40	31,66	69,37	70,16	62,91
Amarela	0,09	0,14	0,23	1,13	0,94	1,24
Preta	6,44	4,90	7,69	4,03	4,10	5,32
Parda	63,48	61,41	60,22	25,43	24,69	30,29

Fonte: CPS/FGV, a partir dos microdados da Pnad, do IBGE.

A renda média dos brancos era de R$ 901, contra R$ 470 dos pardos e R$ 387 dos negros. Já se a medida for a renda domiciliar *per capita*, verifica-se que a renda domiciliar dos brancos passa para R$ 591, contra R$ 308 dos pardos e R$ 271 dos negros.

Tabela 25

Panorama da renda média individual, por cor ou raça

Categoria	Nordeste			Fora do Nordeste		
	População	Lucro	Todas as fontes	População	Lucro	Todas as fontes
Indígena	9.803	433,74	528,48	30.359	798,58	885,41
Branca	1.441.090	900,52	1.016,93	8.375.303	1.462,07	1.644,94
Amarela	10.247	526,41	589,07	164.746	2.508,49	2.847,24
Preta	349.863	386,62	445,04	708.741	699,16	788,64
Parda	2.741.378	470,41	541,49	4.033.107	713,00	794,29

Fonte: CPS/FGV, a partir dos microdados da Pnad, do IBGE.

Tabela 26

Panorama da renda domiciliar *per capita*, por cor ou raça

Categoria	Nordeste			Fora do Nordeste		
	% de miséria	Média/mediana	Média	% de miséria	Média/mediana	Média
Indígena	37,88	2,50	370,26	18,28	1,90	508,54
Branca	19,42	2,29	591,08	5,52	1,87	995,35
Amarela	12,01	1,53	321,21	5,90	1,77	1.633,75
Preta	34,44	1,62	270,56	13,04	1,59	478,03
Parda	31,13	1,77	308,31	13,11	1,53	458,11

Fonte: CPS/FGV, a partir dos microdados da Pnad, do IBGE.

Posição na família

Quanto à posição dos empreendedores na família, os dados revelaram que 62% (63,5%) eram chefes de família, 22% (23%) cônjuges, 12,8% (11%) filhos do chefe da família e 3,3% (2,6%) tinham outro parentesco com o chefe ou eram agregados. Enquanto a distribuição dessa variável no Nordeste se assemelhava ao restante do país, verificou-se uma tendência temporal crescente na proporção de empreendedores cônjuges e decrescente na de chefes de família. Isso parece refletir o aumento da participação feminina no mercado de trabalho e indica que, cada vez mais, as mulheres estão montando algum tipo de negócio para ajudar na renda familiar. Portanto, o viés pró-mulher dos programas de microcrédito de outros países, também presente no programa CrediAmigo, que atende mais a mulheres do que a homens, aponta na direção correta, dadas as maiores escolaridade, renda do trabalho e renda de programas sociais das mulheres.

Os empreendedores que eram chefes de família tinham um lucro médio de R$ 704, bem mais elevado que o lucro de R$ 514 dos que eram cônjuges, que os R$ 313 dos filhos e os R$ 335 dos agregados. Esses dados eram esperados, uma vez que a própria definição de chefe de família está umbilicalmente ligada à de principal provedor de renda da família, e indicam a importância para as famílias nordestinas de políticas de apoio aos nanonegócios urbanos.

Tabela 27

Perfil de trabalhadores por conta própria e empregadores, por posição na família

Categoria	Nordeste			Fora do Nordeste		
	1992	1997	2005	1992	1997	2005
Chefe	64,70	64,71	61,90	66,27	65,75	63,49
Cônjuge	18,43	19,88	22,10	19,37	20,13	22,97
Filho(a)	13,84	12,74	12,73	11,80	11,48	10,95
Outro parente	2,68	2,44	2,97	2,30	2,45	2,36
Agregado	0,36	0,24	0,30	0,27	0,19	0,24

Fonte: CPS/FGV, a partir dos microdados da Pnad, do IBGE.

Tabela 28

Panorama da renda média individual, por posição na família

Categoria	Nordeste			Fora do Nordeste		
	População	Lucro	Todas as fontes	População	Lucro	Todas as fontes
Chefe	2.817.985	703,83	815,94	8.452.763	1.407,07	1.611,31
Cônjuge	1.006.062	514,15	570,76	3.057.9[illegible]9	897,93	962,02
Filho(a)	579.566	313,44	323,84	1.457.234	813,36	835,26
Outro parente	135.135	335,46	375,82	314.060	634,83	719,96
Agregado	13.633	334,95	355,7	32.026	954,01	962,20

Fonte: CPS/FGV, a partir dos microdados da Pnad 2005, do IBGE.

Tabela 29

Panorama da renda domiciliar *per capita*, por posição na família

Categoria	Nordeste			Fora do Nordeste		
	% de miséria	Média/mediana	Média	% de miséria	Média/mediana	Média
Chefe	29,61	2,09	391,39	9,12	1,92	809,30
Cônjuge	25,70	2,18	457,34	6,98	1,86	837,41
Filho(a)	23,84	1,60	320,67	6,07	1,88	815,09
Outro parente	18,59	1,67	334,84	6,83	1,61	626,07
Agregado	16,01	1,20	324,71	12,52	1,93	674,50

Fonte: CPS/FGV, a partir dos microdados da Pnad, do IBGE.

Monitoramento recente pela Pesquisa Mensal de Emprego (PME)

Realizada nas áreas metropolitanas de Recife e Salvador, a PME serve de base para o monitoramento do mercado de trabalho. A pesquisa pode ser utilizada para medir, por exemplo, variações na proporção de trabalhadores por conta própria e empregadores, assim como a evolução mensal da renda proveniente do trabalho.

As tabelas a seguir analisam a variação semestral da renda domiciliar *per capita* proveniente do trabalho na Região Metropolitana de Salvador. Revelam que, entre março de 2002 e junho de 2006, o ganho acumulado da renda média do empregador foi bastante superior ao dos trabalhadores por conta própria — 27% contra 7%.

Salvador — Renda domiciliar *per capita* média (R$)									
	Posição na ocupação								
Categoria	**Mar. a jun. 2002**	**Jul. a dez. 2002**	**Jan. a jun. 2003**	**Jul. a dez. 2003**	**Jan. a jun. 2004**	**Jul. a dez. 2004**	**Jan. a jun. 2005**	**Jul. a dez. 2005**	**Jan. a jun. 2006**
Trabalhador por conta própria	264,04	264,18	210,67	210,08	186,82	251,47	244,55	284,06	282,56
Empregador	1.022,97	1.073,35	934,89	936,32	658,61	1.036,82	971,87	1.119,25	1.299,16

Em termos medianos, o ganho relativo do empregador se mantém constante em 27%, enquanto os trabalhadores por conta própria acumulam 14% de crescimento. Dessa forma, os acréscimos do último grupo, apesar de menores, estão mais concentrados na cauda inferior da distribuição, manifestando diminuição de desigualdade.

Salvador — Renda domiciliar *per capita* mediana (R$)									
Categoria	**Mar. a jun. 2002**	**Jul. a dez. 2002**	**Jan. a jun. 2003**	**Jul. a dez. 2003**	**Jan. a jun. 2004**	**Jul. a dez. 2004**	**Jan. a jun. 2005**	**Jul. a dez. 2005**	**Jan. a jun. 2006**
Trabalhador por conta própria	129,31	126,64	110,91	103,54	88,16	133,10	138,07	149,85	147,53
Empregador	456,07	470,65	399,49	414,94	259,75	499,42	507,92	566,16	578,95

Fonte: CPS/FGV, a partir dos microdados da PME, do IBGE.

Percepções das condições de vida

Talvez a maior vantagem de uma pesquisa como a POF seja permitir aferir algumas variáveis subjetivas, a partir da perspectiva das famílias dos microempreendedores. Descreveremos a seguir as principais variáveis qualitativas e subjetivas retiradas de um universo de 7.381.104 pessoas, com base na POF 2003, a última disponível, comparando os dados urbanos do Nordeste com os de fora do Nordeste.

Comecemos com algumas variáveis qualitativas, baseadas nas percepções dessas famílias sobre sua condição de vida. Para 39,2% dos nordestinos (e 22,5% de não-nordestinos), a renda total de suas famílias permitia que levassem a vida até o fim do mês com muita dificuldade, para 26,3% (22,6%), com dificuldade, e para 25,3% (37%), com alguma dificuldade. Somente 7,9% (5,1%) afirmavam que sua renda permitia levar a vida com facilidade até o fim do mês. Ou seja, quase o dobro de nanoempreendedores nordestinos sentia que vivia com muita dificuldade, em comparação com o restante do país.

Comparando essas percepções com a realidade, constatou-se que a percepção subjetiva dos agentes guardava grande consonância com a realidade objetiva. O lucro médio dos que reclamavam ter muita dificuldade era de R$ 332, com renda domiciliar *per capita* de R$ 244, enquanto o lucro dos que diziam ter facilidade era de R$ 1.729, com renda domiciliar *per capita* média de R$ 1.780.

Alimentação

Complementarmente, os dados mostraram que, para 18,7% (11,5%), a quantidade de alimento consumido pelas respectivas famílias normalmente não era suficiente, e que 40,15% (27,6%) a consideravam por vezes insuficiente, sendo a soma desses dois quesitos cerca de 50% maior do que no restante do país. Já a parcela cuja qualidade dos alimentos consumidos era satisfatória, sempre do tipo que queria, era de 20% contra 32,3% do restante do país.

Como era de se esperar, o lucro dos que alegavam que a quantidade de alimentos consumidos pela família normalmente não era suficiente (R$ 249) e a renda *per capita* de seus domicílios (R$ 196) eram muito inferiores ao lucro (R$ 1.003) e à renda *per capita* (R$ 800) dos que alegavam ser essa quantidade sempre suficiente.

Examinemos agora as razões por trás da insuficiência alimentar: segundo 74,9% (59,7%) dos entrevistados que reclamavam da insuficiência alimentar de sua família, esta se devia à insuficiência de renda — uma fração muito mais elevada do que as das famílias microempreendedoras de fora do Nordeste. Tomados a valor de face, esses números indicam que, considerando-se o contingente de empreendedores, o número de pessoas na família e a insuficiência de renda como causa de dificuldades alimentares, programas bem-sucedidos de apoio a esse segmento nordestino podem ser capazes de combater a fome e a miséria de maneira efetiva.

Tabela 30
Percepções das condições de alimentação (%)

Categoria	Nordeste	Fora do Nordeste
A renda familiar permite que chegue até o final do mês com:		
Muita dificuldade	39,20	22,45
Dificuldade	26,31	22,62
Alguma dificuldade	25,29	37,05
Alguma facilidade	4,47	10,24
Facilidade	2,88	5,19
Muita facilidade	0,56	0,69
Quantidade de alimentos:		
Normalmente não é suficiente	18,65	11,46
Às vezes não é suficiente	40,15	27,64
É sempre suficiente	39,78	59,08
Tipo de alimento consumido:		
Sempre do tipo que quer	20,01	32,26
Nem sempre do tipo que quer	57,10	52,31
Raramente do tipo que quer	21,52	13,62
Razão de não se alimentar:		
Não se aplica	19,92	33,23
Porque a renda não permite	74,94	59,67
Porque os alimentos não são encontrados	1,73	1,41
Outras razões	2,04	3,68

Fonte: CPS/FGV, a partir dos microdados da POF 2003, do IBGE.

Condições de moradia

Por último, no que tange a problemas de moradia, observou-se que, enquanto 44% (50,1%) consideravam boas suas condições de moradia,

17,8% (11,4%) avaliavam como ruins as condições gerais de habitação — uma fração também mais elevada do que fora do Nordeste, como era de se esperar. Comparando-se essa percepção com a renda, não há grande surpresa: a renda do trabalho, ou lucro, dos que se referiam às suas condições de moradia como ruins era de R$ 349, muito menor do que o lucro de R$ 768 dos empreendedores que taxavam de boas essas condições.

Sobre a presença de problemas específicos no domicílio, 47,8% (40,1%) alegaram pouco espaço, 26,4% (24,2%) reclamaram de vizinhos barulhentos, 23,3% (17,1%) consideraram a casa demasiadamente escura, 42,8% (28%) disseram que o telhado tinha goteiras, 41,4% (26,2%) se referiram a problemas com umidade, 38,8% (25,2%) alegaram a presença de madeiras deterioradas. Todos esses problemas revelam níveis de percepção superiores àqueles das famílias de microempresários de fora do Nordeste, e também podem ser mitigados por meio do acesso desses indivíduos ao crédito, uma vez que envolvem investimento em suas moradias, que são, inclusive, muitas vezes seus locais de trabalho. Problemas ambientais — 20,6% (21,7%) — e com violência — 28,47% (31,2%) — na área onde vivem, entretanto, são ligeiramente inferiores aos observados no restante do país, até porque têm muito a ver com deseconomias urbanas, mais presentes em grandes metrópoles do Sudeste do que no Nordeste. Mas, ambos os problemas, embora não tão associados com a pobreza *per se* como os demais supracitados, talvez sejam ainda mais prejudiciais ao bom funcionamento dos negócios. Curiosamente, os negociantes que alegavam ter problemas de violência onde viviam, o que deveria afetar de alguma forma seus negócios, tinham lucros (R$ 694) maiores do que os (R$ 585) que diziam não ter esse tipo de problema. Contudo, isso não quer dizer que haja uma relação de causa e efeito entre essas variáveis, nem que a violência não afete os negócios. Provavelmente, essa diferença ocorre porque há maior presença de violência nas metrópoles, onde os lucros são maiores, e seria ainda maior se não houvesse esse tipo de problema.

Tabela 31
Percepções das condições de moradia (%)

Categoria	Nordeste	Fora do Nordeste
Pouco espaço	47,80	40,66
Rua ou vizinhos barulhentos	26,42	24,23
Casa escura	23,30	17,11
Telhado com goteiras	42,83	27,97
Problemas de umidade	41,39	26,18
Madeiras deterioradas	38,82	25,23
Problemas ambientais	20,62	21,72
Problemas com violência	28,47	31,16
Condição de moradia:		
Boa	43,97	50,78
Satisfatória	36,86	35,93
Ruim	17,79	11,37

Fonte: CPS/FGV, a partir dos microdados da POF 2003, do IBGE.

Serviços públicos

No que se refere ao fornecimento de serviços públicos básicos, verificou-se que 12,35% (7%) não tinham acesso a serviço de água, 4,1% (1,25%) a energia elétrica e 15,9% (4,4%) a coleta de lixo, enquanto 20,4% (14,1%), 7,4% (6,5%) e 14,1% (10%), respectivamente, diziam ter acesso a esses serviços, apesar de serem ruins. Além disso, 24,75% (15,5%) disseram não ter acesso a drenagem e escoamento da água da chuva e 25,9% (22,2%) de tê-las em condições precárias, enquanto 8,9% (5,4%) afirmaram não ter acesso a iluminação de rua. A tabela 32 apresenta um panorama dessas variáveis para o conjunto das demais regiões do país, no intuito de permitir comparações.

Tabela 32

Percepções das condições de acesso a serviços (%)

Categoria	Nordeste	Fora do Nordeste
Serviço de água:		
Bom	65,84	77,10
Ruim	20,41	14,12
Não tem	12,35	6,95
Coleta de lixo:		
Bom	68,65	83,79
Ruim	14,06	9,96
Não tem	15,92	4,37
Iluminação de rua:		
Bom	65,06	68,83
Ruim	24,72	23,91
Não tem	8,86	5,44
Drenagem e escoamento:		
Bom	47,89	60,41
Ruim	25,89	22,19
Não tem	24,75	15,53
Energia elétrica:		
Bom	87,08	90,32
Ruim	7,41	6,50
Não tem	4,07	1,25

Fonte: CPS/FGV, a partir dos microdados da POF 2003, do IBGE.

Cruzando essas variáveis com o lucro dos negociantes, percebe-se claramente que a renda ou lucro dos que não tinham acesso a esses serviços públicos era muito menor do que a dos que tinham. Por exemplo, o lucro daqueles com acesso a energia elétrica era de R$ 630, contra R$ 192 dos sem acesso. Mas não se pode dizer que a renda do trabalho dos que alegavam ser ruim a provisão desses serviços era inferior à dos que alegavam ser bom, pelo contrário. Enquanto o lucro médio dos que dispunham de bom serviço de energia elétrica (R$ 635) era quase o mesmo dos que consideravam o serviço ruim (R$ 626), no caso da iluminação pública de rua os números se invertiam: os que alegavam que o serviço era bom ganhavam em média R$ 584, contra R$ 808 dos que alegavam que o serviço era ruim. Isso pode, contudo, significar simplesmente que pessoas com renda mais alta tendem a ser mais exigentes, por exemplo.

Classe socioeconômica

Para completar o exame das características dos empresários do Nordeste urbano e de suas percepções sobre condições de vida, passemos à análise de sua distribuição entre as diferentes classes sociais, usando os dados da POF. No que tange à classe social captada pelo total da renda familiar desses empreendedores, observou-se que 27,2% (10,3%) tinham renda familiar de até dois salários mínimos por mês (classe E), 31% (22%) ganhavam entre dois e quatro salários (classe D), 28,5% (36%), entre quatro e 10 salários (classe C), 6,3% (12,3%), entre 10 e 15 salários (classe B2), 3,5% (10,1%), entre 15 e 25 salários (classe B1), 2,2% (6,3%), entre 25 e 45 salários (classe A2) e 1,25% (3%), mais de 45 salários mínimos (classe A1). Há uma substancial diferença entre a distribuição do nosso grupo de análise pelas diferentes classes sociais e o restante do país, onde a presença relativa de microempresários nas classes D e E corresponde a cerca da metade da percentagem do Nordeste, enquanto as classes A e B somam 31,7%, percentual duas vezes e meia maior do que os 13,3% dessas classes entre os empreendedores nordestinos. Os dados sugerem, portanto, que, na dimensão de política pública, programas de microcrédito têm maior clientela em potencial no Nordeste do que no restante do país, uma vez que a fração de pobres, e provavelmente excluídos do setor bancário tradicional, é muito maior nessa região.

Para uma descrição completa da evolução das diferentes variáveis, consultar os panoramas da seção "Retrato dos microempresários" no site da pesquisa. No panorama "Microempresários/Evolução", variando-se a análise, tem-se a evolução das diferentes medidas de renda, cruzamentos bivariados de cada medida de renda com as diferentes características dos indivíduos e também a distribuição da população por essas características, tanto as populações absolutas (análise — população) quanto as frações (análise — vertical). No panorama "Evolução mensal da renda" há dados ainda mais detalhados para as regiões metropolitanas de Salvador e Recife, e no panorama "Microempresários/Perfil" tem-se a distribuição de diversas características pelos diferentes estados do Nordeste.

Tabela 33

Perfil de trabalhadores por conta própria e empregadores, por classes de renda (%)

Categoria	Nordeste	Fora do Nordeste
A1 – mais de 45 SMs	1,25	2,99
A2 — 25 a 45 SMs	2,24	6,30
B1 — 15 a 25 SMs	3,53	10,11
B2 — 10 a 15 SMs	6,30	12,28
C — 4 a 10 SMs	28,49	36,00
D — 2 a 4 SMs	31,00	21,97
E – menos de 2 SMs	27,20	10,34

Fonte: CPS/FGV, a partir dos microdados da POF 2003, do IBGE.

4

Determinantes do microcrédito, garantias e o mistério do capital

Marcelo Neri

Este capítulo discute a teoria, os dados e os resultados empíricos da assimetria de informações e do uso de colaterais para suprir essa falha de mercado. O objetivo final é obter um quadro comparativo mostrando, conceitualmente, os atributos dos programas por um prisma teórico fornecido pela literatura e poder observar a institucionalidade e os primeiros resultados empíricos que serão desenvolvidos ao longo dos próximos capítulos. Inicialmente será apresentada a perspectiva teórica que está por trás da implantação dos programas de microcrédito, como conceitos de assimetria de informações, colaterais e o papel de arranjos do tipo "monitor delegado" e grupos de empréstimo. Mais adiante, discute-se, à luz desses conceitos, a idéia de capital morto de Hernando De Soto e políticas associadas. Em seguida, teremos a análise empírica do caso brasileiro. E, então, serão introduzidas informações sobre acesso ao crédito da Ecinf, a questão do acesso a crédito como uma variável binária do tipo sim ou não e a determinação do valor da dívida como uma variável contínua.

Assimetria de informações e colaterais alternativos

Racionamento de crédito de equilíbrio

Um pressuposto básico de economia é que, se os preços reagem a excessos de demanda, não deveria existir racionamento. Mas o racionamento de crédito e o desemprego existem na prática; e implicam excesso de demanda por empréstimos e excesso de oferta de trabalhadores, respectivamente. Uma maneira de explicar esses fenômenos seria pela existência de rigidez (*stickness*) nos preços do capital e do trabalho. Nesse caso, o racionamento de crédito e de vagas no mercado de trabalho só seria observado na transição entre posições de equilíbrio de longo prazo. Complementarmente, numa visão de mais longo prazo, o desemprego acima de alguma taxa natural e o racionamento de crédito poderiam ser explicados por restrições impostas pelo governo, como a política do salário mínimo ou a Lei da Usura. Este texto propõe uma explicação de equilíbrio — isto é, não *ad hoc* — para a ocorrência de excessos de demanda persistentes no mercado de crédito, baseada em problemas de assimetria de informações entre demandantes e ofertantes de crédito (analogamente, o argumento poderia ser usado para explicar o excesso de oferta persistente no mercado de trabalho). Apresento a seguir uma breve descrição dos resultados do artigo seminal de Stiglitz e Weiss (1981), que explica a importância da assimetria de informações no funcionamento do microcrédito. Essa exposição baseará inicialmente no trabalho desses autores o desenho de mecanismos alternativos de garantias para lidar com assimetrias de informações.

Ponto-chave: Aumentar a taxa de juros contratual pode diminuir o retorno do emprestador.

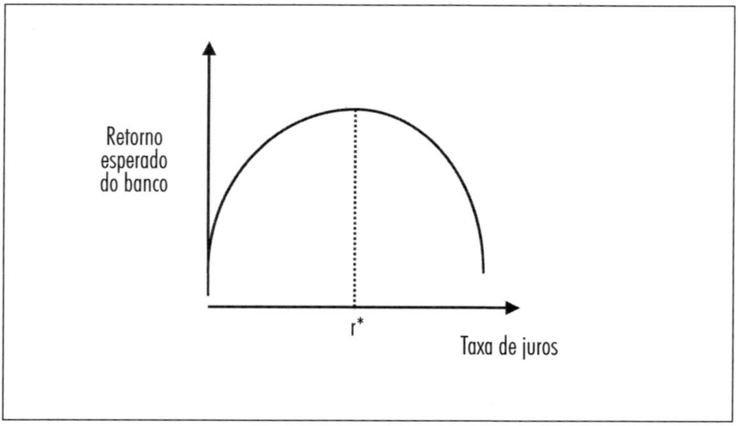

O modelo de Stiglitz e Weiss

Caso 1: seleção adversa (dois tipos de tomadores de empréstimos)

X = retorno bem-sucedido; 0 = retorno malsucedido; p = probabilidade de sucesso.

Tomadores de empréstimos sem risco → (p^a, X^a); λ = Fração da população

Tomadores de empréstimos arriscados → (p^b, X^b); $1 - \lambda$ = Fração da população

$p^a > p^b$; $X^a < X^b$; $p^a . X^a > p^b . X^b$

Tamanho do empréstimo = 1; R = taxa de retorno bruta

Cálculo do retorno esperado; E = Retorno esperado

a) $R =< X^a$ → os dois tipos de agente tomam empréstimos → $E = R . \mathbf{p}^{me}$

onde: $\mathbf{p}^{me} = \lambda . p^a + (1 - \lambda) . p^b$

b) $X^a < R =< X^b$ → só tomadores arriscados captam empréstimos → $E = R . \mathbf{p}^b$

Lição: Taxa de juros de equilíbrio fixa com excesso de demanda por empréstimo.

Caso 2: risco moral (*moral hazard* — dois tipos de ações, mais um tipo de tomador)

Duas técnicas: $p^a > p^b$; $X^a < X^b$; $p^a . X^a > p^b . X^b$

| $R =< R^*$ → sem risco → $E = R . \mathbf{p}^a$

Existe R* sujeito a |

| $R > R^*$ → com risco → $E = R . \mathbf{p}^b$

R* satisfaz $p^a . (X^a - R^*) = p^b . (Xb - R^*)$ Restrição de Compatibilidade de Incentivos

→ $R^* = (p^a . X^a - p^b . X^b) / (p^a - p^b)$

Nas palavras de Stiglitz e Weiss (1981), a característica "seleção adversa" da taxa de juros é conseqüência do fato de diferentes tomadores de empréstimos terem probabilidades diferentes de pagar suas dívidas. O retorno esperado do banco obviamente depende da probabilidade de pagamento, para que o banco possa identificar os "bons tomadores de empréstimos" que têm maior probabilidade de pagar o que tomaram emprestado. Como é difícil identificar os "bons tomadores", para fazê-lo, o banco necessita usar uma variedade de dispositivos de triagem. A taxa de juros que um indivíduo está disposto a pagar pode servir como um desses dispositivos: os que estão dispostos a pagar taxas de juro altas podem, em média, apresentar um risco maior; se estão dispostos a pegar empréstimos a altas taxas de juros é por terem a percepção de que a probabilidade de pagarem o empréstimo pode ser baixa. À medida que a taxa de juros aumenta, a média de risco daqueles que tomaram empréstimos aumenta, possivelmente diminuindo o lucro do banco. Similarmente, à medida que a taxa de juros e outros termos do contrato mudam, o comportamento do tomador de empréstimo provavelmente muda também. Por exemplo, o aumento da taxa de juros diminui o retorno sobre projetos bem-sucedidos. Taxas de juros mais altas levam as firmas a se ocuparem com projetos que têm menores probabilidades de sucesso, mas maiores lucros se bem-sucedidos.

Em um mundo com informação perfeita e sem custo, o banco estipularia com precisão todas as ações do tomador de empréstimo que poderiam ter algum efeito sobre o retorno desse empréstimo. Porém, o banco não tem como controlar diretamente todas as ações do tomador de empréstimo. Sendo assim, o banco formula os termos do contrato de empréstimo de modo a que as ações do tomador sejam do interesse do banco ou de modo a atrair tomadores de baixo risco. Por isso, o retorno esperado pelo banco deve aumentar mais devagar que a taxa de juros e, se passar de certo ponto, pode eventualmente diminuir, como mostra a figura. A taxa de juros à qual o retorno esperado do banco é maximizado é chamada de "ótimo bancário". A demanda por empréstimos e a oferta de financiamento são funções da taxa de juros (sendo a última determinada pelo retorno esperado do "ótimo bancário").

É concebível que a demanda por financiamento exceda a oferta. Uma análise tradicional argumentaria que, na presença de excesso de demanda por empréstimos, os tomadores de empréstimo insatisfeitos se disporiam a pagar uma taxa de juros mais alta ao banco, aumentando a taxa de juros até a demanda igualar a oferta. Porém, apesar de a oferta não ser igual à demanda do "ótimo bancário", esta é a taxa de juros de equilíbrio! O banco não emprestaria a um indivíduo que se oferece a pagar mais que uma determinada taxa de juros. Do ponto de vista do banco, é muito mais provável que esse empréstimo tenha um risco maior que um empréstimo, em média, nesse nível de juros; além disso, o retorno esperado do empréstimo feito à taxa de juros referida é menor que o retorno esperado dos empréstimos que o banco faz naquele momento. Sendo assim, não existem forças competitivas levando a oferta a igualar a demanda, e o crédito se torna racionado.

Não se trata aqui do argumento de que o racionamento de crédito sempre caracterizará o mercado de capitais, mas, ao contrário, que o racionamento pode ocorrer devido a suposições plausíveis sobre o comportamento de credores e devedores. Este capítulo provê a primeira justificativa teórica do verdadeiro racionamento de crédito. Estudos anteriores tentaram explicar por que cada indivíduo encara um programa de taxa de juros crescente. As explicações oferecidas são: a) a probabilidade ou *default* de qualquer tomador em particular aumenta à medida que a quantia emprestada aumenta, ou b) a combinação de devedores muda de forma adversa. Nessas circunstâncias, não se espera que empréstimos de diferentes tamanhos paguem a mesma taxa de juros, assim como não se espera que dois devedores, um com reputação de prudência e outro com reputação de péssimo risco de crédito, tenham a capacidade de tomar empréstimo à mesma taxa de juros.

A expressão "racionamento de crédito" é reservada para as seguintes circunstâncias: a) entre candidatos que parecem ser idênticos, alguns recebem empréstimos e outros não, e os candidatos rejeitados não recebem um empréstimo mesmo depois de se oferecerem para pagar uma taxa de juros maior, ou b) certos grupos de indivíduos na população, com uma dada oferta de crédito, são incapazes de conseguir empréstimos a qualquer taxa de juros, mesmo que o consigam quando há uma oferta maior de crédito.

Nesse modelo de equilíbrio com racionamento de crédito, tomadores e bancos visam maximizar seus lucros, os primeiros através da escolha de um projeto, os últimos através da taxa de juros cobrada dos tomadores (a taxa de juros recebida pelos depósitos é determinada pela condição de lucro zero). Obviamente, não estou discutindo um equilíbrio tomador de preço. Essa noção de equilíbrio é competitiva, no sentido de que bancos competem. Um modo de competirem é através da escolha do preço (taxa de juros) que maximiza seus lucros. O leitor deve perceber que, nesse modelo, existem taxas de juros às quais a demanda por financiamento via empréstimos é igual à oferta de fundos disponíveis para empréstimo. Porém, estes não estão no equilíbrio geral da taxa de juros. Se, a essas taxas de juros, os bancos não podem aumentar seus lucros abaixando a taxa cobrada dos devedores, eles irão fazê-lo. Apesar de esses resultados serem apresentados no contexto do mercado de crédito, aplicam-se a uma ampla classe de problemas de *principal-agent* (incluindo aqueles que descrevem relações de proprietário-inquilino e empregador-empregado).

Sumariando a literatura

O problema informacional entre banco e tomador é antigo. Nesta seção, apresento o desenvolvimento teórico na literatura microeconômica a respeito das diferentes modalidades de crédito existentes no mercado: mecanismos tradicionais de crédito que usam colateral físico, o deslocamento da atividade de monitoramento para um intermediário e grupos de empréstimo.[1]

Os avanços teóricos podem ser separados em duas correntes distintas. Uma que procura levantar o fenômeno do racionamento de crédito no setor bancário formal e outra que faz uso do capital social na tomada do crédito. Stiglitz e Weiss (1981) simbolizam o intuito da primeira corrente, ao mostrarem, num modelo de seleção adversa, que, no caso de firmas que têm um mesmo nível de colateral, dada a inabilidade dos bancos de observarem o tipo destas, um aumento nos juros diminuiria a demanda por empréstimo, uma vez que as firmas dispostas a assumir menores riscos estariam fora do mercado. A idéia até então era que o banco tinha uma visão limitada do monitoramento a ser feito, dado seu distanciamento dos tomadores-alvo. O intuito do capital social surge nesse ponto, ao mostrar a possibilidade de se utilizar novos mecanismos para se obter informações. Bastelaer (2000) apresenta três tipos básicos de capital, mostrando que, sob valores de grupo, o indivíduo responde trabalhando incisivamente no projeto para o qual foi designado.

[1] Um caso clássico e extremo da importância de canais de transmissão macroeconômicos de crédito é apresentado por Bernanke (1983) na análise das causas da Grande Depressão norte-americana.

- O capital social cognitivo, que torna, por valores cívicos, a sociedade mais importante que os indivíduos isoladamente.
- Estendendo a definição anterior, que passa um cunho vertical de orientação de valores, na definição horizontal, o capital advém de normas que governam o comportamento interpessoal dentro de grupos. Um exemplo tradicional é o comportamento de indivíduos em uma firma. Que motivos fariam um indivíduo interferir na ação do seu semelhante?
- O terceiro tipo engloba o ambiente político e social, ou seja, a influência que relacionamentos e estruturas institucionais exercem no padrão de comportamento individual. Exemplificando: que tipo de influência um regime político, leis, sistemas de justiça e liberdades políticas e civis podem exercer na ação individual?

O capital social e o microcrédito

A importância do capital social reside nos benefícios que podem ser obtidos da pressão individual, seja por leis, seja por valores cívicos ou valores do companheiro, para que se consiga reduzir os níveis do colateral real. Um dos motivos do colateral é a falta de informações do credor sobre o devedor. Os valores do capital social permitem estender o crédito ao mais pobre dos pobres, que está excluído do mercado. Existem, dessa sorte, quatro tipos de entrega de crédito que podem melhorar a estrutura informacional.

- *Moneylender* local: o agiota da região, que oferece empréstimos a taxas de juros mais altas que os demais emprestadores por curto espaço de tempo. A relação de empréstimo, neste caso, baseia-se na confiança cultivada por um longo tempo de relacionamento com os tomadores. O fato interessante é que não são admitidos novos tomadores, como mostram Timberg e Ayar (1984), em pesquisa que fizeram com *moneylenders* locais, na Índia. Isso não significa necessariamente que o mesmo aconteça em outros países, mas não deixa de ser uma evidência de comportamento.

  No nível de modelo, neste trabalho, a estrutura existente entre emprestador e tomador, usando colateral real, pode ser estendida se a instituição emprestadora usar as informações do *moneylender*. É o que propõe Conning (1999), ao delegar a tarefa de monitoramento, que era desempenhada pelo emprestador, para alguém próximo da comunidade.[2] Esse tipo de arranjo implica um custo a mais na transação formal, uma vez que deve ser resolvida uma assimetria a mais no modelo: o *staff* delegado é sujeito a *moral hazard* ao utilizar os fundos recebidos. Holmstrom e Tirole (1994) aperfeiçoaram a idéia introduzindo o fato de que o emprestador intermediário também põe um capital a risco no projeto do tomador, como meio de incentivá-lo a agir com zelo na concessão de crédito.

- Crédito comercial: os chamados cheques pré-datados constituem um mecanismo típico de confiança do tomador no credor, não obstante a lei facultar a este último o direito de depositar a importância emprestada a qualquer momento.
- Rotação de poupança e associações de crédito (Rosca): um Rosca é um grupo de pessoas que contribuem para um fundo que é distribuído, em intervalos regulares, para um membro desse grupo, podendo este membro ser indicado pelo grupo ou por sorteio. A estrutura, como se pode verificar, é algo parecida com a dos consórcios tradicionais. Um dos motivos do sucesso dos empréstimos de grupo é justamente o fato de tal processo ser bem conhecido.
- Empréstimos para grupos (grupo solidário): os esquemas de grupos de empréstimo têm uma longa prática histórica. Em meados do século XIX já existiam cooperativas de crédito na Alemanha. Elas só utilizavam fundos externos para conceder empréstimos, não captavam depósitos. Outro fator marcante é que os empréstimos eram de longo prazo. Contudo, o mais recente interesse advém do sucesso do Grameen Bank, de Bangladesh[3] e do BancoSol, da Bolívia. Esses bancos conseguiram altas taxas de pagamento adotando grupos de empréstimo com monitoramento pelos membros do grupo. A chave de tal sucesso é a ligação de responsabilidade.

[2] Ver Diamond, 1984.

[3] Ver Besley e Coate, 1995.

No caso, se um membro do grupo não paga, os outros membros do grupo são responsáveis. O produto dessa idéia é o chamado colateral social. No caso do empréstimo bancário comum, se o tomador não cumpre com seus compromissos, está sujeito às sanções impostas pelo banco. No caso do empréstimo para grupo, desde que este possua uma alta ligação social, o tomador fica sujeito às ações negativas dos membros. Besley e Coate (1995) mostram que, se as penalidades são suficientemente severas, os empréstimos para grupos promovem uma melhor taxa de pagamento que os empréstimos individuais e, o que é fundamental, deslocam para o grupo o custo do monitoramento.

Por uma perspectiva de modelo, pode-se estender ainda mais a estrutura principal-agente para empréstimos tradicionais (setor bancário formal) e *principal*-supervisor-agente para créditos delegados (o banco delegando a alguém da comunidade a tarefa de monitoramento), deslocando todos os custos de monitoramento para o grupo. O empréstimo seria concedido aos membros do grupo e estes estariam encarregados de monitorar uns aos outros. A estrutura do problema se modificaria para *multitask principal* com vários agentes, uma vez que o *principal* deve prover incentivos ao tomador para que atue com zelo em seu projeto e monitore eficientemente o projeto do vizinho.[4]

Existem inúmeros problemas na conformação do grupo. A literatura enumera uma série deles. Primeiramente, mostra que, numa produção em times, sendo esta exogenamente dada, existe o *free rider* entre os componentes do time, quando a contribuição marginal desses componentes não é observável. Tal fato ocorre quando os grupos são formados por um grande número de componentes, podendo-se mesmo apontar como um dos fatores do sucesso do Grameen, do BancoSol e do CrediAmigo o fato de o tamanho do grupo variar de três e sete pessoas. Reinke (1996) e Kandel e Lazear (1992) mostram que, embora a pressão garanta um maior esforço, não garante uma melhoria de utilidade, uma vez que se for excessiva pode criar mal-estar. Além disso, se o preço a ser pago

[4] Ver Holmstrom e Milgrom, 1991.

para monitorar for excessivamente alto, pode ocorrer um desincentivo. Outro detalhe mencionado é a confiança no que diz respeito à punição. Se um membro do grupo tiver certeza de que não sofrerá sanções se não pagar, então por que disciplinar? Há uma lista extensa de fatores que influenciam a formação do grupo e este trabalho não pretende enumerar todos. Para mencionar os principais, temos:

- comunidade solidária — a movimentação entre cidades não facilita a formação de relacionamentos, o que é fundamental na criação da pressão. Um exemplo típico de programa que falhou neste ponto foi o da África do Sul. A falta de fixação dos membros dos grupos criados no país fez com que desavenças no grupo provocassem sua extinção. O problema maior da separação do grupo é que seus membros pouco se conheciam a ponto de poder influenciar a ação uns dos outros.
- cooperação como um equilíbrio estável — grupos formados por competidores são fadados à extinção;
- grupos homogêneos — quando os membros do grupo possuem todos a mesma característica, elimina-se o subsídio cruzado entre eles, o que diminui o custo de monitoramento e reduz a possibilidade de um componente do grupo não monitorar o outro por achar que os custos são excessivamente elevados.

Aproveitando as experiências anteriores, pode-se deslocar a produção para que seja endógena.

> Parte-se do pressuposto de que o *principal* pode implementar ações de menor custo, enquanto o agente assegura as contingências que o *principal* não pôde observar, ou pode tirar vantagem do fato de os agentes conseguirem monitorar perfeitamente e, portanto, coordenar as escolhas dos esforços. Por outro lado, o *principal* só fica em pior situação quando os agentes formam coalizões e alteram variáveis que o *principal* tinha incluído no contrato original.[5]

[5] Conning, 1996. Ver também Conning, 1999; Itoh, 1992; e Holmstrom e Milgrom, 1991.

Em resumo, em função dos avanços teóricos, temos condições de elaborar um modelo que incorpore banco *versus* tomador, banco *versus* delegado *versus* tomador e banco com grupo. Stiglitz (1990), numa aplicação seminal para o mercado de crédito, utiliza um modelo de *moral hazard* com responsabilidade limitada para argumentar que os tomadores de empréstimos podem obter mais empréstimos em grupo do que individualmente.

Colaterais alternativos

Nesta parte conceitual remanescente exploro os avanços na literatura sobre mecanismos de incentivo relacionados ao microcrédito, com foco especial no modelo de Conning, detalhado no "Anexo ao capítulo 1". Vamos abordar as seguintes questões: a) como um programa de microcrédito pode oferecer taxas de juros diferenciadas a cada tipo de empresário, aumentando o número de pessoas atingidas pelo crédito; b) como o setor bancário formal resolve problemas de assimetria de informações; c) como atuaria um monitor delegado (oficial de crédito); d) a questão dos grupos de empréstimo.

Tomemos um conjunto de clientes potenciais de microcrédito que deseja obter um empréstimo para seu empreendimento. Eles dispõem de um capital próprio menor que o tamanho total do investimento de que necessitam. Portanto, há necessidade de contrair uma dívida. Conning (1999) mostra, num modelo de um período, o colateral e o retorno mínimo do projeto que um microempresário deve possuir para obter crédito, segundo cada uma das metodologias adotadas nesse mercado, a saber:

- setor bancário formal: o banco possui informação imperfeita sobre os tomadores dada a sua distância em relação a estes;
- o setor bancário formal aproveita as informações obtidas pelo emprestador local para distinguir os tipos de tomadores e oferecer taxas de juros mais adequadas;
- grupo de empréstimo.

Apresento a seguir os principais atores envolvidos no processo de lidar com a assimetria de informações: o emprestador (agência oficial financeira), o agente de crédito (emprestador local) e o grupo de tomadores de empréstimos.

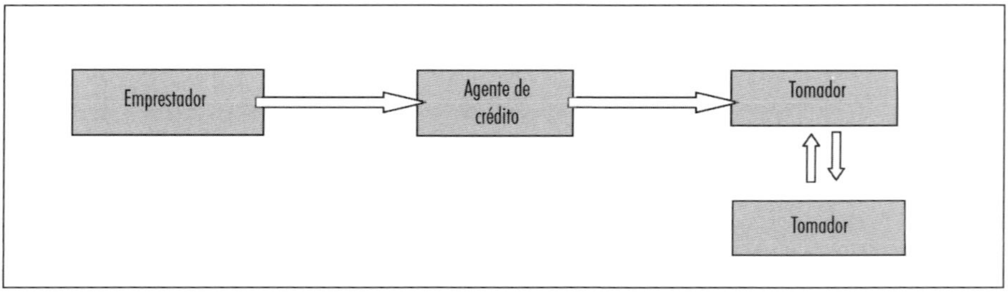

O que se busca em variantes desse arranjo é uma estrutura de incentivos que garanta ao microempresário, de acordo com sua capacidade de pagamento, a escolha conjunta que mais convenha a ele e ao emprestador. Mesmo com uma escolha ótima, determinados tomadores ainda ficam excluídos do mercado dada a incapacidade de estender o crédito a um maior número de tomadores, devido ao custo elevado. Procuram-se então os incentivos que o fundo de aval e os novos sócios teriam para pagar os empréstimos. Para tal tarefa, o contrato do empréstimo dispõe que o CrediAmigo vai maximizar seus retornos quando os microempresários atuarem com zelo em seu projeto. Vale observar que o retorno do projeto é dividido entre o emprestador, o tomador e o monitor delegado. Cada parte deve se sentir comprometida com o sucesso da missão.

Uma vez que o retorno do projeto deve ser dividido entre os atores mencionados, como formalizar esses incentivos? A tarefa se torna simples se imaginarmos que o tomador possui uma função "benefício privado" em ser desleixado com o seu empreendimento dada a intensidade do monitoramento fornecido pelo emprestador. Se o emprestador, por sua vez, não tiver incentivo para emprestar todo o contrato se torna inoperante. Assim, o retorno que obteria emprestando aos microempresários tem que ser maior do que seu custo de oportunidade de utilizar os recursos para outros fins. O monitor, por ele delegado, deve obter lucro maior atuando efetivamente na fiscalização e no auxílio dos tomadores.

Resumindo, teríamos os seguintes incentivos:

1. O emprestador deve obter um retorno maior do que obteria aplicando os recursos em outro tipo de investimento, mais um custo fixo (condição de *break even* do emprestador).
2. O tomador deve obter um retorno em ação de alta suficiente para cobrir os retornos em ação de baixa, mais o benefício privado de tomar tal ação (restrição de compatibilidade de incentivo do tomador).
3. Os retornos do monitor em ação de alta, descontados os gastos com monitoramento, devem superar os retornos que poderia obter com uma ação de baixa (restrição de compatibilidade de incentivo do monitor).
4. E, por fim, o retorno do tomador deve superar pelo menos o colateral que ele perderia em caso de fracasso (restrição de responsabilidade limitada).

No contrato proposto, vê-se que, incorporando as cláusulas acima relacionadas, o problema da otimização é exatamente determinar os níveis de colateral necessários para uma ou outra metodologia.

Comparando os níveis de colateral simulados a partir de variantes do modelo, pode-se notar que, no caso do empréstimo tradicional (banco × tomador), o mais pobre dos pobres pode ser alcançado por uma política de microcrédito desde que os bancos se proponham a implementar o gasto com monitoramento, em substituição ao colateral. A desvantagem é que todos os custos ficam com o banco. O governo poderia entrar neste ponto, repartindo as despesas e criando incentivos à expansão do crédito. No caso do empréstimo para grupos, a situação muda, no sentido de que podem ser fornecidos maiores níveis de colateral, variando de acordo com o tamanho do investimento, sem nenhum ônus para o banco. Exemplificando: no caso tradicional, o banco implementa o monitoramento e consegue que o tomador forneça um colateral de aproximadamente zero, independentemente do tamanho do projeto. Já em um *group lending*, além de o banco transferir os custos de monitoramento para o grupo, este fornece colateral equivalente ao tamanho do investimento. O empréstimo de grupo, além de significar uma garantia a mais para o banco, é de fato uma boa alternativa para emprestar para aqueles que não têm garantias a oferecer.

O empréstimo de grupo seria mesmo a melhor alternativa para fornecer crédito ao pobre? A resposta fica no ar porque depende da tecnologia de monitoramento utilizada e, sobretudo, de fatores culturais alheios ao modelo. Dessa forma, o que se constatou foi a possibilidade de adotar uma política de microcrédito eficaz com a metodologia tradicional banco × tomador, desde que se implementem os esquemas de incentivo adequados. Quanto ao empréstimo para grupo que usa a pressão social como aval solidário, é necessária uma regulamentação específica sobre o colateral social. Ainda restam os problemas decorrentes da formação de grupos. Deve haver um forte elo de ligação entre os membros do grupo para que um tipo de esquema como este funcione. A pergunta é: será que esse esquema poderia ser aplicável a qualquer região brasileira? Mesmo para outras ciências é difícil dizer. Mas, sem dúvida, trata-se de um esquema que, dado o enorme sucesso em todo o mundo, deveria ser estudado para solucionar os problemas envolvidos na aplicação e testado em outras regiões do país.

O mistério do capital

Hernando De Soto (2000), em *O mistério do capital*, enfatiza o reconhecimento formal do direito de propriedade dos pobres como alavanca de garantias para a concessão de empréstimos. Seguindo o mote, alguns têm proposto, com propriedade, a adoção de um processo de regularização fundiária urbana em larga escala. Mas, entre a taça e os lábios, existem outros percalços. No caso brasileiro, a casa própria, mesmo que regularizada, não é aceita em geral como colateral de empréstimos. As tristes histórias de liquidação de hipotecas, enredo comum nos filmes americanos, não figuram nas cenas do cinema e da realidade nacionais. Em compensação, qualquer americano tem acesso a crédito imobiliário, evento raro em nosso país.

A legislação brasileira, na ânsia de proteger os donos da casa própria da dolorosa retomada do imóvel em caso de inadimplência, acaba por esvaziar o mercado de crédito. É preciso derrubar essa verdadeira "Lei Seca", que abre espaço para a atuação dos agiotas. É preciso determinar as condições necessárias e suficientes para um aumento de empréstimos aos pobres brasileiros. Contudo, deve-se atentar para o uso moderado da regularização fundiária, a fim de evitar a ressaca do processo. O objetivo final é aumentar o direito de propriedade dos pobres já estabelecidos em suas respectivas propriedades, e não motivar invasões que acarretariam diminuição, e não aumento, dos direitos de propriedade.

Rajan e Zingales (2004) argumentam que, mesmo que haja méritos substanciais na idéia de De Soto, ela não é uma panacéia. "Se a população pobre está tomando posse da propriedade privada alheia, ou, como é tipicamente o caso em países em desenvolvimento, de território governamental, a legalização da invasão pode levar todos a ocupar o território restante, provocando insegurança generalizada sobre a propriedade, tendo assim o efeito oposto ao desejado." Obviamente, reconhecer o direito de propriedade conquistado de maneira ilícita é complexo, pois incentiva novas invasões, o que diminui, e não aumenta, o direito de propriedade na sociedade vista como um todo. Portanto, há que se ter cuidado para que um bem-intencionado programa de regularização fundiária não provoque mais mal do que bem. A regularização fundiária deve vir acompanhada de medidas que inibam invasões futuras, como, por exemplo, a manutenção de dispositivos na reforma agrária que impeçam a incorporação de terras invadidas. Ou, no caso urbano, que se explicitem regras semelhantes e se monitore o processo de ocupação do solo, através de fotografias aéreas das áreas irregulares.

Complementarmente, Pinheiro e Cabral (1998) mostram como o tamanho do mercado de crédito brasileiro depende da eficiência do Judiciário, devido à incerteza legal e à efetiva execução judicial de contratos de empréstimo.

O ponto geral de Hernando De Soto em *O mistério do capital* é que o problema do pobre não se restringe à pouca quantidade de capital, mas também à baixa qualidade deste. A alta informalidade da propriedade implica redução do valor de mercado dos ativos dos pobres, o que seria uma espécie de capital morto na acepção de De Soto. Um barraco de favela, por exemplo, cujo dono não dispõe de plena posse legal, acaba valendo menos do que se estivesse todo regularizado, pela dificuldade de revenda. O corolário é a possibilidade de ressuscitar o capital dos pobres. No caso do Brasil, o valor da propriedade fundiária é afetado pelo não-reconhecimento da posse legal dos ativos e pela impossibilidade de oferecer a casa própria, mesmo que legalmente reconhecida, como garantia de empréstimos.

O problema dos pobres é a ausência do Estado, não apenas em ações de saúde, educação e segurança, mas também no reconhecimento de direitos de propriedade. A falta de aval do poder público dificulta transações de garantias creditícias, reduzindo a mobilidade e a capacidade de reprodução do capital dos pobres. Segundo De Soto, o valor total dos imóveis de posse extralegal dos pobres no Terceiro Mundo e nas nações do extinto bloco comunista é de pelo menos US$ 9,3 trilhões, o que corresponde a 93 vezes mais do que todo o auxílio ao desenvolvimento concedido por todos os países desenvolvidos ao Terceiro Mundo no mesmo período. A legalização desses ativos e sua transformação em capitais passíveis de serem usados como colaterais, contrapartidas, ou alugados teriam grande efeito sobre a economia dos países.

Descrição da base de dados

Apesar de existir uma longa tradição de realização de pesquisas domiciliares no Brasil, só recentemente foram implantadas pesquisas representativas, que visam auferir as diferentes dimensões do funcionamento das pequenas empresas brasileiras. Exemplo disso é a Pesquisa da Economia Informal Urbana, realizada pelo IBGE em outubro de 1997 e de 2003, na qual foram entrevistados cerca de 50 mil trabalhadores por conta própria e empregadores com até cinco empregados, independentemente do número de proprietários ou trabalhadores não remunerados.[6] A Ecinf

---

[6] Também foram excluídos os domésticos, que, embora pertencentes ao setor informal, não foram objeto da pesquisa porque se considera que as informações relevantes para essa categoria já são investigadas pela Pesquisa Nacional por Amostra de Domicílios (Pnad).

constitui a melhor base de microdados disponível para explorar o lado empresarial da chamada economia informal na totalidade do território urbano nacional. O público-alvo da pesquisa são os negócios nanicos urbanos, sejam eles a atividade principal ou secundária de seus proprietários.

A pesquisa foi realizada em duas etapas. Inicialmente, fez-se um cadastro dos domicílios situados em setores selecionados da amostra em que residiam proprietários de unidades produtivas informais. Na segunda etapa, foram feitas as entrevistas nos domicílios. Na pesquisa constam dois tipos de questionários, um referente ao levantamento de características do domicílio e de seus moradores e outro relativo às características das unidades produtivas pertencentes ao setor informal e de seus proprietários. Os negócios podem ser informais ou não, o que permite que a própria decisão de formalização seja analisada seguindo recomendações técnicas da OIT.

Colaterais e acesso a crédito

Um passo fundamental para o desenvolvimento do crédito produtivo popular no Brasil é diminuir a assimetria de informações existente entre os gestores de políticas públicas e seu público-alvo. Lancei mão aqui da melhor oportunidade disponível para explorar informações sobre os negócios nanicos: a Ecinf. A obtenção de crédito, em geral, depende das garantias oferecidas pelas pessoas que buscam empréstimos. Como o país é grande, heterogêneo e desigual, o acesso ao crédito está restrito a grupos específicos. Como vimos, a dificuldade dos produtores pobres pode ser explicada pela falta e pela qualidade dos ativos. Como o direito de propriedade dos pobres com freqüência não está bem definido, o acesso ao crédito fica restrito mesmo àqueles que possuem ativos. Entretanto, o problema não se limita à quantidade ou à qualidade dos ativos; o fato de o interessado possuir uma renda baixa e instável também pode prejudicar seu acesso ao crédito. A renda do empresário pobre, à semelhança daquela de seus primos ricos, advém do resíduo do faturamento, uma vez descontados seus custos. São capitalistas, no sentido de que vivem do capital de risco, sem capital.

É preciso estudar simultaneamente diversos determinantes da oferta e da demanda por financiamento, juntamente com possíveis falhas de mercado e necessidades. As instituições financeiras em geral rejeitam transações de pequena monta, devido aos custos fixos de natureza administrativa e informacional envolvidos no processo.

Neri e Giovanni (2005) apresentam o padrão de correlações do uso do crédito produtivo popular com outras variáveis, baseadas em um modelo logístico rodado a partir dos microdados da Ecinf. Foi constatado que alguns elementos do capital social, como participação em cooperativas, indicadores de formalidade e posse de equipamentos, apresentam correlação significativa com o acesso ao crédito. Em geral os resultados são consistentes com a importância atribuída, na literatura, a garantias reais e alternativas na obtenção de fontes de financiamento. A descrição do modelo logístico binomial pode ser encontrada no quadro mais adiante. A seguir, modelos logísticos para o Nordeste urbano, nos quais a variável explicada é, em alguns casos, ter ou não ter tido fluxo de crédito nos últimos três meses e, em outros, ter ou não ter dívida (contraída a qualquer tempo).

Regressão logística

O tipo de regressão utilizado nos simuladores, assim como para determinar as diferenças-em-diferenças, é o da regressão logística, método empregado para estudar variáveis *dummy* — aquelas compostas apenas por duas opções de eventos, como "sim" ou "não". Por exemplo:

Seja *Y* uma variável aleatória *dummy* definida como:

$$Y = \begin{cases} 1 \text{ se a pessoa obteve crédito} \\ 0 \text{ se a pessoa não obteve crédito} \end{cases}$$

Continua

Onde cada Y_i tem distribuição de Bernoulli, cuja função de distribuição de probabilidade é dada por:

$$P(y \mid p) = p^{y}(1 - p)^{1-y}$$

Onde: *y* identifica o evento ocorrido e *p* é a probabilidade de sucesso de ocorrência do evento.

Como se trata de uma seqüência de eventos com distribuição de Bernoulli, a soma do número de sucessos ou fracassos neste experimento tem distribuição binomial de parâmetros *n* (número de observações) e *p* (probabilidade de sucesso). A função de distribuição de probabilidade da binomial é dada por:

$$P(y \mid n, p) = \binom{n}{y} p^{y}(1 - p)^{1-y}$$

A transformação logística pode ser interpretada como o logaritmo da razão de probabilidades sucesso *versus* fracasso, no qual a regressão logística nos dá uma idéia do risco de uma pessoa obter crédito, dado o efeito de algumas variáveis explicativas que serão introduzidas mais à frente.

A função de ligação deste modelo linear generalizado é dada pela seguinte equação:

$$\eta_i = \log\left(\frac{P_i}{1 - P_i}\right) = \sum_{k=0}^{K} \beta_k x_{ik}$$

onde a probabilidade *pi* é dada por:

$$p_i = \frac{\exp\left(\sum_{k=0}^{K} \beta_k x_{ik}\right)}{1 + \exp\left(\sum_{k=0}^{K} \beta_k x_{ik}\right)}$$

Tabela 1

Modelo logístico — análise dos parâmetros estimados — Nordeste tem crédito

		Estimativa	Erro-padrão	Estatística t	Razão de chances: Condicional	Razão de chances: Não-condic.	Prop.	Erro-padrão	Pop. (%)
Sexo	Homem	–0,3477	0,0776	–4,48**	0,7063	0,7607	0,057	0,0010	0,569
Posição na família	Chefe	0,1036	0,0788	1,31	1,1092	1,0950	0,064	0,0011	0,632
Cor	Branco	–0,0604	0,0688	–0,88	0,9414	0,9874	0,062	0,0015	0,3[illegible]2
Idade	15 anos	0,0136	0,5987	0,02	1,0137	0,6411	0,047	0,0090	0,005
	15 a 25 anos	–0,3172	0,1297	–2,45**	0,7282	0,5562	0,041	0,0017	0,072
	25 a 35 anos	–0,0837	0,0817	–1,02	0,9197	0,9146	0,066	0,0017	0,26[illegible]
	45 a 55 anos	–0,0384	0,0875	–0,44	0,9623	0,9480	0,068	0,0020	0,22[illegible]
	55 a 65 anos	–0,1910	0,1264	–1,51	0,8261	0,7051	0,052	0,0023	0,07[illegible]
	Mais de 65 anos	–0,4247	0,2236	–1,90*	0,6540	0,4160	0,031	0,0024	0,018
Escolaridade	Sem instrução	–0,4452	0,1869	–2,38**	1,1102	0,2362	0,026	0,0012	0,045
	Sabe ler e escrever	0,2732	0,1729	1,58	0,6407	0,5733	0,062	0,0035	0,068
	Ensino fundamental	–0,0283	0,1174	–0,24	1,3142	0,5204	0,056	0,0011	0,448
	Ensino médio	0,1045	0,1096	0,95	0,9721	0,7552	0,080	0,0019	0,345
Imigração	Nasceu neste município	–0,0558	0,0641	–0,87	0,9457	0,6810	0,047	0,0012	0,193
Jornada de trabalho	Menos de 20 horas	–0,3105	0,1359	–2,28**	0,7331	0,8187	0,054	0,0012	0,344
	20 a 39 horas	–0,0210	0,1462	-0,14	0,9792	0,9232	0,061	0,0020	0,158
	45 a 49 horas	0,0039	0,1529	0,03	1,0039	0,7292	0,049	0,0020	0,087
	50 a 59 horas	–0,0715	0,1891	–0,38	0,9310	0,9737	0,064	0,0030	0,082
	60 a 69 horas	0,1705	0,2309	0,74	1,1859	1,7504	0,110	0,0096	0,045
	Mais de 70 horas	0,1781	0,1724	1,03	1,1949	1,3182	0,085	0,0028	0,215
Tempo de empresa	1 a 3 anos	0,2941	0,1127	2,61**	1,3419	1,4196	0,077	0,0017	0,415
	Mais de 5 anos	0,3077	0,5492	0,56	1,3603	1,9286	0,102	0,0270	0,003
Negócio desenvolvido	Fora do domicílio	0,2027	0,0982	2,06**	1,2247	0,9509	0,0616	0,0010	0,6131
	Local exclusivo dentro do domicílio	0,2985	0,1105	2,70**	1,3478	1,4041	0,0815	0,0027	0,1925
	Loja, oficina, escritório, etc.	0,1107	0,0939	1,18	1,1171	2,0838	0,1041	0,0029	0,3199
Motivo de saída do último emprego	Foi demitido	0,0477	0,1245	0,38	1,0489	0,9756	0,061	0,0031	0,0686
Tem sócio	Sim	–0,0029	0,1078	–0,03	0,9971	0,6591	0,062	0,0009	0,9547
Tem outro trabalho	Sim	0,2746	0,0905	3,03**	1,3160	1,5635	0,090	0,0033	0,1637

Continua

		Estimativa	Erro-padrão	Estatística t	Razão de chances		Prop.	Erro-padrão	Pop. (%)
					Condicional	Não-condic.			
Nos últimos cinco anos recebeu algum tipo de assistência		0,9712	0,1229	7,90**	2,6411	4,9069	0,235	0,0154	0,0810
É filiado	Cooperativa, sindicato e associação	0,1432	0,1026	1,40	1,1540	1,8677	0,106	0,0045	0,1123
Controla as contas do negócio	Sim	0,5999	0,0727	8,25**	1,8219	2,7956	0,100	0,0020	0,6314
Tem constituição jurídica	Sim	0,2608	0,1004	2,60**	1,2980	3,2206	0,159	0,0066	0,1779
Utiliza equipamentos	Sim	–0,0459	0,0909	–0,50	0,9551	1,2637	0,066	0,0010	0,8052
Tem clientela fixa	Sim	0,0627	0,0948	0,66	1,0647	1,2486	0,075	0,0029	0,1307
Vende a prazo	Sim	0,4928	0,0673	7,32**	1,6369	2,4368	0,089	0,0017	0,6843
Região	Metropolitana	–0,2595	0,1059	–2,45**	0,7714	0,6810	0,047	0,0012	0,1935
Unidade de federação	Alagoas	–0,5031	0,1406	–3,58**	0,6047	0,6302	0,044	0,0017	0,0419
	Ceará	–0,2725	0,1289	–2,11**	0,7615	0,7079	0,050	0,0020	0,1151
	Maranhão	–0,0987	0,1335	–0,74	0,9060	1,1447	0,078	0,0032	0,1155
	Paraíba	–0,2782	0,1468	–1,90*	0,7571	0,7594	0,053	0,0023	0,0627
	Pernambuco	–0,1000	0,1190	–0,84	0,9048	0,7984	0,056	0,0021	0,1837
	Piauí	0,4577	0,1248	3,67**	1,5804	1,7740	0,116	0,0050	0,1050
	Rio Grande do Norte	–0,2628	0,1403	–1,87*	0,7689	0,9149	0,063	0,0028	0,0502
	Sergipe	–0,4604	0,1454	–3,17**	0,6310	0,5498	0,039	0,0016	0,0237
É empregador	Sim	0,3431	0,0892	3,85**	1,4093	2,5361	0,129	0,0047	0,2049
				DF		**Value**		**Value/DF**	
Número de observações : 18.920 ; Log likelihood : –3962,687 ; Pearson chi-square:				**18.000**		**17.983**		**1,0008**	

*Estatisticamente significante no nível de confiança de 90%.

**Estatisticamente significante no nível de confiança de 95%.

Variáveis omitidas: Quando for variável binária é o complemento. Exemplo: Em sexo aparece homem, logo foi omitida a mulher.

Demais variáveis omitidas: Idade (35 a 45 anos), escolaridade (educação superior), jornada de trabalho (40 a 44 horas), tempo de empresa (menos de um ano) e unidade de federação (Bahia).

	Nº de pessoas	%
Tem crédito	1.150	6,1
Não tem crédito	17.770	93,9

Fonte: CPS/FGV, elaborado a partir dos microdados da Ecinf 1997, do IBGE.

Tabela 2

Modelo logístico — análise dos parâmetros estimados — Nordeste tem dívida

		Estimativa	Erro-padrão	Estatística t	Razão de chances Condicional	Razão de chances Não-condic.	Prop.	Erro-padrão	Pop. %
Sexo	Homem	–0,2132	0,0511	–4,17**	0,8080	0,9205	0,168	0,0025	0,614
Posição na família	Chefe	0,1413	0,0512	2,76**	1,1518	1,1507	0,179	0,0026	0,689
Cor	Branco	–0,0496	0,0446	–1,11	0,9516	1,0947	0,181	0,0038	0,321
Idade	15 anos	–1,1185	0,5186	–2,16**	0,3268	0,2666	0,061	0,0115	0,00[illegible]
	15 a 25 anos	–0,2651	0,0799	–3,32**	0,7671	0,6708	0,141	0,0053	0,[illegible]9[illegible]
	25 a 35 anos	–0,0526	0,0530	–0,99	0,9488	0,8763	0,177	0,0040	0,[illegible]6[illegible]
	45 a 55 anos	–0,1083	0,0578	–1,87*	0,8974	0,8253	0,168	0,0044	0,201
	55 a 65 anos	–0,2313	0,0812	–2,85**	0,7935	0,7303	0,152	0,0061	0,033
	Mais de 65 anos	–0,2668	0,1340	–1,99**	0,7658	0,5916	0,127	0,0087	0,0[illegible]7
Escolaridade	Sem instrução	–0,3119	0,1145	–2,72**	1,1932	0,3818	0,103	0,0043	0,0[illegible]3
	Sabe ler e escrever	–0,0344	0,1215	–0,28	0,7321	0,5197	0,135	0,0071	0,054
	Ensino fundamental	0,0502	0,0792	0,63	0,9662	0,6614	0,165	0,0029	0,477
	Ensino médio	0,1766	0,0753	2,35**	1,0515	0,8851	0,209	0,0043	0,329
Imigração	Nasceu neste município	–0,0735	0,0415	–1,77*	0,9291	0,8050	0,150	0,0035	0,22[illegible]
Jornada de trabalho	Menos de 20 horas	–0,2439	0,0890	–2,74**	0,7836	0,8641	0,138	0,0027	0,316
	20 a 39 horas	0,0489	0,0953	0,51	1,0501	1,1602	0,177	0,0051	0,166
	45 a 49 horas	–0,0216	0,1007	–0,21	0,9786	1,0804	0,166	0,0060	0,108
	50 a 59 horas	–0,1441	0,1254	–1,15	0,8658	1,2490	0,188	0,0076	0,087
	60 a 69 horas	0,1130	0,1605	0,70	1,1196	1,7816	0,248	0,0182	0,037
	Mais de 70 horas	0,2569	0,1137	2,26**	1,2929	1,7499	0,244	0,0066	0,225
Tempo de empresa	1 a 3 anos	0,2783	0,0722	3,85**	1,3209	1,5031	0,212	0,0041	0,418
	Mais de 5 anos	–0,2833	0,4588	–0,62	0,7533	0,8260	0,129	0,0331	0,001
Negócio desenvolvido	Fora do domicílio	0,1870	0,0612	3,06**	1,2056	0,9839	0,1713	0,0026	0,6210
	Local exclusivo dentro do domicílio	0,1481	0,0710	2,09**	1,1596	1,3459	0,2106	0,0060	0,1812
	Loja, oficina, escritório, etc.	–0,1227	0,0611	–2,01**	0,8845	1,6938	0,2387	0,0057	0,2673
Motivo de saída do último emprego	Foi demitido	0,1871	0,0762	2,46**	1,2057	1,1477	0,191	0,0083	0,0778
Tem sócio	Sim	–0,1808	0,0717	–2,52**	0,8346	0,6060	0,170	0,0021	0,9542

Continua

		Estimativa	Erro-padrão	Estatística t	Razão de chances Condicional	Razão de chances Não-condic.	Prop.	Erro-padrão	Pop. (%)
Tem outro trabalho	Sim	0,1250	0,0624	2,00**	1,1331	1,1181	0,187	0,0061	0,1242
Nos últimos cinco anos recebeu algum tipo de assistência		0,6346	0,1000	6,35**	1,8863	2,8654	0,366	0,0198	0,0460
É filiado	Cooperativa, sindicato e associação	0,3657	0,0672	5,44**	1,4415	2,0044	0,283	0,0097	0,1092
Controla as contas do negócio	Sim	0,6041	0,0455	13,28**	1,8296	2,5858	0,256	0,0042	0,5880
Tem constituição jurídica	Sim	0,2049	0,0722	2,84**	1,2274	2,6677	0,336	0,0111	0,1371
Utiliza equipamentos	Sim	0,1521	0,0573	2,65**	1,1643	1,4229	0,183	0,0024	0,8169
Tem clientela fixa	Sim	–0,0169	0,0630	–0,27	0,9832	0,9288	0,163	0,0056	0,1031
Vende a prazo	Sim	0,3674	0,0423	8,69**	1,4440	1,8211	0,216	0,0035	0,6068
Região	Metropolitana	–0,2540	0,0664	–3,83**	0,7757	0,8050	0,150	0,0035	0,2233
Unidade de federação	Alagoas	–0,7257	0,0899	–8,07**	0,4840	0,7056	0,118	0,0043	0,0405
	Ceará	–0,2734	0,0786	–3,43**	0,7608	1,2158	0,187	0,0069	0,1012
	Maranhão	–0,3210	0,0875	–3,67**	0,7254	1,1957	0,185	0,0070	0,0796
	Paraíba	–0,0819	0,0879	–0,93	0,9214	0,9261	0,149	0,0050	0,1797
	Pernambuco	–0,2167	0,0743	–2,92**	0,8052	1,1652	0,181	0,0072	0,0598
	Piauí	–0,3804	0,0911	–4,18**	0.6836	1,0812	0,170	0,0066	0,0492
	Rio Grande do Norte	–0,4278	0,0904	–4,73**	0,6519	0,7442	0,124	0,0048	0,0274
	Sergipe	–0,6036	0,0912	–6,62**	0,5468	1,3585	0,205	0,0058	0,3280
É empregador	Sim	0,3551	0,0615	5.77**	1,4263	2,0386	0,280	0,0084	0,1616

	DF	Value	Value/DF
Número de observações: 18.920 ; Log likelihood: –7916.9614 ; Pearson chi-square :	**18.000**	**17.979**	**1,0006**

*Estatisticamente significante no nível de confiança de 90%.

**Estatisticamente significante no nível de confiança de 95%.

Variáveis omitidas: Quando for variável binária é o complemento. Exemplo: Em sexo aparece homem, logo foi omitida a mulher.

Demais variáveis omitidas: idade (35 a 45 anos), escolaridade (educação superior), jornada de trabalho (40 a 44 horas), tempo de empresa (menos de um ano) e unidade de federação (Bahia).

	Nº de pessoas	%
Tem dívida	3.159	16,7
Não tem dívida	15.761	83,3

Fonte : CPS/FGV, elaborado a partir dos microdados da Ecinf 1997, do IBGE.

Medidas de qualidade do ajuste I

Para escolher um melhor modelo logístico são necessários alguns testes estatísticos que medem a qualidade do ajuste. Alguns deles são relacionados a seguir.

Teste da razão de verossimilhança

Tem-se um conjunto de variáveis explicativas para a construção de um modelo, no qual se espera que a combinação destas com a função de ligação seja a melhor possível, de forma que se possa explicar o acesso a crédito através dessa combinação. Um modo de testar o quão significativas são essas variáveis é o teste da razão de verossimilhança. Uma seleção que proporcione grande número de variáveis ao modelo pode implicar uma complexidade no que diz respeito à interpretação do modelo, daí dizer-se que o ideal é formar um modelo com o menor número de variáveis possíveis, para facilitar a análise deste.

Uma estatística que pode ser utilizada como medida de qualidade do ajuste é a conhecida como *deviance*, obtida através do log da razão de verossimilhança.[8] Sua função é dada por:

$$D = -2\log\left[\left(\hat{\beta}_{max}; y\right) \Big/ \left(\hat{\beta}; y\right)\right]$$

onde:

β_{max} é o vetor de estimativas de máxima verossimilhança que corresponde ao modelo maximal;

$\hat{\beta}$ é o vetor de estimativas para o modelo proposto.

A hipótese nula contida no modelo é: H_0 — o modelo proposto ou reduzido não é significativamente diferente do modelo adequado ou maximal.

Considerando essa hipótese, quer-se mostrar que o modelo proposto representa os dados tão bem quanto o modelo maximal. Com a estatística D tentar-se-á selecionar o modelo reduzido, a fim de facilitar a interpretação. A estatística D tem distribuição qui-quadrado dada por:

$$D \sim \chi^2_{n-P}$$

Continua

[8] Ver Green, 2000.

onde:
n é o número de observações;

P é o número de parâmetros a serem estimados.

Outra forma de comparar dois modelos é utilizar a diferença das *deviances*, ou seja, $D_0 - D_1$, que possui distribuição qui-quadrado dada por:

$$D_0 - D_1 \sim X^2_{n-P}$$

onde:

D_0 é a *deviance* do modelo proposto;

D_1 é a *deviance* do modelo maximal.

Medidas de qualidade do ajuste II

Estatística de Wald

Após o importante teste da razão de verossimilhança e, nele embutido, a estatística conhecida como *deviance*, mostrarei uma estatística que testa as hipóteses avaliando a significância dos coeficientes individualmente — a estatística de Wald. Pode-se assemelhá-lo à estatística *t* dos mínimos quadrados ordinários, na qual testei a hipótese de que todos os coeficientes associados às variáveis são estatisticamente diferentes de zero.

$$\frac{\hat{\beta}_i - \beta_i}{\sqrt{V\left(\hat{\beta}_i\right)}}$$

que sob H_0:

$\beta = 0, i = 1, 2, 3, \ldots, p$ tem distribuição assintoticamente normal padrão.

Na análise dos modelos de regressão, as principais questões estão em geral relacionadas com a presença ou não de associação entre as variáveis. Por isso, as interações são termos importantes em um modelo,

Continua

pois, através de sua presença ou ausência, testa-se a existência de associação entre as variáveis.

Razão de vantagens

Às vezes temos interesse em conhecer a vantagem do sucesso de um grupo, mais especificamente em como conseguiu crédito, e não um outro grupo. Um exemplo para esse caso seria a seguinte questão: será que a vantagem de um empregador conseguir crédito é maior que a de um trabalhador por conta própria? A razão de vantagens seria uma boa forma de medir isso.

A razão de vantagens é dada pela seguinte relação:

$$\theta = \frac{\left(\frac{p_1}{1-p_1}\right)}{\left(\frac{p_2}{1-p_2}\right)}$$

onde p_1 e p_2 são as probabilidades de sucesso dos grupos 1 e 2, respectivamente.

Assim, percebe-se que a razão de vantagens, ou razão condicional, difere da probabilidade. Exemplificando-se novamente: se um cavalo tem 50% de probabilidade de vencer uma corrida, sua razão condicional é de 1 em relação aos outros cavalos, isto é, sua chance de vencer é de um para um. O conceito de razão condicional é de extrema importância para a compreensão deste trabalho, pois nos indicará se a variável gerada por diferenças-em-diferenças aumentou ou diminuiu a chance de sucesso em relação à variável estudada.

O mercado de microcrédito se revelou incipiente nas áreas urbanas do Nordeste. Apenas 6,1% dos nanonegócios (até cinco empregados) obtiveram acesso a crédito nos três meses anteriores à pesquisa, enquanto 17,1% tinham estoque de dívida contraída. Descrevi o padrão de correlações do uso do crédito produtivo popular com outras variáveis, em particular aquelas ligadas à posse de garantias reais ou colaterais alternativas. Como o modelo de fluxo de crédito não se ajustou bem, pois poucas variáveis ficaram significativas com os sinais esperados, de acordo com a teoria ou com os testes empíricos para a mesma base de dados em 1997, em particular aquelas relacionadas com a provisão de colateral, centrarei a análise na variável de posse de estoque de dívida como indicativa do acesso a crédito.

A ligação com entidades de classe está correlacionada à obtenção de crédito: a vantagem aumenta em 44% para quem está associado a algum sindicato, associação ou cooperativa em relação aos que não possuem ligação com esses elementos do capital social. A questão da legalidade também apresenta forte correlação com o acesso ao crédito: quem possui constituição jurídica tem uma vantagem 23% maior em relação aos que não têm. Destaca-se a variável indicativa da posse de equipamentos, sendo a vantagem de quem utiliza equipamentos aproximadamente 16% maior em relação a quem não os utiliza, o que é consistente com a importância das garantias reais.

Outras variáveis analisadas referem-se a quem vende a prazo, que também leva vantagem no momento de conseguir crédito, sendo a vantagem 44% maior em comparação com os que não realizam vendas desse tipo. Ou seja, a concessão e a recepção de crédito estão intimamente ligadas. Se o nanonegócio for de um empregador, sua vantagem em relação aos trabalhadores por conta própria aumenta significantemente, sendo quase 43% maior. O controle de contas do negócio apresenta uma vantagem de 83% em relação a quem não tem esse controle, demonstrando a importância do controle de contas no mercado de empréstimos a pequenos produtores urbanos. Isso indica que o mercado de crédito está mais ligado a pessoas que desejam iniciar um novo microempreendimento. O fato de estar numa região metropolitana influi adversamente na obtenção do crédito, uma vez que se observa uma desvantagem de 22% em relação aos microempreendedores situados nas demais áreas urbanas nordestinas.

Como o modelo de fluxo de crédito não funcionou a contento, optei também por testar um critério estatístico de seleção de variáveis, a fim de determinar quais delas teriam maior poder explicativo e quais seriam mais relevantes, aplicando um procedimento de escolha seqüencial de variáveis que usa um modelo logístico binomial. A lista de variáveis selecionadas para cada modelo (a partir de um teste F) é fornecida a seguir, em ordem crescente de importância, numa lista auto-explicativa. Vale a pena ressaltar os elementos ligados às garantias reais ou alternativas destacados na tabela.

Tabela 3

Resumo do modelo de seleção de variáveis *stepwise*

Fluxo de crédito		**Estoque de dívida**	
Variáveis incluídas (na ordem)		Variáveis incluídas (na ordem)	
Controle de contas	1	**Controle de contas**	1
Vende a prazo	2	Horas	2
Assistência	3	Vende a prazo	3
UF	4	UF	4
Empregador	5	**Cooperativado**	**5**
Horas	6	**Constituição jurídica**	**6**
Outro trabalho	7	Educação	7
Sexo	8	Região metropolitana	8
Região metropolitana	9	Assistência	9
Constituição jurídica	**10**	Idade	10
Idade	11	Empregador	11
Educação	12	**Equipamento**	**12**
Migração	13	Sexo	13
Raça	14	Chefe	14
Chefe	15	Tempo de negócio	15
Tempo de negócio	16	Foi demitido	16
Loja, oficina, escritório	17	Migração	17
Local exclusivo	18	Tem sócio	18
Variáveis excluídas	—	Variáveis excluídas	—
Tem sócio	—	Outro trabalho	—
Foi demitido	—	Loja, oficina, escritório	—
Equipamento	—	Local exclusivo	—
Local de domicílio	—	Local de domicílio	—
Clientela fixa	—	Clientela fixa	—
Sindicalizado	—	Raça	—

Complementarmente, veremos adiante um modelo para explicar o volume de dívida para quem já tem dívida. E modelos diversos, para o país como um todo e para dois momentos, a fim de testar o papel do CrediAmigo *vis-à-vis* determinantes do uso do crédito.

Determinantes do valor da dívida

A Ecinf apresenta a variável tamanho do estoque de dívida, que abre a possibilidade de análises univariadas, bivariadas e multivariadas. A dívida média de quem tem dívida é de R$ 367. Conforme a tabela 4 e os gráficos a seguir ilustram, 83% da população urbana de empresários nordestinos não têm dívida. Os 40% seguintes aos 50% mais pobres na distribuição de dívida respondem apenas por 3,4% da dívida. Esses 40% do segmento intermediário detêm em média uma dívida de R$ 31. Já os 10% com dívidas mais altas apresentam em média dívida de R$ 3.500 e detêm 96,6% da massa de dívida do segmento microempresarial urbano, conforme ilustra a curva de Lorenz.

Tabela 4
Estoque de dívidas por décimos

Décimos	Média	Marginal
10	0,00	0,00
20	0,00	0,00
30	0,00	0,00
40	0,00	0,00
50	0,00	0,00
60	0,00	0,00
70	0,00	0,00
80	0,00	0,00
90	123,51	382,00
100	3.500,83	200.000,00

Fonte: CPS/FGV, a partir dos microdados da Ecinf, do IBGE.

Gráfico 1

Distribuição cumulativa de dívida

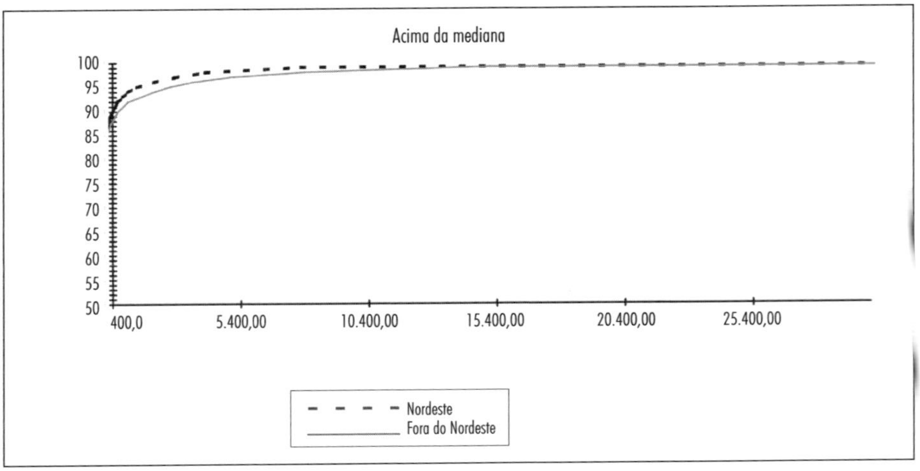

Fonte: CPS/FGV, a partir dos microdados da Ecinf, do IBGE.

Gráfico 2

Participação na dívida total — Nordeste

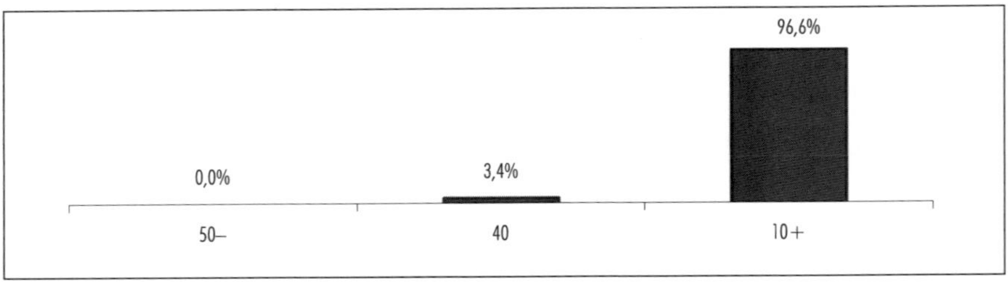

Gráfico 3

Nível por grupos de dívida — Nordeste (R$)

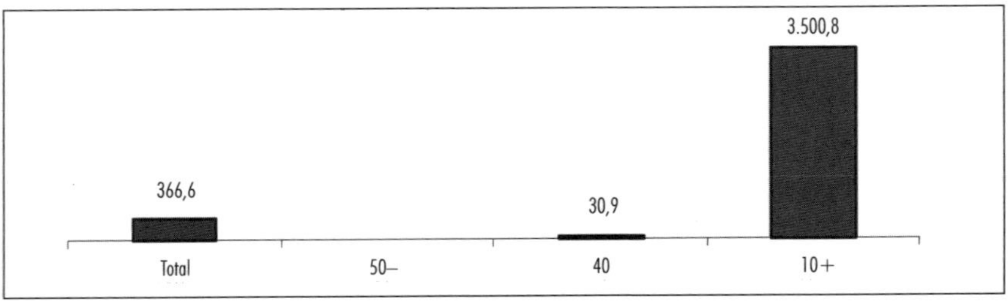

Fonte: CPS/FGV, a partir dos microdados da Ecinf, do IBGE.

Gráfico 4
Lorenz da dívida — Nordeste

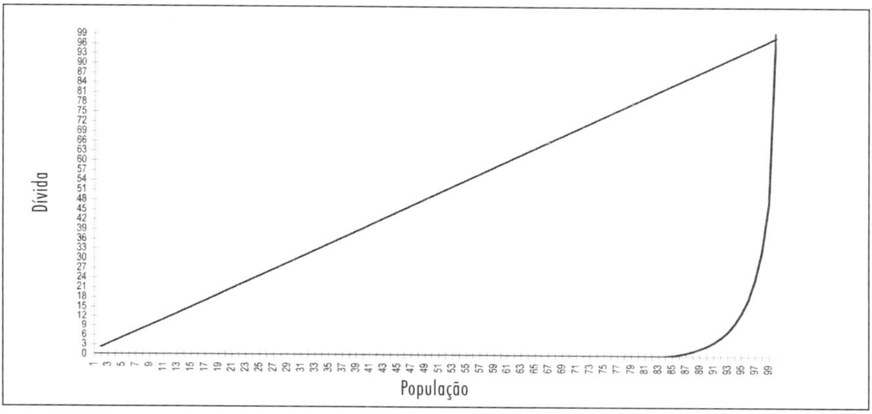

Fonte: CPS/FGV, processando microdados da Ecinf, do IBGE.

O capítulo 5 apresenta uma análise mais detalhada do valor das dívidas *vis-à-vis* outras variáveis de performance nanoempresarial, como lucro, faturamento e custo. Passemos agora aos determinantes multivariados do valor da dívida.

Análise multivariada

Estimei um modelo log-linear de dívida em função de controles e variáveis associadas a colaterais físicos ou sociais que apresentaram associação crescente com o volume de dívida e um impacto percentual tal como indicado a seguir: equipamentos — 10,6%, filiação a cooperativa — 42,3%, formalização — 52%, controle de contas do negócio — 50,9%. Isso significa, por exemplo, que quem pertence a uma cooperativa, mas apresenta padrões idênticos no que se refere às demais características observáveis consideradas na regressão, tem uma dívida 42,3% maior do que quem não pertence. Ou seja, foi isolada a correlação de cada variável com o montante do débito. Veja a explicação formal no quadro a seguir.

No caso dos empregadores que têm dívida, os valores são 27% maiores do que os dos trabalhadores por conta própria que também a têm. Como se viu no modelo logit de posse ou não de dívida anterior, os empregadores tinham uma vantagem relativa de 42,6% em relação aos seus similares trabalhadores por conta própria. É importante notar que, nesse caso, como nos citados antes, os dois efeitos se acumulam na mesma direção. Talvez mais interessante seja o fato de que quem tomou algum empréstimo nos últimos três meses apresente uma dívida 357% maior do que aqueles que contraíram a mesma dívida há mais tempo.

Modelo de regressão

O modelo econométrico de regressão típico decorrente da equação minceriana é:

$$\ln w = \beta_0 + \beta_1 \, educ + \beta_2 \exp + \beta_3 \exp^2 + y' \, x + \varepsilon$$

onde:

w é o salário recebido pelo indivíduo;

educ é a sua escolaridade, geralmente medida por anos de estudo;

exp é sua experiência, geralmente aproximada pela idade do indivíduo;

x é um vetor de características observáveis do indivíduo, como raça, gênero, região;

ε é um erro estocástico.

Este é um modelo de regressão no formato log-nível, isto é, a variável dependente — o salário — está em formato logaritmo e a variável independente mais relevante — a escolaridade — está em nível. Portanto, o coeficiente β_1 mede quanto um ano a mais de escolaridade causa de variação proporcional no salário do indivíduo. Por exemplo, se β_1 é estimado em 0,18, isso quer dizer que cada ano a mais de estudo está relacionado, em média, com um aumento de salário de 18%.

Matematicamente, tem-se que:

Derivando, encontramos que $(\partial \ln w / \partial \, educ) = \beta_1$

Por outro lado, pela regra da cadeia, tem-se que:

$$(\partial \ln w / \partial \, educ) = (\partial w / \partial \, educ) \, (1 / w) = (\partial w / \partial \, educ) / w)$$

Logo, $\beta_1 = (\partial w / \partial \, educ) / w$, correspondendo, portanto, à variação percentual do salário decorrente de cada acréscimo unitário de ano de estudo.

Tabela 5
Equação de log da dívida
Universo: trabalhadores por conta própria e empregadores

Dívida média = R$ 366,62

	Estimador	Estatística t	Dif. dívida Bivariado	% na População
Sexo – homem	–0,0222	–0,5168	0,191	0,6301
Raça – brancos ou amarelos	0,0137	0,3796	0,346	0,3050
Posição na Família – Chefe	0,0998	2,4163**	0,132	0,6637
Idade – anos de idade	0,0148	2,1478**	–	40,5#
Idade ao quadrado – anos ao quadrado	–0,0002	–2,2203**	–	–
Educação – sem instrução	0,6442	1,0209	–0,867	0,1054
Educação – sabe ler e escrever	0,6800	1,0758	–0,550	0,0684
Educação – ensino fundamental	0,9124	1,4503	–0,129	0,4971
Educação – ensino médio	1,0230	1,6252	0,276	0,2706
Educação – ensino superior	1,0048	1,5877	2,064	0,0577
Tempo no negócio (em anos)	0,0113	1,0281	–	0,9#
Tempo no negócio ao quadrado	0,0000	–1,1909	–	–
Jornada de trabalho	0,0052	2,0850**	–	41,4#
Tem outro trabalho	0,0102	0,1916	–0,187	0,1146
Empregador	0,2699	4,4755**	3,619	0,0994
Nº de sócios	0,0856	1,9290*	–	0,2#
Cooperativado, associado ou sindicalizado	0,4229	6,1680**	3,029	0,0666
Recebeu nos últimos cinco anos algum tipo de assistência	0,4019	3,5204**	5,264	0,0216
Realiza o controle das contas do negócio	0,5087	13,7822**	0,950	0,3958
Tem acesso a crédito	3,5773	52,3615**	–0,362	0,0627
Sua empresa tem constituição jurídica	0,5253	7,1415**	4,794	0,0702
Vende a prazo ou à vista e a prazo	0,1928	5,6684**	0,348	0,4842
Tem clientela fixa	–0,0770	–1,4551	0,208	0,1090
Utiliza equipamentos	0,1055	2,5169**	0,112	0,7683
Desenvolve atividade fora do domicílio	0,0285	0,6045	0,148	0,6242
Negócio desenvolvido em loja, oficina, escritório, etc.	–0,1025	–2,0126**	1,033	0,1927
No domicílio tem local exclusivo	0,0033	0,0570	0,198	0,1481
Foi demitido do último emprego	0,0980	1,5297	–0,201	0,0701

Continua

	Estimador	Estatística t	Dif. dívida Bivariado	% na População
Nasceu neste município	–0,0743	–2,2233**	–0,223	0,4874
Região metropolitana	–0,2119	–4,8654**	–0,184	0,2563
Unidade de federação – Maranhão	–0,1750	–2,7489**	– 0,136	0,0931
Unidade de federação – Piauí	–0,3508	–4,6091**	0,136	0,0570
Unidade de federação – Rio Grande do Norte	–0,2572	–3,2028**	0,054	0,1454
Unidade de federação – Ceará	–0,1260	–2,3328**	0,043	0,0500
Unidade de federação – Pernambuco	–0,2526	–5,2656**	0,009	0,0742
Unidade de federação – Sergipe	–0,3842	–4,2857**	–0,276	0,2070
Unidade de federação – Alagoas	–0,4325	–5,7827**	–0,236	0,0594
Unidade de federação – Paraíba	0,0214	0,3106	–0,106	0,0384
Intercepto	–0,9552	–1,4731		
Número de observações = 16.837.486	**R2: 0,1987**			**F Value: 123,24**
Graus de liberdade = 18.881	**R2 Ajustado: 0,1971**			**Prob>F: <.0001**

Fonte: CPS/FGV, a partir dos microdados da Ecinf, do IBGE.

*Intervalo de confiança a 90%.

**Intervalo de confiança a 95%.

Corresponde ao valor médio da variável.

Variáveis omitidas: Quando for variável binária é o complemento. Exemplo: Em sexo aparece homem, logo foi omitida a mulher.

Demais variáveis omitidas: Educação (superior) e unidade de federação (Bahia).

Apesar de apresentarem as correlações esperadas na maioria das variáveis determinantes do uso e da intensidade do crédito e, em particular, de dívida, esses modelos são limitados no que diz respeito a captar a direção da causalidade envolvida. Por exemplo: será que o tamanho da empresa determina sua maior capacidade (ou necessidade) de acesso a empréstimos mais freqüentes e maiores, ou o contrário? Os nanonegócios que dispõem de mais acesso a crédito crescem mais.

Em suma, a revisão teórica e os resultados empíricos preliminares apontados orientam a direção a ser tomada para melhorar a competitividade do programa e o bem-estar social — o objetivo último de uma política de microcrédito. No capítulo 5, a experiência do CrediAmigo foi utilizada para testar a direção de causalidade aqui postulada entre colaterais e acesso a crédito de maneira tecnicamente mais satisfatória. Os capítulos seguintes investigam a relação de quantidade e qualidade do crédito contraído e a performance nanoempresarial observada.

5

O mistério nordestino

Marcelo Neri
André Medrado

Por que o microcrédito cresceu mais no Nordeste?
Titulação fundiária? Transferências de renda consignadas?
A chave do mistério nordestino está no aval
solidário do CrediAmigo.

No Brasil, o Estado é relativamente forte no segmento de crédito, mas pouco vigoroso no financiamento produtivo popular, do qual estão em larga medida ausentes tanto as instituições estatais em geral, os bancos e financeiras privados, quanto as instituições sem fins lucrativos. A maioria do crédito popular baseia-se em tecnologias advindas mais do florescimento do crédito direto ao consumidor do que dos princípios constatados em experiências internacionais de microcrédito bem-sucedidas.

Além de o volume relativo de crédito ser inferior ao de países com nível de renda similar ao brasileiro, a qualidade de nosso crédito é em geral baixa, uma vez que o mercado de crédito no Brasil privilegia mais o consumidor do que o produtor. Os empréstimos são mais de curto do que de longo prazo e atingem mais a alta renda. A escassa oferta de microcrédito é de natureza pública, e não privada, gerando potenciais ineficiências alocativas. E por fim, quando o raro evento da cessão de empréstimos ocorre, esta se dá a taxas altas, seja pela elevada taxa básica de juros (Selic), seja pelo grande *spread* financeiro envolvido.

Essa inanição na quantidade e na qualidade creditícias brasileiras pode ser sintetizada no que González Vega, professor da Universidade de Ohio e especialista em microcrédito, durante uma palestra no BNDES, em 1997, chamou de “misterio brasileño” — por que motivo o crédito produtivo popular privado pouco se desenvolveu no Brasil. De lá para cá, foram implementadas diversas políticas de microcrédito. Mas, observando os dados públicos da pesquisa Ecinf, produzida pelo IBGE, o percentual de nanoempresas (até cinco empregados) urbanas endividadas manteve-se rigorosamente constante em 17,2%, comparando-se os anos de 1997 e 2003. Ou seja, o "misterio brasileño" continua atual. A rigor, não é possível afirmar, a partir desses dados, que as empresas informais continuaram a recorrer pouco a empréstimos pelo fato de a falta de oferta de crédito, as taxas de juros altas e a estagnação trabalhista observada de 1998 a 2003 terem inibido a demanda creditícia. As empresas podem estar racionalmente evitando o financiamento numa conjuntura imprópria, por conveniência ou instinto de sobrevivência.

Por outro lado, como veremos mais adiante, utilizando estimativas baseadas na mesma pesquisa, demonstramos um crescimento do crédito produtivo popular diferenciado no Nordeste urbano, que levou o uso efetivo do crédito entre os nanonegócios nordestinos a níveis mais altos que os verificados no restante do país, o que conduziria ao que se pode chamar de "mistério nordestino":[1] por que o crédito produtivo popular urbano, embora ainda em nível muito baixo, se desenvolveu mais no Nordeste? Utilizaremos a Ecinf, cuja área de cobertura urbana corresponde à mesma área de atuação do CrediAmigo, que representa 60% do mercado de microcrédito direcionado, para investigar os impactos do programa no acesso ao crédito e, talvez o que seja mais interessante, na vida dos tomadores de crédito e de suas famílias. No final do capítulo traçamos um perfil mais geral de acesso às microfinanças entre os microempresários nordestinos.

Estratégia de identificação

As próximas três seções apresentam uma análise detalhada dos possíveis efeitos do programa CrediAmigo no acesso ao crédito, começando com

---

[1] O precursor da literatura de mistério na área financeira é sem dúvida Stephen Goldfeld, com "The case of the missing money", publicado em *Brookings Papers on Economic Activity* em 1976. Nele, inspirado no personagem do detetive Poirot dos romances de Agatha Christie, investiga as causas da superestimação da demanda de moeda americana usando o que se tornou o modelo empírico básico de demanda por moeda: as *Goldfeld-type regressions*.

diversos atributos dos negócios e do empreendedor, e usando a Ecinf mediante estimativas de diferenças-em-diferenças. Em seguida, teremos a estratégia de identificação e a técnica utilizada.

Se antes do CrediAmigo a oferta de crédito para os microempreendedores não era tão boa quanto passou a ser depois de sua criação, ou se os microempreendedores tinham uma demanda reprimida por crédito, era de se supor que, após a implementação do programa, um maior número de pessoas responderia que obtivera crédito nos três meses anteriores à pesquisa. De fato, observou-se um *boom* no mercado de crédito. Com crescimento de 2,3 pontos percentuais na taxa de acesso ao crédito — de 3,97% para 6,27% —, o Nordeste ultrapassou o patamar do restante do país, que acumulou apenas 0,65 ponto percentual de crescimento, traduzindo um ganho relativo de 1,65 ponto percentual. É importante ressaltar que as pesquisas Ecinf de 1997 e 2003 foram realizadas na mesma época do ano, não havendo, portanto, o risco da interferência de fatores sazonais no resultado.

Tabela 1

Panorama de acesso a crédito em 1997 e 2003 — população total

Ano	Nordeste	Fora do Nordeste	Diferença 2003 – 1997
1997	3,97	5.34	1,65
2003	6,27	5,99	

Fonte: CPS/FGV, a partir dos microdados das pesquisas Ecinf 1997 e 2003, do IBGE.

Estimador de diferenças-em-diferenças

Em economia, muitas pesquisas são feitas analisando os chamados experimentos naturais. Nas palavras de Wooldridge (2003), os experimentos naturais ocorrem quando algum evento exógeno, como uma mudança de política do governo, modifica o ambiente no qual operam indivíduos, famílias, firmas ou cidades. Para analisar um experimento natural sempre é preciso ter um grupo de controle, isto é, um grupo que não foi afetado pela mudança, e um grupo de tratamento, que foi afetado pelo evento, ambos com características semelhantes. Ao contrário de um experimento real, em que os grupos de tratamento e de controle são escolhidos aleatoriamente para impedir viés nas estimativas, em um experimento natural os grupos emergem da forma com que a mudança é efetuada. Para estudar as diferenças entre os dois grupos são necessários dados de antes e de depois do evento para os dois grupos. Assim, nossa amostra está dividida em quatro grupos: o grupo de controle de antes da mudança, o grupo de controle de depois da mudança, o grupo de tratamento de antes da mudança e o grupo de tratamento de depois da mudança. Esquematicamente, pode-se representar o procedimento a partir do seguinte quadro:

Grupos	Antes	Depois	Diferenças
Tratamento	A	B	B-A
Controle	C	D	D-C
Diferenças	A-C	B-D	(B–A)–(D–C)

B-A e D-C representam em que medida o grupo de tratamento e o de controle se alteraram, respectivamente, entre o período anterior e posterior ao evento examinado. Como, por hipótese, o grupo de controle não sofreu impacto no evento, as mudanças se devem a outros fatores, que também devem ter influenciado o grupo de tratamento. Já A-C e B-D representam as diferenças entre os grupos de tratamento e de controle antes e depois do evento, respectivamente.

Subtraindo-se, então, D-C de B-A, ou A-C de B-D (o que é exatamente a mesma coisa), encontra-se a diferença da diferença verificada entre os grupos, entre os dois períodos, ou, visto por outro lado, a diferença entre a diferença verificada entre os dois períodos, entre cada um dos grupos. Daí a razão do nome diferenças-em-diferenças, ou *dif-in-dif*.

Matematicamente, pode-se representar o método de diferenças-em-diferenças com a seguinte equação:

$$g_3 = (y_2,b - y_2,a) - (y_1,b - y_1,a)$$

Onde cada *Y* representa a média da variável estudada para cada ano e grupo, com o número subscrito representando o período da amostra (1 para antes da mudança e 2 para depois da mudança) e a letra representando o grupo ao qual o dado pertence (*A* para o grupo de controle e *B* para o grupo de tratamento). E g_3 é a estimativa a partir da diferenças-em-diferenças. Uma vez obtido o g_3, determina-se o impacto do experimento natural sobre a variável que se quer explicar.

Representando o método através de uma regressão e criando as variáveis indicadoras (ou *dummys*) *dB* igual a 1 para os indivíduos do grupo de tratamento e a 0 para os indivíduos do grupo de controle; e d_2 igual a 1, quando os dados se referem ao segundo período, pós-mudança, e a 0, caso os dados se refiram ao período pré-mudança, tem-se:

$$Y = g_0 + g_1{*}d_2 + g_2{*}dB + g_3{*}d_2{*}dB + \text{outros fatores}$$

Onde *Y* representa a variável estudada, g_1 o impacto de se estar no segundo período sobre a variável estudada, g_2 o impacto de se estar no grupo de tratamento sobre a variável estudada, e g_3 o impacto pós-evento do grupo de tratamento *vis-à-vis* o grupo de controle sobre a variável estudada (que é justamente o que se quer descobrir). Assim, g_0 capta justamente o valor esperado da variável estudada quando se analisa o grupo de controle antes da mudança, o que nos dá, basicamente, o parâmetro de comparação.

Porém, é preciso controlar por outros fatores relevantes na regressão, o que, no jargão econométrico, quer dizer que, antes de alegar que g_3 nos dá o impacto da política exógena, é preciso descobrir e isolar o efeito de todas as outras variáveis que podem estar causando mudanças na variável estudada. Isso é feito inserindo as variáveis de controle relevantes na regressão, como foi mostrado na segunda equação, evitando-se assim que efeitos de outras variáveis produzam viés na estimação. Com esse procedimento determina-se, portanto, o efeito puro do experimento natural sobre a variável que se quer explicar.

Análise multivariada

Depois de determinar quais as variáveis a serem explicadas nas regressões, surge o desafio de "desenhar as regressões", isto é, determinar que fatores serão testados como explicativos das variações estudadas. Inicialmente, foram feitas regressões logísticas sem a utilização de variáveis de controle. Foram utilizadas apenas as *dummies* de região (Nordeste e Fora do Nordeste) e ano (2003 e 1997), e suas interações, para, através da diferença-em-diferenças procurar avaliar o impacto do CrediAmigo sobre o microcrédito. Os resultados obtidos nessas primeiras regressões figuram nas tabelas 4 a 8 do "Anexo ao capítulo 5". Segundo esse método, entre 1997 e 2003, aumentou a chance controlada de obtenção de crédito no Nordeste, tanto no agregado quanto nos fluxos que acontecem freqüentemente, assim como aumentou a chance de se estar endividado e diminuiu não só a chance de se reclamar da falta de crédito somada a falta de capital como a chance de se reclamar da falta de crédito isoladamente. Logo, das cinco variáveis, todas demonstram melhora diferenciada na região Nordeste.

Mas essas regressões não pretendiam dar a palavra final sobre a avaliação do CrediAmigo, pois, sem a retirada do efeito de outras variáveis na regressão, o resultado conteria potencialmente um viés.

Depois desse primeiro passo, inseriu-se uma série de variáveis como controles na regressão logística. Dessa forma, foram retirados os efeitos de outras variáveis que poderiam estar influenciando as estimativas iniciais. A inclusão dessas outras variáveis serviu ainda para se perceber que variáveis, no geral, tiveram uma melhora e que variáveis pioraram para o Nordeste em 2003. Os resultados das regressões dessa etapa estão nas tabelas 9 a 14 do "Anexo ao capítulo 5".

Com essas novas regressões foram obtidos resultados coincidentes com os da análise não-controlada: aumentou a chance de obtenção de crédito nos últimos três meses, tanto no agregado quanto nos fluxos que acontecem freqüentemente; aumentou também a chance de se possuir estoque de dívida pendente e caiu a chance de se reclamar da falta de crédito, tanto somada à falta de capital quanto isoladamente.

Os resultados obtidos nessas primeiras regressões estão sintetizados na primeira coluna da tabela. Razões de chance superiores à unidade indicam uma melhora relativa do Nordeste em relação ao restante do país no período em questão. Segundo esse método, a chance de obtenção de crédito aumentou no Nordeste em 2003 em relação a 1997 e às demais regiões do país, tanto no crédito em geral quanto no de uso freqüente. Aumentou também a chance de se estar endividado e diminuiu a chance de se reclamar da falta de crédito no "sentido amplo", e a chance de se reclamar da falta de crédito isoladamente. Logo, como todas as razões de chance superam a unidade, as cinco variáveis creditícias utilizadas demonstram melhora diferenciada de acesso a fluxos e estoques de financiamento para os pequenos empreendedores da região mais pobre do país.

Tabela 2
O CrediAmigo e as razões de chance

CrediAmigo: o experimento	Razão de chance do estimador de diferença-em-diferença			
Variáveis explicadas	Não-controlada	Controlada	Controlada (setor comércio)	Controlada (baixa educação)
Obteve empréstimo, crédito ou financiamento nos últimos três meses	1,35*	1,26*	1,45*	0,99
Obteve empréstimo, crédito ou financiamento (freqüentemente) nos últimos três meses	1,25*	1,04*	1,03*	0,29*
Possui estoque de dívida (ainda pagando)	1,19*	1,24*	1,29*	0,87*
A maior dificuldade do negócio não é a falta de crédito	1,06*	1,03*	1,06*	1,33*
A principal origem do capital para início do negócio foi um empréstimo bancário	1,28*	1,14*	2,72*	0,69*

Fonte: CPS/FGV, a partir dos microdados das Ecinfs 1997 e 2003, do IBGE.
* Estatisticamente diferente de 1, pelo menos no nível de confiança de 95%.

Como o primeiro resultado citado teria potencialmente um viés, a segunda coluna apresenta o controle pelo efeito de outras variáveis introduzidas na regressão, como sexo, idade, raça, chefia do domicílio, escolaridade do nanoempresário e algumas características do local do negócio.

No caso dos efeitos puros das variáveis "ano" e "região", verifica-se que os resultados são menos robustos. Houve um aumento nacional do acesso ao crédito dos micronegócios no período 1997-2003, medido pelas variáveis de obtenção de empréstimos nos três últimos meses e pela origem do capital, mas não do ponto de vista da existência de estoque de dívida pendente e da percepção de dificuldades. No que tange à região Nordeste, para os nanoempresários lá situados, nos dois anos tomados conjuntamente, o crédito foi a maior dificuldade, sendo menor a incidência de estoques de dívida. Mas é bom ficar claro que isso não capta o efeito do CrediAmigo, que é percebido pelo método de diferenças-em-diferenças e, sim, somente o ambiente do Nordeste como um todo.

Analisando os outros coeficientes das regressões, cujos resultados se encontram no "Anexo ao capítulo 5", vê-se que, de maneira geral, as seguintes características pessoais dos empresários estão associadas a uma piora na chance de acesso ao crédito: sexo masculino; negro, pardo ou indígena; mais de 45 anos e pouca instrução.

Quando as regressões e análises foram feitas com filtros de subgrupos da população (as duas últimas colunas da tabela), nota-se, em primeiro lugar, um aumento do acesso ao crédito do setor do comércio nordestino no período, que é justamente o setor econômico mais focalizado e tido com público-alvo inicial do CrediAmigo, correspondendo a mais de 80% da clientela, em função da ênfase no financiamento de capital de giro. Observa-se também uma redução relativa do acesso ao crédito para negócios de pessoas sem instrução. Este último resultado parece indicar que o microcrédito não se expandiu preferencial e relativamente no Nordeste na faixa inferior de educação dos empreendedores.

De toda forma, o foco da análise foi a questão do acesso ao crédito, deixando-se de lado outros efeitos colaterais gerados pelo programa, como os derivados do subsídio ao crédito com taxas de juros abaixo do nível do mercado, que podem induzir grupos que já obtinham crédito a migrarem para o programa. O fato de a iniciativa ser de um banco público pode estar também gerando problemas de ineficiência, impedindo maiores ganhos de produtividade. Nesse sentido, o Estado deveria incentivar a participação mais ativa da iniciativa privada no microcrédito, sobretudo facilitando a formalização dos micronegócios, o que diminuiria o risco desse tipo de empréstimo.

Análise bivariada

Vejamos como se deu o aumento da oferta de crédito no Nordeste e como esse aumento se distribuiu entre os diferentes grupos de microempresários. A última coluna de cada tabela apresenta a diferença-em-diferença, que se traduz no ganho relativo do Nordeste no período em relação ao restante do país.

Sexo. Minoria entre os microempresários, as mulheres foram as que mais ganharam acesso ao crédito no período. Atingindo patamares de 7,31% no Nordeste e de 6,24% no restante do país em 2003, elas acumularam um ganho relativo de 2,11 pontos percentuais.

Tabela 3
Panorama de acesso a crédito em 1997 e 2003, por sexo

Categoria	Ano	Nordeste	Fora do Nordeste	Diferença (2003 – 1997)
Masculino	1997	4,07	5,59	1,31
	2003	5,66	5,37	
Feminino	1997	3,79	4,83	2,11
	2003	7,31	6,24	

Fonte: CPS/FGV, a partir dos microdados da Ecinf, do IBGE.

Cor. Os negros (7% dos entrevistados), apesar de representaram o grupo com menores taxas de acesso a crédito, foram os que obtiveram maiores ganhos relativos — 2,63 pontos percentuais contra 0,97 ponto percentual de acréscimo dos brancos.

Idade. A faixa etária mais representativa no setor é a dos 30-49 anos, que concentra 55,4% dos entrevistados. Também é a que possui mais acesso a crédito, com taxas de 7,07% para os que têm entre 30 e 39 anos e 6,6% para os que se situam entre 40 e 49 anos. Entretanto, em termos de ganho relativo, a faixa dos 50-59 anos foi a que se destacou, com um aumento de 3,09 pontos percentuais.

Tabela 4

Panorama de acesso a crédito em 1997 e 2003, por cor ou raça

Categoria	Ano	Nordeste	Fora do Nordeste	Diferença (2003 – 1997)
Branca	1997	4,56	5,99	0,97
	2003	6,20	6,66	
Preta	1997	2,43	3,03	2,63
	2003	5,70	3,67	
Amarela	1997	6,88	9,01	3,48
	2003	8,79	7,44	
Parda	1997	3,80	4,01	1,43
	2003	6,35	5,13	
Indígena	1997	0,00	0,00	6,93
	2003	9,25	2,32	

Fonte: CPS/FGV, a partir dos microdados da Ecinf, do IBGE.

Tabela 5

Panorama de acesso a crédito em 1997 e 2003, por idade

Categoria	Ano	Nordeste	Fora do Nordeste	Diferença (2003 – 1997)
10-19 anos	1997	1,14	0,83	–1,55
	2003	3,52	4,76	
20-29 anos	1997	4,00	5,20	1,26
	2003	5,43	5,37	
30-39 anos	1997	4,14	5,76	1,94
	2003	7,07	6,75	
40-49 anos	1997	5,05	5,65	0,77
	2003	6,60	6,43	
50-59 anos	1997	3,58	5,34	3,09
	2003	6,44	5,11	
60 anos ou mais	1997	1,93	4,01	1,49
	2003	4,82	5,41	

Fonte: CPS/FGV, a partir dos microdados da Ecinf, do IBGE.

Escolaridade. Em termos educacionais, o Nordeste apresentou desempenho positivo na evolução do acesso a crédito para todos os grupos, com a exceção dos sem instrução. Quanto maior o nível de escolaridade, maior o ganho do Nordeste em relação ao restante do país, chegando a 5,2 pontos percentuais para os com ensino superior, o que indica aumento da desigualdade, uma vez que os mais educados são geralmente os que têm maiores rendas.

Tabela 6

Panorama de acesso a crédito em 1997 e 2003, por escolaridade

Categoria	Ano	Nordeste	Fora do Nordeste	Diferença (2003 – 1997)
Educação — sem instrução	1997	2,66	2,13	–0,67
	2003	4,04	4,18	
Sabe ler e escrever	1997	0,00	0,00	0,00
	2003	0,00	0,00	
Educação — 1º grau	1997	3,89	4,13	1,14
	2003	5,65	4,75	
Educação — 2º grau	1997	4,80	6,92	2,58
	2003	7,99	7,53	
Educação — superior	1997	6,31	9,93	5,20
	2003	10,31	8,73	

Fonte: CPS/FGV, a partir dos microdados da Ecinf, do IBGE.

Posição no domicílio. Os filhos, seguidos dos cônjuges, foram os que apresentaram maiores ganhos relativos de acesso a crédito no Nordeste, com incrementos relativos de 2,13 pontos percentuais e 1,91 ponto percentual, respectivamente, em relação ao restante do país.

Migração. Os migrantes se beneficiaram de uma expansão maior do que os nativos no tocante a acesso a crédito, com aumento de 3,67% para 7,16% no período. Além disso, verificou-se um ganho de 2,2 pontos percentuais para o Nordeste em relação às demais regiões.

Tabela 7

Panorama de acesso a crédito em 1997 e 2003, por posição no domicílio

Categoria	Ano	Nordeste	Fora do Nordeste	Diferença (2003 – 1997)
Chefe	1997	4,39	5,82	1,52
	2003	6,44	6,35	
Cônjuge	1997	3,42	4,71	1,91
	2003	6,63	6,01	
Filho	1997	2,78	4,04	2,13
	2003	4,86	3,99	
Outros	1997	3,65	3,51	0,87
	2003	5,16	4,15	

Fonte: CPS/FGV, a partir dos microdados da Ecinf, do IBGE.

Tabela 8

Panorama de acesso a crédito em 1997 e 2003, por *status* migratório

Categoria	Ano	Nordeste	Fora do Nordeste	Diferença (2003 – 1997)
Nativo	1997	4,44	5,25	1,14
	2003	6,16	5,83	
Migrante	1997	3,67	5,38	2,20
	2003	7,16	6,67	

Fonte: CPS/FGV, a partir dos microdados da Ecinf, do IBGE.

Posição na ocupação. O número dos trabalhadores por conta própria no Nordeste aumentou de 2,1 milhões para 2,4 milhões, enquanto o número de trabalhadores envolvidos nas empregadoras caiu de 291 mil para 271 mil. Quando se atenta para o acesso ao crédito, a taxa é bastante superior no grupo dos empregadores (12,93% contra 5,53% dos trabalhadores por conta própria). Com 2,6 pontos percentuais, estes também foram os que mais se beneficiaram do aumento na oferta de crédito nordestino, isto é, foram os que tiveram maior ampliação desse acesso. Isso mostra a importância de programas de microcrédito como o do Banco do Nordeste no fornecimento de crédito a esse segmento de trabalhadores, tão desprovido de acesso via setor bancário tradicional.

Tabela 9

Panorama de acesso a crédito em 1997 e 2003, por posição na ocupação

Categoria	Ano	Nordeste	Fora do Nordeste	Diferença (2003 – 1997)
Conta própria	1997	3,13	3,97	1,45
	2003	5,53	4,92	
Empregador	1997	10,24	13,21	2,60
	2003	12,93	13,30	

Fonte: CPS/FGV, a partir dos microdados da Ecinf, do IBGE.

Estado. Pernambuco e Ceará são os estados que concentram o maior número de microempresários, respectivamente 20,7% e 14,54% do total de nordestinos. Sergipe, com 3,83%, é o menos representativo, sendo o lugar onde se encontrou a menor taxa de acesso a crédito no período — 3,9%. No extremo oposto, o Piauí, com taxa de 11,56% (aumento de 8,15 pontos percentuais em cinco anos), é onde o uso de financiamento está relativamente mais presente.

Tabela 10

Panorama de acesso a crédito em 1997 e 2003, por estado

Categoria	Ano	Nordeste	Diferença (2003 – 1997)
Maranhão	1997	1,42	6,36
	2003	7,78	
Piauí	1997	3,41	8,15
	2003	11,56	
Ceará	1997	3,96	1,00
	2003	4,96	
Rio Grande do Norte	1997	3,96	2,35
	2003	6,31	
Paraíba	1997	3,21	2,09
	2003	5,30	
Pernambuco	1997	5,56	0,00
	2003	5,56	
Alagoas	1997	1,72	2,72
	2003	4,44	

Continua

Categoria	Ano	Nordeste	Diferença (2003 – 1997)
Sergipe	1997	3,16	0,74
	2003	3,90	
Bahia	1997	4,32	2,54
	2003	6,86	

Fonte: CPS/FGV, a partir dos microdados da Ecinf, do IBGE.

Área. Habitada por 74,36% dos microempresários nordestinos, as regiões não-metropolitanas foram as que mais ganharam no período (2,01 pontos percentuais), 6,8% delas tornaram-se mais propensas ao crédito, contra 4,73% das áreas metropolitanas em 2003.

Tabela 11

Panorama de acesso a crédito em 1997 e 2003, por tipo de cidade

Categoria	Ano	Nordeste	Fora do Nordeste	Diferença (2003 – 1997)
Região metropolitana	1997	4,35	4,80	0,24
	2003	4,73	4,94	
Região não-metropolitana	1997	3,81	5,69	2,01
	2003	6,80	6,67	

Fonte: CPS/FGV, a partir dos microdados da Ecinf, do IBGE.

Deixando um pouco de lado o microempresário, foram verificados a seguir os desempenhos relativos, segundo as diferentes características dos empreendimentos.

Formalização. Como já vimos, existe uma relação positiva entre oferta de crédito e formalidade do empreendimento, pelo aumento de colateral. Quando se avaliou a evolução dos indicadores entre 1997 e 2003, observou-se um aumento da formalização em todos os itens avaliados durante o período, sendo esse incremento ainda mais pronunciado no Nordeste, conforme indicam os sinais positivos na última coluna da tabela 12.

Tabela 12
Panorama de acesso a crédito em 1997 e 2003, por formalização

Categoria	Ano	Nordeste	Fora do Nordeste	Diferença (2003 – 1997)
Tem CNPJ	1997	11,78	12,59	1,94
	2003	16,45	15,32	
Constituição jurídica	1997	11,55	12,55	1,72
	2003	15,88	15,16	
Registro de microempresa	1997	10,86	12,99	2,99
	2003	16,23	15,37	
Declara IR	1997	12,73	13,51	2,17
	2003	16,91	15,52	

Fonte: CPS/FGV, a partir dos microdados da Ecinf, do IBGE.

Capital social. Como *proxy* de capital social, os negócios com algum tipo de cooperativização ou associação obtiveram maiores ganhos (4,05 pontos percentuais).

Tabela 13
Panorama de acesso a crédito em 1997 e 2003 — cooperativado ou sindicalizado?

Categoria	Ano	Nordeste	Fora do Nordeste	Diferença (2003 – 1997)
Sim	1997	6,81	11,08	4,05
	2003	10,58	10,80	
Não	1997	3,77	4,48	1,34
	2003	5,96	5,33	
Ignorado	1997	0,00	1,56	1,56
	2003	0,00	0,00	

Fonte: CPS/FGV, a partir dos microdados da Ecinf, do IBGE.

Venda de produtos. Em termos de financiamento das vendas, os dados mostram que, em 2003, 42,84% vendiam seus produtos à vista e 40,63%, à vista e a prazo. Os que vendiam somente a prazo representavam uma pequena minoria (7,79% do total) e, talvez pela falta de liquidez, ainda sejam os maiores tomadores de crédito. Decerto quanto mais variada era a estrutura de venda dos negócios, maior o ganho relativo de acesso a crédito. Nesse caso, destacaram-se os que vendiam tanto à vista quanto a prazo (0,92 ponto percentual) e aqueles que tinham mais de um cliente. Observamos ganhos de 2,08 pontos percentuais para os negócios com clientela fixa e 1,61 ponto percentual para os negócios com clientela variada.

Tabela 14

Panorama de acesso a crédito em 1997 e 2003, por venda de produtos

Categoria	Ano	Nordeste	Fora do Nordeste	Diferença (2003 – 1997)
Só vende à vista	1997	0,00	0,00	–0,27
	2003	3,90	4,17	
Só vende a prazo	1997	19,55	2,76	–13,10
	2003	11,30	7,61	
Vende à vista e a prazo	1997	0,00	0,00	0,92
	2003	8,39	7,47	
Ignorado	1997	3,96	5,35	–1,61
	2003	2,11	5,11	

Fonte: CPS/FGV, a partir dos microdados da pesquisa Ecinf, do IBGE.

Tabela 15

Panorama de acesso a crédito em 1997 e 2003 — tem clientela fixa?

Categoria	Ano	Nordeste	Fora do Nordeste	Diferença (2003 – 1997)
Um cliente	1997	7,57	8,47	–0,86
	2003	3,94	5,70	
Clientela fixa	1997	3,94	5,50	2,08
	2003	7,52	7,00	
Clientela variada	1997	3,91	5,20	1,61
	2003	6,17	5,85	

Fonte: CPS/FGV, a partir dos microdados da Ecinf, do IBGE.

Capital físico. Em termos de utilização de equipamentos ou instalações, os maiores ganhos (4,4 pontos percentuais) ficaram com os que utilizavam instalações alugadas.

Tabela 16

Panorama de acesso a crédito em 1997 e 2003 — utiliza equipamentos?

Categoria	Ano	Nordeste	Fora do Nordeste	Diferença (2003 – 1997)
Equipamentos e/ou instalações próprias	1997	4,50	5,93	1,04
	2003	6,64	7,03	
Equipamentos e/ou instalações alugadas	1997	3,91	6,57	4,40
	2003	5,89	4,15	
Não utiliza equipamentos e/ou instalações	1997	2,19	2,58	2,24
	2003	5,16	3,31	

Fonte: CPS/FGV, a partir dos microdados da Ecinf, do IBGE.

Local. O local onde se desenvolvem as atividades pode determinar o desempenho dos negócios, devido a impostos, aluguéis e outros fatores que aumentam os custos operacionais do microempresário. Verificou-se que 62,4% dos nanonegócios se localizavam fora do domicílio de residência, enquanto 30,7% dos microempresários desenvolviam suas atividades no próprio domicílio e 6,9%, em ambos os locais. Estes últimos eram os que tinham as maiores taxas de acesso a crédito (7,8%), sendo também os que apresentaram maiores ganhos relativos no período.

Tabela 17

Panorama de acesso a crédito em 1997 e 2003 — desenvolve atividade fora do domicílio?

Categoria	Ano	Nordeste	Fora do Nordeste	Diferença (2003 – 1997)
Fora do domicílio	1997	4,13	5,85	1,83
	2003	6,16	6,05	
No domicílio	1997	3,47	3,63	0,55
	2003	6,16	5,77	
No domicílio e fora dele	1997	4,96	8,00	4,61
	2003	7,75	6.18	

Fonte: CPS/FGV, a partir dos microdados da Ecinf, do IBGE.

Dívida. Outra variável interessante para analisar é se o entrevistado está pagando alguma dívida contraída. Caso o CrediAmigo tenha popularizado o crédito, é de se esperar que haja um efeito positivo da variável gerada por diferenças-em-diferenças sobre ter dívidas. A posse de dívidas subiu 3,49 pontos percentuais entre os nordestinos, contra os 5,08 pontos percentuais entre os habitantes de outras regiões.

Dificuldades percebidas. A Ecinf permite que se estude que fatores os microempreendedores acham que mais dificultam o seu negócio. Há, no questionário, uma lista de opções para o entrevistado assinalar como os fatores que, a seu ver, impedem o progresso de seu micronegócio, entre os quais: muita concorrência, poucos clientes, falta de mão-de-obra qualificada, falta de crédito e falta de capital próprio. Estas duas últimas opções são as mais importantes para este estudo. Pode-se supor que, se um entrevistado reclama da falta de capital próprio, também está reclamando da falta de crédito, pois se tivesse uma oferta de crédito vantajosa não precisaria de capital próprio para investir, simplesmente tomaria emprestado. Assim, pode-se avaliar o CrediAmigo pela propensão dos microempreendedores de reclamarem da falta de crédito e de capital próprio. Se o programa de fato é eficaz deve haver um efeito negativo nessas reclamações. Para uma análise mais completa, foram feitas regressões com as reclamações quanto à falta de crédito e à falta de capital próprio, somadas, assim como com apenas as reclamações de falta de crédito, isoladas.

Tabela 18

Motivos da falta de acesso a crédito — população total

Categoria	Ano	Têm acesso a crédito	Não têm acesso — motivo: financeiro	Não têm acesso — motivo: demanda	Não têm acesso — motivo: oferta	Não têm acesso — motivo: outros
Nordeste	1997	3,97	17,44	47,96	3,49	27,15
	2003	6,27	20,84	44,16	3,92	24,81
Fora do Nordeste	1997	5,34	10,20	50,79	3,16	30,51
	2003	5,99	13,36	44,21	4,43	32,01

Fonte: CPS/FGV, a partir dos microdados da Ecinf, do IBGE.

Há ainda outro fator que pode ser estudado através da Ecinf, que é a origem do capital empregado para abrir o micronegócio. Quando perguntado sobre isso, o entrevistado podia responder que seu capital inicial fora obtido mediante empréstimo bancário. Com o aumento na oferta de microcrédito, os microempreendedores deveriam tomar mais crédito bancário para abrir seus negócios. No entanto, essa é uma variável controversa para avaliar o CrediAmigo, pois seu público-alvo são micronegócios já existentes, e não em vias de serem criados. O estudo mostrou regressões sobre esse fator para se entender qual o impacto de outras variáveis sobre a abertura de negócios através do crédito bancário e, a partir disso, analisar o ambiente do microcrédito. Porém, o resultado da estimativa de diferenças-em-diferenças não foi tomado como indicador para uma avaliação do CrediAmigo.

Panorama recente das microfinanças

Aplicações e crédito

Como vimos, a provisão de microcrédito deve ser vista mais como uma condição necessária do que suficiente para a obtenção de uma rápida — e quiçá sustentável — expansão das atividades produtivas. Em termos de sustentabilidade, é interessante verificar não só o acesso a mercados de bens e serviços, ou outras dificuldades identificadas pelos pequenos produtores, mas também o portfólio de microfinanças à disposição desses agentes. Como se pode inferir pela tabela 19, ao contrário do crédito produtivo, a falta de acesso a serviços financeiros é maior entre os nordestinos, em comparação com o restante do país. Aqueles que já dispunham de acesso a crédito estavam em geral mais integrados aos diversos elementos do espectro de ativos: acesso a conta corrente (51,25% dos que tinham crédito, contra 24,24% do total de nordestinos), a cheque especial (28,34% contra 11,19%) e a talão de cheque (39,58% contra 17,29%) era pelo menos duas vezes maior entre os tomadores de crédito. O cartão de crédito (37,68% contra 20,06%) também é um serviço financeiro mais difundido nesse grupo. A menor diferença encontrada dizia respeito ao mais popular de todos, a caderneta de poupança (26,14% contra 19,6%).

Tabela 19

Panorama de acesso a serviços financeiros — população total (%)

Categoria	Têm conta corrente	Têm cheque especial	Têm direito a talão de cheques	Têm caderneta de poupança	Têm cartão de crédito
Nordeste	24,24	11,19	17,29	19,60	20,06
Com acesso a crédito	51,25	28,34	39,58	26,14	37,68
Sem acesso a crédito	22,43	10,05	15,80	19,16	18,89
Fora do Nordeste	43,15	24,33	34,65	24,49	28,14

Fonte: CPS/FGV, a partir dos microdados da Ecinf 2003, do IBGE.

Seguros e previdência

Passou-se, então, à análise da carteira de seguros dos microempresários. Bastante importante em iniciativas de crédito, a posse de seguros propicia maior segurança quanto à capacidade de pagamento no caso de choques de naturezas diversas. Assim como detectado com os serviços financeiros, em geral a população nordestina se encontrava em situação desfavorável em relação ao restante do Brasil, principalmente no que se referia a seguros de imóveis/instalações e residência, com proporções sete e seis vezes menores, respectivamente. Esse resultado sugere a necessidade de ampliar o leque de oferta de outros produtos de microfinanças, em particular no Nordeste.

A situação mudou um pouco quando se focou o universo de tomadores de crédito. Mesmo sendo relativamente raro na população, constatou-se que o acesso a seguro de vida era três vezes maior no caso daqueles que tinham acesso a crédito do que no conjunto de microempresários (13,08% contra 4,54%). O seguro de imóveis e instalações era ainda menos representado na população, sendo apenas ligeiramente superior no caso dos tomadores de empréstimo (0,64% contra 0,46%). O seguro residência era cerca de seis vezes maior (1,24% contra 0,51%). A previdência privada (3,69% contra 2,16%) e o seguro saúde (8,83% contra 6,07%) já eram bem mais difundidos entre os que tinham acesso a crédito do que na população total de produtores.

Apesar das baixas taxas de acesso a serviços financeiros, percebeu-se que o tempo de deslocamento até a agência bancária mais próxima era surpreendentemente menor no Nordeste, onde 67% das pessoas moravam a uma distância de até 10 minutos de uma agência bancária. No restante do país, esse número caía para 57%. Essa proporção era um pouco menor entre os que tinham acesso a crédito (63,44%), o que talvez indique que o crédito está indo até as pessoas — por exemplo, através de agentes creditícios —, e não o inverso. Outro ponto é que, apesar da relativa proximidade física das agências bancárias, a distância a percorrer para o efetivo acesso a determinados serviços era grande. Na interpretação desses números deve-se ter em mente o caráter urbano do universo da pesquisa.

Tabela 20

Panorama de acesso a serviços financeiros — população total (%)

Categoria	Têm seguro de vida	Têm seguro de imóvel/ instalações	Têm seguro residência	Têm previdência privada	Têm seguro saúde/dental	Levam até 10 minutos para ir à agência bancária mais próxima
Nordeste	4,54	0,46	0,51	2,16	6,07	67,1
Com acesso a crédito	13,06	0,64	1,24	3,69	8,83	63,44
Sem acesso a crédito	3,96	0,44	0,46	2,06	5,89	67,35
Fora do Nordeste	10,13	2,68	3,57	4,07	10,22	57,41

Fonte: CPS/FGV, a partir dos microdados da Ecinf 2003, do IBGE.

Razões das dificuldades de acesso a serviços financeiros

Os microprodutores reportam um pouco mais de dificuldade de acesso a serviços financeiros quando são tomadores de crédito; é o que alegam 28,35% deles contra 26,28% do total da população nordestina de interesse (23,37% no caso de outras regiões que não a Nordeste). Isso indica que quem tem acesso a crédito percebe mais esse tipo de dificuldade, que é mais sentida nas áreas mais pobres. Em geral, questões ligadas à insuficiência de renda são as mais reportadas no Nordeste como um todo, correspondendo a 11,82% (8,08% em outras regiões). Os que já têm crédito na região afirmam que a falta de comprovantes de renda é a principal dificuldade (9,9%), assim como a insuficiência de renda (11,82%). Em todos os outros quesitos, as dificuldades são maiores para aqueles que têm acesso a crédito, o que pode ser atribuído ao maior conhecimento destes, pois de alguma forma é preciso buscar para se encontrar alguma dificuldade. Isso fica claro, por exemplo, quando 13,4% dos tomadores de crédito afirmam ter alguma das dificuldades relacionadas com a oferta de colateral, como necessidade de avalista, de comprovantes de renda ou residência (contra 11,6% no Nordeste). Dificuldades com o alto custo do crédito e com inadimplência são pouco reportadas, atingindo cada uma apenas 1,5% no Nordeste como um todo.

Tabela 21

Panorama das dificuldades de acesso a serviços financeiros — população total (%)

Categoria	Têm dificuldade de acesso a serviços financeiros	Principal dificuldade — insuficiência de renda	Principal dificuldade — sem comprovante de renda	Principal dificuldade — sem comprovante de residência	Principal dificuldade — estava inadimplente	Principal dificuldade — alto custo das tarifas bancárias	Principal dificuldade — necessidade de avalista
Nordeste	26,28	11,82	9,87	0,23	2,04	1,48	1,50
Com acesso a crédito	28,35	9,88	9,90	0,40	2,58	2,50	3,08
Sem acesso a crédito	26,89	11,95	9,87	0,21	2,00	1,41	1,39
Fora do Nordeste	23,37	8,08	9,90	0,28	2,46	1,62	1,01

Fonte: CPS/FGV, a partir de microdados da Ecinf 2003, do IBGE.

Formalização

A alta (embora decrescente) informalidade observada no segmento dos pequenos produtores torna a expansão das políticas de apoio patrocinadas pelo Estado um grande desafio no Brasil, em particular no Nordeste. Há que conciliar o apoio ao varejo, o que implica aumentar substancialmente a capilaridade da rede de oferta de serviços das instituições de apoio. Uma alternativa complementar é adotar medidas de provisão de infra-estrutura que facilitem a aplicação de políticas públicas e a oferta de serviços privados ao segmento. Nesse caso, a escala do problema seria atacada de forma mais superficial no nível nacional. Dois bons exemplos são o desenho e a proposição da nova Lei Geral das Microempresas e a implementação do crédito consignado. Esses processos vão possivelmente afetar o grau de formalização nesse segmento e, indiretamente, a ampliação do crédito produtivo popular. Outras medidas de natureza macro seriam o desenho e o financiamento de esquemas de provisão de informações, como a própria Ecinf. Apesar do aumento da formalidade entre 1997 e 2003, essas medidas são bastante importantes para o Nordeste brasileiro, dada a alta informalidade das nanoempresas em todos os itens da tabela 22. Finalmente, a realização de análises, proporcionadas pela inovadora pesquisa do setor informal, apresenta um potencial a ser apropriado no desenho e na implantação de políticas, naqueles pontos em que o setor público tem especial dificuldade de perceber e atuar.

Os dados são consistentes com a idéia de que uma maior formalização propiciaria maior colateral e maior capacidade de tomada de crédito. A relação entre formalização e acesso a crédito é positiva para cada um dos itens analisados, e chega a taxas pelo menos duas vezes superiores para os tomadores de crédito em relação à população total em itens como: ter constituição jurídica (17,80% dos tomadores de crédito contra 7,03% da população total), CNPJ (17,64% contra 6,72%), registro de microempresa (15,48% contra 5,98%), declarantes de imposto de renda (13,84% contra 5,13%) e adeptos do Simples (3,47% contra 1,35%). Além disso, os dados sugerem que a filiação a alguma cooperativa, sindicato ou associação de classe pode servir como uma *proxy* do maior capital social entre os tomadores de empréstimo (11,24% contra 6,66%).

Tabela 22

Panorama de formalização — população total (%)

Categoria	Têm constituição jurídica	Têm CNPJ	Têm registro de micro	Preencheram declaração de IR	Aderiram ao Simples	Têm licença municipal ou estadual	São filiados a um sindicato ou associação
Nordeste	7,03	6,72	5,98	5,13	1,35	16,36	6,66
Com acesso a crédito	17,80	17,64	15,48	13,84	3,47	29,12	11,24
Sem acesso a crédito	6,31	5,99	5,34	4,55	1,21	15,51	6,35
Fora do Nordeste	13,25	12,91	11,07	10,07	2,43	24,91	12,11

Fonte: CPS/FGV, a partir de microdados da Ecinf 2003, do IBGE.

A leitura deste capítulo revela, com base nos dados públicos da Ecinf, produzida pelo IBGE, que, em termos nacionais, o percentual de nanoempresas urbanas com crédito manteve-se estagnado entre as duas últimas edições da pesquisa, de 1997 e 2003. A pesquisa também mostra um crescimento diferenciado do crédito produtivo popular no Nordeste urbano, aqui definido como unidades de trabalhadores por conta própria, ou empregadores com até cinco empregados. Nessas unidades, a captação de empréstimos nos três meses anteriores à pesquisa passou de 3,97% para 6,27%, enquanto nas outras áreas urbanas brasileiras subiu apenas de 5,34% para 5,99%. O estudo revelou ser estatisticamente significante e robusto o crescimento creditício urbano, mais forte no Nordeste do que no restante do país. Esse crescimento elevou o uso efetivo do crédito entre os nanonegócios nordestinos a níveis mais altos do que nas demais regiões.

Como a área urbana de cobertura da Ecinf corresponde à mesma área de atuação do CrediAmigo, associado ao Banco do Nordeste, e dada a importância relativa do programa em termos regionais e nacionais, os impactos do CrediAmigo no acesso ao crédito constituem um bom candidato para a solução do mistério nordestino. As evidências dos microdados da Ecinf não permitem que se rejeite a hipótese de o CrediAmigo (que completa este ano 10 anos de atuação) ser o principal responsável pelo crescimento diferenciado do microcrédito nas áreas urbanas mais pobres do país. O uso de metodologia de diferenças-em-diferenças, controlada ou não pelas características sociodemográficas dos empresários e pelos atributos de seus negócios, o que envolve uma série de outras medidas de acesso ao crédito produtivo, indica um resultado estatisticamente significante e robusto de crescimento creditício urbano mais forte no Nordeste (grupo de tratamento) do que no restante do país (grupo de controle). É importante ressaltar que o resultado só se aplica ao acesso a crédito. Todos os demais serviços de microfinanças apresentam níveis mais altos de acesso em cidades situadas fora da região Nordeste brasileira.

6

Microcrédito e performance microempresarial

Marcelo Neri
Carolina Bastos
Luisa Carvalhaes
Samanta Monte

Não importa de onde você veio. O que importa é para onde você está indo.
Ingrid Munro

Este capítulo apresenta estimativas, a partir da pesquisa Economia Informal Urbana (Ecinf), dos impactos do microcrédito sobre a performance microempresarial. Inicialmente, foram elencadas como principais medidas da performance empresarial o lucro, o faturamento e o custo dos nanonegócios e então estudadas sua relação com variáveis de uso e intensidade do crédito tanto no que diz respeito à freqüência de uso quanto ao valor da dívida.

Medidas de performance empresarial

Uma das virtudes da Ecinf é possibilitar o cálculo derivado do lucro auferido pelas microempresas através da dedução dos custos e gastos das receitas. O lucro médio é de R$ 389,75, resultante de um faturamento médio de R$ 1.232,15 e gasto de R$ 842,40.[1] Pesquisas domiciliares como a Pnad, o censo e a PME em geral limitam o valor da renda a

[1] Existe uma pequena diferença nos centavos, pois as amostras usadas nas regressões são diferenciadas em função do número de *missings* das diferentes variáveis.

números não-negativos. Essa truncagem acaba omitindo possíveis prejuízos associados às pequenas unidades produtivas — que são uma característica fundamental do chamado capital de risco. Nesse sentido, o risco microempresarial estaria subestimado nas pesquisas domiciliares brasileiras.

Os microdados da Ecinf permitem a abertura desagregada das informações e mostram que os primeiros cinco centésimos da distribuição do lucro microempresarial correspondem, na verdade, a valores negativos, o que significa a ocorrência de prejuízo econômico, como demonstra o gráfico 1, no qual, para ajustar melhor a escala, dividiu-se a distribuição em duas partes iguais, acima e abaixo da mediana. Note-se que a cauda inferior da distribuição de lucro no Nordeste urbano é muito parecida com a da área urbana do restante do país. A partir do ponto de inflexão, o prejuízo se torna lucro (isto é, resultado zero) e, daí em diante, existe uma maior massa da distribuição dos microempresários nordestina concentrada em valores baixos, enquanto a distribuição nas demais regiões que não a Nordeste sobre as taxas é bem mais modesta. Por exemplo, os valores de lucro até R$ 100 mensais comportam cerca de 25% dos microempresários urbanos nordestinos, contra 15% das demais regiões (note-se que as distribuições estão juntas até os 5% iniciais, que correspondem à faixa de prejuízo). Em suma, tomando os resultados pelo valor de face, existem mais relações entre prejuízos e nanoempresas do que supõem as análises baseadas em pesquisas domiciliares.

Conforme os gráficos 2 e 3 ilustram, o prejuízo nos primeiros centésimos da distribuição do fluxo de resultados são tão fortes que acabam tornando negativo o lucro médio de 50% dos menores resultados, sejam expressos em reais (R$ –42,70) ou como proporção da renda total (–5,5%). Os 40% seguintes na distribuição de lucros (ou de prejuízos!) comandam quase a mesma parcela da renda (41,9%) que a população total. Esses 40% do segmento intermediário detêm em média um lucro de R$ 403,10, situado pouco acima do lucro médio de todos os segmentos reunidos (R$ 389,80). Já os 10% com lucros mais altos auferem por mês, em média, R$ 2.381,80 e detêm 63,6% da massa de renda do segmento microempresarial urbano.

Gráfico 1
Distribuição cumulativa de lucro (%)

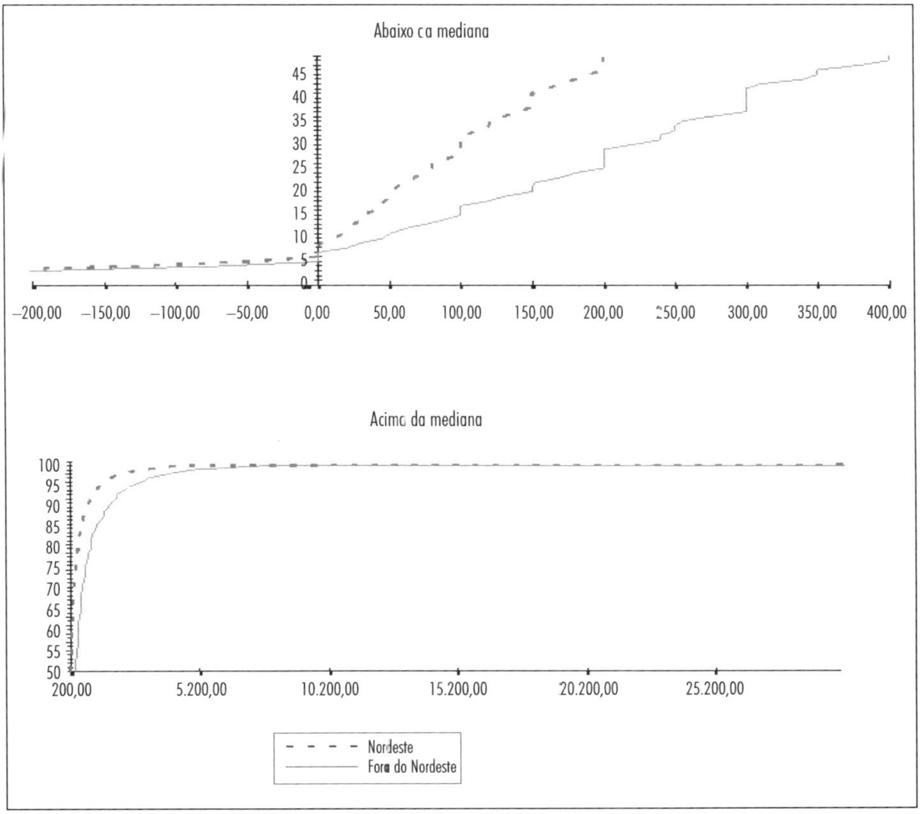

Fonte: CPS/FGV, a partir dos microdados da Ecinf, do IBGE.

Gráfico 2
Nordeste: nível por grupos de lucro (R$)

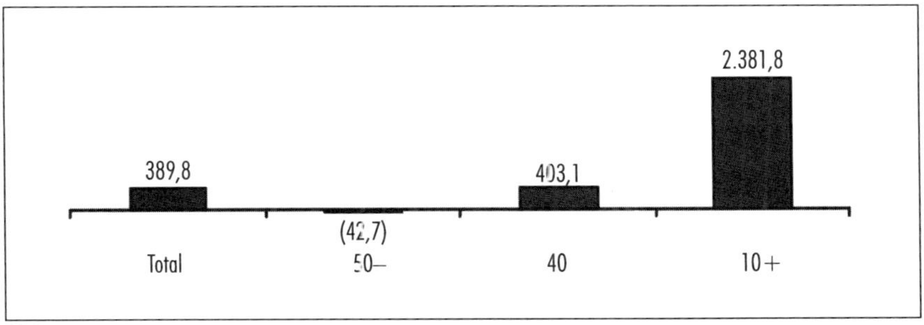

Gráfico 3

Nordeste: participação no lucro total

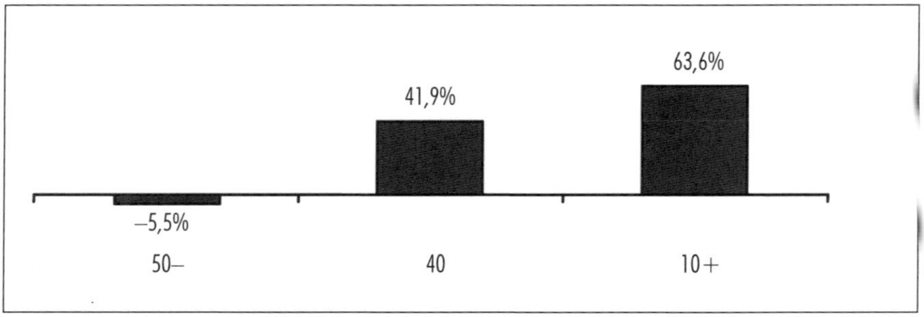

Fonte: CPS/FGV, a partir dos microdados da Ecinf, do IBGE.

A tabela 1 apresenta os valores médios de cada decil e o valor marginal do respectivo limite. Por exemplo: os 10% com lucros mais baixos auferem um prejuízo médio de R$ 630,99, sendo, coincidentemente, de R$ 10,00 o valor marginal de quem se situa exatamente nesses 10%. Já os 10% mais altos (*top* 10%) de lucro correspondem a R$ 2.381,80, sendo os valores que definem o décimo mais alto R$ 925,00 para o limite inferior e R$ 96.700,00 de lucro máximo na amostra nordestina urbana.

Tabela 1

Valores acumulados por décimo de variáveis nanoempresariais, em ordem crescente de cada variável (R$)

Décimos	Lucro		Faturamento		Gasto	
	Médio	Marginal	Médio	Marginal	Médio	Marginal
10	–630,99	10,00	22,54	55,00	0,00	0,00
20	31,30	50,00	83,70	120,00	0,00	0,00
30	73,11	100,00	149,46	200,00	12,39	27,00
40	115,16	150,00	215,27	280,00	41,88	65,00
50	166,85	200,00	301,01	400,00	89,92	130,00
60	215,59	275,00	423,16	550,00	173,98	250,00
70	281,10	350,00	607,21	800,00	304,53	425,00
80	391,13	500,00	921,94	1.300,00	547,89	800,00
90	610,88	925,00	1.719,63	2.714,00	1.104,16	1.900,00
100	2.381,80	96.700,00	7.212,03	150.000,00	5.772,27	145.200,00

Fonte: CPS/FGV, a partir dos microdados da Ecinf 2003, do IBGE.

O gráfico 4 apresenta a curva de Lorenz nordestina para as variáveis de performance em 2003. O grau de desigualdade pode ser captado pelo tamanho da "barriga" da curva, isto é, a área entre a curva e a reta de 45 graus. Os dados revelam que o acesso a dívida é a variável mais desigual de todas as analisadas. Como se viu, a concentração de dívida entre os 10% mais altos valores é de 96,61%, contra 60,93% no caso do faturamento e 63,6% no caso do lucro. Mesmo quando nos restringimos à cauda inferior dos negócios, a desigualdade no acesso a crédito é gritante, em particular pela total ausência de acesso a crédito na maior parte desse segmento.

Gráfico 4
Curvas de Lorenz — dívida, faturamento e lucro (%)

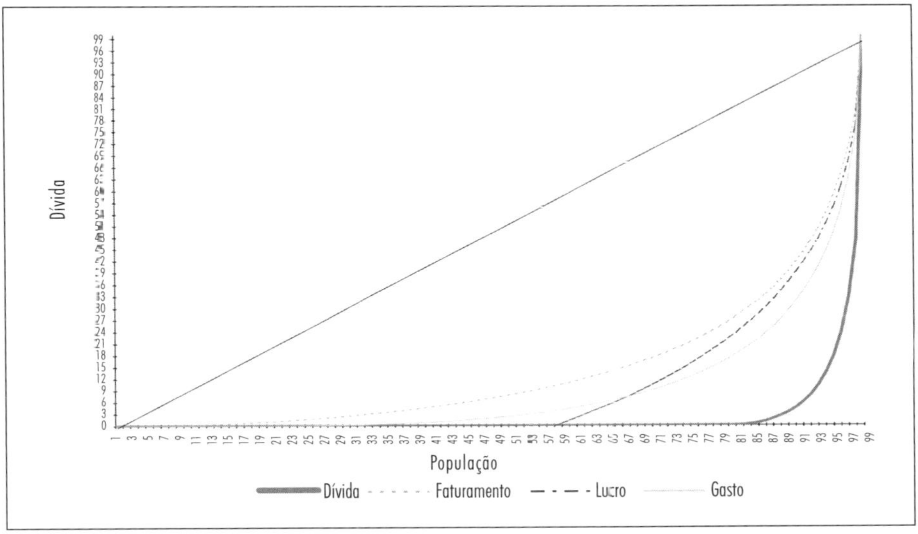

Fonte: CPS/FGV, a partir dos microdados da Ecinf 2003, do IBGE.

O gráfico 5 apresenta cálculos idênticos para faturamento, gasto e dívida, que não serão analisados aqui, assim como os gráficos correspondentes aos anteriores, para evitar repetições. O leitor está convidado a analisá-los. Atemos-nos aqui aos impactos do crédito sobre essas variáveis da performance empresarial.

Gráfico 5
Distribuição cumulativa de faturamento (%)

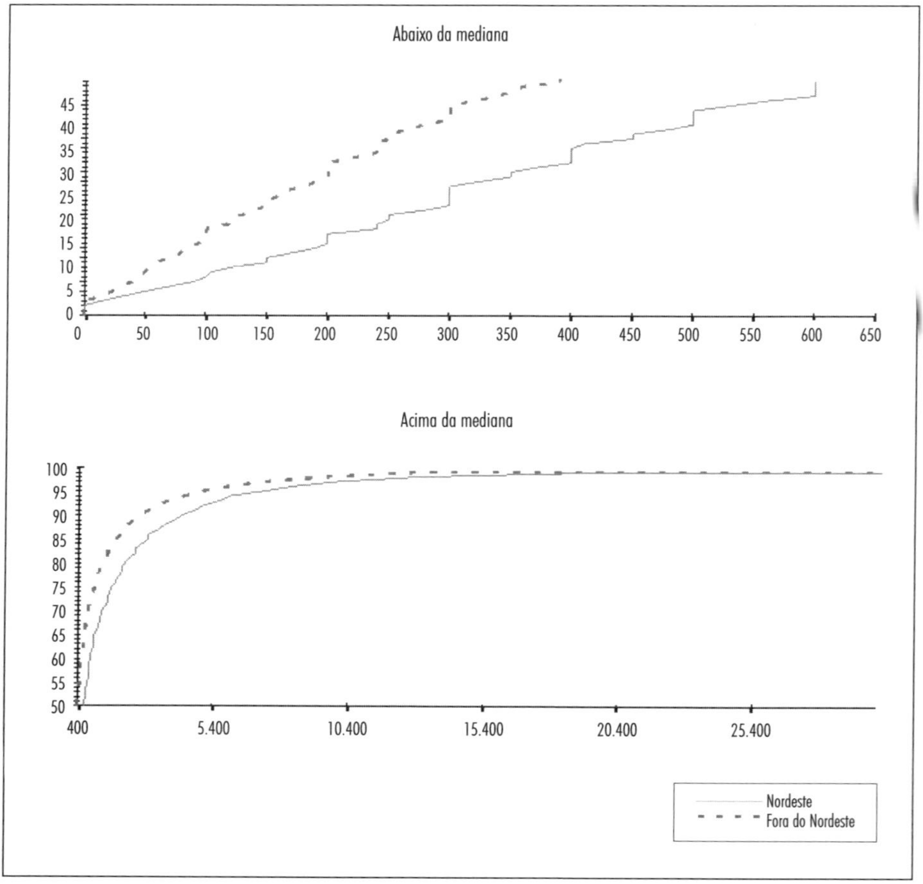

Fonte: CPS/FGV, a partir dos microdados da Ecinf, do IBGE.

O "Anexo ao capítulo 6" apresenta a abertura dos valores médios e marginais de cada uma dessas variáveis abertas por centésimo. E também, para fins de comparação, este mesmo exercício, mas com todas as quatro variáveis ordenadas em ordem crescente pelo montante de lucro (ou prejuízo).

Gráfico 6
Distribuição cumulativa do gasto (%)

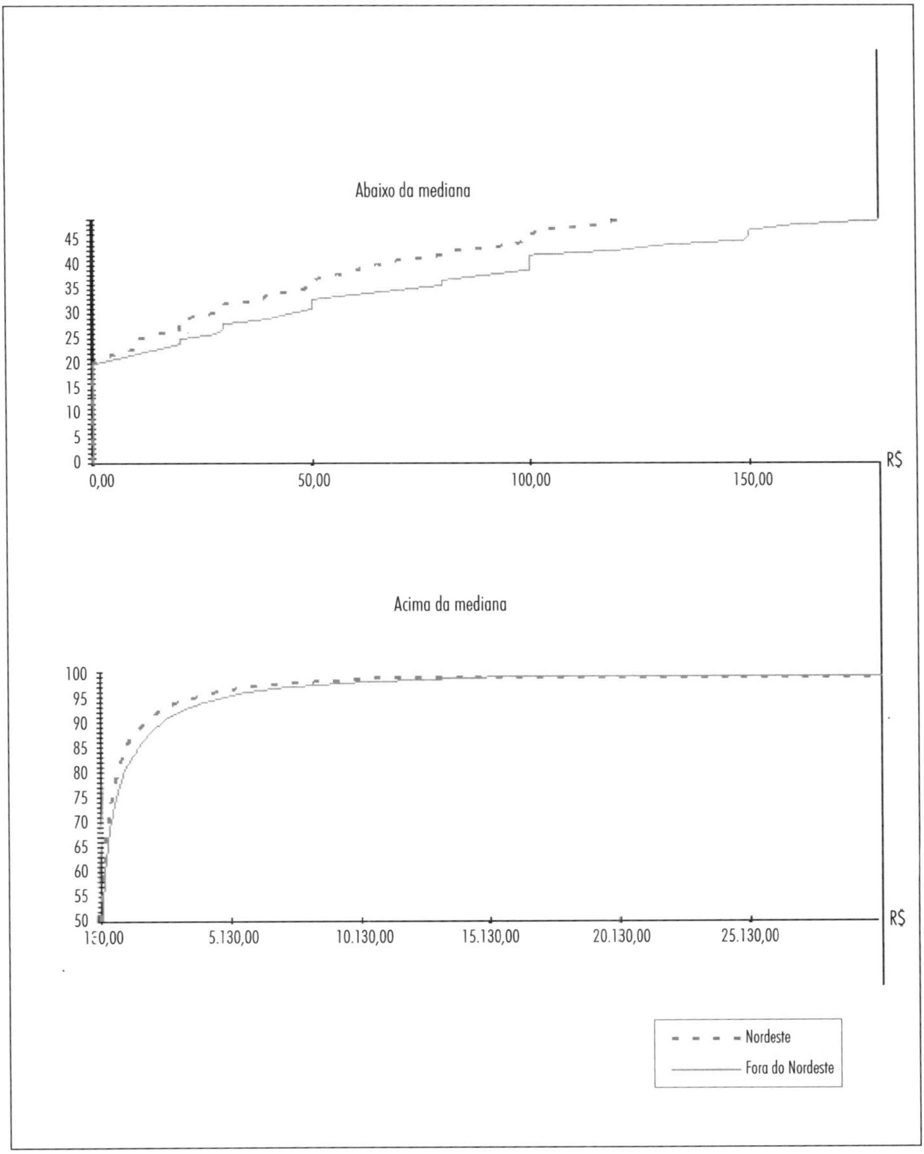

Fonte: CPS/FGV, a partir dos microdados da Ecinf, do IBGE.

Gráfico 7

Nordeste: participação no faturamento total

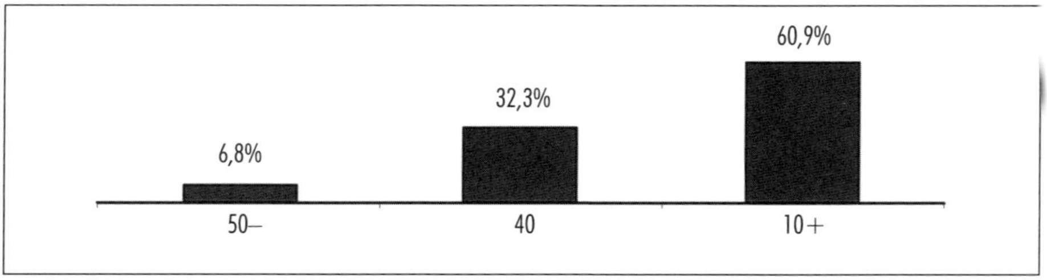

Fonte: CPS/FGV, a partir dos microdados da Ecinf, do IBGE.

Gráfico 8

Nordeste: nível por grupos de faturamento (R$)

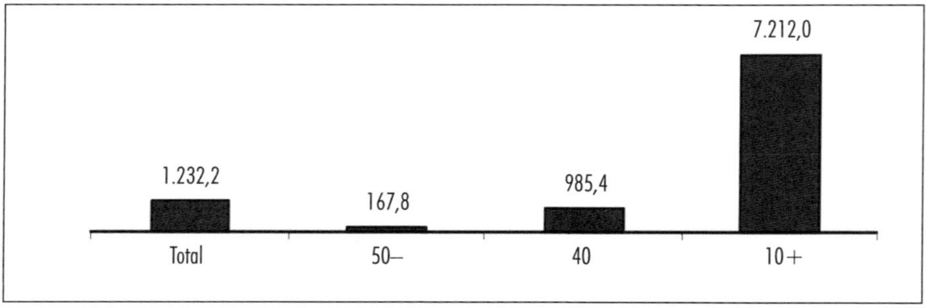

Fonte: CPS/FGV, a partir dos microdados da Ecinf, do IBGE.

Gráfico 9

Nordeste: participação no gasto total

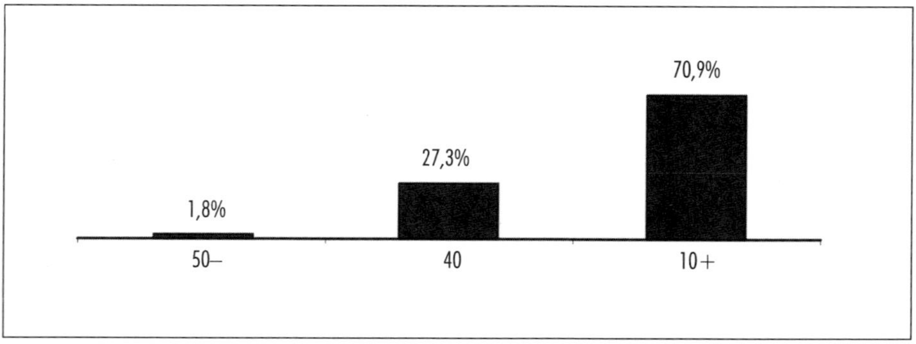

Fonte: CPS/FGV, a partir dos microdados da Ecinf, do IBGE.

Gráfico 10
Nordeste: nível por grupo de gasto (R$)

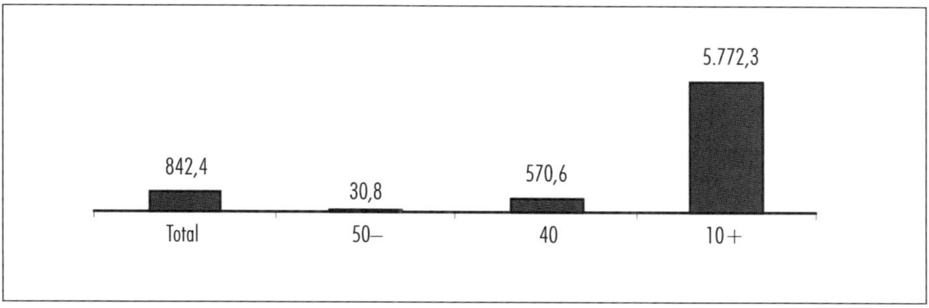

Fonte: CPS/FGV, a partir dos microdados da Ecinf, do IBGE.

Crédito e performance microempresarial

Em economia do trabalho existem poucos testes empíricos mais eficazes do que as chamadas equações de salários, popularizadas por Mincer. Um procedimento análogo foi aqui aplicado, com algumas diferenças: explicou-se o lucro das atividades, em vez dos salários, e utilizaram-se dados comportamentais das microempresas como variáveis explicativas. Nesse sentido, este exercício é mais bem denominado equações de lucro.

Equação minceriana de salários

A equação minceriana de determinação de salários serve de base a uma vasta literatura empírica sobre economia do trabalho. O modelo salarial de Jacob Mincer (1974) é o arcabouço utilizado para estimar retornos da educação, retornos da qualidade da educação, retornos da experiência, entre outras variáveis determinantes do salário. Mincer concebeu uma equação para rendimentos que seria dependente de fatores explicativos associados à escolaridade e à experiência, além de possivelmente outros atributos, como sexo, por exemplo.

Essa equação é a base da economia da educação em países em desenvolvimento e sua estimação já motivou centenas de estudos, que tentam incorporar diferentes custos educacionais, como impostos, mensalidades, custos de oportunidades, material didático, assim como a incerteza e a expectativa dos agentes presentes nas decisões, o progresso tecno-

Continua

lógico, não-linearidades na escolaridade etc. Identificando os custos da educação e os rendimentos do trabalho, viabilizou o cálculo da taxa interna de retorno da educação, que é a taxa de desconto que equaliza o custo e o ganho esperado de se investir em educação — a taxa de retorno da educação, que deve ser comparada com a taxa de juros de mercado para determinar a quantidade ótima de investimento em capital humano. A equação de Mincer também é usada para analisar a relação entre crescimento e nível de escolaridade de uma sociedade, além dos determinantes da desigualdade.
A equação minceriana incorpora uma equação de preço, revelando quanto o mercado de trabalho está disposto a pagar por atributos produtivos como educação e experiência, e outros dados sociodemográficos, o que pode sinalizar a existência de discriminação.

A equação de lucros apresentada na tabela 2 explica 44,12% da variância do lucro observada entre as 1.637 unidades de trabalhadores por conta própria e empregadores com até cinco empregados entrevistadas na área urbana do Nordeste. O lucro médio é de R$ 389,75, resultante de um faturamento médio de R$ 1.232,15 e de um gasto de R$ 842,40.[2] As tabelas 3 e 4 apresentam regressões similares, usando, em vez do lucro, o faturamento e o gasto como variáveis endógenas.

A primeira coluna de números da tabela apresenta o diferencial de lucros obtido da regressão multivariada em relação à variável omitida, ou seja, comparamos microempresários com as mesmas características, exceto aquela sob análise. Por exemplo, o diferencial de lucros entre microempresários homens e mulheres (a categoria omitida) é de 49,16%, favorável aos primeiros. As tabelas apresentam também a estatística t, com um asterisco caso o coeficiente seja significativo a 90% e dois asteriscos quando o nível de confiança está acima de 95%. A coluna seguinte apresenta o diferencial de lucros bivariado, que é de 21% quando se compara o conjunto geral de microempresários homens e mulheres. Esse diferencial é inferior ao encontrado para o diferencial controlado. Esse resultado é explicado pela incidência de uma maior quantidade de atributos positiva-

[2] Como dito na nota 1, existe uma pequena diferença nos centavos, pois as amostras usadas nas regressões são diferenciadas em função do número de *missings* das diferentes variáveis.

mente correlacionados com lucros (por exemplo, educação) entre as mulheres do que entre os homens. A última coluna refere-se à participação na população daquele quesito específico. No exemplo, 63,01% do universo de microempresários urbanos nordestinos são homens. A participação da variável omitida na população analisada pode ser obtida por resíduo.

A fim de simplificar a apresentação dos resultados obtidos, nos atemos aqui apenas à análise dos coeficientes da equação de lucro, apresentada na primeira coluna da tabela, como uma medida da capacidade de pagamento. O leitor está convidado a realizar análises semelhantes para um amplo acervo de regressões similares apresentadas em seguida. Vejamos os principais resultados no nível de diferencial de lucros controlado — isto é, isolando-se a variável de interesse. Em primeiro lugar, conforme o esperado, variáveis sociodemográficas como sexo masculino (49,16%), raça branca ou amarela (12,08%) e posição de chefe de domicílio (12,96%) apresentam sinal positivo e estatisticamente diferente de zero a 95% de confiança, o que é indicado pelos dois asteriscos. Exemplificando, mais uma vez, o lucro das atividades exercidas por negros se mostra inferior em relação ao das exercidas por não-negros que possuem outras características não-raciais (sexo, educação etc.) exatamente iguais.

Como sempre, variáveis contínuas relacionadas com a acumulação de capital humano geral, como idade e tempo de negócio, exercem o importante papel preditor de variáveis de desempenho do mercado de trabalho, no caso o sucesso microempresarial. Usou-se um polinômio quadrático em ambas as variáveis a fim de captar a ocorrência de rendimentos crescentes, lineares ou decrescentes. A idade e o tempo de empresa apresentam rendimentos positivos, mas decrescentes. Desprezando-se o termo quadrático na análise — o que corresponderia a analisar a variável no ponto inicial ou zero —, o lucro sobe no caso do primeiro ano de idade e tempo de negócio, 6,89% e 4,53%, respectivamente. Foram observados também rendimentos crescentes para a variável educação, esta significativa apenas nos níveis mais altos (57,04% e 110%, respectivamente, para ensino médio e superior). Ou seja, a taxa de retorno da educação sobe à medida que se acumula mais um ano de estudo. Nesse sentido, políticas de reforço do capital humano, em geral, mostram-se extremamente relevantes para o fomento das atividades microempresariais.

Tabela 2

Equação de log de lucro
Universo: trabalhadores por conta própria e empregadores
Lucro médio = R$ 389,75

	Estimador	Estatística t	Dif. lucro bivariado	% na população
Possui dívida pendente	0,1297	6,1993**	0,174	0,1721
Razão dívida/lucro	–0,0066	–10,9690**	–	0,7#
Tem acesso a crédito	0,1710	5,3129**	–0,181	0,0627
Sexo – homem	0,4916	26,6906**	0,210	0,6301
Raça – brancos ou amarelos	0,1208	7,8054**	0,429	0,3050
Posição na família – chefe	0,1296	7,3333**	0,155	0,6637
Idade – anos	0,0689	23,4422**	–	40,5#
Idade ao quadrado – anos ao quadrado	–0,0008	–22,9391**	–	–
Educação – sem instrução	–0,1075	–0,3233	–0,509	0,1054
Educação – sabe ler e escrever	0,1597	0,4795	–0,298	0,0684
Educação – ensino fundamental	0,2328	0,7013	–0,266	0,4971
Educação – ensino médio	0,5704	1,7180*	0,215	0,2706
Educação – ensino superior	1,1045	3,3158**	2,570	0,0577
Tempo no negócio (em anos)	0,0453	9,3512**	–	0,9#
Tempo no negócio ao quadrado	–0,0002	–9,6919**	–	–
Jornada de trabalho	–0,0019	–1,7615*	–	41,4#
Tem outro trabalho	–0,1576	–6,9006**	0,107	0,1146
Empregador	0,5786	21,9920**	2,085	0,0994
Nº de sócios	0,1988	10,2206**	-	0,2#
Cooperativado, associado ou sindicalizado	0,3197	10,7181**	1,969	0,0666
Recebeu nos últimos cinco anos algum tipo de assistência	0,2393	4,8490**	1,965	0,0216
Realiza o controle das contas do negócio	0,3280	20,6302**	0,575	0,3958

Continua

	Estimador	Estatística t	Dif. lucro bivariado	% na população
Sua empresa tem constituição jurídica	0,4329	13,3478**	2,399	0,0702
Vende a prazo ou à vista e a prazo	0,1420	9,7313**	0,200	0,4842
Tem clientela fixa	0,0157	0,6958	0,126	0,1090
Utiliza equipamentos	0,2358	13,1669**	0,141	0,7683
Desenvolve atividade fora do domicílio	0,3423	16,9975**	0,136	0,6242
Negócio desenvolvido em loja, oficina, escritório etc.	0,0683	3,1250**	0,890	0,1927
No domicílio tem local exclusivo	0,1906	7,6511**	0,023	0,1481
Foi demitido do último emprego	–0,1206	–4,3697**	–0,166	0,0701
Nasceu neste município	–0,0346	–2,4210**	–0,043	0,4874
Região metropolitana	0,0825	4,3974**	0,165	0,2563
Unidade de federação – Maranhão	0,0877	3,2373**	–0,085	0,0931
Unidade de federação – Piauí	–0,0118	–0,3619	–0,129	0,0570
Unidade de federação – Rio Grande do Norte	0,1371	3,9779**	0,114	0,1454
Unidade de federação – Ceará	0,0495	2,1323**	0,157	0,0500
Unidade de federação – Pernambuco	0,1225	5,9389**	–0,331	0,0742
Unidade de federação – Sergipe	0,2096	5,5383**	0,202	0,2070
Unidade de federação – Alagoas	0,0860	2,7019**	–0,091	0,0594
Unidade de federação – Paraíba	–0,0257	–0,8574	0,140	0,0384
Intercepto	2,0253	5,9776**		
Número de observações = 3.703.258	**R2 : 0,4412**			**F Value : 342,45**
Graus de liberdade = 17.346	**R2 Ajustado: 0,44**			**Prob>F: <.0001**

Fonte : CPS/FGV, a partir dos microdados da Ecinf, do IBGE.
* Intervalo de confiança a 90%.
** Intervalo de confiança a 95%.
# Corresponde ao valor médio da variável.
Variáveis omitidas: Quando for variável binária é o complemento. Exemplo: Em sexo aparece homem, logo foi omitida a mulher.
Demais variáveis omitidas: Educação (superior) e unidade de federação (Bahia)

Enquanto a taxa de retorno relacionada com a extensão horária semanal da jornada de trabalho apresenta sinal negativo (–0,19%), a variável *dummy* indicativa da acumulação simultânea de outro trabalho (–15,76%) aponta a relevância, em termos de geração de lucro, da intensidade de esforço despendida pelo microempresário e da concentração desse esforço no negócio em questão.

O lucro controlado dos empregadores é 57,86% superior ao dos trabalhadores por conta própria. Em relação ao associativismo, os coeficientes positivos das variáveis relativas ao número de sócios e à filiação a uma cooperativa indicam a importância dessa questão no desempenho microempresarial. Dessa forma, iniciativas de união de esforços dos pequenos produtores apresentam um alto retorno privado. Como exemplo desse tipo de iniciativa, temos a Agência do Trabalhador Autônomo (ATA) no município do Rio de Janeiro. A própria metodologia do CrediAmigo, por fomentar o associativismo, pode incrementar a geração de lucros por canais alternativos ao impacto do crédito solidário concedido.

Outra variável de política — o recebimento de assistência técnica nos últimos cinco anos — também se apresenta positivamente relacionada com o lucro, assim como a execução do controle das contas do negócio. Embora se deva ressaltar que 2,16% e 39,58%, respectivamente, do universo analisado tenham tido acesso aos elementos em questão.

Em seguida, analisou-se uma variável relacionada com o grau de formalização dos empreendimentos em questão, e que se revelou significativa no nível de confiança de 95% e positivamente correlacionada com o lucro: a posse de constituição jurídica (43,29% maior). Esse resultado, tomado numa perspectiva causal, indicaria que programas de incentivos à formalização apresentam resultados palpáveis. Passou-se, então, à análise a partir de uma perspectiva não só fiscal como do pequeno produtor.

As políticas de crédito produtivo popular ganharam destaque entre as iniciativas de apoio microempresarial no Nordeste com o advento do lançamento e da difusão do CrediAmigo a partir de 1998. Analisamos uma série de variáveis associadas de maneira mais direta ao crédito. Em primeiro lugar, a política financeira do trabalhador por conta própria em relação às vendas indica a existência de uma correlação positiva entre o lucro e a concessão de financiamento aos clientes do pequeno negócio (14,2% maior para quem vende a prazo). Em segundo lugar, a existência de uma clientela fixa apresenta em si uma correlação positiva com o nível de lucro observado (1,57% maior). O próprio acesso a crédito nos últimos três meses (17,10% maior), assim como a existência de dívida pendente (12,97% maior)[3] corroboram a relação positiva entre tomada de financiamento e lucro do negócio. Por outro lado, deve-se ressaltar que uma maior relação entre os montantes de dívida como proporção do lucro tem uma relação negativa com o próprio lucro auferido.

A variável seguinte está relacionada com a posse ou não de equipamentos. Essa variável pode ser importante para a aferição de garantias reais potencialmente oferecidas na captação de crédito e na própria avaliação de crédito para investimentos, hoje em desenvolvimento no âmbito do CrediAmigo. Conforme o esperado, a utilização de algum tipo de equipamento (capital físico) se mostra positivamente correlacionada com o lucro (23,58% maior).

Da mesma forma, as variáveis relacionadas com o local de funcionamento das pequenas empresas, como o desenvolvimento de atividades fora do domicílio, no domicílio, ou, quando fora dele, em lugar especial (*dummies* multiplicativas), parecem exercer impacto benéfico no resultado dos negócios, respectivamente 6,83% e 19%. Isso talvez indique a conveniência de separar moradia de local de trabalho.

A variável relacionada em seguida indica que um prévio insucesso profissional, captado pela variável "foi demitido do último emprego", contribui adversamente para o êxito microempresarial (–12,06%).

Outra variável relacionada com a trajetória pregressa do pequeno empresário, ligada à naturalidade do trabalhador por conta própria, indica que os nordestinos de origem apresentam desempenho inferior ao dos imigrantes (estatisticamente significante a 90%). Isso não quer dizer necessariamente que os nativos locais são piores empresários, mas que talvez os imigrantes em geral possuam mais aptidão para pequenos negócios.[4] Euristicamente, a imigração aqui pode ser considerada um empreendimento familiar bem-sucedido.

[3] As evidências apresentadas em Neri (1998), baseadas em pesquisa similar aplicada ao Rio de Janeiro, indicam que, quando a origem do financiamento é um agiota, o efeito é negativo. Ou seja, a contração de dívidas não implica em si um efeito redutor de lucro, pelo contrário, salvo no caso de a dívida ter sido contraída com agiotas.

[4] Neri (1998) mostra a ocorrência de efeito negativo semelhante ligado aos trabalhadores por conta própria cariocas. Por outro lado, os resultados apresentados ligados à naturalidade, e não à moradia, revelam que a ascensão dos trabalhadores por conta própria cariocas se situa em um nível similar ao observado nos de Recife e Salvador e inferior ao dos paulistas e mineiros. Nesse mesmo trabalho, a variável financeira relativa à necessidade de capital inicial para abertura do pequeno negócio (*seed money*) não guarda qualquer correlação com o montante de lucro apresentado.

Em termos espaciais, desempenhar atividades em áreas metropolitanas apresenta correlação positiva (8,25% maior que nas demais regiões urbanas). Tomando a Bahia como base, os outros estados nordestinos apresentam maior lucro controlado, à exceção de Piauí e Paraíba, que não são estatisticamente diferentes dos baianos.

Importa aqui ressaltar a correlação positiva da posse de dívidas e do acesso a crédito no faturamento do negócio. O impacto de ter uma dívida é de 26,91% no faturamento e de 45,43% no custo, mas, como já vimos, gera um efeito líquido positivo no lucro. Quando se leva em conta o acesso a crédito nos últimos três meses, o que nos dá uma visão do uso mais freqüente de empréstimos (e, indiretamente, do acesso, que é uma condição mais fraca, na medida em que só usa quem tem acesso, mas não vice-versa), o impacto vai na mesma direção: mais 31,47% no faturamento, 46,54% no custo, produzindo uma correlação positiva com o lucro. Finalmente, a relação dívida/lucro nos dá a capacidade de pagamento do empréstimo e apresenta, conforme o esperado, um impacto negativo na performance nanoempresarial não só aumentando gastos como diminuindo o faturamento.

Em resumo, os resultados aqui discutidos apresentam algumas conclusões básicas, a saber: seguindo uma interpretação causal, variáveis relacionadas às políticas fomentadoras de capital humano geral ou específico, do cooperativismo, de fornecimento de crédito, de assistência técnica e mesmo de formalização apontariam para um maior nível de sucesso dos trabalhadores por conta própria contemplados por essas iniciativas. Finalmente, a realização de pesquisas e análises como estas, propiciadas pela inovadora pesquisa do setor informal implantada pelo IBGE, apresenta um potencial que deve ser apropriado no desenho e na implantação de políticas de apoio aos pequenos negócios autônomos, em particular o microcrédito.

O mesmo exercício foi replicado para todo o país a fim de captar o desempenho do Nordeste em relação às outras regiões, assim como a evolução entre 1997 e 2003. Para isso, incluiu-se no modelo as *dummies*: Nordeste × Fora do Nordeste e 2003 × 1997.

Quando se consideram todos os empreendimentos brasileiros, as estatísticas revelam aumento controlado do lucro em 2003 (41,3% a mais que em 1997), sendo o aumento menor na região Nordeste (–41,3% em relação ao restante do país). E quando interagimos essas variáveis para captar o desempenho relativo da região Nordeste em 2003, os coeficientes não são estatisticamente diferentes.

Tabela 3

Equação de log de faturamento
Universo: trabalhadores por conta própria e empregadores
Faturamento médio = R$ 1.232,15

	Estimador	Estatística t	Dif. lucro bivariado	% na população
Possui dívida pendente	0,2691	12,4028**	0,631	0,1721
Razão dívida/lucro	–0,0039	–5,8974**	–	0,7 #
Tem acesso a crédito	0,3147	9,5257**	–0,265	0,0627
Sexo — homem	0,3460	17,6611**	0,202	0,6301
Raça — brancos ou amarelos	0,1559	9,4461**	0,357	0,3050
Posição na família — chefe	0,1471	7,7903**	0,160	0,6637
Idade — anos de idade	0,0738	23,4190**	–	40,5 #
Idade ao quadrado — anos de idade ao quadrado	–0,0008	–22,0694**	–	–
Educação — sem instrução	0,2457	0,6726	–0,597	0,1054
Educação — sabe ler e escrever	0,5103	1,3954	–0,176	0,0684
Educação — ensino fundamental	0,6176	1,6937*	–0,229	0,4971
Educação — ensino médio	0,9340	2,5605**	0,376	0,2706
Educação — ensino superior	1,2582	3,4389**	1,517	0,0577
Tempo no negócio (em anos)	0,0328	6,4646**	–	0,9 #
Tempo no negócio ao quadrado	–0,0001	–6,8920**	–	–
Jornada de trabalho	0,0041	3,5614**	–	41,4 #
Tem outro trabalho	–0,1328	–5,4628**	–0,020	0,1146
Empregador	0,8223	29,9116**	2,730	0,0994
Nº de sócios	0,2068	10,1631**	–	0,2 #
Cooperativado, associado ou sindicalizado	0,2269	7,2337**	1,206	0,0666
Recebeu nos últimos cinco anos algum tipo de assistência	0,2801	5,3801**	2,281	0,0216
Realiza o controle das contas do negócio	0,5052	29,8947**	0,778	0,3958

Continua

	Estimador	Estatística t	Dif. lucro bivariado	% na população
Sua empresa tem constituição jurídica	0,6017	17,8864**	3,516	0,0702
Vende a prazo ou à vista e a prazo	0,2338	15,0045**	0,336	0,4842
Tem clientela fixa	–0,0127	–0,5240	0,149	0,1090
Utiliza equipamentos	0,1268	6,6204**	0,144	0,7683
Desenvolve atividade fora do domicílio	0,3870	17,9754**	0,185	0,6242
Negócio desenvolvido em loja, oficina, escritório etc.	0,2727	11,7755**	1,295	0,1927
No domicílio tem local exclusivo	0,3465	13,0770**	0,024	0,1481
Foi demitido do último emprego	–0,1178	–4,0099**	–0,213	0,0701
Nasceu neste município	–0,0668	–4,3784**	–0,072	0,4874
Região metropolitana	0,0181	0,9065	–0,108	0,2563
Unidade de federação — Maranhão	0,2181	7,5530**	0,031	0,0931
Unidade de federação — Piauí	0,1417	4,1078**	0,073	0,0570
Unidade de federação — Rio Grande do Norte	0,1785	4,9046**	–0,043	0,1454
Unidade de federação — Ceará	0,1001	4,0490**	0,068	0,0500
Unidade de federação — Pernambuco	0,2689	12,2134**	–0,016	0,0742
Unidade de federação — Sergipe	0,2510	6,1299**	0,164	0,2070
Unidade de federação — Alagoas	0,1643	4,7865**	–0,140	0,0594
Unidade de federação — Paraíba	0,1546	4,9139**	–0,078	0,0384
Intercepto	1,8620	5,0076**		
Número de observações = 5.232.839	**R2 : 0,4972**			**F Value : 451,4**
Graus de liberdade = 18.262	**R2 Ajustado:**			**Prob>F : <.0001**

Fonte : CPS/FGV, a partir dos microdados da Ecinf, do IBGE.

*Intervalo de confiança a 90%.

**Intervalo de confiança a 95%.

Corresponde ao valor médio da variável.

Variáveis omitidas: Quando for variável binária é o complemento. Exemplo: Em sexo aparece homem, logo foi omitida a mulher.

Demais variáveis omitidas: Educação (superior) e unidade de federação (Bahia)

Tabela 4

Equação de log de gasto
Universo: trabalhadores por conta própria e empregadores
Gasto médio = R$ 842,40

	Estimador	Estatística t	Dif. lucro bivariado	% na população
Possui dívida pendente	0,4543	14,8610**	0,843	0,1721
Razão dívida/lucro	–0,0046	–5,1505**	–	0,7 #
Tem acesso a crédito	0,4654	10,2547**	–0,305	0,0627
Sexo — homem	0,2292	8,0797**	0,198	0,6301
Raça — brancos ou amarelos	0,1542	6,3340**	0,324	0,3050
Posição na família — chefe	0,1042	3,7023**	0,162	0,6637
Idade — anos de idade	0,0672	13,6032**	–	40,5 #
Idade ao quadrado — anos ao quadrado	–0,0007	–12,5654**	–	–
Educação — sem instrução	–0,1111	–0,1408	–0,638	0,1054
Educação — sabe ler e escrever	0,0979	0,1241	–0,119	0,0684
Educação — ensino fundamental	0,2673	0,3391	–0,212	0,4971
Educação — ensino médio	0,5151	0,6534	0,451	0,2706
Educação — ensino superior	0,4998	0,6331	1,029	0,0577
Tempo no negócio (em anos)	0,0070	0,9708	–	0,9#
Tempo no negócio ao quadrado	0,0000	–1,3953	–	–
Jornada de trabalho	0,0117	7,2919**	–	41,4#
Tem outro trabalho	–0,0764	–2,1158**	–0,078	0,1146
Empregador	0,9638	25,5772**	3,028	0,0994
Nº de sócios	0,1730	6,1228**	–	0,2#
Cooperativado, associado ou sindicalizado	0,0694	1,5543	0,853	0,0666
Recebeu nos últimos cinco anos algum tipo de assistência	0,3258	4,4656**	2,428	0,0216
Realiza o controle das contas do negócio	0,6350	25,7719**	0,872	0,3958

	Estimador	Estatística t	Dif. lucro bivariado	% na população
Sua empresa tem constituição jurídica	0,7584	16,3775**	4,033	0,0702
Vende a prazo ou à vista e a prazo	0,3299	14,2422**	0,399	0,4842
Tem clientela fixa	–0,0741	–2,0583**	0,160	0,1090
Utiliza equipamentos	–0,1113	–3,7597**	0,145	0,7683
Desenvolve atividade fora do domicílio	0,6235	19,6678**	0,207	0,6242
Negócio desenvolvido em loja, oficina, escritório etc.	0,3033	9,1069**	1,483	0,1927
No domicílio tem local exclusivo	0,5098	13,4964**	0,024	0,1481
Foi demitido do último emprego	–0,0062	–0,1391	–0,234	0,0701
Nasceu neste município	–0,0854	–3,7469**	–0,085	0,4874
Região metropolitana	–0,1313	–4,3991**	–0,234	0,2563
Unidade de federação – Maranhão	0,1627	3,8395**	0,084	0,0931
Unidade de federação – Piauí	0,1773	3,4445**	0,166	0,0570
Unidade de federação – Rio Grande do Norte	0,2298	4,1621**	–0,116	0,1454
Unidade de federação – Ceará	0,1167	3,1212**	0,027	0,0500
Unidade de federação – Pernambuco	0,3064	9,3059**	0,130	0,0742
Unidade de federação – Sergipe	0,1529	2,4386**	0,147	0,2070
Unidade de federação – Alagoas	0,2066	3,9040**	–0,164	0,0594
Unidade de federação – Paraíba	0,1964	4,2236**	–0,179	0,0384
Intercepto	1,5592	1,9574*		
Número de observações = 6.800.718	**R2 : 0,4132**			**F Value : 266,94**
Graus de liberdade = 15.163	**R2 Ajustado: 0,4117**			**Prob>F: <.0001**

Fonte : CPS/FGV, a partir dos microdados da Ecinf, do IBGE.

*Intervalo de confiança a 90%.

**Intervalo de confiança a 95%.

Corresponde ao valor médio da variável.

Variáveis omitidas: Quando for variável binária é o complemento. Exemplo: Em sexo aparece homem, logo foi omitida a mulher.

Demais variáveis omitidas: Educação (superior) e unidade de federação (Bahia)

Equações mincerianas: principais dificuldades

Entre os principais problemas das equações mincerianas de determinação de salário estão:

- Viés de não-habilidade não-observável: a habilidade afeta positivamente tanto a escolaridade quanto o salário. Portanto, na verdade, parte do retorno da educação verificado se deve a uma maior habilidade do indivíduo, que por si só gera aumento de salário, e não à educação propriamente dita. Esse viés vai na direção de uma superestimação dos retornos da educação.
- Erro de medida: as pessoas descrevem sem exatidão sua escolaridade. Como geralmente informam o nível de escolaridade correto ou acima do correto, arredondando para cima um ano ou um ciclo inteiro, o retorno encontrado fica abaixo do correto. Logo, esse erro vai na direção de uma subestimação dos retornos da educação.

Uma vantagem é que esses dois principais problemas tomam direções diferentes, o que faz com que se compensem em alguma medida.

Outros pontos sensíveis a serem destacados são:

- Em lugares onde os indivíduos mais instruídos trabalham mais do que os indivíduos menos instruídos, parte dos diferenciais de salário podem estar refletindo mais horas trabalhadas, e vice-versa.
- Vários benefícios da escolaridade não são considerados no cálculo desses retornos, como o retorno nas dimensões política, psicológica, filosófica e inúmeras outras não-monetárias.

Conclusão

A alta proporção de indivíduos que trabalham por conta própria no Brasil, em especial no Nordeste, tem sido comumente interpretada como sinal de um movimento de precariedade das relações de trabalho. Nessa perspectiva, os trabalhos por conta própria seriam encarados como ocupações próximas daquelas dos trabalhadores sem carteira de trabalho, constituindo o chamado setor informal do mercado de trabalho brasileiro. As principais características desse segmento informal seriam a baixa qualidade dos postos de trabalho e dos trabalhadores e a alta evasão de impostos.[5]

Uma visão alternativa à apresentada acima enfatiza o caráter inovador e empresarial do segmento dos trabalhadores por conta própria. Nessa visão, esses trabalhadores constituiriam potenciais pequenas empresas. Neste sentido, suas ocupações estariam mais próximas daquelas dos empregadores, e não das dos trabalhadores sem carteira de trabalho. Os rendimentos dos trabalhadores por conta própria e dos empregadores correspondem ao retorno sobre o capital de risco. Essa característica contrasta com as relações de trabalho de empregados (com ou sem carteira) de caráter contratual (formal ou informal). Ou seja, enquanto o rendimento do primeiro grupo corresponderia ao lucro determinado por resíduo, o rendimento dos empregados independeria dos resultados apresentados pelas atividades produtivas.[6] A distinção entre trabalhadores por conta própria e empregadores encontrada nos questionários das pesquisas domiciliares refere-se ao número de empregados: as atividades dos primeiros seriam análogas às dos segundos, mas sem empregados.

A alta heterogeneidade encontrada no segmento dos trabalhadores por conta própria no mercado de trabalho brasileiro abre espaço para a coexistência de dois tipos de atividades: as precárias (ou de subsistência) e as empresariais (nas quais existe um potencial de acumulação de capital e de crescimento econômico). Uma questão central a ser examinada ainda neste livro é a importância relativa das atividades de subsistência e das atividades empresariais no bojo do grupo de nanoempresários, e como o microcrédito afeta essa realidade.

---

[5] Esse é o tipo de visão apresentada, por exemplo, em De Soto, Ghersi e Ghibellini, 1986.

[6] A liberação das atividades por conta própria em Cuba, por Raul Castro, em meados dos anos 1990 foi considerada por muitos cubanos representativa da reentrada oficial do capitalismo na ilha.

7

CrediAmigo: o Grameen tupiniquim

Marcelo Neri
Gabriel Buchmann

As mulheres que conheci em Uganda e na Guatemala são tão talentosas e inventivas, e é simplesmente incrível observar como, com sua coragem e diligência, elas criam pequenos empreendimentos com tão poucos recursos. Essas mulheres trabalham duro, conseguem pagar de volta os empréstimos, e a primeira coisa que fazem é educar e alimentar seus filhos. É impressionante o fato de o mundo não estar investindo mais em microcrédito.

Natalie Portman

O microcrédito se difundiu mais nas cidades brasileiras do Nordeste, a região mais pobre do Brasil, e, como já apontado neste livro, não se conseguiu rejeitar a hipótese de que o CrediAmigo tenha sido o responsável, no sentido causal, por esse fato admirável. Mas para considerá-lo uma virtude é preciso que permita que as boas oportunidades de negócios floresçam e que as más preferencialmente não. É preciso também avaliar a eficiência alocativa da concessão de microcrédito. Nesse ponto, o presente capítulo demonstra que o CrediAmigo pode ser chamado de o Grameen Bank brasileiro não só por usar tecnologia similar de aval solidário, também chamado de colateral social, como por seus resultados. Será avaliado o impacto do CrediAmigo sobre medidas de desempenho econômico e financeiro dos negócios dos empreendedores e de suas famílias, com ênfase especial na questão de gênero do pequeno empreendedor, de forma a quantificar tanto a razão dos sexos nos níveis dos resultados quanto sua alteração ao longo do tempo.

A seção seguinte descreverá a base de dados que será analisada em todo o capítulo, seguida da visão geral dos principais resultados agregados e de uma descrição mais minuciosa do programa e de seus empréstimos. Mais adiante, será traçado um perfil socioeconômico dos clientes ativos do CrediAmigo, analisando-se ao mesmo tempo seu lado pessoa física e jurídica para, por último, se medir como se deu a evolução de seus negócios e de seu bem-estar durante a trajetória do programa.

Base de dados

O Banco do Nordeste do Brasil S.A. opera no segmento de microcrédito desde 1998, com uma área especializada e com marca própria — o Programa de Microcrédito Produtivo Orientado, o CrediAmigo. Tornou-se, assim, o primeiro banco público de primeiro piso do Brasil a ter um modelo de atuação voltado para o microcrédito. O CrediAmigo é o maior programa de microcrédito produtivo orientado do Brasil e o segundo da América Latina, oferecendo a seus clientes oportunidades e facilidades que diferenciam seus empréstimos dos demais oferecidos pelo setor financeiro formal.

A base de dados do cadastro dos clientes do CrediAmigo, cujo universo corresponde aos 196.692 clientes ativos, com pelo menos uma renovação, em dezembro de 2006, fornece informações que permitem a análise de três dimensões distintas sobre seus clientes: a) uma dimensão de análise que envolve seu desempenho em termos de nível e de estoque; b) uma dimensão que concerne à dicotomia entre o lado pessoa física e o lado pessoa jurídica dos clientes do programa; e c) uma dimensão dinâmica, relativa à evolução integrada dos clientes e seus negócios através do tempo.

Primeiramente, como a base de dados fornece informações sobre o balanço patrimonial dos clientes do programa e seus demonstrativos de resultados (lucros e perdas), isso permite que se faça uma análise do desempenho de seus negócios tanto em termos de fluxo quanto de estoque, assim como uma análise comparativa do perfil dos clientes ativos do programa com o setor de microempresários urbanos nordestinos, foco do programa, como um todo.

Como já se viu, a própria natureza dos microempreendimentos envolve um grande entrelaçamento entre o lado pessoa física dos nanoempresários e o lado pessoa jurídica, mesmo que informal, dos seus respectivos negócios. A base de dados permitiu a realização de uma análise incorporando essas duas dimensões, uma vez que dispõe de informações acerca de características da estrutura e do funcionamento dos negócios, assim como de seus donos e famílias. Nos demonstrativos de resultados e balanços patrimoniais dos clientes, existem rubricas referentes às pessoas jurídica e física dos empreendedores.

Além disso, a base de dados fornece informações sobre cada cliente em dois momentos no tempo: a) a data em que o cliente entrou no programa, que pode se situar em qualquer momento entre os anos de 1997 e 2006, e b) dezembro de 2006. Isso permitiu analisar a variação do desempenho dos clientes segundo diferentes medidas entre os dois períodos. Os valores apresentados foram deflacionados para reais de dezembro de 2006.

Começaremos fazendo uma análise global da evolução desses dois conjuntos de contas financeiras para não perder a visão do todo, e também análises multivariadas controladas por atributos sociodemográficos dos clientes e características de seus empreendimentos, de forma a isolar os principais efeitos do programa. Depois passaremos a uma análise descritiva do programa e dos empréstimos realizados a esses clientes da amostra, do perfil socioeconômico dos clientes e de seus negócios, para, por fim, traçarmos uma análise mais pormenorizada das principais rubricas de desempenho abertas pelos atributos previamente retratados. Serão analisados os indicadores relativos ao demonstrativo de resultados — as variáveis de fluxo — e os balanços patrimoniais dos clientes, fechando com índices contábeis de lucratividade, liquidez e endividamento.

Visão global dos resultados

Comecemos com uma análise do conjunto dos demonstrativos de resultados e do balanço patrimonial dos clientes do CrediAmigo para, em seguida, passarmos à análise mais profunda de cada rubrica isoladamente.

Exercício multivariado

Nesse estágio, vejamos a análise controlada da evolução das variáveis ao longo do tempo, utilizando uma metodologia de diferença-em-diferença aplicada a uma especificação de equação minceriana de salário,[1] a fim de testar duas hipóteses principais relativas ao impacto do programa sobre cada conta. A primeira, de que o programa afetou o valor da rubrica entre o momento de entrada no programa e a fotografia final tirada em 2006. Essa hipótese foi testada pela variável *dummy* da última operação observada (momento 2), cuja base é o momento de entrada no programa (momento 1). A segunda, que o impacto foi diferenciado por gênero. Essa análise foi feita pelo coeficiente interativo da variável sexo e do número da operação. As variáveis de controle introduzidas nesse exercício foram: escolaridade, estado civil, UF, estrutura física do negócio, presença de outro negócio, controles administrativos, setor de atividade, registro de empregado, local de compra, situação da operação e prazo de venda.

Os resultados do exercício estão sintetizados nas tabelas a seguir, a primeira parte contendo as estimativas dos coeficientes supracitados do demonstrativo de resultados e a segunda os respectivos p-valores dessas estimativas.

Nos anexos figuram os modelos econométricos estimados para cada rubrica de variáveis de fluxo e de estoque. No site do projeto encontram-se duas outras variantes mais simples dessas especificações, uma contendo só a variável *dummy* do tempo da operação e a constante e outra adicionando a variável *dummy* de sexo e a interação das duas *dummies* de sexo e de tempo sem as demais variáveis do modelo. Outras variáveis interativas foram também testadas e os principais resultados podem ser simulados de forma interativa e amigável através de espelhos estatísticos.

---

[1] Essas metodologias são descritas explicadas na terceira seção do capítulo 5 e na quinta seção do capítulo 4, respectivamente.

Tabela 1
Regressões
Demonstrativos de resultados

Estimativas mincerianas	A *Dummy* Último período	B *Dummy* Mulheres	C Interação de A e B
Recebimento de vendas	0,32	–0,29	4,2%
Pagamento com materiais	0,35	–0,31	3,8%
Lucro bruto	0,31	–0,23	3,9%
Total dos custos operacionais	0,312374	0,319833	3,2%
Pagamento de pessoal	0,150922	–0,307096	3,2%
Pagamento de transporte, frete	0,234579	–0,336859	3,0%
Água, luz, telefone	0,206735	–0,078293	–4,3%
Tributos e impostos	0,218149	–0,224786	–0,6%
Outros custos	0,485464	–0,309713	16,6%
Lucro operacional	0,307375	–0,211795	4,1%
Outras receitas (família, aposentadoria)	0,088483	0,0453539	–5,1%
Outras despesas não-operacionais	0,125951	–0,12878	2,5%
Outras despesas da família (educação, alimentação, saúde)	0,129683	–0,12315	2,1%
Pagamento de outros créditos	0,158852	–0,229458	2,5%
Capacidade de pagamento mensal	0,315185	–0,131122	0,0%
Capacidade real	0,322719	–0,131658	0,1%

Tabela 2
Demonstrativos de resultados — estimativas mincerianas

P - Valor da estimativa	A *Dummy* Último período	B *Dummy* Mulheres	C Interação de A e B
Recebimento de vendas	<,0001	<,0001	<,0001
Pagamento com materiais	<,0001	<,0001	<,0001
Lucro bruto	<,0001	<,0001	<,0001
Total dos custos operacionais	<,0001	<,0001	0,0%
Pagamento de pessoal	<,0001	<,0001	4,7%
Pagamento de transporte, frete	<,0001	<,0001	0,1%
Água, luz, telefone	<,0001	<,0001	<,0001
Tributos e impostos	<,0001	<,0001	80,2%
Outros custos	<,0001	<,0001	<,0001
Lucro operacional	<,0001	<,0001	<,0001
Outras receitas (família, aposentadoria)	<,0001	<,0001	<,0001
Outras despesas não-operacionais	<,0001	<,0001	<,0001
Outras despesas da família (educação, alimentação, saúde)	<,0001	<,0001	<,0001
Pagamento de outros créditos	<,0001	<,0001	7,4%
Capacidade de pagamento mensal	<,0001	<,0001	90,7%
Capacidade real	<,0001	<,0001	83,1%

Regressões
Balanço patrimonial — Ativos

Estimativas mincerianas	A *Dummy* Último período	B *Dummy* Mulheres	C Interação de A e B
Ativo total (I + II + III)	0,224906	–0,124056	–0,1%
Ativo circulante (I)	0,411249	–0,192422	1,5%
Caixa, bancos, poupança	0,355978	–0,223858	3,9%
Contas a receber de terceiros	0,452549	–0,14117	–1,2%
Estoques	0,392055	–0,194968	2,8%
Outros	0,390316	–0,578069	17,3%
Imobilizado (produtivo) (II)	0,284737	–0,529397	–3,0%
Imóveis	0,094589	–0,153695	–3,0%
Máquinas e equipamentos	0,101659	–0,200832	0,9%
Móveis e utensílios	0,188909	–0,091865	2,9%
Veículos	0,121011	–0,207999	–6,4%
Outros	0,48346	–0,47074	–26,5%
Ativos da família (III) (terrenos, casas)	0,063614	–0,026908	–0,6%

Balanço patrimonial — Ativos

P - Valor da estimativa	A *Dummy* Último período	B *Dummy* Mulheres	C Interação de A e B
Ativo total (I + II + III)	<,0001	<,0001	92,3%
Ativo circulante (I)	<,0001	<,0001	1,7%
Caixa, bancos, poupança	<,0001	<,0001	<,0001
Contas a receber de terceiros	<,0001	<,0001	12,1%
Estoques	<,0001	<,0001	0,0%
Outros	0,05	<,0001	37,6%
Imobilizado (produtivo) (II)	<,0001	<,0001	1,1%
Imóveis	<,0001	<,0001	3,3%
Máquinas e equipamentos	<,0001	<,0001	44,6%
Móveis e utensílios	<,0001	<,0001	0,6%
Veículos	<,0001	<,0001	0,1%
Outros	<,0001	<,0001	0,2%
Ativos da família (III) (terrenos, casas)	<,0001	<,0001	26,8%

Tabela 3

Regressões

Balanço patrimonial — Passivo

Estimativas mincerianas	A *Dummy* Último período	B *Dummy* Mulheres	C Interação de A e B
	0,224958	–0,123977	–0,1%
Passivo circulante (I)	0,6918	–0,215429	–0,4%
Financiamento CrediAmigo	2,077847	–0,078133	0,0%
Outros financiamentos	0,243459	–0,314284	0,1%
Fornecedores	0,603044	–0,239343	0,5%
Adiantamento de clientes	0,518105	–0,133702	–13,0%
Outros	0,112042	–0,118486	–2,6%
Exigível a longo prazo (II)	0,092036	–0,453925	4,6%
Patrimônio líquido (III)	0,220924	–0,120373	–0,1%

Balanço patrimonial — Passivo

P-Valor da estimativa	1º período	2º período	Variação (%)
Passivo total (I + II + III)	<,0001	<,0001	91,4
Passivo circulante (I)	<,0001	<,0001	77,9
Financiamento CrediAmigo	<,0001	0,3197	99,5
Outros financiamentos	<,0001	<,0001	98,3
Fornecedores	<,0001	<,0001	72,1
Adiantamento de clientes	0,0122	0,2376	48,8
Outros	<,0001	<,0001	34,7
Exigível a longo prazo (II)	0,0916	<,0001	38,5
Patrimônio líquido (III)	<,0001	<,0001	91,8

Primeiro, e mais importante, os resultados apresentam de uma maneira geral um significativo aumento dos valores reais de faturamento, custos, lucro, capacidade de pagamento e consumo, sugerindo uma melhora nos indicadores de desempenho apresentados. Todas essas estimativas são estatisticamente diferentes de zero, isto é, são significativas do ponto de vista estatístico.

No caso do lucro operacional — o correspondente mais próximo da renda do trabalho da Pnad —, por exemplo, o impacto do programa em termos de crescimento (retorno dessa variável) foi um aumento de 30,7%. As mulheres em geral apresentaram lucro operacional 21,17% inferior ao dos homens, embora entre os dois períodos tenham tido um crescimento relativo de 4,1% superior ao dos homens. Esse tipo de resultado qualitativo não só é robusto para vários tipos de conceito, como recebimento de vendas, valor dos ativos, entre outros, como relevante em termos sociais. A literatura de microcrédito dá atenção especial ao empoderamento das mulheres, que representam 62% dos clientes do CrediAmigo, apesar de serem minoria (35,1%) no conjunto dos microempresários. Esse tipo de análise pode ser facilmente generalizado para as demais variáveis analisando-se a tabela 1.

Outro dado a ser destacado refere-se ao aumento das despesas dos clientes não associadas ao negócio, e sim ao consumo da família, despesas que cresceram 13% entre a primeira e a segunda operação e que, apesar de serem 12,3% menores nas famílias das microempresárias em relação às dos microempresários, acusam uma melhoria de desempenho de 2,1%. O consumo representa uma *proxy* importante do ponto de vista do bem-estar, na medida em que capta não só a satisfação de necessidades presentes como expectativas de atendimento dessas necessidades no futuro.

Demonstrativo de resultado — uma análise de fluxo

Nossa análise foi estruturada de acordo com a lógica do demonstrativo de resultados dos clientes, que se inicia com o seu lado pessoa jurídica, descrevendo o faturamento total do negócio e todos os custos envolvidos na produção e comercialização dos produtos ou serviços e na manutenção do negócio e, em seguida, passa a seu lado pessoa física, com informações acerca de outras fontes de recursos e de despesas pessoais dos clientes e seus familiares, para, da conjunção desses fatores, concluir sobre a capacidade real de pagamento do crédito.

Primeiramente, temos o lucro bruto dos clientes, que corresponde à diferença entre suas receitas operacionais — ou recebimento de vendas

— e o custo das mercadorias vendidas — ou pagamento com materiais. Se descontarmos do lucro bruto os custos operacionais, isto é, as demais despesas relacionadas com a realização do negócio — como pagamentos dos empregados, contas diversas, custos de transporte e de transação, e impostos — teremos o lucro operacional. O lucro operacional de cada empreendimento dos clientes do programa corresponde à sua renda do trabalho, uma vez que consiste na renda, fruto do trabalho do cliente como empreendedor, que está disponível para ser alocada da forma que o cliente desejar entre suas dimensões pessoa física e jurídica, isto é, entre consumo e investimento. Por isso, e também pela analogia com a Pnad, nos aprofundaremos mais na análise do lucro operacional do que nas demais variáveis.

A soma do lucro operacional com outras receitas da família (que representam rendas de outras fontes) corresponde ao total da renda de todas as fontes da família do cliente. Essa renda está distribuída, no demonstrativo de resultados, entre despesas da família (o consumo pessoal do cliente e sua família), pagamento de outros créditos (consumo ou investimento passados) e a capacidade de pagamento mensal do cliente, que corresponde a sua poupança, uma vez que representa a diferença entre o total de rendas de todas as fontes e o consumo. Esta pode, por sua vez, ser distribuída entre pagamento do crédito do CrediAmigo e o consumo futuro ou reinvestimento no negócio, mas a base de dados não permite a análise desta última divisão.

A seguir, o demonstrativo de resultado, ou de lucros e perdas, contendo em cada entrada o valor correspondente à média dos clientes do programa.

A análise de cada uma das rubricas separadamente, no que se refere tanto ao nível em cada período quanto a sua variação entre os períodos, será realizada na seção "Perfil econômico dos clientes do CrediAmigo" deste capítulo.

Tabela 4
Tabelas bivariadas

Demonstração de lucros e perdas	1º período	2º período	Variação (%)
Recebimento de vendas	3.149,33	4.238,17	34,6
Pagamento com materiais	2.811,65	3.986,39	41,8
Lucro bruto	1.166,19	1.576,08	35,1
Total dos custos operacionais	336,38	433,62	28,9
Pagamento de pessoal	119,99	161,94	35,0
Pagamento de transporte, frete	52,94	75,44	42,5
Água, luz, telefone	69,19	73,85	6,7
Tributos e impostos	35,82	45,35	26,6
Outros custos	31,89	77,04	141,6
Lucro operacional	975,16	1.332,99	36,7
Outras receitas (família, aposentadorias)	358,73	338,68	–5,6
Outras despesas não-operacionais	413,42	508,20	22,9
Outras despesas da família (educação, alimentação, saúde)	364,05	466,73	28,2
Pagamentos de outros créditos	61,18	41,46	–32,2
Capacidade de pagamento mensal	919,68	1.199,04	30,4
Capacidade real	698,48	1.043,15	49,3

Descrição do programa

Desde 1998, o CrediAmigo já efetuou 3,3 milhões de operações, tendo desembolsado R$ 2,8 bilhões. O programa está presente em 1.420 municípios da área de atuação do BNB (região Nordeste, Minas Gerais, Espírito Santo e Brasília), com 244.092 clientes ativos em março de 2007, o que representa uma carteira ativa de R$ 166 milhões. Destes clientes, 70 mil encontram-se no Ceará, 26 mil na Bahia, 25 mil no Maranhão e 23 mil em Pernambuco. O atendimento se dá por meio de uma estrutura logística que dispõe de 170 agências e 26 postos de atendimento a clientes, com 1.193 colaboradores operando o programa nessas unidades.

Em 17 de novembro de 2003, o Banco do Nordeste firmou parceria com o Instituto Nordeste Cidadania com o objetivo de operacionalizar o programa de microcrédito CrediAmigo, tendo em vista o Programa

Nacional de Microcrédito Produtivo Orientado (PNMPO) do governo federal. O instituto é uma organização da sociedade civil de interesse público (Oscip) fundada em 1993, durante a Campanha Nacional de Combate à Fome, à Miséria e pela Vida, por iniciativa de funcionários do Banco do Nordeste. De acordo com o termo de parceria, o instituto é responsável pela execução do CrediAmigo e pela gestão administrativa do pessoal, sua contratação e pagamento. O Banco do Nordeste atua em primeiro piso, acompanhando, supervisionando e fiscalizando o cumprimento do termo de parceria, e proporcionando o apoio necessário ao instituto. Na operacionalização do crédito, o Instituto Nordeste Cidadania adota a metodologia de microcrédito produtivo orientado, que consiste no atendimento dos empreendedores por pessoas treinadas, a fim de efetuar o levantamento socioeconômico necessário à definição das necessidades de crédito; no relacionamento direto dos assessores com os empreendedores no próprio local de trabalho; e na prestação de serviços de orientação do planejamento do negócio.

A despeito de sua relevância social, o CrediAmigo é um programa sustentável, que remunera os capitais investidos segundo regras de mercado e cobre os custos de sua operacionalização. Segundo o responsável pelo programa, Stélio Gama, "o programa é uma política pública que não utiliza fundos públicos, e sim capital privado captado no mercado, que empresta a juros de mercado, tem uma taxa de inadimplência baixíssima e consegue ser lucrativo".

Associado ao crédito, o CrediAmigo oferece aos empreendedores acompanhamento e orientação empresarial para a melhor aplicação do recurso, a fim de integrá-los de maneira competitiva ao mercado, além de cursos de capacitação e aperfeiçoamento profissional. Além disso, o Programa de Microcrédito do Banco do Nordeste abre conta corrente para todos os seus clientes, sem cobrar taxa de abertura e manutenção, o que facilita o recebimento e a movimentação do crédito.

Para obter um empréstimo, o interessado precisa apenas a) ser maior de idade, b) ter ou iniciar uma atividade comercial, e c) reunir um grupo de amigos empreendedores, que morem ou trabalhem próximos e que confiem uns nos outros, sendo os únicos documentos necessários identidade, cadastro de pessoas físicas (CPF) e comprovante de residência.

Seus clientes são pessoas que trabalham por conta própria, empreendedores que atuam geralmente no setor informal da economia e pessoas de perfil empreendedor em geral que tenham interesse em iniciar uma atividade produtiva. O CrediAmigo oferece produtos e serviços especialmente desenvolvidos para o mercado microempreendedor, a saber: a) *giro popular solidário*, que oferece capital de giro para empreendedores que tenham pelo menos um ano de atividade, com empréstimos de R$ 100,00 até R$ 1.000,00 para grupos de três a 10 pessoas; b) *giro solidário*, com empréstimos para valores acima de R$ 1.000,00, e que podem ser renovados e evoluir até R$ 8.000,00, destinado a grupos de três a 10 pessoas; c) *CrediAmigo comunidade*, destinado ao financiamento de capital de giro e pequenos equipamentos para a população de áreas urbanas e semi-urbanas, comerciantes, prestadores de serviços, vendedores ambulantes e pequenos fabricantes, com empréstimos de R$ 100,00 até R$ 1.000,00 para grupos de 15 a 30 pessoas; d) *giro individual*, que oferece capital de giro a clientes com experiência anterior no CrediAmigo que desejam complementar seus recursos para expandir sua atividade, com empréstimos de R$ 300,00 até R$ 8.000,00. No caso do giro popular e da comunidade, a taxa de juros é de 2% ao mês, mais uma taxa de abertura de crédito de até 3% sobre o valor liberado, enquanto no giro solidário e no individual, os juros são de 4% ao mês, mais uma taxa de abertura de crédito de até 3% sobre o valor liberado. Além desses produtos, há também: e) *investimento fixo*, cujos valores variam de R$ 100,00 a R$ 5.000,00 para a compra de máquinas, equipamentos e/ou reformas no negócio ou na residência, com prazo de até 36 meses e pagamentos fixos e mensais; e f) *seguro vida CrediAmigo*, que garante o pagamento de indenização ao(s) beneficiário(s) do seguro, caso o segurado venha a falecer por qualquer causa, e que oferece duas opções, de acordo com a capacidade de pagamento do segurado, uma de R$ 15,00 e outra de R$ 25,00, chegando a indenização a 153 vezes o valor investido, o que equivale a R$ 3.840,00.

O programa CrediAmigo possui boa parte das características essenciais a um programa de microcrédito bem-sucedido. O programa não só se baseia na existência de capital social como participa do processo de construção desse capital social. O uso de células básicas do tecido social como relações de confiança previamente estabelecidas constitui um elemento-chave do CrediAmigo, daí seu nome. O fornecimento de crédito baseia-se no aval solidário, por se utilizar, mediante empréstimos a grupos, do colateral social dos indivíduos. O empréstimo é concedido a um grupo de empreendedores interessados em obter o crédito, que assumem a responsabilidade conjunta pelo pagamento das prestações, sendo os componentes do grupo escolhidos pelos próprios empreendedores. Em um grupo solidário, todos respondem pelo crédito, sendo cada empreendedor avalista do outro. Cada um pode tomar emprestado um valor diferenciado, mas o cupom de pagamento é um só. Portanto, se um dos indivíduos do grupo não puder pagar, ou os demais têm que cobrir a sua parte ou todos os tomadores entram na lista do Serviço de Proteção ao Crédito (SPC) como inadimplentes, o que dificulta que tomadores simplesmente desapareçam e tomem empréstimos em outro local com o nome limpo.

Além disso, os empréstimos são progressivos e com calendários de pagamento regulares, começando com baixos valores e depois aumentando se o cliente paga em dia. Em todos os casos, com exceção do empréstimo para investimento fixo, o pagamento consiste em parcelas fixas quinzenais ou mensais e deve ser realizado no prazo de até seis meses.

Outra característica essencial ao sucesso do programa CrediAmigo é o fato de os assessores irem a campo. Funcionários jovens, bem treinados e proativos vão à casa dos tomadores ou ao próprio estabelecimento produtivo, estabelecem relações pessoais com os clientes e se tornam responsáveis por todos os aspectos do ciclo de empréstimo, da origem até a recuperação.

Outro princípio bastante difundido entre os especialistas em microfinanças e também descrito por Stélio Gama, superintendente do CrediAmigo, é que agilidade na aprovação e no desembolso dos empréstimos costuma ser mais importante para os tomadores do que a taxa de juros em si, uma vez que os pobres já pagam juros altíssimos diariamente. No CrediAmigo, os empréstimos são rápidos e sucessivos, além de quase não demandarem burocracia; os recursos são liberados, no máximo, sete dias após a formação do grupo.

Características do empréstimo CrediAmigo

No que se refere aos empréstimos do CrediAmigo aos clientes presentes na amostra (os clientes ativos em dezembro de 2006), segundo a base de dados do programa, verificou-se que a maior parte dos empréstimos — 79,6% — realizou-se com o produto capital de giro popular solidário, 15,5% com o produto giro solidário, 2,6% com investimento fixo, 2,43% com capital de giro individual e apenas um empréstimo do tipo crédito comunidade havia sido realizado até dezembro de 2006. Ficou claro, portanto, que a esmagadora maioria dos empréstimos do programa (95%) se dá através de empréstimos solidários, isto é, tendo como garantia apenas o colateral social dos clientes. É importante destacar que 100% das operações examinadas são operações de empréstimo ou financiamento, não havendo outros produtos de microfinanças, como seguros ou poupanças.

Praticamente todos possuem uma agenda mensal de pagamento (98,8%), e apenas 1,2% paga os empréstimos quinzenalmente. Em 92% dos casos, a operação está em andamento normal, estando atrasada em apenas 0,04% dos casos e já quitada em 6,81%.

A maior parte das operações (63%) é realizada com prazo de quatro meses. Em seguida, temos 10,6% com prazo de três meses, 14,9% com cinco meses e 8% com seis meses, o que já inclui praticamente 97,2% das operações. Há operações com prazos distintos, alguns chegando a três anos (2,4% das operações envolvem prazos superiores a seis meses). Outra forma de verificar isso é através da quantidade de operações referentes a cada empréstimo, que informam: 63% dos pagamentos em quatro prestações, 10,3% em três prestações, 14,7% em cinco prestações e 8,1% em seis prestações, existindo empréstimos para pagamento em até 30 prestações (apenas 3,6% das operações envolvem mais de seis prestações).

Perfil econômico dos clientes do CrediAmigo

Características socioeconômicas dos clientes

Examinemos agora, brevemente, o perfil socioeconômico dos clientes do programa CrediAmigo em dezembro de 2006, descrevendo suas principais características.

O CrediAmigo, assim como a maior parte dos programas de microcrédito, tem como clientes predominantemente mulheres (61,73% da clientela), contra 38,27% de homens. Essa composição contrasta com a composição dos microempresários do Nordeste urbano, entre os quais, como já vimos, 64,9% são homens e apenas 35,1%, mulheres.

Quanto ao estado civil, 46,5% dos clientes são solteiros, 36,6% casados com comunhão parcial de bens e 8% casados com comunhão total de bens. Apenas 4,92% são separados ou divorciados, 0,01% está em regime de união estável e 2,45% são viúvos.

A maior parte dos clientes tem entre 30 e 39 anos (30,4%), seguidos dos clientes com 40-49 anos (27,09%), dos com 20-29 anos (20%), dos que estão na faixa etária dos 50-59 anos (15,09%), dos com mais de 60 anos (6,62%) e dos com menos de 19 anos (0,77%). Verifica-se, portanto, que os clientes do programa estão mais concentrados em faixas intermediárias de idade em relação aos clientes em potencial, dos quais 5,3% têm entre 10 e 19 anos e 10,9% mais de 60 anos. Enquanto 44,1% dos clientes em potencial têm entre 20 e 40 anos, esse número corresponde, entre os clientes, a 52,7%, uma diferença não muito grande, porém significativa.

No que se refere à educação, 62,51% dos clientes possuem 1º grau, ou ensino fundamental, completo, seguidos dos que têm 2º grau, ou ensino médio, completo (28,6%) e dos que têm nível superior completo (3%). Os clientes do CrediAmigo são claramente mais escolarizados do que a média dos microempreendedores do Nordeste urbano como um todo, dos quais apenas 27,1% têm 1º grau completo e 5,8%, pelo menos 2º grau completo. Olhando para o outro extremo, observa-se que, enquanto 20,5% destes não têm nem um ano de estudo completo, apenas 2,8% dos clientes do programa não têm qualquer instrução.

O estado com maior número de clientes é de longe o Ceará, com 29,8%, seguido de Maranhão, com 11,6%, e da Bahia, com 11,5%, esses três estados perfazendo mais da metade dos clientes. O restante está bem distribuído entre os demais estados do Nordeste, com destaque para Pernambuco (9,5%), Paraíba (9,1%) e Piauí (8%), e 4,1% estão fora do Nordeste, em Minas Gerais, Espírito Santo e Distrito Federal, estes dois últimos com apenas 545 clientes. À exceção do Ceará, sede do programa, a distribuição dos clientes ativos pelos demais estados do Nordeste se assemelha à dos clientes em potencial por esses estados, embora com uma certa sub-representação da Bahia e de Pernambuco e sobre-representação de Piauí e Paraíba.

Quanto à moradia, verificou-se que 75,9% dos clientes vivem em casa própria, enquanto 10,8% vivem em casa alugada e 3,6% na casa de familiares.

Em relação ao número de pessoas no domicílio, os clientes estão assim distribuídos: 10,62% vivem sozinhos, 2,5% moram com mais uma pessoa, 9,95% com mais duas, 20,2% com mais três, 26,1% com mais quatro e 16,4% com mais seis pessoas.

Quando se examinou a quantidade de pessoas que trabalham no negócio dos clientes, os dados de dezembro de 2006 mostraram que 14,2% não empregavam ninguém, isto é, podiam ser considerados trabalhadores por conta própria; 26,5% empregavam uma pessoa, da família ou não; e a maioria, 42,8%, empregava duas pessoas. Apenas 2,3% dos clientes do programa têm negócios com cinco ou mais empregados. Por um lado, comparando com a época de entrada desses clientes no programa, observa-se um aumento no número de empregados dos clientes, uma vez que, em média, 14,19% dos clientes não tinham empregados, 26,52% tinham um empregado e 42,8% tinham dois, o que corrobora as evidências que veremos mais adiante sobre um substantivo crescimento no tamanho médio dos negócios dos clientes. Por outro lado, há aqui um grande contraste do mercado ativo com o mercado potencial, uma vez que, como se viu, 87,7% dos clientes em potencial eram trabalhadores por conta própria. Isso mostra que o programa ainda deve se aprofundar mais se quiser realmente atingir capitalistas bem pequenos, trabalhadores por conta própria que, para conseguirem expandir seus negócios e poderem contratar ajudantes e empregados, carecem de acesso a crédito produtivo.

Comparação entre os microempreendedores beneficiários de programas assistenciais do governo e os clientes do programa CrediAmigo

Passemos a uma breve comparação do perfil dos microempreendedores que são clientes do programa CrediAmigo com os microempresários que têm acesso a programas assistenciais do governo, mas restringindo-nos às variáveis que as bases de dados permitem analisar.

No que se refere a gênero, verifica-se uma drástica diferença entre os perfis de ambos os grupos. Enquanto o programa CrediAmigo tem como clientes predominantemente mulheres, que representam cerca de 62% de sua clientela, contra 38% de homens, entre os beneficiários de rendas públicas 61% são homens e 38%, mulheres, percentual que se aproxima mais da proporção entre os sexos na população de empreendedores, que, como já vimos, é composta de 65% de homens e 35% de mulheres. Além disso, 10% dos microempresários recebem alguma renda pública, proporção que corresponde à metade da proporção de microempresárias, das quais 20% recebem alguma transferência do Estado.

A maior parte tanto dos clientes quanto dos beneficiários de transferências governamentais tem entre 30 e 39 anos (30,4% contra 27,6%), seguidos da faixa etária dos 40-49 anos (27,09% e 21,7%), dos clientes e beneficiários com 20-29 anos (20,02% e 21,6%), dos com 50-59 anos (15,09% dos clientes e 13,1% dos beneficiários) e dos com mais de 60 anos (6,62% e 7,8%, respectivamente). Observa-se, portanto, grande similitude entre o perfil etário dos grupos, estando ambos concentrados em faixas intermediárias de idade. A única diferença considerável é a seguinte: enquanto apenas 0,77% dos clientes do CrediAmigo tem menos de 19 anos, essa proporção sobe para 8% quando se analisam os beneficiários de programas do governo.

No que se refere à educação, observa-se alguma diferença entre os perfis dos dois grupos analisados. Enquanto 62,51% dos clientes do programa CrediAmigo têm o 1º grau, ou ensino fundamental, completo, 53% dos beneficiários de transferências do governo têm esse nível de instrução. Entre os clientes, 28,6% têm 2º grau, ou ensino médio, completo, enquanto entre os beneficiários o percentual é de 25%. No que diz respeito a nível superior completo, a proporção é a mesma, 3% para clientes e beneficiários. Já no que se refere ao extremo inferior do nível educacional, a diferença é significativa, uma vez que apenas 2,8% dos clientes do programa não têm qualquer instrução contra 11,8% dos beneficiários de transferências. Em geral, assim como os clientes do CrediAmigo, os beneficiários de programas governamentais também são mais escolarizados do que a média dos microempreendedores do Nordeste urbano como um todo, dos quais, por exemplo, apenas 27,1% têm 1º grau completo e 5,8%, pelo menos 2º grau completo.

Como era de se esperar, a distribuição dos grupos analisados entre os estados do Nordeste difere substancialmente, uma vez que a dos clientes depende mais de características que envolvem o processo de expansão do programa, enquanto a distribuição dos beneficiários é mais próxima das magnitudes populacionais relativas entre os estados. O estado com maior número de clientes do CrediAmigo é de longe o Ceará com 29,8%, seguido do Maranhão com 11,57% e da Bahia com 11,55%, esses três estados perfazendo mais da metade dos clientes. Já no caso dos beneficiários de transferências, a Bahia aparece com 31%, seguida de Pernambuco com 17,8% e do Ceará com 15,2%. A soma desses percentuais corresponde a quase dois terços do total de beneficiários, e se acrescentarmos o Maranhão, com 13,6%, chegaremos aos três quartos.

Características dos negócios

No que se refere às atividades dos clientes — seus empreendimentos —, 33,7% realizam suas atividades em casa, seguidos de perto pelos 32,3% que têm um ponto comercial. Já 20,5% realizam serviço a domicílio, 10,61% possuem uma barraca ou banca e 3,65% realizam atividade móvel. A esmagadora maioria, 92%, atua no setor do comércio, contra 4,91% do setor de serviços e 2,82% do setor industrial. Verifica-se, portanto, que o foco do programa é claramente o fornecimento de crédito comercial.

De acordo com o porte, os clientes do CrediAmigo podem ser divididos em três grandes grupos: subsistência (vendas mensais iguais ou inferiores a R$ 1.000,00), acumulação simples (vendas mensais entre R$ 1.000,00 e R$ 5.000,00) e acumulação ampliada (vendas mensais entre R$ 5.000,00 e R$ 36.146,26), ou ainda como empresas de pequeno porte, categoria na qual se enquadram os clientes de maior porte, já formalizados. Utilizando essa divisão referente ao nível de estruturação do negócio, tem-se que apenas 0,3% são empresas de pequeno porte, 6,1% realizam acumulação ampliada, 48,9% acumulação simples, e 44%, ou seja, quase metade dos empreendimentos, realizam atividades de subsistência, ou seja, 93% dos negócios da clientela do CrediAmigo têm vendas inferiores a R$ 5.000,00.

Aproximadamente um quarto dos negócios, 26,92%, são ambulantes, e dos negócios fixos restantes, 53,84% são próprios e 19,24% alugados. A grande maioria (60%) realiza vendas por atacado, enquanto 31% vendem a varejo. O restante vende produtos de fábrica (4,06%), isto é, compra diretamente da empresa que industrializa o produto, ou são produtores (5%), isto é, de alguma forma transformam o insumo adquirido no mercado.

Desempenho dos beneficiários do programa

Desempenho medido em termos de fluxo

Comecemos com uma análise detalhada do demonstrativo de resultados.

Faturamento, custos com materiais e lucro bruto

O lucro bruto dos clientes corresponde à diferença entre suas receitas operacionais — ou recebimento de vendas — e o custo das mercadorias vendidas — ou pagamento com materiais —, ou seja, entre o faturamento total e o custo direto de aquisição dos insumos.

O lucro bruto médio dos clientes, que era de R$ 1.166, passou para R$ 1.576, um aumento de 35,1%, resultado de um crescimento na média de recebimento de vendas de 34,6% — de R$ 3.149 para R$ 4.238 — e na média dos pagamentos com materiais de 41,8% — de R$ 2.811,65 para R$ 3.986,39. Tanto o faturamento quanto os custos das microempresas apresentaram, portanto, considerável incremento, com um resultante aumento substancial no lucro bruto agregado dos clientes, o que demonstra claramente uma substancial expansão no tamanho médio dos negócios.

Já no que se refere aos valores medianos, o lucro bruto mediano nos dois períodos foi de R$ 609 e R$ 808 — um aumento de 32% —, o faturamento foi de R$ 2.274 e R$ 3.500 e o pagamento com materiais de R$ 1.264 e R$ 2.000, valores bem menos elevados do que os médios observados, o que deixa clara a existência de uma substancial desigualdade entre os clientes do programa, com uma proporção acima da média reduzida, em comparação com a proporção de clientes abaixo desta, ou seja, poucos clientes têm negócios de porte razoável e muitos apenas pequenos negócios.

Lucro operacional

Lucro operacional é o resíduo do lucro bruto descontado dos custos operacionais ou, visto por outro prisma, a diferença entre o faturamento e todos os custos diretos e indiretos envolvidos na realização da atividade do cliente. Conforme já observado, o lucro operacional corresponde à renda do trabalho dos clientes do programa, uma vez que consiste na renda disponível, fruto de cada empreendimento.

Houve um aumento substancial no lucro operacional dos clientes do programa entre os dois períodos analisados. O lucro operacional médio, que no primeiro período era de R$ 975, passou para R$ 1.333 em dezembro de 2006, o que corresponde a uma variação de 36,7%. Esse aumento verificou-se de forma equilibrada para os diversos segmentos da sociedade, assim como entre as diferentes faixas etárias, estados civis, gêneros e graus de escolaridade. Já o lucro operacional mediano, que no primeiro período era de R$ 709, passou para R$ 1.173 em 2006, o que corresponde a um aumento de 47%.

O lucro operacional médio dos homens — que correspondem a 38% dos clientes — aumentou, por exemplo, de R$ 1.148 para R$ 1.548, enquanto o das mulheres — 61,73% dos clientes — passou de R$ 868 para R$ 1.200.

No que tange às faixas etárias, verificou-se que o lucro operacional cresce até a faixa dos 40-49 anos e, depois, volta a decrescer. A faixa com maior lucro operacional, a dos 40-49 anos (53 mil clientes), obteve um aumento de R$ 1.047 para R$ 1.444; a dos 20-29 anos (39 mil clientes), de R$ 857 para R$ 1.124; e a mais representativa, a dos 30-39 anos (59 mil clientes), de R$ 991 para R$ 1.391.

Quanto à escolaridade, o padrão é consistente com o esperado, com o lucro operacional aumentando conforme o nível educacional, ao mesmo tempo em que se observa um deslocamento praticamente uniforme desse lucro, nos dois períodos, entre os diversos grupos educacionais. Os clientes sem instrução, que lucravam R$ 654, passaram a lucrar R$ 873, enquanto os com nível superior passaram de R$ 1.234 para R$ 1.944. Já o grupo de longe o mais representativo, o de clientes com 1º grau completo (123 mil), tiveram seu lucro aumentado de R$ 895 para R$ 1.232.

Examinando a estrutura física do negócio, observa-se que os clientes com maiores lucros são os que possuem ponto comercial (R$ 1.436 e R$ 1.946 nos dois períodos, respectivamente), seguidos dos com barraca ou banca (R$ 1.000 e R$ 1.386), com unidade móvel (R$ 806 para R$ 1.008), com atividade na própria casa (R$ 744 para R$ 1.049) e, por último, que prestam serviços a domicílio (R$ 599 para R$ 808). Contudo, entre os dois períodos analisados, houve tanto uma alteração na composição dos clientes entre esses tipos de negócios — uma maior contribuição de clientes com pontos comerciais e com atividades em casa, por exemplo —, quanto nesse *ranking*, com os clientes com negócios em casa passando a obter um lucro maior que os clientes com unidades móveis.

No primeiro período, é grande o número de clientes cujos dados constam como ignorados, o que já não acontece no segundo período. Por isso, em algumas análises específicas, em quase todos os segmentos aparecem muito mais clientes no segundo período do que no primeiro, sem que se possa saber quanto desse aumento se deveu a mudanças de características dos clientes ou simplesmente a informações antes ignoradas e que foram incorporadas entre os períodos. Isso aconteceu principalmente na análise da estrutura física do negócio, na quantidade de pessoas que trabalham no negócio, na quantidade de pessoas que trabalham na própria residência, no setor de atividade, na descrição do produto e na quantidade de prestações.

Clientes com negócios fixos não só obtiveram maiores lucros em ambos os períodos como tiveram um aumento substancial entre os períodos, de R$ 1.101 para R$ 1.510, enquanto os clientes com negócios ambulantes passavam de R$ 731 para R$ 851. Além disso, a composição também se alterou: os clientes com negócios fixos, que antes representavam 68% dos clientes, passaram a representar 72%.

Outra tendência relevante foi a concentração dos negócios. Verificou-se uma redução de 156 mil (80%) para 145 mil (74%) clientes com mais de um negócio, com um aumento paralelo de 40 mil (20%) para 51 mil (26%) clientes com apenas um negócio. Isso pode significar que os negócios não deram certo e foram fechados, mas o mais provável é que muitos clientes tenham decidido concentrar esforços no seu negócio que começou a crescer mais substantivamente.

No que tange ao local de compra dos clientes, os maiores lucros couberam aos negócios que realizam compras diretamente nas fábricas (R$ 1.555 no primeiro período e R$ 2.182 no segundo), seguidos daqueles com vendas no atacado (R$ 1.076 e R$ 1.469), dos negócios que envolvem produção ou transformação de algum insumo adquirido no mercado (R$ 945 e R$ 1.301) e, por último, dos que realizam vendas no varejo (R$ 725 e R$ 962).

Curiosamente, enquanto há uma clara relação positiva e monotônica entre número de familiares que trabalham no negócio e lucro operacional, assim como entre número de não-familiares que trabalham, essa relação não se verifica quando se trata da quantidade total de pessoas que trabalham no negócio. Nesse caso, a relação é praticamente constante. Enquanto negócios sem empregados obtiveram, no segundo período, um lucro operacional de R$ 1.357, negócios com três empregados tiveram um lucro de R$ 1.259, e com cinco ou mais, um lucro de R$ 1.318.

Os dados não mostram haver uma relação clara entre a quantidade de pessoas na residência dos clientes e seu lucro operacional, sendo este aproximadamente constante entre as categorias e apresentando um crescimento relativamente uniforme.

A média de lucro operacional revelou-se bastante similar nos setores de comércio, indústria e serviços, e o aumento entre os períodos foi também aproximadamente uniforme entre esses setores.

Analisando os controles administrativos do negócio, que o funcionário do programa classifica subjetivamente — de acordo com alguns critérios preestabelecidos —, observa-se que negócios com melhores controles têm em média maior lucro operacional. Negócios com controles considerados bons obtiveram, nos dois momentos analisados, lucro de R$ 1.441 e R$ 1.957, seguidos dos negócios com controles satisfatórios, com R$ 1.186 e R$ 1.626, dos negócios com controles precários ou sem controles, com lucros de apenas R$ 746 e R$ 1.011 e R$ 745 e R$ 991, respectivamente. Isso pode indicar que melhores controles administrativos talvez tenham ajudado na gestão do negócio, ou colaborado para que o negócio aproveitasse melhor o acesso ao crédito do programa, mas pode também simplesmente indicar que negócios maiores e mais eficientes são, ao mesmo tempo, os que têm mais controles e maiores lucros. Esse tipo de questão só pode ser respondida por meio de uma análise multivariada, controlando-se simultaneamente pelos diversos fatores além daquele que se deseja analisar.

Negócios com lucros operacionais maiores geralmente obtiveram empréstimos envolvendo uma quantidade maior de prestações. Enquanto, quando começaram, negócios com uma média de lucro de R$ 945 tomaram empréstimos para pagamento entre uma e seis prestações, negócios com uma média de R$ 2.174 tomaram empréstimos envolvendo mais 13 prestações. Também verificou-se uma tendência de aumento no número de prestações, redução dos empréstimos com menos de quatro prestações e grande aumento no número de empréstimos com mais de quatro prestações.

Entre os estados com mais de mil clientes, observou-se que, em média, o maior lucro operacional dos negócios, em dezembro de 2006, se deu em Minas Gerais (R$ 1.826), seguido por Bahia (R$ 1.701), Maranhão (R$ 1.668) e Paraíba (R$ 1.624), ficando o Rio Grande do Norte (R$ 1.183) e o Ceará (R$ 871) com os menores lucros. No caso dos valores médios iniciais de entrada no programa, o panorama é parecido, com algumas exceções, como a Bahia em primeiro (R$ 1.399), seguida por Minas Gerais (R$ 1.303). Enquanto esses dois estados, assim como Maranhão, Paraíba, Pernambuco e Sergipe, forneceram acesso a crédito a clientes com altos lucros operacionais — renda média do trabalho superior a R$ 1.400 —, o Ceará foi o estado que forneceu acesso a crédito a clientes com menor renda do trabalho, isto é, que forneceu acesso a crédito de forma mais profunda, e estes aumentaram seus lucros em uma proporção equivalente aos clientes dos demais estados.

Realizando uma análise comparativa com dados sobre os clientes em potencial do programa fornecidos pela Pnad, chegou-se à conclusão de que o lucro médio dos clientes ativos do programa, R$ 1.333, é bem mais elevado do que o dos clientes em potencial, que era de apenas R$ 600 em 2005, menos da metade do outro. O mesmo se verificou porém com uma diferença ainda maior, no lucro mediano, cujo valor, para os clientes ativos do programa, ficou em R$ 1.173 e, para os clientes potenciais, em R$ 300. Isso mostra claramente que, por mais que o programa tenha fornecido acesso a crédito a indivíduos antes restritos, proporcionando melhorias a camadas da população antes marginalizadas pelo sistema financeiro, ainda há muito a se avançar na direção de tornar o programa ainda mais pró-pobre, atingindo indivíduos de renda ainda mais baixa.

Existe uma ligação estreita entre o lado pessoa física dos nanoempresários e o lado pessoa jurídica, mesmo que informal, dos seus respectivos negócios. A sobreposição dessas duas facetas implica, portanto, que o entendimento da estrutura e do funcionamento dessas empresas deve levar em conta as características de seus proprietários e de suas famílias.

Ao lucro operacional — renda do trabalho — somam-se, então, as outras receitas da família — rendas de outras fontes — e subtraem-se as despesas da família — consumo — e o pagamento de outros créditos para se ter a capacidade de pagamento do cliente, que corresponde a sua poupança, uma vez que representa a diferença entre o total de rendas de todas as fontes e o consumo. Vamos examinar agora essas variáveis mais ligadas ao lado pessoa física dos clientes do programa.

Outras receitas da família

Além da renda proveniente do negócio do cliente, sua família ainda dispõe de rendas de fontes bem variadas, como aposentadorias, transferências do governo, renda do trabalho de outros membros da família etc.

Observou-se uma redução de 5,6% nas outras rendas da família, de uma média de R$ 359 quando do primeiro empréstimo do cliente para uma média de R$ 339 em dezembro de 2006. Entre as possíveis interpretações estão reduções de transferências governamentais devido à emancipação de clientes, ou a prosperidade dos negócios, que pode ter gerado concentração de esforços de outros membros da família no empreendimento do cliente, abrindo conseqüentemente mão de outras fontes de renda.

Os valores medianos das rendas de outras fontes, por sua vez, apresentaram aumento entre os períodos, de R$ 156 para R$ 200, demonstrando que a redução na média deveu-se à redução na renda de outras fontes dos clientes nas quais estas eram mais elevadas.

Com a exceção dos clientes viúvos, que recebiam mais (R$ 350 no segundo momento), e dos com mais de 60 anos (R$ 339), provavelmente por conta de pensões, e dos jovens com 10 a 19 anos, que recebiam menos (R$ 197), os demais grupos receberam valores semelhantes, assim como as demais faixas etárias, estados civis, homens e mulheres etc.

Clientes com maior nível de escolaridade também apresentaram receitas de outras fontes mais elevadas (R$ 486 no segundo momento), provavelmente devido a um mecanismo de seleção (*assortative mating*) que fez com que se tivessem casado com cônjuges com escolaridade também maior e, portanto, maiores rendas.

Outras despesas da família

Examinemos agora outras despesas da família — despesas não relativas à manutenção do negócio, ou seja, relativas não à pessoa jurídica, e sim ao lado pessoa física dos clientes e demais membros de sua família, como despesas com moradia, educação, saúde, alimentação, entre outras.

Diferentemente do valor médio do total de outras receitas da família, que diminuiu entre os períodos analisados, verificou-se um aumento de 28,2% nas despesas pessoais dos clientes e de suas famílias, que em média se elevaram de R$ 364 para R$ 466, assim como em seus valores medianos, que também aumentaram, embora um pouco menos (22,8%), de R$ 289 para R$ 355. Nesse caso, pode-se concluir que os maiores aumentos no consumo se deram nas famílias dos clientes que já apresentavam maior consumo.

Essas despesas, que correspondem ao consumo pessoal, provavelmente se elevaram à medida que a renda do trabalho também se elevou, isto é, os consumidores de alguma forma adequaram seu padrão de consumo a uma nova realidade de renda, seja porque avaliaram o crescimento de sua renda como permanente, seja porque o consumo simplesmente acompanhou o crescimento na renda corrente dos agentes.

Essas despesas aumentaram com a faixa etária do cliente, sendo mais elevadas para clientes com mais instrução, assim como para as famílias dos clientes do sexo masculino e para os casados. Pôde-se observar, além disso, um crescimento aproximadamente uniforme nessas despesas entre os diversos segmentos.

Capacidade de pagamento mensal e capacidade real

A capacidade de pagamento mensal corresponde, como vimos, ao restante do total da renda de todas as fontes depois do consumo pessoal, isto é, à poupança. Entretanto, representa também o montante absoluto que está disponível para o pagamento da prestação referente ao empréstimo do programa CrediAmigo.

Outra medida disponível na base de clientes do programa é a capacidade real, que corresponde, na verdade, a uma medida subjetiva atribuída pelo funcionário do banco ao cliente, e que inclui a capacidade mensal de pagamento, assim como critérios subjetivos baseados em outras informações observáveis, como qualidade dos controles administrativos.

Houve um substancial aumento na capacidade de pagamento entre os períodos analisados, que se elevou em média 30,4%, passando de R$ 920 para R$ 1.199, assim como na capacidade real, que se ampliou 49,3%, de R$ 698 para R$ 1.043, fruto tanto do aumento na capacidade de pagamento objetiva quanto de uma melhoria dos controles administrativos e da administração dos negócios, segundo julgamento dos funcionários do banco. Os valores medianos também aumentaram substancialmente, o da capacidade de pagamento objetiva em 40%, de R$ 760 para R$ 1.065, e o da capacidade real em 48%, de R$ 430 para R$ 637.

Clientes com menos de 29 anos apresentaram uma capacidade de pagamento menor que os demais, e os com menos de 19 anos, um crescimento bem menor que os de até 29 anos (de R$ 720 para R$ 797, contra R$ 790 para R$ 1.022). As demais faixas etárias apresentaram trajetória semelhante, de aproximadamente R$ 950 para cerca de R$ 1.250.

Os homens mostraram em média maior capacidade de pagamento do que as mulheres — R$ 844 e R$ 1.040 no primeiro período e R$ 1.099 e R$ 1.359 no segundo, respectivamente. Da mesma forma, os clientes mais instruídos também levaram vantagem sobre os clientes com escolaridade menor. Enquanto, no final de 2006, a capacidade de pagamento mensal dos clientes com 1º grau completo era de R$ 1.101 (capacidade real de R$ 673), a dos clientes com 2º grau era de R$ 1.404 (R$ 863).

Clientes com negócios em ponto comercial apresentaram capacidade de pagamento mensal superior aos demais, com R$ 1.717 (R$ 1.056), seguidos dos clientes com barracas ou bancas, com R$ 1.205 (R$ 735), dos com negócios na própria casa, com R$ 960 (R$ 588), e dos prestadores de serviço a domicílio, com R$ 778 (R$ 472), para citar os mais representativos. Outra estatística que se pode extrair dos dados é que clientes com negócios fixos possuem uma capacidade de pagamento de R$ 1.341 (R$ 824), muito mais elevada que a dos clientes que possuem negócios ambulantes, com apenas R$ 812 (R$ 489).

Cabe ressaltar que, nas análises em que houve substancial mudança na composição dos clientes entre os grupos analisados, como é o caso de estrutura física do negócio, número de trabalhadores, tipo de negócio e setor de atividade, não faz muito sentido se falar em evolução das médias por categoria, uma vez que se trata de grupos compostos por indivíduos diferentes.

Desempenho medido em termos de estoque

Passemos agora à análise do balanço patrimonial dos clientes, que envolve tanto a pessoa jurídica quanto a pessoa física, uma vez que estas não são dissociadas no caso de microempreendimentos.

Ativos

Como se sabe, *ativo total* é a soma do *ativo circulante* — que envolve o caixa do negócio, dinheiro em conta corrente e poupança, contas a receber de terceiros e estoques — com o *ativo imobilizado produtivo* — que inclui imóveis, máquinas, utensílios e veículos utilizados no negócio — e os *ativos da família* — que incluem terrenos, casa e outros bens não utilizados diretamente no negócio e, sim, pelo lado pessoa física do cliente e sua família. Temos a seguir o lado do ativo do balanço patrimonial dos clientes do programa, com os valores representando a média de cada rubrica.

Tabela 5
Tabelas bivariadas

Balanço patrimomial – Ativos	1º período	2º período	Variação (%)
Ativo total (I + II + III)	20.987	24.782	18,1
Ativo circulante (I)	3.956	5.430	37,3
Caixa, bancos, poupança	335	416	24,2
Contas a receber de terceiros	1.154	1.188	2,9
Estoques	4.150	6.046	45,7
Outros	28	11	–60,7
Imobilizado (produtivo) (II)	5.080	5.425	6,8
Imóveis	2.375	2.185	–8,0
Máquinas e equipamentos	755	894	18,4
Móveis e utensílios	375	484	29,1
Veículos	1.509	1.807	19,7
Outros	91	32	–64,8
Ativos da família (III) (Terrenos, casas)	11.951	13.927	16,5

Como se pode observar pelo balanço, a média do ativo total de um cliente do CrediAmigo apresentou considerável crescimento de 18,1%, começando em R$ 20.987, no momento de sua adesão ao programa, e alcançando o valor de R$ 24.782 em dezembro de 2006. O cliente mediano, por sua vez, experimentou um incremento de 39% no valor de seu ativo total, o que demonstra que houve convergência entre os ativos dos clientes do programa, isto é, uma melhoria relativa dos que tinham ativos mais reduzidos.

Destes, o total médio do ativo circulante, que era de R$ 3.956, passou para R$ 5.430 — um aumento de 37%; o imobilizado produtivo passou de R$ 5.080 para R$ 5.425 — um aumento de 6,8%; e os ativos da família passaram de R$ 11.951 para R$ 13.927 — um aumento de 16,5%. Com isso, o ativo circulante, que representava 18,8% quando da entrada do cliente no programa, passou a 21,9% do ativo total; o ativo imobilizado, que representava 24,2% quando da entrada no programa, passou a 21,9% do ativo total; e os ativos da família, que representavam 56,9% quando da entrada no programa, passaram a 56,2% do ativo total.

O ativo circulante mediano aumentou 52%, de R$ 2.130 para R$ 3.247, enquanto o imobilizado aumentou 27,4%, de R$ 2.230 para R$ 2.843, e os ativos da família 49,7%, de R$ 8.130 para R$ 12.177. Vê-se então que os principais responsáveis pela redução da desigualdade entre os clientes foram principalmente os ativos da família, que experimentaram maior aumento nas famílias com menos ativos.

Efetuando uma análise ainda mais profunda no tocante aos componentes do ativo circulante, observou-se que os recursos mais líquidos, em caixa, conta corrente e poupança, aumentaram 24,2%, de R$ 335 para R$ 416, as contas a receber de terceiros apenas 2,9%, de R$ 1.154 para R$ 1.188, e os estoques de R$ 4.150 para R$ 6.046, sendo os que apresentaram aumento mais substancial, de 45,7%, o que pode se dever, porém, a questões cíclicas de sazonalidade.

O imobilizado, que não sofreu substancial alteração entre os períodos, tampouco sofreu alteração em sua composição: com a exceção dos imóveis, cujo valor médio decresceu de R$ 2.375 para R$ 2.185, todos os demais tiveram um aumento de valor, as máquinas e equipamentos de R$ 755 para R$ 894, os móveis e utensílios de R$ 375 para R$ 484 e os veículos de R$ 1.509 para R$ 1.807.

Passivos

O *passivo total*, por sua vez, consiste na soma do *passivo circulante* — que inclui os financiamentos em geral, tanto do programa CrediAmigo quanto de outras fontes, dívidas com fornecedores e adiantamentos de clientes, entre outras dívidas de curto prazo — com o *passivo exigível a longo prazo* — que envolve dívidas de prazo mais longo — e os *recursos próprios* do cliente investidos no negócio, ou *patrimônio líquido*. Segue-se o lado do passivo da média do balanço patrimonial dos 196 mil clientes da amostra.

Tabela 6

Tabelas bivariadas

Balanço patrimonial — Passivos	1º período	2º período	Variação (%)
Passivo total (I + II + III)	20.987	24.782	18,1
Passivo circulante (I)	529	717	35,5
Financiamento CrediAmigo	4	75	1.775,0
Outros financiamentos	51	40	–21,6
Fornecedores	441	578	31,1
Adiantamento de clientes	8	8	0,0
Outros	26	24	–7,7
Exigível a longo prazo (II)	76	47	–38,2
Patrimônio líquido (III)	20.380	24.024	17,9

O passivo total dos clientes variou 18,1%, de R$ 20.987 para R$ 24.782, em função das seguintes variações em seus componentes: o passivo circulante aumentou 35,5%, de R$ 529 para R$ 717; o passivo exigível de longo prazo reduziu-se 38,2%, de R$ 76 para R$ 47; e o patrimônio líquido se ampliou 17,9%, de R$ 20.380 para R$ 24.024. Como se pode observar, a maior parte do capital dos clientes — 97,1% no primeiro período e 96,9% no segundo — consiste em recursos próprios.

Uma análise mais detalhada do passivo dos negócios dos clientes do programa reveste-se de especial importância, uma vez que envolve diretamente a análise da variação da importância relativa do financiamento do programa entre as formas possíveis de financiamento. Enquanto o valor médio total de financiamento proveniente do CrediAmigo aumentou substancialmente, de R$ 4 para R$ 75, o total dos demais financiamentos de curto prazo diminuiu de R$ 51 para R$ 40 e os financiamentos de longo prazo, de R$ 76 para R$ 47.

Desconsiderando o capital próprio dos clientes — o patrimônio líquido — e levando em conta apenas os demais componentes e subcomponentes, isto é, a parte do capital dos negócios adquirida através de diferentes formas de endividamento, verificou-se uma variação na composição destes entre os dois períodos. Em termos de composição percentual, houve um incremento na participação dos financiamentos do programa CrediAmigo, de 0,7% para 9,8%, e dos fornecedores, de 73% para 75,7%, e uma redução da participação de outros financiamentos, de 8,4% para 5,2%, e de financiamentos a prazo mais longo, de 12,6% para 6,2%. Refazendo-se essa conta para retirar a participação dos fornecedores, uma vez que a afirmação de que esse componente consiste em se financiar por endividamento é um tanto discutível, e também a rubrica "outros", chega-se aos seguintes números: a participação do financiamento do programa CrediAmigo foi ampliada de 3,1% para 46,3%, tornando-se a principal fonte de capital por endividamento direto, seguida por financiamentos exigíveis de longo prazo, cuja participação declinou de 58% para 29%, e por outros financiamentos de prazo mais curto, que também perderam participação, de 39% para 24,7%.

Desempenho medido em termos de índices

Os dados mostram que a lucratividade média dos empreendimentos dos clientes do programa CrediAmigo manteve-se relativamente constante entre os períodos analisados — data de entrada no programa e 31 de dezembro de 2006.

A margem de lucro bruta, calculada como a razão entre o lucro bruto dos negócios e as vendas, manteve-se praticamente a mesma, variando de 37% para 37,2%. A margem de lucro operacional — razão entre o lucro operacional dos negócios e as vendas — também praticamente não se alterou, variando de 31% para 31,5%. A margem líquida — razão entre o lucro líquido e as vendas — também só se modificou marginalmente, de 29,2% para 29,3%. Cabe destacar, entretanto, que essa relativa estabilidade nas margens de lucro mostra apenas uma faceta da realidade, já que, na verdade, todas as medidas de lucro experimentaram grande aumento em valores absolutos no período, assim como as vendas, que cresceram praticamente na mesma proporção.

As duas medidas de retorno utilizadas apresentaram maior alteração. O retorno sobre o investimento (ROI), que corresponde à razão entre o lucro líquido (capacidade de pagamento mensal) e os ativos totais, teve um incremento de 4,4% para 4,8%, enquanto o retorno sobre o patrimônio líquido — que corresponde à razão entre o lucro líquido (capacidade de pagamento mensal) e o patrimônio líquido — passou de 4,5% para 5%. Se, porém, o lucro líquido for calculado como a soma da capacidade de pagamento mensal com outras despesas da família, chega-se a valores do ROI de 6,3% e 6,9% e do retorno sobre o patrimônio líquido de 6,1% e 6,7% nos dois períodos. Todos valores bastante elevados de retorno de investimento.

Já no que diz respeito a medidas de liquidez, foram calculados dois tipos de índices: o índice de liquidez corrente e o índice de liquidez seco, referentes à média dos dois períodos. Houve um incremento pequeno no índice de liquidez corrente, que consiste na razão entre o ativo circulante e o passivo circulante, de 7,48% para 7,57%, assim como no de liquidez seco — razão da diferença entre os dois componentes dos ativos, o ativo circulante e os estoques, e o passivo circulante — de 3,03% para 2,18%. A idéia por trás da exclusão dos estoques na confecção do índice seco é que os estoques correspondem ao ativo circulante menos líquido. A escolha do mais adequado entre os dois como medida de liquidez depende, portanto, da facilidade de os ativos serem convertidos em caixa. Se eles forem suficientemente líquidos, o índice de liquidez corrente será a medida de liquidez global preferível. Essa tendência observada entre os períodos quer dizer, intuitivamente, que os empreendimentos tiveram aumento marginal em sua capacidade de satisfazer suas obrigações, de curto prazo, na data de vencimento.

No que concerne a medidas de endividamento, verificou-se um aumento no endividamento quando medido pelo índice de exigíveis totais — que corresponde à razão entre o exigível total, isto é, a soma do passivo circulante com os exigíveis de longo prazo, e o ativo total — de 2,9% para 3,1%, e uma redução quando medido pelo índice de empréstimos de longo prazo, que considera a razão entre os empréstimos de longo prazo e o patrimônio líquido, de 0,4% e 0,2%. Uma característica que vale a pena destacar desses pequenos empreendimentos é o valor bastante inexpressivo da rubrica exigível de longo prazo, demonstrando que grande parte dos empréstimos tem por característica prazos reduzidos. Esse valor muito reduzido do índice de exigíveis totais se explica pelo fato observado acima, de que a proporção mais expressiva do capital desses pequenos negócios é oriunda de recursos próprios.

Um julgamento normativo acerca da magnitude desses diversos indicadores depende enormemente da indústria em questão. Por conseguinte, como estamos tratando da média dos diversos empreendimentos de áreas distintas, não é possível interpretar de forma normativa as magnitudes absolutas desses indicadores.

Análise de diferenças-em-diferenças do lucro

Uma insuficiência da análise realizada do CrediAmigo é a falta de referência externa. É preciso comparar o desempenho dos clientes do programa com o de um grupo de controle local, pois a economia brasileira, e a nordestina em particular, apresentou crescimento acima da média nacional até o final de 2007.[2] Optou-se aqui por utilizar como controle, inicialmente, as unidades de trabalhadores por conta própria e empregadores da Pesquisa Mensal do Emprego (PME).

Para se chegar ao desempenho relativo, foram analisados os movimentos do lucro dos pequenos empresários em geral *vis-à-vis* a clientela do CrediAmigo. Mais formalmente, a análise das mudanças do lucro indica a natureza do trabalho exercido pelos trabalhadores por conta própria e empregadores. Essas mudanças podem ser calculadas a partir do caráter de painel rotativo da PME e do CrediAmigo. Ou seja, o fato de a PME e o CrediAmigo permitirem o acompanhamento dos mesmos indivíduos e suas empresas por curtos intervalos de tempo (na PME) e por intervalos mais longos (no CrediAmigo), o que possibilita isolar alguns dos impactos econômicos do CrediAmigo.

A limitação maior do exercício aqui proposto é geográfica, pois a PME cobre apenas as sete maiores metrópoles brasileiras e somente a Grande Salvador e o Grande Recife, no Nordeste. Por outro lado, o tamanho da amostra da PME, com cerca de 36 mil domicílios mensais; a

[2] Neri, 2007.

flexibilidade de escolha temporal, em função da disponibilidade mensal até o final de 2007; e principalmente o caráter longitudinal da pesquisa que permite o acompanhamento dos mesmos indivíduos e, portanto dos mesmos negócios ao longo do tempo, justificam essa escolha da PME como grupo de controle.

Como a amostra da base do CrediAmigo envolve as unidades com empréstimos em 31 de dezembro de 2006, trabalhou-se com uma janela temporal de um ano — na amostra, trabalhou-se com indivíduos que entraram no programa ao longo de 2005 e foram observados 12 meses depois, respeitando a estrutura longitudinal da PME, conforme detalhado no capítulo 2. A rigor, a PME permite analisar janelas de um a 16 meses, mas a pesquisa ficou restrita a uma janela gregoriana de um ano para se poder lidar melhor com flutuações sazonais. Cumulativamente, por se trabalhar com um período recente, evitou-se uma seletividade maior da amostra, o que ocorreria se fossem escolhidas datas iniciais de empréstimos anteriores à amostra da PME, que corresponde a 6.812 unidades, enquanto a clientela do CrediAmigo é de 3.894, também observadas nos dois pontos do tempo no intervalo de um ano.

O conceito de desempenho empresarial que a PME oferece é o lucro bruto, captado através do conceito de renda do trabalho de empregadores e de unidades por conta própria. Na verdade, a nova PME oferece duas medidas de lucro: o lucro efetivo, mais no sentido de caixa, referente ao mês anterior à realização da pesquisa, e o lucro habitual, que tira variações extraordinárias. Resolvemos comparar o lucro de clientes do CrediAmigo com ambos os conceitos, a fim de testar a robustez dos resultados encontrados. Uma limitação dos dois conceitos é que na PME, assim como nas Pnads e nos censos demográficos, não há rendas do trabalho negativas, que corresponderiam a um prejuízo econômico e que ocorrem na prática em pelo menos 5% dos resultados analisados.[3] De toda forma, a análise aqui acaba sendo conservadora em relação ao desempenho das unidades nanoempresa-

---

[3] Ver problemas associados à mensuração de prejuízos através da Ecinf no capítulo 6.

riais clientes do CrediAmigo, pelo menos no que tange ao nível dos resultados. Apesar disso, o lucro do CrediAmigo é aproximadamente duas vezes superior aos reportados na PME, R$ 1.711 contra R$ 850. Em termos de variação no período analisado, o lucro dos clientes do CrediAmigo passa de R$ 1.683 para R$ 1.737, contra o decréscimo de R$ 860 para R$ 847 do lucro habitual (e de R$ 861 para R$ 840 do lucro efetivo) das unidades cobertas pela PME, o que revela um diferencial de desempenho.

A análise controlada pelas características colocadas a partir de equações mincerianas de lucro com *dummies* interativas de período e amostra revela um diferencial de desempenho habitual de 7,7% com p-valor de 2,1% dos clientes ativos do CrediAmigo *vis-à-vis* outras unidades cobertas pela PME com atributos socioeconômicos. A mesma comparação para o caso de lucro efetivo sobe para 9,1%, com p valor de 0,8%. Portanto, a análise comparativa de performance aponta para um diferencial de retornos de cerca de 8% ao ano. Cabe lembrar que esses resultados se referem às unidades produtivas situadas nas grandes metrópoles nordestinas no período de dezembro de 2005 a dezembro de 2006.

Como se chegou a um diferencial de desempenho de lucro bruto crescente das clientes em relação aos clientes do CrediAmigo de cerca de 3,9% a favor delas, aplicou-se exercício semelhante aos dois conceitos de lucro da PME tomados isoladamente — equações mincerianas de lucro com *dummies* interativas de período e sexo. Nesse caso, não só os níveis de lucro bruto delas foram 57% menores que os deles como o diferencial de gênero aumentou ao longo do tempo 7,8%, no caso do lucro habitual, e 8,5%, no caso do lucro efetivo, ambos significativos ao nível de 90%. Em suma, enquanto o diferencial de lucros entre mulheres e homens aumenta no caso da amostra da PME, cai no caso dos clientes do CrediAmigo, reforçando a interpretação das microfinanças como um instrumento para a diminuição das desigualdades trabalhistas associadas a gênero. Heuristicamente, o microcrédito, em geral, e o CrediAmigo, em particular, funcionam como fonte de financiamento da chamada revolução feminina ora em curso.

Tabela 7

Comparação entre dados da PME e do CrediAmigo sobre lucro
Regiões metropolitanas de Salvador e Recife

	Pesquisa mensal do emprego				Clientes do CrediAmigo		
	Total	%	Lucro bruto efetivo	Lucro bruto habitual	Total	%	Lucro bruto
Total	6.812	100,00	850.43	853,17	3.894	100,00	1.710,59
Sexo							
Homem	3.976	58,37	1.044.62	1.049,66	1.562	40,11	2.015,19
Mulher	2.836	41,63	578.22	576,93	2.332	59,89	1.506,56
Escolaridade							
Sabe ler e escrever — sem instrução	10	0,15	188.53	229,76	66	1,69	1.227,20
Educação — 1º grau	3.014	44,25	416.89	422,14	2.292	58,86	1.480,99
Educação — 2º grau	2.494	36,61	853.06	850,62	1.460	37,49	2.040,24
Educação — superior	756	11,10	2.848.79	2.889,62	54	1,39	2.797,33
Ignorada	538	7,90	482.68	490,00	22	0,56	2.536,06
Tamanho da empresa							
1 a 4 pessoas	5.998	88,05	645.16	649,19	3.377	86,72	1.745,42
5 pessoas ou mais	814	11,95	2.364.83	2.401,28	52	1,34	1.688,85
Não aplicável					465	11,94	1.460,06
Setor de atividade							
Comércio	2.795	41,03	727.78	725,97	3.768	96,76	1.701,75
Indústria	1.531	22,48	660.61	665,03	26	0,67	3.980,17
Outro	2.486	36,49	1.105.75	1.113,26	100	2,57	1.453,22
Região metropolitana							
Recife	3.224	47,33	810.25	808,16	2.492	64,00	1.467,87
Salvador	3.588	52,67	886.60	894,17	1.402	36,00	2.142,01
Período							
2005	3.406	50,00	860.85	859,62	1.947	50,00	1.683,35
2006	3.406	50,00	840.11	846,82	1.947	50,00	1.737,82

Conclusão

O ponto de partida deste capítulo foi o chamado mistério nordestino, estudado no capítulo 5, que revelou crescimento mais acentuado do crédito para pequenas unidades produtivas urbanas nordestinas do que para outras cidades brasileiras. O fato de o microcrédito se difundir mais nas cidades brasileiras da região mais pobre é admirável, mas, para que isso seja considerado uma virtude, é preciso permitir que as boas oportunidades de negócios floresçam, em detrimento das más. É preciso avaliar não só a eqüidade como a eficiência alocativa da concessão de microcrédito. Nesse ponto, a conclusão é que o CrediAmigo pode ser chamado de o Grameen Bank brasileiro tanto por usar tecnologia similar de aval solidário quanto pelo foco e pelos resultados obtidos pelo programa.

Antes de se traçar o paralelo proposto, é interessante começar pelas ortogonalidades. Há uma diferença básica entre o Grameen e o CrediAmigo. O nome Grameen, que vem de *gram* ou vila, significa, quando adjetivado, rural ou de vila rural, refletindo o seu foco de atuação, enquanto o CrediAmigo é um programa de cobertura urbana. Essa diferença fundamental, porém, não é dos programas, mas do caso brasileiro (e do latino-americano, nesse aspecto) *vis-à-vis* o caso de Bangladesh (e do Sudeste asiático), onde boa parte da população, em particular o produtor pobre, vive no campo. No Brasil, 85,8% da população moram em áreas urbanas (32% em cidades metropolitanas) e apenas 14,2% habitam áreas rurais. É verdade que, como a pobreza rural é maior, uma proporção maior dos brasileiros pobres (30,1%) mora na área rural, mas ainda assim quase 70% dos pobres são urbanos. O foco nordestino garante por si a cobertura de mais da metade dos pobres (53,2%). Em suma, no Brasil, um programa urbano tem potencial de ganhos de bem-estar em geral e de redução da pobreza maiores do que se fosse restrito à área rural. O fato de o CrediAmigo ser urbano reflete uma adaptação à paisagem em que o Grameen tupiniquim está inserido.

A característica mais fundamental de um programa de crédito bem-sucedido é o retorno propiciado aos agentes envolvidos. Se os ganhos da transação penderem muito para o lado dos intermediários financeiros, a transação não é boa para os clientes e pode, ao fim e ao cabo, ser prejudicial ao emprestador por atrair um cliente de pior qualidade, como no exemplo de seleção adversa que deu o Nobel de Economia a Joseph Stiglitz. Por outro lado, se o empréstimo embute *spreads* de juros negativos, como nas experiências de crédito subsidiado, o programa não é sustentável. No caso do CrediAmigo o lucro é positivo, mas não abusivo — em torno de R$ 50 por ano —, o que gera sustentabilidade da relação entre clientes. O CrediAmigo completa 10 anos com movimento ascendente, como quem está começando, projetando taxas de crescimento de sua clientela de cerca de 30% ao ano até 2011 — uma trajetória diversa daquela assumida por programas públicos de curto prazo.

Uma das características mais essenciais do Grameen Bank é sua clientela predominantemente feminina (94%). Os números do CrediAmigo são os seguintes: 62% da clientela são mulheres contra 38% de homens, o que inverte a proporção entre os sexos dos empreendedores urbanos, compostos de 65% de homens e 35% de mulheres. Ou seja, as proporções entre homens e mulheres no CrediAmigo e no segmento de nanoempresários urbanos nordestinos estão basicamente trocadas.

Mais uma vez, o crédito pode chegar mais às mulheres, mas isso não significa que elas façam bom proveito das oportunidades abertas pelo programa. Os dados sobre a performance dos clientes do programa indicam que as mulheres em geral apresentam um lucro operacional 21,17% inferior ao dos homens, embora, entre os dois períodos, tenham apresentado um crescimento relativo de 4,1% acima do dos homens. Esse tipo de resultado é generalizado para as demais variáveis econômicas do negócio. Outro dado a ser destacado refere-se ao aumento das despesas familiares dos clientes, ou seja, àquelas não associadas ao negócio: apesar de serem 12,3% menores nas famílias das microempresárias em relação às dos microempresários, as primeiras tiveram uma melhoria relativa de desempenho de 2,1% em relação aos últimos. O consumo representa um indicador importante do ponto de vista do bem-estar social, na medida em que capta não só a situação de suprimento das necessidades presentes como de expectativas de cumprimento dessas necessidades no futuro. Para além dos atributos comuns entre o CrediAmigo e o Grameen Bank, o foco e o retorno maior obtido pelas mulheres é uma espécie de ponto G do microcrédito nacional.

Segundo nossa avaliação, as pequenas unidades produtivas servidas pelo programa apresentam taxas de crescimento de faturamento e de lucro entre o primeiro e o último empréstimo da ordem de 35%, e taxas de aumento de consumo familiar da ordem de 15%, com redução da dependência de outras fontes de rendas, sem subsídio implícito ou explícito na operação. Exercícios controlados pelas características do empresário e do seu negócio indicam uma melhora significativa das principais variáveis referentes ao desempenho dos negócios, tanto em termos de fluxo quanto de estoque. O lucro bruto médio dos clientes, que era de R$ 1.166, passou para R$ 1.576, um crescimento de 35,1%, resultado de um aumento na média de recebimentos de vendas de 34,6%. A única variável que apresentou redução entre os períodos foi justamente a que não tem relação direta com a ampliação do acesso ao crédito. Houve uma redução de 5,6% nas outras rendas da família, de uma média de R$ 359 quando do primeiro empréstimo do cliente para uma média de R$ 339 em 2006, o que pode ser considerado uma emancipação de outras fontes de renda, incluindo as públicas.

Além disso, verificou-se um aumento de 28,2% nas despesas pessoais dos clientes e suas famílias, que em média passaram de R$ 364 para R$ 466, assim como de seus valores medianos, que também se elevaram, embora um pouco menos (22,8%), de R$ 289 para R$ 355. Uma análise controlada apontou um crescimento de 13% dessas despesas de consumo das famílias entre os períodos.

Já no que se refere às variáveis de estoque, pôde-se observar, pelo balanço, que a média do ativo total de um cliente do CrediAmigo apresentou considerável crescimento de 18,1%, de R$ 20.987 no momento de sua adesão ao programa para R$ 24.782 em dezembro de 2006. O cliente mediano, por sua vez, experimentou um incremento de 39% no valor de seu ativo total, o que demonstra uma convergência entre os ativos dos clientes do programa, isto é, uma melhoria relativa dos que tinham ativos mais reduzidos.

Finalmente, é preciso comparar o desempenho dos clientes do programa com o de um grupo de controle local, pois a economia nordestina tem apresentado crescimento acima da média nacional, pelo menos até o final de 2006. O lucro dos clientes do CrediAmigo passou de R$ 1.210 para R$ 1.965, ficando 27% acima de outros nanoempresários com atributos similares situados nas grandes metrópoles nordestinas.

O lucro do CrediAmigo é mais do que duas vezes superior àqueles reportados na PME, R$ 1.711 contra R$ 850, o que revela uma possível subestimação dos nanonegócios na amostra. De toda forma, o último quesito que falta para que se possa chamar o CrediAmigo de autêntico Grameen tupiniquim é a capacidade de promover a superação da pobreza, o que será analisado separadamente, em detalhe, no próximo capítulo.

8

Condicionantes adicionais para a saída da situação de pobreza: o caso dos clientes do CrediAmigo

Marcelo Azevedo Teixeira
Ricardo Brito Soares
Flávio Ataliba Barreto

> As microfinanças reconhecem que os pobres são um reservatório extraordinário de energia e conhecimento. E, embora a falta de serviços financeiros seja um sinal de pobreza, hoje em dia isso também é entendido como uma oportunidade inexplorada para se criar mercados, aproximar as pessoas que estão à margem e dar-lhes as ferramentas para que se ajudem.
>
> *Kofi Annan*

A ampliação do acesso ao crédito para os mais pobres tem sido apontada na literatura como uma das alternativas para a redução significativa da pobreza. Mas surge uma questão importante nessa discussão: identificar, no caso dos tomadores de microcrédito, que outros elementos importantes podem determinar ou ajudar na saída dessa condição. É oportuno verificar se o financiamento concedido potencializa os atributos dos microempresários de baixa renda, ou se existe diferenciação de retornos entre aqueles indivíduos considerados pobres e que tomaram os empréstimos. Nesse contexto, este capítulo procura gerar algumas respostas para essas perguntas, tendo como estudo de caso os clientes do CrediAmigo que entraram no programa com um nível de renda familiar muito baixo.

O capítulo 9 apresenta uma explanação geral da natureza múltipla das políticas que podem contribuir para o alívio sustentável (ou a superação) de uma situação considerada de pobreza. O processo de fuga desse quadro é tão complexo quanto o seu diagnóstico, e o acesso ao microcrédito pode ser um importante instrumento para impulsionar o indivíduo em direção a níveis de renda mais elevados. Em grande parte, a eficácia do microcrédito depende de sua capacidade de transformar prospecção em retornos, ou seja, de transformar pobres em nanocapitalistas. Essas mudanças dependem, por sua vez, de um conjunto de micro e macrofatores, que variam desde o tipo de programa de microcrédito utilizado até o tamanho do mercado em que o microempresário está inserido.

O programa CrediAmigo do Banco do Nordeste do Brasil oferece uma excelente oportunidade para se investigar os condicionantes que podem facilitar a fuga da pobreza, não só por sua metodologia creditícia se basear em acompanhamento e orientação, mas também por dispor de um conjunto de informações confiáveis sobre o cliente, o crédito, o tipo de negócio e sua localização. Outro atrativo do programa CrediAmigo é sua característica autofinanciadora. O programa não recebe benefícios fiscais, já que o *funding* é de mercado,[1] e todas as demais despesas administrativas são cobertas pelas receitas geradas pelos juros cobrados dos clientes. O programa é tratado internamente como uma unidade de negócios, tendo gestão própria, que produz balanços gerenciais específicos devidamente verificados por auditoria externa.

Base de dados e metodologia

Neste trabalho foi utilizada a mesma base de dados levantada para o estudo do perfil dos clientes, que contém as diversas informações históricas sobre clientes ativos em 31 de dezembro de 2006 e que tinham pelo menos dois fluxos de informações: o primeiro gerado na entrada

---

[1] Os recursos para os empréstimos do CrediAmigo atualmente são captados exclusivamente via depósito interfinanceiro vinculado a operações de microfinanças (DIM), regulamentado pela Resolução nº 3.422 do Banco Central e por contrato de empréstimo entre o BNB e o Banco Mundial.

no programa (condição inicial) e o segundo referente à sua posição final (último registro). Por esse critério foram contabilizados inicialmente um total de 196.692 clientes, que, após uma filtragem por falta de informações relevantes, foram reduzidos para 170.495.[2]

Desse grupo de clientes, mereceram especial atenção apenas aqueles que, ao entrarem no programa, possuíam renda familiar abaixo de determinado nível arbitrariamente definido como linha de pobreza. No entanto, esse procedimento criou duas dificuldades: a primeira relacionada à própria definição de um indivíduo como pobre, ou seja, a linha de pobreza que seria adotada. A segunda referente à falta de informação direta sobre a renda familiar do indivíduo.

A determinação da linha da pobreza era importante, pois a análise seria focada naqueles indivíduos que conseguiram cruzar essa linha após ingressarem no programa. Como as discussões a respeito de possíveis mensurações e adequações são extensas,[3] decidiu-se usar três linhas bastante empregadas no Brasil. A primeira, de meio salário mínimo (LP 1/2 SM), é utilizada como padrão internacional e como referência para alguns programas governamentais. A segunda, elaborada pelo Ipea (LP Ipea), além de usar como referência o salário mínimo, leva em consideração os padrões de vida diferenciados entre os estados. Por fim, uma terceira linha, construída pela FGV (LP FGV), também faz diferenciação de padrões de vida entre regiões, mas é condicionada pelas necessidades nutricionais. A tabela 1 mostra o valor dessas linhas de pobreza em outubro de 2006[4] para cada estado participante do programa CrediAmigo.

---

[2] Foram excluídos todos os beneficiários do produto CrediAmigo Comunidade, voltado para o público de mais baixa renda, mas cuja metodologia de crédito não prevê visita individual a clientes e coleta de informações para mensuração da capacidade de pagamento. Diversos outros dados importantes, como número de familiares residentes ou setor de atividade, não tiveram registro à época da entrada de alguns clientes mais antigos no programa, e estes também foram excluídos da base de dados.

[3] World Bank, 2007.

[4] Todos os valores monetários das informações de empréstimo para o primeiro e o segundo fluxos foram deflacionados para outubro de 2006.

Tabela 1
Linhas de pobreza, out. 2006

Estado	Linhas da pobreza (R$)		
	1/2 SM	Ipea	FGV
Alagoas	175,00	165,60	115,88
Bahia	175,00	169,72	115,88
Ceará	175,00	159,43	115,88
Distrito Federal	175,00	165,60	117,38
Espírito Santo	175,00	131,66	122,13
Maranhão	175,00	165,60	115,88
Minas Gerais	175,00	149,15	122,13
Paraíba	175,00	167,66	115,88
Pernambuco	175,00	178,97	115,88
Piauí	175,00	164,57	115,88
Rio Grande do Norte	175,00	166,63	115,88
Sergipe	175,00	168,69	115,88

Fontes: FGV e Ipea.

Na falta de informações diretas sobre renda familiar, adotou-se uma variável *proxy* determinada pela adição de duas contas do cliente: *lucro operacional* e *outras receitas familiares*. O lucro operacional refere-se exatamente ao valor de retirada do negócio, que, somado a outras receitas familiares, contabiliza a disponibilidade de recursos da família. Como essas informações são coletadas por assessores de crédito treinados pelo BNB com um viés conservador,[5] tudo indica que determinam uma aproximação bastante razoável da renda dos clientes que tomam esses tipos de empréstimos. De posse dessa variável, o procedimento utilizado foi dividir a renda familiar pelo número de pessoas residentes da família, de modo a obter o valor da renda *per capita* familiar.[6]

[5] O viés conservador ocorre, pois a disponibilidade de renda da família é um fator determinante do montante de crédito concedido pelo banco.

[6] Devido ao excessivo número de informações incompletas no primeiro cadastro da operação para a variável do número de familiares, essa variável foi colhida da informação de último fluxo do cliente.

A tabela 2 mostra a matriz de transição dos clientes entre os dois fluxos de registros: entrada no programa e condição atual.

Tabela 2
Matriz de transição da situação de pobreza — clientes do CrediAmigo

Condição de entrada	Condição atual (nº e %)					
	FGV		Ipea		SM	
	Não-pobre	Pobre	Não-pobre	Pobre	Não-pobre	Pobre
Não-pobre	143.469	2.520	115.816	4.726	110.082	5.082
	98,3%	1,7%	96,1%	3,9%	95,6%	4,4%
Pobre	14.905	9.691	24.983	24.970	26.610	28.721
	60,8%	39,2%	50,0%	50,0%	48,1%	51,9%

Número de observações: 170.495.

Pôde-se constatar de início um índice de sucesso de sair da condição de pobreza bastante alentador para o programa CrediAmigo (60,8% para LP FGV, 50% para LP Ipea, e 48,1% para LP SM). Observou-se também que a proporção de clientes em situação inversa, ou seja, reduções de renda ao nível de pobreza, foi muito pequena, sugerindo uma alta eficácia líquida do programa em retirar as pessoas da condição de pobreza na qual se encontravam inicialmente.

Um importante passo era investigar os condicionantes desse sucesso. Para tanto, estimou-se nesta pesquisa um modelo multivariado de probabilidade linear de sucesso para um conjunto de variáveis que incluem, além do tempo de programa, características individuais e familiares (idade, nível educacional, gênero e tipo de domicílio), características do negócio (estrutura, tempo de atividade, setor, tipo de controle administrativo e prazo de venda), características do empréstimo (valor, prazo e participação no empréstimo do grupo solidário) e aspectos regionais (efeito fixo dos estados e renda *per capita* municipal). Uma descrição mais a fundo deste modelo encontra-se no boxe explicativo, e o quadro a seguir apresenta um maior detalhamento conceitual das variáveis utilizadas.[7]

[7] A média das variáveis usadas no modelo encontra-se no "Anexo ao capítulo 8".

Dada a característica heterocedástica do modelo de probabilidade linear, usou-se a correção de White para as covariâncias, como sugerido em Wooldridge (2001). Apesar de esse não ser o único problema presente nesse tipo de estimação,[8] serve bem ao propósito de qualificar os condicionantes iniciais que contribuíram para a saída da condição de pobreza inicial. A variável endógena, portanto, é uma variável dicotômica igual a 1 se o indivíduo conseguiu sair da condição de pobreza, e 0 no caso oposto. Cabe ainda relatar que todas as variáveis explicativas incluídas são referenciadas à época da entrada do indivíduo no programa.

Variáveis explicativas

Categoria	Características
Tempo de programa	*Tempo de programa.* Faixas de seis meses de inclusão no programa contabilizadas a partir da data de entrada (primeiro fluxo).
Indivíduo e família	*Idade.* Idade em anos ao entrar no programa. *Nível educacional.* Condição educacional ao entrar no programa: analfabeto, primeiro grau incompleto, primeiro grau completo, segundo grau incompleto, segundo grau completo, superior incompleto ou superior completo. *Gênero.* Variável binária: 1 = homem, 0 = mulher. *Tipo de domicílio.* Próprio, alugado, emprestado, de familiares ou não informado.
Empresa	*Estrutura física do negócio.* Variável dicotômica: 1 = ambulante, 0 = fixo. *Tempo de atividade.* Quanto tempo o cliente tem de experiência na atividade (informado por ele). *Setor de atividade.* Comércio, indústria ou serviço. *Tipo de controles administrativos.* Variável categórica construída de acordo com a classificação do assessor de crédito do BNB em visita ao negócio: bom, satisfatório, precário e inexistente. *Prazo de venda do cliente.* O cliente pode responder que vende somente à vista, ou a prazo (um a três meses).
Empréstimo	*Valor do empréstimo ou financiamento.* Faixa de valor individual que o cliente recebeu de crédito quando iniciou no programa. *Prazo do empréstimo ou financiamento.* Prazo em meses do empréstimo. *Participação no grupo solidário.* Participação percentual do empréstimo individual no montante do grupo solidário.
Regional	*Estado.* Efeito fixo do estado da federação em que o cliente está localizado. *Renda per capita municipal.* Renda *per capita* do município onde está localizada a atividade produtiva do cliente (2000). Fonte: Ipeadata.

[8] Predições de probabilidades negativas (maiores que 1) e efeitos marginais constantes são outras possíveis incoerências do modelo. Ver Wooldridge, 2001.

De forma simplificada, pode-se considerar, tomando por base as definições propostas por Goldberg (2005), que este modelo é do tipo monitoramento, e não de impacto, uma vez que, nas estimativas, foram investigados apenas os clientes do programa e não se dispõe de informações sobre a performance de não-clientes que possam servir de base de controle para mensurar seus impactos. No entanto, pode-se identificar um padrão de eficácia (mas não de eficiência) do programa de microcrédito caso se observe um retorno crescente segundo o tempo de permanência no programa.[9] Ademais, também é possível constatar possíveis padrões de resultados que sinalizem para a capacidade do indivíduo considerado pobre de gerar retornos a partir dos poucos ativos de que dispõe. Nessa perspectiva, pode-se observar, por exemplo, se entre aqueles indivíduos pobres também existem diferenciações quanto à remuneração do capital humano, físico e social. Essa evidência é sugestiva de que os pobres podem ser vistos como capitalistas potenciais e não apenas como pessoas marginalizadas na sociedade.[10]

Modelo de probabilidade linear

O modelo de probabilidade linear é uma regressão simples, aplicada a uma variável dependente dicotômica do tipo "sucesso" ou "não-sucesso". Considere o seguinte modelo, por exemplo:

$$Yi = \beta_0 + \beta_1 x_{1i} + \beta_2 x_{2i} + \ldots + \beta_k x_{ki} + u_i \qquad (1)$$

Onde x_i é um conjunto de variáveis explicativas e Y é uma variável dicotômica que assume dois valores:
$Y = 1$ se o indivíduo teve um aumento de renda suficiente para ultrapassar a linha da pobreza, ou $Y = 0$ de outra forma. Assumindo, como de

Continua

[9] Esta análise também está presente em Chowdhury, Ghosh e Whight, 2005; e em Goldberg, 2005.
[10] De Soto, 2000.

costume, que $E(u_i) = 0$, temos que a expectativa condicional de Y, dado X, será igual a:

$$E(Yi/x) = \beta_0 + \beta_1 x_{1i} + \beta_2 x_{2i} + \ldots + \beta_k x_{ki} \quad (2)$$

Considerando P_i a probabilidade de $Y_i = 1$ (ou seja, que o indivíduo ultrapasse a linha da pobreza) e $1 - P_i =$ a probabilidade de $Y_i = 0$, o valor esperado de Y, será igual a:

$$E(Yi) = 0(1 - P_i) + 1(P_i) = P_i \quad (3)$$

Comparando as equações (2) e (3), pode-se derivar que a expectativa condicional do modelo será dada por:

$$E(Yi/x) = P(Y = 1/x) = \beta_0 + \beta_1 x_{1i} + \beta_2 x_{2i} + \ldots + \beta_k x_{ki} \quad (4)$$

Dessa forma, temos que os coeficientes β podem ser interpretados como a mudança na probabilidade de sucesso, dada a variação em uma unidade de x.

$$b = \frac{\partial P(Y = 1/x)}{\partial x} \quad (5)$$

Se x for uma variável binária, β é a diferença na probabilidade de sucesso quando $x_i = 1$ e $x_i = 0$, mantendo-se os valores das outras variáveis constantes.

Resultados

Segundo os dados constantes na tabela 3, pode-se verificar inicialmente que são poucas as diferenças qualitativas de retorno das variáveis quando se consideram as diferentes linhas de pobreza apresentadas. Essa constatação é um forte indicativo da robustez dos resultados comentados a seguir. Para simplificar, a análise será centrada em algumas variáveis consideradas mais relevantes para os questionamentos levantados na introdução deste trabalho. Evidentemente, os outros resultados ficam disponíveis para a reflexão do leitor.

Um importante resultado verificado é que a velocidade de saída da situação de pobreza entre os clientes do CrediAmigo é bastante elevada. A probabilidade de um cliente ultrapassar as linhas de pobreza especificadas aumenta consideravelmente a cada seis meses, quando ele se mantém como cliente ativo. Aqueles indivíduos com mais de cinco anos no programa têm uma probabilidade maior de deixar essa situação, variando essa probabilidade de 35,72% a 40,69%, dependendo da linha utilizada, em relação aos clientes novos. Isso nos dá uma velocidade média anual de saída em torno de 7-8%.[11] Esse resultado sugere uma eficácia dupla do programa, que, além de servir como importante instrumento de fornecimento de capital financeiro ao pobre, também cria condições para a ampliação de um capital social prestando acompanhamento e assistência de crédito.

Quanto às características individuais, pode-se destacar a influência positiva da educação na fuga da pobreza. Essa constatação indica que, mesmo entre os mais pobres, o capital humano é relativamente remunerado de acordo com o que acontece em setores formais mais capitalizados. Outros resultados também sugerem retornos diferenciados com relação a colaterais e habilidades organizacionais. Indivíduos que, ao entrarem no programa, possuíam domicílio próprio ou uma estrutura de negócio fixo têm maior probabilidade de sair da pobreza do que aqueles sem residência própria (ou alugada),[12] ou aqueles com um negócio ambulante. Também os que entraram no programa com um adequado controle administrativo mostraram ter maiores probabilidades de melhora substancial de renda em comparação com aqueles sem qualquer controle.

[11] Vale ressaltar, por exemplo, que Chowdhury, Ghosh e Whight (2005) estimaram uma média anual de velocidade de saída da pobreza para clientes de microcrédito em Bangladesh da ordem de 3,5-4%. Embora a comparação não seja apropriada pela diferenciação conceitual da pobreza ainda é sugestiva de uma eficácia absoluta elevada.

[12] É interessante observar que aqueles que pagam aluguel têm maior probabilidade de sair da pobreza do que aqueles com domicílio próprio. Nesse caso, pode-se considerar que essa capacidade de pagamento também deve servir como colateral.

Outras evidências apontaram que o valor do primeiro crédito foi positivamente relacionado à saída da pobreza,[13] e que os prazos de pagamento foram negativamente correlacionados. Este último resultado sugere que a metodologia de empréstimos mais curtos, por garantir um acompanhamento mais próximo e com o incentivo de renovações mais rápidas, pode potencializar o efeito do crédito inicial. Finalmente, o tamanho do mercado local, representado pela renda média municipal, mostrou ter uma relação quadrática côncava com a probabilidade de saída da pobreza, significando que a probabilidade de saída é maior em municípios de renda média do que em municípios de renda baixa ou elevada.

Discussão

A eficácia do microcrédito como política de combate à pobreza depende sobremaneira de sua capacidade de catalisar o empreendedorismo latente dos mais pobres. O pior cenário possível nessa premissa seria constatar que nem o programa de microcrédito tem essa capacidade, nem o empreendedorismo se mostra latente entre os pobres. Ou seja, no mercado de microcrédito, não estaríamos preparados para conceder ou receber o microcrédito. Este trabalho mostra evidências contrárias a esse cenário pessimista.

Observando a performance dos clientes do CrediAmigo que entraram no programa com renda familiar abaixo das linhas de pobreza consideradas, foram encontrados padrões de remuneração de ativos (físicos ou capacitadores) que se assemelham a qualquer outro de um empresário do topo da pirâmide. Percebeu-se também que, entre os mais pobres, o capital humano, a estrutura organizacional e outros colaterais provocam remunerações relativas diferenciadas. Essa evidência sinaliza a viabilidade de uma estratégia múltipla de política de parcerias e não apenas de amortização do estoque de pobreza.

[13] Vale ressaltar, no entanto, que a função do empréstimo inicial como um todo se mostrou côncava.

Tabela 3
Modelo de probabilidade linear para o sucesso em ultrapassar a linha da pobreza

	LP FGV (R$ 117,04)[1]	LP Ipea (R$ 162,77)[1]	LP SM (R$ 175,00)
Tempo de programa			
6-12 meses	0,1282**	0,1045**	0,1035**
	(11,03)	(13,40)	(14,13)
13-18 meses	0,1910**	0,1709**	0,1613**
	(10,05)	(13,13)	(13,13)
19-24 meses	0,2470**	0,2133**	0,2066**
	(12,03)	(14,94)	(15,29)
25-30 meses	0,2967**	0,2380**	0,2411**
	(10,74)	(12,09)	(12,93)
31-36 meses	0,3512**	0,3098**	0,3122**
	(12,04)	(14,89)	(15,82)
37-42 meses	0,3885**	0,3050**	0,3038**
	(10,86)	(11,77)	(12,32)
43-48 meses	0,4268**	0,3301**	0,3342**
	(11,51)	(12,14)	(12,91)
49-54 meses	0,4460**	0,3692**	0,3745**
	(10,08)	(11,21)	(11,93)
55-60 meses	0,4304**	0,3485**	0,3681**
	(9,24)	(10,03)	(11,13)
Mais de 60 meses	0,4069**	0,3572**	0,3832**
	(7,57)	(8,78)	(9,85)
Características individuais			
Idade	0,0012	–0,0023*	–0,0032**
	(0,76)	(2,05)	(2,96)
Idade	–0,0000	0,0000	0,0000*
	(1,21)	(1,12)	(2,04)
Masculino	0,0259**	0,0188**	0,0190**
	(3,93)	(3,97)	(4,24)
1º grau incompleto	0,0933**	0,0619**	0,0613**
	(6,70)	(5,86)	(6,11)
1º grau completo	0,1216**	0,0961**	0,0925**
	(7,69)	(8,14)	(8,26)
2º grau incompleto	0,1419**	0,1022**	0,0998**
	(7,52)	(7,27)	(7,47)
2º grau completo	0,1320**	0,1098**	0,1170**
	(8,40)	(9,35)	(10,50)

Continua

	LP FGV (R$ 117,04)[1]	LP Ipea (R$ 162,77)[1]	LP SM (R$ 175,00)
Superior incompleto	0,1528**	0,1561**	0,1476**
	(4,37)	(6,44)	(6,45)
Superior completo	0,1941**	0,1359**	0,1620**
	(6,30)	(6,00)	(7,64)
Domicílio alugado	0,0087	0,0225**	0,0180**
	(0,86)	(3,08)	(2,59)
Domicílio de parentes	–0,0974**	–0,1281**	–0,1315**
	(7,48)	(13,30)	(14,44)
Domicílio de outros	–0,0333**	– 0,0426**	–0,0386**
	(2,78)	(5,07)	(4,83)
Domicílio emprestado	–0,0328*	–0,0334**	–0,0197+
	(1,99)	(2,66)	(1,65)
Características do negócio			
Tempo de atividade	–0,0002	–0,0003	–0,0001
	(0,33)	(1,10)	(0,28)
Tempo de atividade	0,0000*	–0,0000	–0,0000
	(2,18)	(1,38)	(0,51)
Contr. adm. precário	0,0161*	0,0108+	0,0075
	(2,04)	(1,82)	(1,32)
Contr. adm. bom	0,0223+	0,0228*	0,0205*
	(1,79)	(2,51)	(2,36)
Contr. adm. satisfatório	0,0520**	0,0515**	0,0523**
	(5,71)	(7,70)	(8,22)
Negócio ambulante	–0,0240**	–0,0350**	–0,0345**
	(3,89)	(7,74)	(8,05)
Vendas a prazo[1]	0,0176*	0,0061	0,0077
	(2,44)	(1,17)	(1,57)
Vendas a prazo	0,0230+	0,0167+	0,0196*
	(1,89)	(1,93)	(2,38)
Vendas a prazo	0,0648+	0,0864**	0,0648**
	(1,65)	(3,37)	(2,64)
Indústria	–0,0226	–0,0079	–0,0023
	(1,48)	(0,69)	(0,21)
Serviços	–0,0068	–0,0147	–0,0092
	(0,50)	(1,48)	(0,99)
Características do empréstimo			
Valor: R$ 200-300	0,0931**	0,0784**	0,0702**
	(8,47)	(8,87)	(8,38)

Continua

	LP FGV (R$ 117,04)[1]	LP Ipea (R$ 162,77)[1]	LP SM (R$ 175,00)
Valor: R$ 301-400	0,1601**	0,1452**	0,1405**
	(14,23)	(16,50)	(16,90)
Valor: R$ 401-500	0,2053**	0,2065**	0,1985**
	(16,77)	(22,13)	(22,58)
Valor: R$ 501-600	0,2275**	0,2393**	0,2396**
	(15,78)	(23,47)	(25,01)
Valor: R$ 601-700	0,2718**	0,2462**	0,2628**
	(10,65)	(16,03)	(18,63)
Valor: R$ 701-800	0,2630**	0,2956**	0,2933**
	(7,84)	(15,07)	(16,24)
Valor: mais de R$ 800	0,1981**	0,2945**	0,2937**
	(4,82)	(14,88)	(16,75)
Part. empréstimo do grupo	–0,0019**	–0,0011**	–0,0015**
	(4,47)	(3,75)	(5,18)
Prestações: 4 meses	–0,0201**	–0,0307**	–0,0322**
	(2,84)	(5,07)	(6,77)
Prestações: 5 meses	–0,1369**	–0,0982**	–0,0959**
	(8,07)	(8,06)	(8,49)
Prestações: 6 meses	–0,0209	–0,0295**	–0,0242**
	(1,60)	(3,02)	(2,60)
Prestações: mais de 6 meses	–0,0486*	–0,0321+	–0,0397*
	(2,00)	(1,70)	(2,20)
Controle temporal			
D1999	–0,0771**	–0,0515*	–0,0083
	(4,12)	(2,11)	(0,34)
D2000	–0,1944**	–0,2072**	–0,1602**
	(7,38)	(7,78)	(6,06)
D2001	–0,2014**	–0,2154**	–0,1608**
	(7,92)	(8,28)	(6,24)
D2002	–0,2564**	–0,2470**	–0,1906**
	(6,42)	(7,06)	(5,57)
D2003	–0,2335**	–0,2287**	–0,1621**
	(5,01)	(5,72)	(4,16)
D2004	–0,2165**	–0,2310**	–0,1598**
	(4,19)	(5,35)	(3,81)
D2005	–0,2116**	–0,2513**	–0,1788**
	(3,83)	(5,53)	(4,06)

Continua

	LP FGV (R$ 117,04)[1]	LP Ipea (R$ 162,77)[1]	LP SM (R$ 175,00)
D2006	–0,2732**	–0,2938**	–0,2159**
	(4,76)	(6,30)	(4,78)
Características regionais			
Alagoas	0,1271**	0,1229**	0,1341**
	(8,81)	(11,94)	(13,78)
Maranhão	0,0791**	0,0535**	0,0745**
	(6,94)	(6,76)	(10,01)
Rio Grande do Norte	0,1448**	0,1816**	0,2115**
	(8,92)	(16,21)	(20,24)
Espírito Santo	–0,2277	–0,0592	0,1732
	(1,01)	(0,33)	(1,56)
Piauí	0,1201**	0,1251**	0,1345**
	(8,58)	(12,97)	(14,76)
Pernambuco	0,0328**	–0,0127+	0,0379**
	(3,29)	(1,74)	(5,27)
Bahia	0,0884**	0,0754**	0,1100**
	(7,55)	(9,24)	(14,07)
Minas Gerais	–0,0218	0,0390**	0,0502**
	(1,37)	(3,10)	(4,46)
Sergipe	0,0633**	0,0338**	0,0658**
	(4,79)	(3,38)	(6,83)
Paraíba	0,1191**	0,1012**	0,1253**
	(11,13)	(12,62)	(16,32)
Renda *per capita* municipal (R$ 100)	0,0308	0,0833**	0,0627**
	(1,60)	(5,98)	(4,77)
Renda *per capita* municipal² (R$ 100)	–0,0011	–0,0166**	–0,0100**
	(0,22)	(4,42)	(2,83)
Constante	0,3080**	0,3135**	0,2382**
	(4,50)	(5,81)	(4,61)
Observações	24.506	49.953	55.331
R^2	0,17	0,15	0,15

Estatística t-White robusto entre parênteses.

+ Significante a 10%; * significante a 5%; ** significante a 1%.

Categorias-base: tempo de programa inferior a seis meses, sexo feminino, analfabeto, domicílio próprio, controle administrativo inexistente, negócio fixo, apenas vendas à vista, setor comércio, empréstimo inferior a R$ 200,00 (out. 2006), pagamento de prestações em três meses ou menos, entrada no programa anterior a 1999, estado do Ceará.

[1] Média da linha de pobreza de cada estado.

9

Nanocrédito e combate à pobreza

Marcelo Neri

> O microcrédito oferece a possibilidade e a esperança a muitos pobres de melhorarem suas condições de vida por esforço próprio
>
> *Stanley Fisher*

A melhora das condições econômicas da população associada à participação no CrediAmigo é mais geral do que a cauda inferior da distribuição, como já vimos. Apesar de o programa estar bem focado na população pobre, existe espaço para que o CrediAmigo aumente seu impacto em termos de redução da pobreza. A expansão da transferência de renda em áreas mais pobres propicia uma nova agenda de políticas de natureza estrutural que talvez permita abrir as chamadas portas de saída da pobreza, levando o microcrédito até onde este nunca chegou antes. Combinar o aspecto compensatório de programas como o Bolsa-Família com programas de crédito, através da medida administrativa relativamente simples de permitir a consignação, pode fazer com que o beneficiário deixe de ser pobre e aproveite as oportunidades criadas pelo próprio programa nas áreas de saúde e educação, determinantes da produtividade individual, assim como a injeção monetária proporcionada à economia local. Cada beneficiário poderá então aproveitar oportunidades produtivas mais a altura de suas possibilidades. A Argentina começou agora a experimentar um programa de bancarização, a partir de seus programas sociais, que está sendo avaliado pelo BID e deveria ser acompanhado com atenção pelos economistas sociais brasileiros.

O norte aqui perseguido é o segmento mais pobre e informal brasileiro. A ação desejada é ir — e voltar — com o microcrédito até onde este nunca foi — e voltou — antes. O fato de o CrediAmigo conhecer o segmento produtivo das cidades de renda mais baixa do país como nenhuma outra instituição, pública ou privada, sem perder de vista as melhores práticas internacionais de colaterais alternativos, lhe confere uma posição ímpar para chegar à pobreza, sem perder o caminho de volta. Obviamente, a busca dessa nova fronteira envolve formidáveis dilemas. Como atingir os mais pobres dos pobres, permitindo-lhes sair com as próprias pernas de níveis de subsistência e estilos de vida subterrâneos e, ao mesmo tempo, garantir a visibilidade de informações e a compatibilidade de incentivos ao pagamento dos empréstimos, e a sustentabilidade do programa. A meu ver, o trajeto rumo à superação da pobreza passa pelo estreitamento de relações, pela soma de esforços, pela partilha de informações e caminhos com os programas sociais existentes, como o Bolsa-Família, que almejam o mesmo destino. Os serviços levados aos pobres têm que ser cada vez mais adaptados às necessidades e às possibilidades do público mais pobre. Pelo tamanho requerido, os denomino aqui nanocréditos, acompanhados de um leque cada vez maior de outros serviços do ramo das nanofinanças. Este capítulo aborda a relação entre crédito e combate à pobreza do ponto de vista conceitual e de desenho de políticas públicas.

Contexto

O Brasil está há duas décadas e meia sem crescer de maneira sustentável. Nesse ínterim, ocorreram alguns surtos de expansão, bolhas e não *booms* sustentáveis: 1980, 1986, 1089, 1994, que possibilitaram a alguns dos indianos de nossa Belíndia a adoção de padrões consumistas belgas.[1] Em 1986, registrou-se o episódio mais pungente, o cruzado.[2] A queda

[1] Excesso de demanda e estabilização macroeconômica definitivamente não combinam. Além de movimentos distributivos em direção a indivíduos pobres com maiores propensões ao consumo, houve a conversão da riqueza financeira previamente acumulada em consumo. Inspirado no fracasso do cruzado, o Plano Collor circunscreveu essa possibilidade, seqüestrando, em 1990, ativos financeiros. O resultado dessa invasão microeconômica com objetivos macroeconômicos foi a maior recessão da história estatisticamente documentada e a conquista de alguns pontos a mais no prêmio de risco do país.

[2] A ascensão e a queda do *boom* do cruzado é encontrada em Neri, 1990.

da desigualdade de renda em 1986 foi tão rápida quanto o seu posterior retrocesso. A euforia foi fugaz, pois a mudança observada na distribuição dos fluxos de renda não encontrou eco nos estoques de riqueza. As mudanças nos rendimentos dos miseráveis não foram acompanhadas de alterações no seu capital produtivo. Se a capacidade de produção da economia não é alterada por correspondente aceleração de investimento, o processo se estanca.

A resistência observada no curso da discussão das reformas reflete a alta inércia da iniqüidade nacional. Estivemos por pelo menos quatro décadas consecutivas no pódio do *ranking* mundial da iniqüidade, assim como já estivemos no topo da inflação mundial de 1960 a 1995. Uma das causas fundamentais da desigualdade inercial brasileira são transferências de renda às avessas patrocinadas pelo Estado. Tal como no caso da luta contra a inércia inflacionária, a luta contra a desigualdade inercial se dá inicialmente no redirecionamento das políticas de rendas do Estado. Contudo, é preciso evitar um populismo fugaz, isto é, ir além da focalização dos fluxos de gastos correntes. É preciso dar persistência ao foco, alterando os fluxos de renda futuros, que são outra expressão do estoque de riqueza.

Já ocorreram várias bolhas de consumo dos miseráveis, incluindo a própria lua-de-mel com o Plano Real. *Booms* de investimento dos produtores pobres, porém, ainda é coisa inédita neste país. Se o Brasil quiser atacar a inércia da sua desigualdade terá que intensificar a redistribuição de riqueza através de educação de qualidade e da distribuição fundiária rural e urbana. É essencial ressuscitar o capital dos pobres através de políticas de regularização fundiária, assim como a implementação de políticas de serviços no apoio à acumulação de capital do produtor nanico, pobre e informal. São necessárias ainda políticas inteligentes, que façam os fluxos de renda e os estoques de riqueza dos pobres caminharem na mesma direção, como o Bolsa-Família.

Além de redistribuir riqueza, é indispensável que esta tenha rentabilidade nas mãos dos pobres de hoje. Revoluções socialistas podem ser eficazes na promoção de rápidas mudanças de propriedade do estoque de riqueza, mas não em promover a rentabilidade desse capital. É preciso facilitar a conversão de retornos prospectivos em investimento corrente. Essa mediação entre fluxos de renda e estoques de riqueza é feita por intermédio de um mercado de crédito dinâmico, que permite aos miseráveis aproveitar as oportunidades de investimento a eles disponíveis. É necessário um choque de capitalismo nos pobres brasileiros, e o centro do capitalismo é, sem dúvida, o mercado de crédito. Esta é uma agenda que nunca foi perdida no Brasil, talvez pelo fato de nunca ter sido achada.

A busca explorada neste capítulo é a do crédito como alavanca do combate à pobreza de maneira sustentada. Veremos a seguir discussões sobre a conexão do crédito com diversos tipos de política social.

Crédito e portas de saída da pobreza

Os pobres precisam, acima de tudo, de oportunidade, e não de caridade. Oportunidades são representadas pela posse de ativos geradores de renda. Mas não basta entender os determinantes do acesso e do retorno de determinados ativos isolados, como educação ou terra, é preciso olhar de maneira abrangente para todo o portfólio dos agentes e saber como os diferentes ativos interagem entre si. Complementarmente, em muitos casos, as pessoas dispõem de ativos, mas não conseguem aproveitar as oportunidades produtivas associadas à sua posse. Nesse aspecto, as falhas não estão nos indivíduos, mas no contexto onde eles operam, como é o caso do racionamento de crédito.

Nesse ponto, o crédito entra como parte do conceito de capital social, entendido *lato sensu* como uma variedade de instituições determinantes dos retornos privados e sociais dos ativos. A complementaridade entre os vários tipos de recursos é essencial para o entendimento do conceito de capital social. Por exemplo, a organização dos fatores de produção é um determinante-chave para os retornos obtidos a partir de uma dada quantidade de capital físico e humano acumulados, como no caso do cooperativismo de pequenos produtores urbanos ou rurais. Ou ainda, a capacidade de uma comunidade se organizar para fazer frente a uma situação adversa, como intempéries climáticas, ou aproveitar oportunidades criadas por eventos externos é determinante dos seus efeitos de curto e de longo prazos sobre a população. Esse processo compreende não só a mobilização interna da comunidade como sua capacidade de articulação com outros níveis da sociedade através do voto, da pressão política etc.

O mapa da mina passa pelo diagnóstico da riqueza e das potencialidades da população em cada local, função básica provida por um mercado de crédito operante. A pergunta aqui colocada é: quais seriam os elementos desejáveis para alavancar os impactos de políticas sociais? De maneira geral, a resposta seria integrá-las com outras ações públicas e privadas. Exploro aqui, portanto, ligações entre políticas sociais e o microcrédito.

Portas de saída da pobreza

Um dos objetivos de longo prazo fundamental das políticas sociais é abrir portas de saída da pobreza, permitindo que os indivíduos realizem seu potencial produtivo. Esse movimento pode se dar de formas diversas, completando o portfólio de ativos dos agentes, ou o acesso aos mercados em que eles são transacionados. Neste último caso, é possível gerar ganhos de bem-estar sem implicações fiscais, ou distributivas, o que o torna particularmente atraente. Essas políticas públicas fornecem portas de saída da pobreza, através da abertura de canais de acesso aos mercados. As políticas públicas que buscam realizar o potencial já existente das pessoas, físicas ou jurídicas, tentam replicar a operação dos mecanismos creditícios, os quais, portanto, merecem ser detalhados.

Como vimos, existem pelo menos dois cortes analíticos na análise do racionamento de crédito. Um primeiro corte associa o racionamento de crédito a desequilíbrios do mercado de crédito. Os desequilíbrios de longo prazo seriam explicados por algumas restrições governamentais ao livre ajuste da taxa de juros, como a Lei de Usura.

Uma forma alternativa mais interessante de analisar o racionamento de crédito é a partir de uma situação de equilíbrio.[3] Nesse caso, o ra-

[3] Ver Stiglitz e Weiss (1981), que primeiro sistematizaram o racionamento de crédito de equilíbrio.

cionamento de crédito é visto como uma situação em que existe excesso de demanda por empréstimos porque as taxas de juros estão abaixo do nível que equilibra o mercado. Além disso, existem situações em que alguns indivíduos obtêm empréstimo, enquanto outros, aparentemente idênticos, não o conseguem.

Duas razões têm servido de justificativa para os emprestadores não elevarem a taxa de juros e racionarem o crédito.

- *Risco moral:* o contrato de dívida acaba incentivando o investidor a se aventurar em investimentos de risco, caso se eleve a taxa de juros cobrada. Quando a taxa de juros sobe, o aumento do risco de falência pode reduzir o retorno esperado do emprestador. Isto não seria um problema se o emprestador pudesse observar e controlar o tipo de projeto do tomador do empréstimo.
- *Seleção adversa:* os emprestadores podem preferir racionar o crédito a aumentar a taxa de juros porque os indivíduos mais avessos ao risco desistem de obter recursos emprestados quando a taxa de juros sobe. Quanto menos avesso ao risco for o tomador, é mais provável que escolha projetos de risco, que aumentam a chance de falência. Esse problema não ocorreria se o emprestador tivesse informação perfeita sobre o tipo de tomador do empréstimo.

Se o crédito está racionado, então é possível que a taxa de juros não seja um indicador seguro do impacto de variáveis financeiras sobre a demanda agregada e que o equilíbrio alcançado no mercado de capitais possa ser melhorado, ou seja, é possível que uma das partes esteja em situação melhor sem que a outra seja prejudicada.

O fato de os segmentos pobres constituírem uma clientela preferencial introduz um formidável grau de complexidade do ponto de vista creditício, pois é legítimo questionar a existência de conflito entre capacidade de pagamento *versus* o benefício social advindo de um maior acesso dos mais pobres ao crédito. Em outras palavras: na concessão de crédito, nos deparamos com o seguinte dilema: atingir os mais pobres ou aquelas pessoas que têm maior capacidade de pagar o empréstimo feito? Quanto maior a capacidade de pagamento do cliente, menor o impacto na redução da pobreza? A concessão de um financiamento sustentável pode ser incompatível com a redução da pobreza. Embora tal argumento possa não ser necessariamente verdadeiro, o conceito de dilema (*trade-off*) precisa ser esclarecido e definido empiricamente. Nesse caso, a pergunta-chave seria: quantos pobres seria possível atingir com serviços financeiros sustentáveis?

Figura 1
O dilema do crédito como instrumento de alívio à pobreza

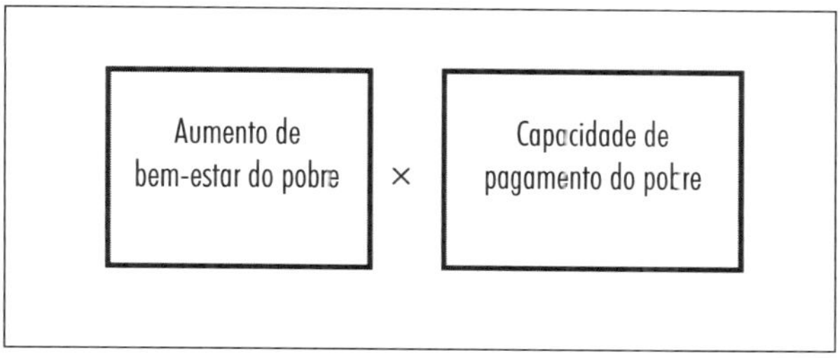

Dentro dos limites do crédito como ferramenta de alívio à pobreza, podem ser tomadas medidas em diferentes níveis para expandir a abrangência e o impacto dos programas de crédito. A qualidade dos serviços financeiros pode ser melhorada para aumentar sua resposta às necessidades dos clientes mais pobres e suas respectivas capacidades de pagamento.

Tipos de políticas de combate à pobreza

Em termos de políticas de alívio da pobreza, costuma-se separar as políticas de transferência de rendas *compensatórias* (por exemplo, programas de imposto de renda negativo, previdência social e seguro-desemprego) das *estruturais*, que aumentam a renda permanente dos indivíduos pela transferência de capital (por exemplo, provisão pública de educação, políticas de microcrédito e reforma agrária).

A vantagem das políticas compensatórias é, em geral, a velocidade com que seus efeitos são sentidos. Reajustes de salário mínimo são percebidos já no primeiro carnê previdenciário após o reajuste, reduzindo a pobreza de maneira instantânea. Mas seus efeitos são em geral fugazes, na medida em que, após a retirada desses incrementos do fluxo de renda, a situação dos grupos afetados tende a voltar ao *status* original.[4]

Em contraste, a idéia associada às políticas estruturais é que "se dá a vara de pescar em vez de se dar o peixe". Ou seja, propicia-se uma capacidade de geração permanente de renda. O problema, em geral, apresentado por essas políticas é a lentidão para que seus efeitos sejam sentidos. Por exemplo, as políticas educacionais só surtem efeito quando o indivíduo começa a trabalhar; similarmente, os investimentos em infra-estrutura apresentam longas defasagens em seu processo de maturação. Mas alguns programas estruturais, como o microcrédito, surtem efeito imediato, ou seja, o persistente também pode ser instantâneo.

A questão não é se as políticas envolvem a transferência de fluxos de renda ou de estoque de ativos, mas suas implicações sociais de curto e de longo prazo, sempre lembrando que o primeiro antecede o último. Uma ação compensatória que impeça a desestruturação produtiva, como as frentes de trabalho contra a seca, ou que incentive a acumulação de capital, como o Bolsa-Família, pode exercer efeitos persistentes sobre a pobreza. O impacto de longo prazo de transferências de renda a título de seguro e de alavanca social é comparável à transferência de ativos. O problema da política social é quando existe dominância do aspecto compensatório continuado, que não deixa raiz na vida das pessoas. Uma vez interrompido o programa, sua clientela volta ao *status* marginalizado original porque os programas não constroem portas de saída da pobreza.

Em suma, é comum se separar as políticas compensatórias das estruturais. As primeiras fazem a transferência de recursos ou rendas correntes, enquanto as últimas buscam aumentar a riqueza ou a renda permanente dos indivíduos pela transferência de capital.

---

[4] Isso quando não se cria uma espécie de síndrome dependente-doador, diminuindo de maneira mais ou menos permanente o incentivo dos indivíduos ao trabalho. Obviamente, no caso dos já idosos, essa questão é menos relevante.

Microcrédito e políticas estruturais

De modo geral, busca-se subsidiar o desenho e a operação das políticas que visam combater estruturalmente a pobreza através do reforço de ativos dos pobres e da provisão de renda em situações particularmente adversas. O desenho dessas políticas pode se beneficiar de informações sistemáticas quanto à estrutura de ativos e passivos das unidades familiares e dos pequenos empreendimentos (aí se incluindo modalidades diversas de seguro social e de políticas públicas).

A análise da estrutura real e financeira dessas unidades envolve uma série de ativos e recursos, a saber: capital físico, capital humano e capital social. Neri (2001a) mostra que as políticas sustentáveis canalizadas através de transferências de recursos exercem três tipos de efeitos sobre o bem-estar dos pobres.

Primeiramente, o efeito direto, pois os indivíduos extraem utilidade de alguns ativos, como moradia e meio ambiente. Isso implica, na prática, expandir as medidas usadas de bem-estar social, como a posse de recursos diversos. Esse ponto é especialmente importante na América Latina, dada a longa tradição no continente de usar medidas de pobreza baseadas em renda.

O segundo efeito é que níveis mais altos de ativos aumentam a capacidade de geração de renda dos pobres (educação, apoio nanoempresarial). A avaliação das taxas de retorno e de acesso aos diferentes tipos de recursos ajuda o desenho de políticas de reforço de capital.

O último efeito é o de melhorar a habilidade dos pobres para lidar com flutuações de renda. O papel de suavização do consumo assumido pelos recursos depende de quanto são desenvolvidos os diversos segmentos do mercado financeiro (ativos, créditos e seguros) que permitem amortecer choques e alavancar oportunidades. A avaliação desse efeito requer uma análise da dinâmica do processo de renda individual e uma avaliação das instituições que condicionam seu comportamento financeiro.

Esses efeitos estão exemplificados na figura 2.

Figura 2

Efeitos sobre o bem-estar dos pobres

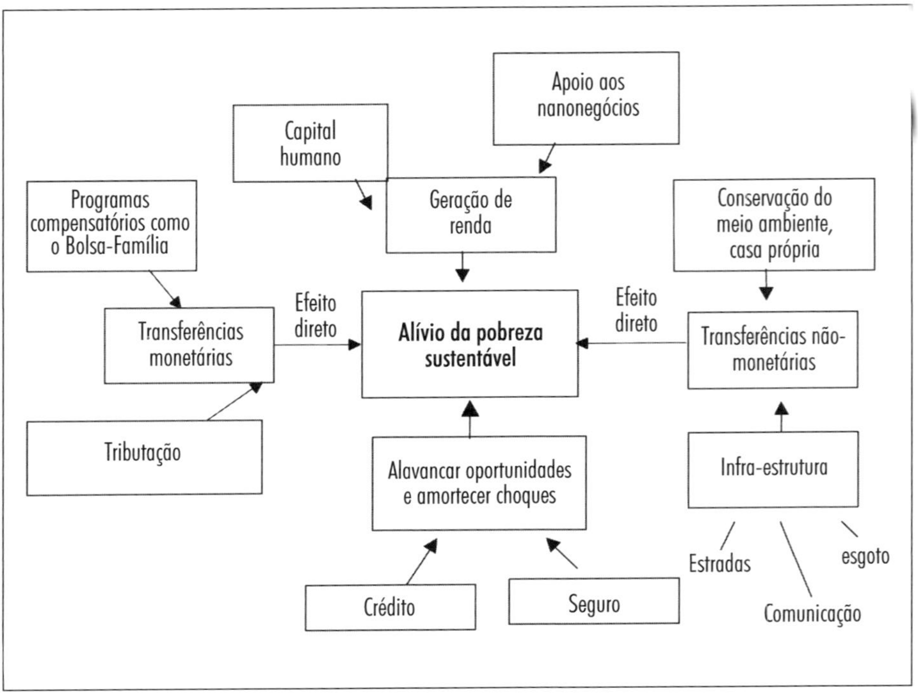

Crédito popular e políticas compensatórias

O Estado brasileiro começa a entrar cada vez mais na vida dos pobres através da concessão de benefícios sociais como o Bolsa-Escola, cartão-alimentação, o Bolsa-Família, resultado da integração anunciada das ações sociais federais. Algumas modalidades de transferência de renda, como a previdência rural e o benefício de prestação continuada, gozam de garantias constitucionais. Esses fluxos de caixa prospectivos constituem potenciais garantias creditícias. O Estado pode se valer desses canais para expandir a oferta de crédito dos mais pobres. O efeito colateral das políticas redistributivas hoje em difusão no país é aumentar o potencial de garantias dos pobres. O fato de essas bolsas levarem ao setor informal dinheiro e tecnologia informacional através de cartões eletrônicos de entidades com tradição creditícia cria uma oportunidade ímpar de alavancagem do colateral de empréstimos dos pobres. A colateralização das bolsas de programas sociais e a regularização fundiária são maneiras de democratizar o acesso ao crédito no país através do reconhecimento de direitos mais amplos de propriedade por parte dos seus detentores, no caso o direito de o indivíduo usar ativos como garantia de empréstimos. Uma vantagem dessas medidas é combinar a velocidade das políticas compensatórias com a persistência das políticas estruturais. Outra é afrouxar o dilema entre eficiência e eqüidade, implícito na adoção de políticas distributivas. Se os novos benefícios são "colateralizáveis", aumentam a eficiência da economia através do mercado de crédito.[5]

O governo federal tem demonstrado senso de oportunidade ao permitir o desconto em folha para o pagamento de prestações de empréstimos. Isso pode aproximar o crédito do dia-a-dia do empregado formal ou dos aposentados e pensionistas, desde que acompanhado de cuidados especiais com a preservação da concorrência entre instituições financeiras na oferta de empréstimos.[6] Apesar de o contracheque ou de o carnê previdenciário já serem utilizados como indicadores da capacidade de honrar dívidas, o desconto em folha constitui uma garantia mais firme. É preciso estender a fronteira creditícia até os pobres e informais, via colateralização dos benefícios sociais.

A crítica mais comum à política social brasileira seria o seu caráter eminentemente assistencial. Por outro lado, o alto nível de desigualdade brasileira, aliado à renda relativamente alta, cria condições propícias para o desenho e a implementação de políticas redistributivas, desde que sejam eficientes, ou seja, desde que o seu efeito redutor da miséria tenha uma relação custo-benefício no curto, no médio e no longo prazos melhor que a de outras alternativas disponíveis, estruturais, compensatórias ou mistas.

[5] Assumindo impostos distorcivos e informação assimétrica.

[6] A introdução do crédito consignado associado a emprego formal e a benefícios previdenciários, em 2004, pode aumentar a atratividade do emprego formal daqueles que estão na ativa, seja pelo maior acesso a crédito no presente, seja pela perspectiva de aposentadoria futura do empregado com carteira. Essa justificativa pode ajudar a resolver outro mistério empírico: causas do aumento recente do emprego formal no Brasil.

Primeiro, a sustentabilidade social só pode ser construída se os fundamentos econômicos e humanos forem sólidos, e vice-versa. Nesse ponto, as literaturas do crescimento econômico e social concordam em que a acumulação de capital humano e o bom funcionamento do mercado de crédito são fundamentais. Dedicamos especial atenção às políticas educacionais.

Segundo, temos as políticas voltadas para a produção. Alguns salientam o resgate de políticas de apoio ao setor industrial. Se a questão é conceder subsídios ao setor produtivo, por que não eleger as empresas do setor de serviços, aquelas mais sujeitas às falhas de mercado, para fundamentar a intervenção pública? Essas unidades constituem o principal abrigo dos trabalhadores pobres. De modo geral, são desenvolvidas poucas políticas ativas voltadas para os produtores pobres e informais do setor de serviços. Claudio González Vega, um dos maiores especialistas em microcrédito, recentemente chamou a atenção para o que denominou "síndrome brasileña": por que o microcrédito pouco avançou no país? Cabe lembrar que o crédito não envolve a doação de recursos, mas o empréstimo, de forma que, no futuro, outros possam ser beneficiados pela mesma ação transformadora.

Recordando Neri (2002b): "Os pobres raramente dispõem da capacidade de transformar fluxos em estoques através do mercado de crédito. Altos custos transacionais e de coleta de informações, associados às baixas garantias reais e à instabilidade de renda dos pobres, tornam o crédito um serviço de luxo. Na verdade, o advento dos cartões magnéticos usados na distribuição das diversas bolsas sociais abre novos horizontes. O pobre hoje passa a dispor de um fluxo de renda estável pago através de cartões de instituições com alta tradição na área creditícia, como a Caixa Econômica Federal. Não é preciso muita imaginação para perceber o potencial dessa inovação em alavancar o potencial do crédito genuinamente popular, pois ataca todas as dificuldades mencionadas acima".

E mais: "Um efeito colateral das políticas redistributivas hoje em difusão no país é aumentar o potencial de garantias dos pobres. O fato de essas bolsas levarem ao setor informal dinheiro e tecnologia informacional, através de cartões eletrônicos de entidades com tradição crediticia, cria oportunidade de alavancagem do colateral de empréstimos dos pobres. A sugestão é conferir aos beneficiários desses programas alguma liberdade de escolha no *timing* do recebimento de recursos. Como, por exemplo, uma vez cumpridas as exigências de freqüência escolar do Bolsa-Escola, seria permitida a antecipação do recebimento dos recursos devidos até a próxima verificação. Essa escolha entre renda mínima e capital mínimo equivale à opção de uma operação creditícia que não encareceria os custos de provisão desses programas sociais. Na verdade, o ideal é aproveitar, em toda a extensão, os custos operacionais afundados e as externalidades informacionais emanadas destes programas".

É preciso estender a fronteira creditícia aos pobres e informais via colateralização dos benefícios sociais. Outro cuidado é canalizar os novos caminhos abertos para que se financiem mais investimento que consumo. Se o Brasil quiser afetar de maneira persistente a desigualdade de renda terá, necessariamente, que mexer na distribuição de riqueza. Isso passa não só pela redistribuição de ativos, como terra e educação, mas também pela facilitação da acumulação de capital dos pobres por meio da expansão do microcrédito produtivo. Essa é a melhor maneira de produzir o espetáculo do crescimento a preços populares.

10

Crédito pessoal

Marcelo Neri
Gabriel Buchmann
Luisa Carvalhaes
Samanta Monte

Dê um peixe a um homem, e ele comerá por um dia. Dê microcrédito a uma mulher e ela, seu marido, seus filhos e sua família comerão por uma vida inteira.
Bono Vox

Uma das vantagens da Pesquisa de Orçamentos Familiares (POF) é permitir uma análise de dados relativos às finanças pessoais dos microempreendedores sem comparação no universo de microdados representativos do contexto brasileiro. Um lembrete: os dados da POF foram deflacionados para serem compatíveis com os valores da Pnad 2005.

Neste capítulo, teremos dados referentes ao restante do Brasil — ou seja, a média da população de empregadores e trabalhadores por conta própria e empregadores urbanos não-nordestinos de cada variável disponibilizada — entre parêntesis, ao lado de cada dado do Nordeste.

Inicialmente, foi descrito um panorama bivariado, relacionando cada variável mais relevante ao acesso a crédito, por exemplo, ou à inadimplência. Depois, para tentar isolar os diferentes efeitos, foi realizado um experimento controlado, baseado num modelo logit multinomial de análise de regressão, a fim de mensurar a correlação entre o acesso a crédito pessoal e diferentes características tanto dos indivíduos quanto do ambiente no qual estão inseridos. Como *proxy* — variável utilizada para medir certo conceito — de acesso a crédito pessoal foi utilizado o acesso a cartão de crédito ou a cheque especial. Rodou-se um modelo simples, controlando apenas por características observáveis dos indivíduos, como sexo, raça e idade, variáveis de renda e escolaridade ocupação e unidades federativas.

Como já frisado, a pesquisa possui, para grande parte das dimensões relevantes, panoramas univariados e bivariados com a descrição dos dados, uma espécie de fotografia, e também simuladores que, baseados nesse modelo simples de análise multivariada, fornecem probabilidades, por exemplo, de se ter acesso a crédito pessoal, ou de se atrasar determinada conta, ou ainda de se ter despesa com crédito, dada uma combinação qualquer característica entre as elencadas acima.

Durante a análise multivariada, são descritas as probabilidades de um empreendedor típico, que possui todas as características mais comuns do universo, ter acesso a crédito pessoal, modificando-se somente a característica de interesse em cada caso. Esse empreendedor é um homem pardo nordestino, trabalhador por conta própria, na faixa dos 30-39 anos, com oito a 11 anos de escolaridade, morador de uma cidade urbana não-metropolitana, pertencente à classe socioeconômica D (entre dois e quatro salários mínimos de renda familiar), com renda individual total de R$ 360 e sem rendas de aposentadorias, nem bolsas ou tampouco rendas de outras fontes. Foi arbitrado também que esse empreendedor vive no Ceará, por ser o estado com maior número de clientes do programa CrediAmigo e sua sede. Esse empreendedor tem uma probabilidade de 10,6% de ter acesso a crédito pessoal.

Acesso e qualidade do acesso a serviços financeiros

No que tange especificamente ao acesso a crédito pessoal, observou-se que 16,4% (30,4%) tinham acesso ou a cartão de crédito ou a cheque especial, isto é, a pelo menos uma das duas formas de crédito pessoal analisadas. Destes, 5,89% (14,2%) tinham acesso aos dois ao mesmo tempo, 8,7% (9,8%) só a cartão de crédito, e 1,8% (6,3%) só a cheque especial. Além disso, dos que tinham cartão de crédito, 40,3% (59,1%) dispunham também de cheque especial, e dos que tinham cheque especial, 76,2% (69,2%) tinham também cartão de crédito. Considerando cada um separadamente, verificou-se que apenas 14,6% (24%) eram titulares de um cartão de crédito e 7,7% (20,5%) possuíam cheque especial. Como se pode inferir pela tabela 1, a proporção de pessoas na população analisada sem acesso a crédito pessoal é de 83,5% (69,6%), muito superior aos trabalhadores por conta própria e empregadores do restante do país.

Tabela 1
Panorama de acesso a crédito pessoal — população total (%)

Categoria	Têm cartão de crédito e cheque especial (titular em ambos)	Têm cartão de crédito	Têm cheque especial	Não têm nenhum
Nordeste	5,89	8,72	1,84	83,54
Fora do Nordeste	14,23	9,83	6,32	69,62

Fonte: CPS/FGV, a partir dos microdados da POF 2003, do IBGE.

Posição na ocupação. Há também evidências de que um trabalhador por conta própria tem uma probabilidade de 10,6%, que equivale a praticamente a metade de um empregador (19,3%), de obter acesso a crédito pessoal.

Sexo. O acesso a crédito pessoal é maior para as mulheres — 17,5% (28,6%) — do que para os homens — 15,8% (31,3%) — no Nordeste, ao contrário das demais regiões do país, verificando-se, curiosamente, no caso das mulheres, uma presença muito mais elevada de cartão de crédito do que de cheque especial, uma vez que apenas 0,9% (4,3%) delas só possui cheque especial e 11,25% (12,9%) só dispõem de cartão de crédito. Como se pode inferir pela tabela 2, esse padrão se observa também no restante do país, embora em níveis superiores ao das microempreendedoras nordestinas.

Entretanto, quando se controla por outros fatores, não se encontra qualquer correlação significante entre acesso a crédito pessoal e o sexo do indivíduo, isto é, a diferença de acesso entre mulheres e homens se deve a outras características que não o gênero do indivíduo em si.

Classe socioeconômica. Um resultado bastante esperado é de que quanto mais elevada a classe social a que um indivíduo pertence — medida pela renda domiciliar em termos de salários mínimos —, maior a chance de ele ter acesso a crédito pessoal. Por exemplo, enquanto somente 3,15% (4,9%) das pessoas pertencentes à classe E têm acesso a crédito pessoal, na classe C esse número já sobe para 22,2% (26,8%) e nas classes

A1 e A2 para 69,4% (64,8%) e 72,7% (81,6%), respectivamente. O restante do panorama se encontra na tabela 3, assim como a comparação com os demais trabalhadores por conta própria e empregadores do país.

Tabela 2
Panorama de acesso a crédito pessoal — sexo (%)

Categoria	Têm cartão de crédito e cheque especial (titular em ambos)	Têm cartão de crédito	Têm cheque especial	Não têm nenhum
Nordeste				
Homem	6,24	7,13	2,42	84,21
Mulher	5,35	11,25	0,93	82,47
Fora do Nordeste				
Homem	15,71	8,23	7,35	68,7
Mulher	11,41	12,88	4,34	71,37

Fonte: CPS/FGV, a partir dos microdados da POF 2003, do IBGE.

Tabela 3
Panorama do acesso a crédito pessoal — classes (%)

Categoria	Têm cartão de crédito e cheque especial (titular em ambos)	Têm cartão de crédito	Têm cheque especial	Não têm nenhum
Nordeste				
A1 — > 45 SMs	59,39	8,74	4,57	27,30
A2 — 25-45 SMs	50,89	13,45	5,05	30,61
B1 — 15-25 SMs	31,22	20,58	8,71	39,49
B2 — 10-15 SMs	15,01	17,67	5,76	61,56
C — 4-10 SMs	6,04	13,89	2,30	77,77
D — 2-4 SMs	0,55	5,95	0,78	92,72
E — < 2 SMs	0,28	2,47	0,39	96,85
Fora do Nordeste				
A1 — > 45 SMs	60,19	3,61	17,84	18,37
A2 — 25-45 SMs	38,69	13,24	12,83	35,23
B1 — 15-25 SMs	32,09	14,40	10,98	42,52
B2 — 10-15 SMs	24,14	8,31	9,12	58,43
C — 4-10 SMs	9,01	11,87	5,93	73,20
D — 2-4 SMs	2,16	8,33	2,20	87,31
E — < 2 SMs	0,65	2,98	1,25	95,12

Fonte: CPS/FGV, a partir dos microdados da POF 2003, do IBGE.

Como era de se esperar, verificou-se que quanto maior a renda do indivíduo, maior a probabilidade de ele ter acesso a crédito pessoal, filtrando-se o efeito da renda familiar. O mesmo ocorre com indivíduos pertencentes a famílias de classes mais favorecidas, que, mesmo controlando-se o efeito da renda individual, têm uma probabilidade mais elevada de ter cartão de crédito ou cheque especial do que os membros de famílias de classes mais baixas. Um empreendedor da classe B1, por exemplo, com as mesmas características de um da classe C ou D, tem duas vezes mais probabilidades (39,4%) de ter acesso a crédito pessoal do que o primeiro (22%) e quatro vezes mais do que o segundo (10,6%). Isso pode ser explicado, por exemplo, pelo fato de parentes terem acesso a cartão de crédito juntamente com outros parentes, como filhos e pais etc.

Educação. O acesso a crédito pessoal é maior quanto maior a educação formal do indivíduo — tanto medida por anos de estudo quanto por grau completo de escolaridade. Um exemplo: tinham acesso a uma dessas modalidades de crédito pessoal apenas 3,15% (8,2%) das pessoas sem instrução e 60% (71,7%) das pessoas com mais 12 anos de estudo. Embora o nível das demais regiões seja bem mais elevado, o mesmo padrão se repete. Isso pode se dever à educação em si e também à renda, ou a qualquer outro fator que tenha estrita relação com educação. É o que a análise multivariada a seguir permitirá descobrir.

No que se refere à escolaridade, encontrou-se um resultado bastante robusto quando se realizou uma análise multivariada — significante sempre a 1% de nível de significância — de que existe uma correlação positiva entre acesso a crédito pessoal e escolaridade, mesmo controlado por renda individual e familiar. Pode-se ilustrar esse resultado dizendo que negociantes sem qualquer instrução apresentavam apenas 2,4% de probabilidade de terem crédito pessoal, enquanto essa probabilidade subia para 18,5% se o mesmo indivíduo tivesse 12 anos ou mais de escolaridade. Isso vai de encontro à literatura econômica, segundo a qual uma das características particulares do capital humano é não ser um bom colateral, por ser incorporado e intransferível. Indivíduos com riqueza mais intensiva em capital humano deveriam sofrer pelo menos tanta restrição quanto os demais.

Tabela 4
Panorama de acesso a crédito pessoal — anos de estudo (%)

Categoria	Têm cartão de crédito e cheque especial (titular em ambos)	Têm cartão de crédito	Têm cheque especial	Não têm nenhum
Nordeste				
Sem instrução	1,05	1,87	0,34	96,75
1 a 3 anos de estudo	0,73	3,11	1,26	94,89
4 a 7 anos	2,22	6,53	0,81	90,44
8 a 11 anos	8,58	16,38	3,05	72,00
12 anos ou mais	40,28	17,46	5,40	36,86
Ignorado	18,49	7,7	6,48	67,32
Fora do Nordeste				
Sem instrução	1,42	4,72	2,07	91,79
1 a 3 anos de estudo	3,43	7,01	2,97	86,59
4 a 7 anos	6,51	7,90	4,45	81,14
8 a 11 anos	15,38	13,34	7,83	63,45
12 anos ou mais	49,22	9,66	12,80	28,31
Ignorado	22,87	13,03	5,85	58,25

Fonte: CPS/FGV, a partir dos microdados da POF 2003, do IBGE.

Estado. Com a exceção do Maranhão, que apresenta uma taxa de acesso a crédito pessoal inferior à dos demais estados (8,3% dos habitantes), estes apresentam uma taxa bastante uniforme, como se pode observar na tabela 5, variando sempre entre 14% e 17%.

A análise multivariada indica que não há diferença significante entre os diferentes estados do Nordeste, isto é, o estado de residência do nordestino não determina sua probabilidade de ter acesso a crédito pessoal, e sim outras características.

Rendas públicas. Observou-se ainda que o fato de se ter alguma renda de aposentadoria estava positivamente correlacionado com o acesso a crédito pessoal, enquanto o recebimento de bolsas de programas de transferência de renda estava negativamente correlacionado com o acesso a crédito pessoal, para indivíduos de mesma renda total. Quem dispunha de aposentadoria tinha uma probabilidade (14,8%) mais elevada do que aquele que não recebia nenhuma transferência (10,6%) e o que recebia algum tipo de bolsa (7,6%). No caso das aposentadorias, o resultado possivelmente se deve ao fato de que estas constituem um benefício certo, sem condicionalidades e de maior montante do que os benefícios do Bolsa-Família, por exemplo, sendo uma garantia muito melhor. O Bolsa-Família não é colateralizável, entre outras razões por ser condicional, podendo ser retirado se o indivíduo não cumprir as condicionalidades exigidas. Pode ser também que o negociante que recebe a bolsa esteja sinalizando que é muito pobre para os bancos, e por isso não consegue ter acesso a crédito. É justamente a esse tipo de indivíduo que não consegue acesso através do setor bancário tradicional que devem chegar os programas de microcrédito, como o CrediAmigo, por exemplo.

Tabela 5

Panorama de acesso a crédito pessoal — estado (%)

Categoria	Têm cartão de crédito e cheque especial (titular em ambos)	Têm cartão de crédito	Têm cheque especial	Não têm nenhum
Nordeste				
Maranhão	2,47	4,28	1,50	91,74
Piauí	5,60	6,50	2,80	85,10
Ceará	5,88	10,82	1,74	81,56
Rio Grande do Norte	8,02	7,07	2,66	82,25
Paraíba	6,06	7,76	1,75	84,43
Pernambuco	5,29	10,17	1,41	83,12
Alagoas	7,30	8,97	1,50	82,22
Sergipe	5,24	9,99	2,40	82,36
Bahia	7,38	9,43	2,01	81,18

Fonte: CPS/FGV/FGV, a partir dos microdados da POF 2003, do IBGE.

Variáveis referentes à percepção subjetiva. No que se refere a questões subjetivas, verificou-se que apenas 8,2% (16,2%) dos que afirmavam ter muita dificuldade de chegar até o fim do mês com a renda disponível tinham acesso a crédito pessoal, contra 43,8% dos que declaravam ter facilidade. Entre os que declaravam que suas condições de moradia eram boas, 19,8% (37,6%) tinham acesso a crédito, contra 9,4% (12,6%) dos que declaravam que eram ruins. Nesses casos, retorna-se ao dilema do ovo e da galinha. Tanto pode ser que os empreendedores não tenham acesso a crédito porque têm dificuldades financeiras e suas moradias são de baixa qualidade, quanto o inverso, isto é, eles podem ter essas dificuldades em parte devido à falta de acesso a crédito.

Tabela 6

Panorama de acesso a crédito pessoal — percepção de dificuldades de renda (%)

Categoria	Têm cartão de crédito e cheque especial (titular em ambos)	Têm cartão de crédito	Têm cheque especial	Não têm nenhum
Nordeste				
Muita dificuldade	1,51	5,99	0,71	91,79
Dificuldade	4,53	8,72	1,51	85,25
Alguma dificuldade	8,72	12,24	2,38	76,66
Alguma facilidade	19,67	9,69	5,62	65,02
Facilidade	29,49	9,32	7,45	53,73
Muita facilidade	12,18	18,31	0,73	68,78
Fora do Nordeste				
Muita dificuldade	6,45	7,54	2,22	83,79
Dificuldade	9,49	8,43	4,43	77,65
Alguma dificuldade	15,48	10,70	7,28	66,55
Alguma facilidade	27,27	13,67	11,94	47,12
Facilidade	28,19	12,33	11,93	47,54
Muita facilidade	42,73	6,21	23,71	27,35

Fonte: CPS/FGV/FGV, a partir dos microdados da POF 2003, do IBGE.

Atraso de contas. Cruzando agora acesso a crédito pessoal e atraso de contas, verificou-se que o acesso dos que atrasavam aluguel ou prestações da casa, por exemplo, era muito maior 23,8% (30,9%) do que os que afirmavam não atrasarem — 15,7% (30,3%) —, um resultado pouco intuitivo. Entretanto, esse resultado talvez possa ser explicado pelo fato de que, segundo alguns estudos, os aluguéis são na verdade bens de luxo, isto é, a probabilidade de se morar de aluguel seria maior entre pessoas de renda mais alta do que entre aquelas com menos renda, que têm maior probabilidade de morar em casa própria. Já no tocante a atraso de bens e serviços, a taxa de acesso era bastante similar para as pessoas que atrasavam e as que não atrasavam, corroborando a interpretação de que provavelmente a relação aparentemente negativa entre atraso de aluguel e acesso a crédito pessoal tem mais a ver com características específicas do aluguel do que de inadimplência.

Tabela 7
Panorama de acesso a crédito pessoal — atraso de contas (%)

Categoria	Têm cartão de crédito e cheque especial (titular em ambos)	Têm cartão de crédito	Têm cheque especial	Não têm nenhum
Nordeste				
Aluguel/prestação	8,34	13,63	1,87	76,16
Água, eletricidade, gás etc.	3,96	9,93	1,30	85,71
Prestação de bens/serviços	4,77	10,36	1,53	83,34
Fora do Nordeste				
Aluguel/prestação	14,16	14,35	2,39	69,10
Água, eletricidade, gás etc.	9,77	10,34	4,38	75,51
Prestação de bens/serviços	10,85	12,56	4,10	72,49

Fonte: CPS/FGV/FGV, a partir dos microdados da POF 2003, do IBGE.

Para uma descrição completa do acesso a crédito pessoal, ver o panorama "Crédito pessoal" da seção "Microempresários" no site da pesquisa, e o simulador correspondente. O panorama permite inclusive uma análise horizontal, revelando quantos dos indivíduos com determinada característica têm ou não acesso a crédito pessoal, e uma análise vertical, revelando quantos dos com acesso a crédito têm uma ou outra característica. O simulador possibilita que se insira uma combinação de características quaisquer e se tenha, a partir daí, a probabilidade de acesso a crédito pessoal.

Uso e qualidade do uso de serviços financeiros

Considerando o total da população de trabalhadores por conta própria e empregadores do Nordeste urbano, os dados mostraram que 5,61%

tinham despesas com crédito — com uma despesa média de R$ 120 mensais, incluindo o pagamento tanto de parcelas do principal quanto de juros. Além disso, 14,2% dos que dispunham de cartão de crédito tinham despesas com crédito na forma de empréstimos, contra 4,2% dos que não tinham cartão, enquanto 15,9% daqueles com cheque especial tinham despesas de crédito, contra 4,7% dos sem cheque especial.

Tabela 8
Nordeste: panorama de despesas financeiras — população total

	Não têm despesa (%)	Têm despesa (%)	Média de despesas com crédito	Renda do trabalho	Renda total mensal da UC	Nº de pessoas da UC
Total	94,39	5,61	119,86	620,99	1.829,81	4,64

Fonte: CPS/FGV/FGV a partir dos microdados da POF 2003/IBGE

Considerando a população com despesa de crédito, a proporção de homens e mulheres era bastante similar: 5,8% dos homens e 5,3% das mulheres tinham essa despesa, embora o valor médio fosse bem mais elevado entre eles (R$ 132) do que entre elas (R$ 98).

Tabela 9
Nordeste: panorama de despesas financeiras — sexo

Categoria	Não têm despesa (%)	Têm despesa (%)	Média de despesas com crédito	Renda do trabalho	Renda total mensal da UC	Nº de pessoas da UC
Homem	94,19	5,81	132,45	742,80	1.817,22	4,66
Mulher	94,70	5,30	98,05	428,25	1.849,73	4,59

Fonte: CPS/FGV, a partir dos microdados da POF 2003, do IBGE.

Quanto maior o nível educacional, maior a proporção de pessoas com despesas de crédito. Entre as pessoas sem qualquer instrução, apenas 2,4% tinham essas despesas, enquanto esse número era de 10,4% para as pessoas com 12 anos de estudo ou mais. Surpreendentemente, porém, pessoas com menos de um ano de estudo tinham em média R$ 224 de despesas com crédito, enquanto pessoas com um a três anos de escolaridade tinham R$ 125, com quatro a sete anos, apenas R$ 74, e com 12 anos ou mais, R$ 129. Verificou-se o mesmo padrão quando a educação foi medida pelo grau de escolaridade. Entre as pessoas com ensino médio completo, 9% tinham despesas com crédito, contra 10% das com ensino superior completo, mas a despesa média era apenas ligeiramente superior: R$ 129 contra R$ 116.

Tabela 10

Nordeste: panorama de despesas financeiras — anos de estudo

Categoria	Não têm despesa (%)	Têm despesa (%)	Média de despesas com crédito	Renda do trabalho	Renda total mensal da UC	Nº de pessoas da UC
Sem instrução ou menos de 1 ano	97,56	2,44	223,08	295,25	869,38	4,91
1 a 3 anos	96,68	3,32	124,53	412,06	1.046,38	5,09
4 a 7 anos	95,43	4,57	73,76	416,24	1.228,97	4,64
8 a 11 anos	91,32	8,68	116,21	756,42	2.373,43	4,34
12 anos ou mais	89,57	10,43	129,51	2.405,89	6.810,57	3,84

Fonte: CPS/FGV, a partir dos microdados da POF 2003, do IBGE.

Tabela 11

Nordeste: panorama de despesas financeiras — escolaridade

Categoria	Não têm despesa (%)	Têm despesa (%)	Média de despesas com crédito	Renda do trabalho	Renda total mensal da UC	Nº de pessoas da UC
Sem instrução	97,58	2,42	253,09	297,99	863,37	4,89
Creche	100,00	0,00	0,00	498,55	2.068,38	4,85
Pré-escolar	100,00	0,00	0,00	291,39	981,14	5,71
Classe de alfabetização de crianças	93,15	6,85	87,04	348,04	1.071,30	4,57
Alfabetização de adultos	98,27	1,73	28,93	215,29	830,24	4,98
Ensino fundamental ou 1º grau regular seriado	95,51	4,49	87,19	433,08	1.199,62	4,79
Ensino fundamental ou 1º grau regular não-seriado	95,42	4,58	10,16	343,10	1.223,12	5,55
Supletivo (ensino fundamental ou 1º grau)	90,63	9,37	91,46	340,14	1.337,91	4,51

Continua

Categoria	Não têm despesa (%)	Têm despesa (%)	Média de despesas com crédito	Renda do trabalho	Renda total mensal da UC	Nº de pessoas da UC
Ensino médio ou 2º grau regular seriado	91,03	8,97	128,11	839,63	2.556,84	4,30
Ensino médio ou 2º grau regular não-seriado	99,05	0,95	91,64	578,00	1.777,55	3,93
Supletivo (ensino médio ou 2º grau)	95,49	4,51	69,59	501,77	1.189,08	3,59
Tecnologia	80,97	19,03	184,89	468,79	2.630,34	4,05
Pré-vestibular	97,05	2,95	48,36	558,31	3.452,88	4,24
Superior — graduado completo	88,99	11,01	138,02	2.984,27	8.200,53	4,02
Superior — graduado incompleto	89,99	10,01	97,20	1.252,88	4.785,49	3,85
Especialização superior	92,54	7,46	245,65	2.221,87	7.043,06	3,31
Mestrado ou doutorado	98,97	1,03	152,40	5.204,45	8.743,71	4,22

Fonte: CPS/FGV, a partir dos microdados da POF 2003, do IBGE.

Como seria de esperar, a proporção de indivíduos que tinha despesas com crédito entre aqueles com cartão de crédito (13,6%) era muito maior do que entre os sem cartão (4,2%), o mesmo acontecendo entre os que tinham cheque especial (16%) em comparação com os que não o tinham (4,7%). Contudo, apesar de a renda do trabalho (que no caso dos trabalhadores por conta própria e dos empregadores representa seus lucros) dos que possuíam cartão de crédito (R$ 1.713) ser muito maior do que a dos que não tinham (R$ 434), suas despesas eram apenas pouco maiores (R$ 174 contra R$ 89), o mesmo acontecendo no caso do cheque especial: os com cheque especial tinham lucro de R$ 2.576 e despesa com crédito de R$ 177, e os sem cheque tinham lucro de R$ 457 e despesa com crédito de R$ 103.

Tabela 12

Nordeste: panorama de despesas financeiras — têm cartão de crédito

Categoria	Não têm despesa (%)	Têm despesa (%)	Média de despesas com crédito	Renda do trabalho	Renda total mensal da UC	Nº de pessoas da UC
Sim (titular)	86,36	13,64	173,96	1.712,63	4.532,41	4,05
Não	95,77	4,23	89,46	434,11	1.367,14	4,74

Fonte: CPS/FGV, a partir dos microdados da POF 2003, do IBGE.

Tabela 13

Nordeste: panorama de despesas financeiras — têm cheque especial

Categoria	Não têm despesa (%)	Têm despesa (%)	Média de despesas com crédito	Renda do trabalho	Renda total mensal da UC	Nº de pessoas da UC
Sim (titular)	84,09	15,91	177,43	2 576,84	6.647,91	3,96
Não	95,26	4,74	103,35	456,98	1.425,76	4,69

Fonte: CPS/FGV, a partir dos microdados da POF 2003, do IBGE.

Outro resultado inesperado foi o da média de despesas com crédito nas capitais (R$ 94) ser menor do que nas áreas urbanas em cidades que não são capitais (R$ 140), apesar de o lucro médio dos microempresários nas capitais ser bem maior (R$ 859) do que nas demais áreas urbanas (R$ 527).

Tabela 14

Nordeste: panorama de despesas financeiras — área (com área urbana fragmentada)

Categoria	Não têm despesa (%)	Têm despesa (%)	Média de despesas com crédito	Renda do trabalho	Renda total mensal da UC	Nº de pessoas da UC
Capital	93,54	6,46	94,40	858,71	2.597,55	4,43
Área metropolitana (não-capital)	93,35	6,65	97,78	528,37	1.581,71	4,25
Área urbana não-metropolitana	94,96	5,04	140,34	527,29	1.518,35	4,80

Fonte: CPS/FGV, a partir dos microdados da POF 2003, do IBGE.

O estado que apresentou a maior fração de nanoempresários com despesas com crédito foi o Rio Grande do Norte (7%), seguido do Piauí (6,6%) e do Ceará (6,3%); e os com menor fração foram o Maranhão (2,9%), Sergipe (4,1%) e Alagoas (4,5%). Já no que se refere à média das despesas com crédito, curiosamente Alagoas liderou o *ranking*, com R$ 226, e depois o Maranhão, com R$ 145, que figuravam entre os com menores frações da população com despesas. Os que apresentaram menores médias foram Pernambuco (R$ 66) e Paraíba (R$ 82).

Tabela 15

Nordeste: panorama de despesas financeiras — estado

Categoria	Não têm despesa (%)	Têm despesa (%)	Média de despesas com crédito	Renda do trabalho	Renda total mensal da UC	Nº de pessoas da UC
Maranhão	97,12	2,88	145,34	459,31	1.234,68	5,19
Piauí	93,42	6,58	127,58	632,98	1.607,49	4,73
Ceará	93,73	6,27	138,72	706,67	2.034,36	4,51
Rio Grande do Norte	93,00	7,00	125,34	732,61	1.937,94	4,24
Paraíba	95,11	4,89	82,42	529,10	1.369,82	4,34
Pernambuco	93,40	6,60	66,23	568,80	1.653,80	4,33
Alagoas	95,52	4,48	226,47	1.053,76	2.153,96	4,58
Sergipe	95,87	4,13	102,80	610,63	1.708,14	4,61
Bahia	94,03	5,97	132,30	626,65	2.171,47	4,73

Fonte: CPS/FGV, a partir dos microdados da POF 2003, do IBGE.

Analisando variáveis subjetivas referentes à qualidade de vida, verificou-se que, dos indivíduos que afirmaram ter muita dificuldade de levar a vida até o fim do mês com a renda que ganhavam, 4,1% tinham despesas com crédito e gastavam uma média de R$ 128 com essa despesa, enquanto entre os que afirmaram ter muita facilidade, 6,9% tinham despesa, em média de R$ 365, para se falar apenas dos extremos. Os primeiros tinham uma renda média do trabalho de R$ 332 e os últimos, de R$ 1.729. Mais uma vez, isso tanto pode significar que o crédito melhorou suas vidas quanto que conseguiram crédito por terem melhores condições de vida.

Não se detectou muita diferença entre os que reclamavam de pouco espaço em suas moradias, nem tampouco entre os que alegavam problemas de violência onde moravam, no que tange a despesas financeiras. Mas, entre os que dispunham de acesso a energia elétrica, cerca de 6% tinham esse tipo de despesa, em média de R$ 124, enquanto, entre os sem acesso a energia, 1,8% tinha despesas de, em média, R$ 66. O mesmo aconteceu quando se compararam indivíduos com e sem acesso a água encanada: entre os com bom acesso, 6% tinham despesas, em média de aproximadamente R$ 131, enquanto entre os sem acesso apenas 2,4% tinham despesas, em média, de R$ 82. Curiosamente, a média da despesa com crédito dos que alegavam condições de moradia ruins (R$ 186) era maior do que a dos que alegavam ter boas condições de moradia (R$ 106).

Tabela 16
Nordeste: panorama de despesas financeiras — renda familiar

Categoria	Não têm despesa (%)	Têm despesa (%)	Média de despesas com crédito	Renda do trabalho	Renda total mensal da UC	Nº de pessoas da UC
Muita dificuldade	95,89	4,11	128,14	332,30	1.026,06	5,05
Dificuldade	93,62	6,38	77,04	493,72	1.525,34	4,60
Alguma dificuldade	93,23	6,77	138,03	888,64	2.308,45	4,30
Alguma facilidade	92,12	7,88	108,85	1.400,91	4.663,41	3,99
Facilidade	95,72	4,28	348,84	1.891,86	5.979,23	3,56
Muita facilidade	93,14	6,86	364,94	1.729,27	5.403,44	3,59

Fonte: CPS/FGV, a partir dos microdados da POF 2003, do IBGE.

Tabela 17
Nordeste: panorama de despesas financeiras — acesso a serviços

Categoria	Não têm despesa (%)	Têm despesa (%)	Média de despesas com crédito	Renda do trabalho	Renda total mensal da UC	Nº de pessoas da UC
Serviço de água						
Bom	93,97	6,03	130,78	714,50	2.101,88	4,52
Ruim	93,93	6,07	101,02	499,08	1.471,78	4,54
Não têm	97,57	2,43	82,66	293,20	881,01	5,43
Coleta de lixo						
Boa	93,99	6,01	128,54	670,52	2.006,73	4,52
Ruim	93,40	6,60	113,40	703,73	1.921,58	4,38
Não têm	97,16	2,84	72,89	309,59	914,99	5,35
Iluminação de rua						
Boa	94,04	5,96	122,76	584,08	1.773,54	4,59
Ruim	94,03	5,97	124,50	808,11	2.200,26	4,48
Não têm	98,28	1,72	57,30	325,62	1.082,27	5,43
Drenagem e escoamento						
Bons	94,41	5,59	106,27	671,33	2.058,25	4,50
Ruins	93,52	6,48	93,79	563,29	1.935,70	4,69
Não têm	95,33	4,67	196,21	464,25	1.235,76	4,85

Continua

Categoria	Não têm despesa (%)	Têm despesa (%)	Média de despesas com crédito	Renda do trabalho	Renda total mensal da UC	Nº de pessoas da UC
Energia elétrica						
Boa	94,33	5,67	124,21	635,71	1.870,60	4,59
Ruim	93,23	6,77	101,94	626,30	1.852,96	4,74
Não têm	98,25	1,75	66,41	192,19	629,59	5,37

Fonte: CPS/FGV, a partir dos microdados da POF 2003, do IBGE.

Para mencionar também outros serviços financeiros, observou-se que a média de depósitos em poupança era de R$ 2.645 e a de depósitos líquidos, de R$ 1.612; que a média de aplicações em fundos era de R$ 47 e de aplicações em ações era ainda mais irrisória, R$ 0,73. Já a média de depósitos dos que tinham despesas com crédito era menor que a média total, R$ 2.325, assim como os depósitos líquidos, R$ 1.406, o que talvez se deva ao motivo precaucional da poupança, que consiste em indivíduos com restrições de crédito pouparem para se defender de incertezas. É importante lembrar que crédito e poupança são substitutos — embora muito imperfeitos —, pois ambos são usados para suavizar o consumo, isto é, tentar mantê-lo constante apesar de flutuações na renda corrente, e também como seguro contra adversidades.

Tabela 18

Nordeste: panorama de aplicações financeiras — população total (%)

Categoria	Depósito	Retirada	Diferença
Poupança	2.645,44	1.033,04	1.612,40
Fundos de investimento	74,11	26,61	47,50
Ações	0,73	0,00	0,73

Fonte: CPS/FGV, a partir dos microdados da POF 2003, do IBGE.

Para uma descrição mais detalhada do uso e da qualidade do uso de serviços financeiros, medida por despesas com crédito, ver os panoramas "Despesas financeiras" e "Aplicações financeiras", da seção "Finanças pessoais" no site da pesquisa.

Inadimplência

Entre os tipos de atrasos de pagamentos que a POF permite analisar — atraso de aluguel ou prestações da casa; atraso de luz, gás, água, e atraso no pagamento de bens e serviços prestados — o primeiro é o que mais se aproxima de uma medida comparável à inadimplência creditícia. O ponto principal é que há um custo moral de se atrasar o pagamento do aluguel, que envolve a reputação perante o proprietário do imóvel, e que é mais tênue nos demais casos. Ou seja, há um relacionamento entre as partes que deve ser levado em conta, assim como na relação entre o cliente tomador de um empréstimo e a instituição emprestadora. O custo de se tornar inadimplente envolve não só o risco de "ir para o SPC", mas também o de não se ter o aluguel ou o crédito renovado, ou obtê-los em condições menos favoráveis. Por isso foi usada a variável referente a atraso no pagamento do aluguel ou de prestações da casa para inferir o potencial de inadimplência dos possíveis novos clientes do programa.

Após uma análise preliminar das estatísticas descritivas de cada variável relevante, buscando-se uma fotografia geral da inadimplência no contexto da população em questão, fez-se uma análise de regressão baseada num modelo logit multinomial para encontrar a correlação entre as diversas variáveis e o atraso no pagamento de aluguel, a fim de isolar cada efeito. Rodou-se um modelo simples, controlado apenas por características observáveis dos indivíduos, como sexo, raça e idade, variáveis de renda e escolaridade, ocupação e unidades federativas.

Vale lembrar que, assim como nas análises multivariadas anteriores, pode-se calcular o quanto cada uma dessas características isoladas afeta a probabilidade de se atrasar alguma das contas, dada uma combinação de características entre as elencadas acima. Tal como descrito antes, durante a análise que se segue são descritas as probabilidades de inadimplência, que correspondem à probabilidade de atraso de um empreendedor ideal que possui todas as características mais típicas do universo, apenas modificando-se a característica de interesse. Esse empreendedor é um homem pardo nordestino, trabalhador por conta própria, na faixa dos 30-39 anos, com oito a 11 anos de escolaridade, morador de uma cidade urbana não-metropolitana, pertencente à classe socioeconômica

D (entre dois e quatro salários mínimos de renda familiar), com renda individual de R$ 360 e sem rendas de aposentadoria, de bolsas ou de outras fontes. Arbitrou-se também que esse empreendedor vive no Ceará, por ser o estado com maior número de clientes do programa CrediAmigo e sua sede. Esse indivíduo tem 11,3% de probabilidade de atrasar o aluguel ou as prestações da casa.

Todos esses resultados das análises multivariadas estão controlados pela renda individual de todas as fontes e pela renda familiar, além de outras variáveis, ou seja, comparou-se, por exemplo, indivíduos de mesma renda individual, mesma classe social, mesma raça, gênero, idade etc., com a única diferença de que um recebe uma transferência governamental e outro não, ou um é trabalhador por conta própria e o outro é empregador.

Em seguida, rodou-se um modelo de regressão mais completo, controlando — filtrando o efeito —, dessa vez, não só apenas por características observáveis, como sexo, raça e idade, variáveis de renda e escolaridade, e unidades federativas, mas também por outras características, como posição na família, religião, posse ou não de cartão de crédito, além de variáveis subjetivas de percepções de qualidade de vida, como insuficiência de renda, problemas de violência e qualidade do serviço de energia elétrica, para verificar se as conclusões derivadas do modelo mais parcimonioso se manteriam.

População. Verificou-se que, da amostra, 7,4% (9,4%) atrasaram o aluguel ou a prestação da casa nos últimos 12 meses, proporção menor do que no restante do país.

Tabela 19
Panorama de atraso — população total (%)

Categoria	Atraso de aluguel ou prestação	Atraso água, eletricidade, gás	Atraso de prestação de bens/serviços
Nordeste	7,36	59,07	36,05
Fora do Nordeste	9,41	47,07	30,75

Fonte: CPS/FGV, a partir dos microdados da POF 2003, do IBGE.

Sexo. Surpreendentemente, esse número é mais elevado entre as mulheres: 8,1% (9,8%) delas contra 6,9% (9,2%) dos homens. O mesmo padrão se repete no restante do país.

Tabela 20
Panorama de atraso — sexo (%)

Categoria	Atraso de aluguel ou prestação	Atraso água, eletricidade, gás	Atraso de prestação de bens/serviços
Nordeste			
Homem	6,87	57,61	34,78
Mulher	8,13	61,39	38,06
Fora do Nordeste			
Homem	9,23	46,41	29,81
Mulher	9,75	48,34	32,54

Fonte: CPS/FGV, a partir dos microdados da POF 2003, do IBGE.

Verificou-se a existência de correlação significante, embora muito reduzida, em termos de gênero. Enquanto um homem com as características já descritas tem uma probabilidade de 11,3%, uma mulher teria uma probabilidade de 12,4%.

Educação. No caso da escolaridade — medida tanto por anos de estudo quanto por grau de escolaridade completo —, os dados mostraram uma evidência um tanto surpreendente: a proporção de indivíduos inadimplentes era muito maior nos níveis mais elevados de educação do que na população analfabeta ou de menor instrução. Entre os indivíduos que nunca estudaram, por exemplo, essa proporção era de 4,3% (6,5%), enquanto para os indivíduos com 12 ou mais anos de estudo esse número chegava a 14,1% (8,9%). Esse padrão se apresentou parcialmente quando se examinou os demais capitalistas do país, uma vez que maiores níveis educacionais também estavam relacionados a maiores taxas de inadimplência. Mas a maior taxa se concentrou entre aqueles com ensino fundamental completo.

Tabela 21

Panorama de atraso — anos de estudo (%)

Categoria	Atraso de aluguel ou prestação	Atraso água, eletricidade, gás	Atraso de prestação de bens/serviços
Nordeste			
Sem instrução	4,33	52,50	33,79
1 a 3 anos	4,03	58,15	32,25
4 a 7 anos	7,44	62,91	39,54
8 a 11 anos	9,77	62,34	37,90
12 anos ou mais	14,11	45,00	29,24
Ignorado	8,29	41,66	30,30
Fora do Nordeste			
Sem instrução	6,48	48,50	27,16
1 a 3 anos	6,20	48,29	28,32
4 a 7 anos	9,42	51,00	32,71
8 a 11 anos	11,40	48,53	33,38
12 anos ou mais	8,94	31,83	22,63
Ignorado	6,47	33,49	26,09

Fonte: CPS/FGV, a partir dos microdados da POF 2003, do IBGE.

Quanto à escolaridade, verificou-se que, acima de quatro anos de estudo, quanto maior a escolaridade do indivíduo, maior a chance de ele atrasar o aluguel. Uma das relações significativas encontradas foi que, por exemplo, pessoas com ensino universitário completo atrasavam bem mais o aluguel do que pessoas sem qualquer instrução, o que pode parecer a princípio pouco intuitivo. Enquanto a probabilidade de alguém sem instrução atrasar o aluguel era de apenas 4,3%, a de alguém com mais de 12 anos chegava a 14,1%.

Renda. Outra evidência pouco intuitiva encontrada é de que a renda — medida como a renda individual de todas as fontes — estava positivamente correlacionada com a probabilidade de se atrasar o aluguel, isto é, quanto mais um indivíduo ganhava, maior a probabilidade de ele se tornar inadimplente. Isso pode se dever ao fato de que, talvez para o pobre, umas das poucas e mais valiosas coisas de que dispõe sejam seu nome, sua reputação, por isso o custo de manchá-la é maior do que para alguém com mais renda. Outra razão é que provavelmente o custo para os menos favorecidos de atrasar pagamentos seja maior do que para os mais favorecidos, pois um eventual despejo da casa alugada, uma não-renovação de um empréstimo como o do CrediAmigo, ou ainda a perda da possibilidade de comprar fiado em determinado estabelecimento são conseqüências que afetam muito mais os primeiros do que os segundos.

No que se refere à relação entre diferentes fontes de renda e transferências governamentais e inadimplência, verificou-se uma correlação negativa e significante entre o recebimento do Bolsa-Família, o recebimento de aposentadorias, e a probabilidade de o indivíduo se tornar inadimplente. Negociantes que recebiam algum tipo de bolsa do governo tinham 7,5% de probabilidade de atrasar o pagamento, número próximo da probabilidade de 7,4% dos que recebiam aposentadoria, ambas se mostrando muito mais elevadas no caso dos agentes que não recebiam nenhuma das duas (11,3%). Verificou-se ainda que os trabalhadores por conta própria, com probabilidade de 11,3%, atrasavam mais o pagamento do que os empregadores, com probabilidade de 9,3%.

Classe socioeconômica. No que se refere à classe social da família dos indivíduos, observou-se que a proporção de inadimplentes era mais elevada entre os membros de famílias da classe B1 — com renda entre 15 e 25 salários mínimos —, sendo 14,4% (9,2%) maior do que entre os membros de famílias da classe A1 e A2 — respectivamente 1,8% (5,2%) e 8,0% (5,6%) — e da classe E — 8,0% (11,5%). Isso pode se dever ao fato de boa parte dos indivíduos situados nos extremos do espectro de renda não terem aluguel para pagar, nem tampouco prestações da casa: os mais pobres por morarem possivelmente de graça ou em habitações próprias bem modestas, e os mais abastados por morarem em habitações próprias já quitadas. Curiosamente, quando as demais regiões do país foram consideradas, essa relação entre classe social e inadimplência revelou-se positiva e monotônica, isto é, quanto maior a classe social do capitalista, maior a chance de ele ser inadimplente.

Tabela 22

Panorama de atraso — classes socioeconômicas (%)

Categoria	Atraso de aluguel ou prestação	Atraso água, eletricidade, gás	Atraso de prestação de bens/serviços
Nordeste			
A1 — > 45 SMs	1,78	8,63	11,62
A2 — 25-45 SMs	7,99	42,17	25,48
B1 — 15-25 SMs	14,37	43,60	28,44
B2 — 10-15 SMs	9,86	61,53	40,31
C — 4-10 SMs	6,16	64,31	37,80
D — 2-4 SMs	6,79	60,52	39,05
E — < 2 SMs	7,97	57,07	32,79
Fora do Nordeste			
A1 — > 45 SMs	5,23	19,54	17,76
A2 — 25-45 SMs	5,62	28,69	23,79
B1 — 15-25 SMs	8,31	38,94	21,42
B2 — 10-15 SMs	9,59	43,78	34,03
C — 4-10 SMs	9,18	51,00	32,93
D — 2-4 SMs	10,87	51,73	33,98
E — < 2 SMs	11,48	54,55	29,52

Fonte: CPS/FGV, a partir dos microdados da POF 2003, do IBGE.

Esses dados revelaram que, se por um lado existe uma correlação entre renda individual e inadimplência, o mesmo não ocorre no caso da classe social da família do indivíduo – medida pela renda domiciliar em termos de múltiplos do salário mínimo. Os que tinham menos probabilidade de atrasar o pagamento eram os da classe A1 (1,8%). A maior probabilidade estava entre os indivíduos da classe B1 (14,37%), isto é, não há um padrão bem definido de correlação entre classe social e inadimplência.

Área. Nas capitais, a inadimplência também foi bem menor, com uma proporção de 10,7% (10,2%) de inadimplentes, contra 6% (9,2%) dos moradores de áreas urbanas não-metropolitanas. No restante do país, porém, para fins de comparação, verificou-se que a taxa de atraso de aluguel nas regiões metropolitanas era mais alta do que nas regiões não-metropolitanas.

Tabela 23

Panorama de atraso — dificuldade de viver com a renda (%)

Categoria	Atraso de aluguel ou prestação	Atraso água, eletricidade, gás	Atraso de prestação de bens/serviços
Nordeste			
Muita dificuldade	7,88	68,16	43,88
Dificuldade	8,65	64,26	37,34
Alguma dificuldade	6,19	57,25	31,50
Alguma facilidade	6,59	37,47	17,72
Facilidade	1,11	23,89	6,48
Muita facilidade	18,48	21,42	13,09
Fora do Nordeste			
Muita dificuldade	11,12	59,96	40,90
Dificuldade	10,84	58,90	37,53
Alguma dificuldade	9,87	44,35	27,94
Alguma facilidade	5,19	24,93	19,72
Facilidade	5,13	22,69	12,21
Muita facilidade	0,00	17,32	10,28

Fonte: CPS/FGV, a partir dos microdados da POF 2003, do IBGE.

Variáveis relativas à percepção subjetiva. Quando se considerou a qualidade de vida pela percepção subjetiva dos indivíduos, e não por variáveis objetivas, o quadro mudou: a proporção de inadimplentes caiu à medida que aumentou a percepção sobre a facilidade com que a renda total da família permitia que se levasse a vida. Entre os que afirmaram levar a vida com muita dificuldade, 7,9% (11,1%) atrasavam o aluguel, contra 1,1% (5,1%) dos que afirmavam levar a vida com facilidade, o que era totalmente esperado, uma vez que a facilidade em questão inclui também a possibilidade de pagar o aluguel ou a prestação da casa.

Entre os que alegavam problemas de violência onde viviam, 8,8% (11,8%) atrasavam o aluguel, enquanto entre os que não tinham esse problema, 6,9% (8,5%) eram inadimplentes. Entre os que diziam ter condições de moradia boas ou satisfatórias, aproximadamente 6% atrasavam o aluguel, contra 11,3% dos que consideravam morar em condições ruins. Isso pode se dever, por exemplo, ao fato de o custo de quem mora em piores condições, ou em áreas violentas, ou pelo menos de quem tem essa percepção, ser menor por não ter o aluguel renovado do que o de alguém que considera morar em boas condições. Pode-se fazer aí uma analogia com o crédito. Quanto melhores as condições de crédito, maior o incentivo do tomador para ser um bom pagador, a fim de aumentar sua probabilidade de ter o crédito renovado.

Tabela 24

Panorama de atraso — problemas com violência (%)

Categoria	Atraso de aluguel ou prestação	Atraso água, eletricidade, gás	Atraso de prestação de bens/serviços
Nordeste			
Sim	8,75	64,03	39,93
Não	6,94	58,20	35,17
Fora do Nordeste			
Sim	11,82	53,51	33,89
Não	8,54	45,37	30,14

Fonte: CPS/FGV, a partir dos microdados da POF 2003, do IBGE.

O exercício multivariado mais completo mostrou que o fato de um indivíduo morar em uma região com problemas de violência aumenta sua probabilidade de inadimplência, apesar de, nesse caso, a correlação ser bastante reduzida. Surpreendentemente, verificou-se que indivíduos que alegavam ter serviço de energia elétrica ruim tinham menos chances de atrasarem o pagamento da dívida do que indivíduos que alegavam ter um bom serviço. Além disso, como era de esperar, indivíduos que disseram ter dificuldade de chegar até o fim do mês com a renda que recebiam têm uma probabilidade mais elevada de atrasar o pagamento do que indivíduos que alegam facilidade.

Crédito pessoal. Entre os que dispunham de cartão de crédito, a proporção de inadimplentes era de 11,1% (11,1%), contra 6,7% dos que não tinham cartão. O mesmo aconteceu com o cheque especial, com 9,7% (7,6%) *versus* 7,2 %, e com a diferença entre os que eram e os que não eram titulares de um plano de saúde, com 9,5% contra 7,2%.

Tabela 25

Panorama de atraso — crédito pessoal (%)

Categoria	Atraso de aluguel ou prestação	Atraso água, eletricidade, gás	Atraso de prestação de bens/serviços
Nordeste			
Cartão de crédito	11,06	52,47	37,31
Cheque especial	9,71	40,14	29,35
Fora do Nordeste			
Cartão de crédito	11,15	39,34	29,92
Cheque especial	7,58	32,40	22,37

Fonte: CPS/FGV, a partir dos microdados da POF 2003, do IBGE.

Foram encontradas também evidências de que o fato de o indivíduo ter acesso a crédito – cartão de crédito ou cheque especial — está positivamente correlacionado à probabilidade de ele ser inadimplente.

Estado. O estado com a maior taxa de inadimplência era o Ceará, com 9,6%, seguido de Pernambuco, com 8,3%, e Paraíba, com 8,2%. No outro extremo, estavam Maranhão, com 4,4%, Rio Grande do Norte, com 6,1%, e Sergipe, com 6%.

Tabela 26

Panorama de atraso — estado (%)

Categoria	Atraso de aluguel ou prestação	Atraso água, eletricidade, gás	Atraso de prestação de bens/serviços
Nordeste			
Maranhão	4,36	55,17	42,49
Piauí	8,39	66,53	42,07
Ceará	9,58	54,50	32,98
Rio Grande do Norte	6,08	57,96	28,71
Paraíba	8,16	54,14	35,50
Pernambuco	8,32	61,14	40,59
Alagoas	7,56	50,83	33,72
Sergipe	6,01	57,39	30,37
Bahia	6,99	62,73	33,02

Fonte: CPS/FGV, a partir dos microdados da POF 2003, do IBGE.

A variável referente a atraso no pagamento de bens e serviços também pode ser uma boa aproximação para o atraso no reembolso do crédito, embora as razões descritas anteriormente para justificar o uso do atraso do aluguel, relativas ao relacionamento entre credor e devedor, se apliquem ao atraso de bens e serviços predominantemente no caso de cidades menores — onde as relações interpessoais entre cliente e fornecedores de bens e serviços são muito mais presentes. Rodou-se, por conseguinte, a mesma regressão anterior, substituindo "atraso de aluguel" por "atraso de bens e serviços", com o objetivo de realizar um teste de robustez, para se ter mais confiança nos resultados e eliminar o risco de resultados derivados de alguma característica específica da variável utilizada. Chegou-se aos mesmos resultados do modelo anterior, no que se refere tanto às direções das correlações quanto às suas magnitudes, ratificando assim o exercício.

No segundo teste de robustez, referente ao uso de um modelo de regressão mais completo, verificou-se que as principais conclusões do modelo simples, como as referentes à relação entre as variáveis de renda, classe social, educação e sexo, se mantinham, demonstrando mais uma vez a robustez dos resultados. Entretanto, algumas mudanças foram observadas entre os resultados dos dois modelos, sendo as mais relevantes as seguintes: no modelo mais completo, as pessoas com mais de 50 anos parecem bem menos propensas a atrasar suas contas e não há diferença significativa entre a inadimplência de brancos e negros, embora os pardos continuem sendo os que apresentam menor probabilidade de ser inadimplentes.

Um cruzamento interessante é o atraso de diferentes contas e pagamentos. Verificou-se que, dos que atrasaram água, eletricidade ou gás, 9,9% também atrasaram o aluguel, e 50% atrasaram o pagamento da prestação de bens e serviços. É importante lembrar que essa proporção dos que atrasam o aluguel ou a prestação da casa não é uma proporção do universo dos que vivem em casa alugada ou em casas ainda não quitadas, e sim uma proporção do universo total, incluindo também os que não têm nem aluguel nem tampouco prestações para pagar, caso contrário, todos esses números seriam muito maiores.

Para uma descrição completa do atraso no pagamento de aluguel e prestações da casa, assim como de atrasos no pagamento de bens e serviços e de contas de luz, gás e água, ver o site da pesquisa. O site permite inclusive análises horizontal e vertical das diferentes variáveis em questão, revelando, por exemplo, que fração das mulheres atrasam o aluguel e, na fração dos que atrasam o aluguel, que proporção cabe às mulheres. Para saber a probabilidade de inadimplência de uma combinação qualquer de características entre as elencadas acima, ver o simulador correspondente, que, baseado nesse modelo simples de análise multivariada, fornece a probabilidade de se atrasar alguma das contas segundo as características selecionadas.

Tabela 27

Modelo logístico (completo) — atraso no aluguel

Resposta	Parâmetro	Nível	Estimativa	Erro-padrão	Estatística de Wald	Nível descritivo (p)	Razão condicional
Sim	Intercepto		–2,4943	0,000885	7942305,6	<,0001	
	Sexo	Feminino	0,0456	0,00137	115,8509	<,0001	1,05
	Cor	Amarela	–0,2807	0,0172	267,5586	<,0001	0,76
	Cor	Branca	0,00629	0,00157	16,0507	<,0001	1,01
	Cor	Ignorada	–0,5491	0,0266	426,8576	<,0001	0,58
	Cor	Indígena	–0,4231	0,0305	192,0467	<,0001	0,66
	Cor	Parda	–0,0816	0,00116	4905,1995	<,0001	0,92
	Idade	10-19	0,0576	0,00446	166,6821	<,0001	1,06
	Idade	20-29	0,1753	0,00183	9127,5067	<,0001	1,19
	Idade	30-39	0,119	0,00157	5748,5803	<,0001	1,13
	Idade	40-49	0,0507	0,00178	811,7899	<,0001	1,05
	Idade	50-59	–0,2404	0,00266	8154,3011	<,0001	0,79
	Idade	60-69	–0,3022	0,00466	4213,5694	<,0001	0,74
	Renda total		0,00304	0,000082	1378,3179	<,0001	1,00
	Anos de estudo	1 — 1 a 3	–0,2789	0,00233	14349,72	<,0001	0,76
	Anos de estudo	2 — 4 a 7	0,0565	0,00169	1118,2858	<,0001	1,06
	Anos de estudo	3 — 8 a 11	0,2511	0,00146	29736,553	<,0001	1,29
	Anos de estudo	4 —12 ou mais	0,7168	0,00298	57724,112	<,0001	2,05
	Anos de estudo	5 — ignorado	0,1972	0,00688	820,5295	<,0001	1,22
	Classes	A1 — > de 45	–0,9462	0,00987	9196,5821	<,0001	0,39

Continua

Resposta	Parâmetro	Nível	Estimativa	Erro-padrão	Estatística de Wald	Nível descritivo (p)	Razão condicional
	Classes	A2 — 25 a 45	–0,1586	0,00546	843,3564	<,0001	0,85
	Classes	B1 — 15 a 25	0,4445	0,00345	16627,696	<,0001	1,56
	Classes	B2 — 10 a 15	0,0762	0,00309	607,1455	<,0001	1,08
	Classes	C — 4 a 10	–0,1927	0,00171	12668,198	<,0001	0,82
	Classes	D — 2 a 4	–0,0288	0,00164	307,3215	<,0001	0,97
	Região de domicílio	Capital	0,324	0,00146	48976,995	<,0001	1,38
	Região de domicílio	Área metropolina	0,1027	0,0026	1561,9659	<,0001	1,11
	Ocupação	Conta própria	0,0496	0,000926	2868,168	<,0001	1,05
	UF	AL	–0,0267	0,013	4,1962	0,0405	0,97
	UF	BA	–0,094	0,00158	3559,6274	<,0001	0,91
	UF	MA	–0,2369	0,00272	7594,6882	<,0001	0,79
	UF	PB	0,0775	0,00356	474,3029	<,0001	1,08
	UF	PE	–0,0131	0,00194	45,3626	<,0001	0,99
	UF	PI	0,0841	0,00351	571,8199	<,0001	1,09
	UF	RN	–0,2401	0,00436	3027,4514	<,0001	0,79
	UF	SE	–0,2375	0,005	2257,1038	<,0001	0,79
	Tem renda de aposentadoria	Sim	–0,3632	0,00383	8999,1034	<,0001	0,70
	Tem renda de bolsa	Sim	–0,2614	0,00366	5096,1463	<,0001	0,77
	Tem outras rendas	Sim	0,00906	0,0013	48,7288	<,0001	1,01
	Família	2 — Cônjuge	0,0541	0,00167	1044,574	<,0001	1,06
	Família	3 — Filho	–0,6826	0,0026	68995,86	<,0001	0,51
	Família	4 — Outro parente	–0,2856	0,00427	4473,3537	<,0001	0,75
	Família	5 — Agregado	–0,0869	0,0121	51,1884	<,0001	0,92
	Família	6 — Pensionista	0,187	14,6849	0,0002	0,9898	1,21
	Religião	2 — Católica	–0,0299	0,00102	855,9821	<,0001	0,97
	Religião	3 — Evangélica	–0,0455	0,00232	385,6781	<,0001	0,96
	Religião	4 — Espiritualista	0,0524	0,00668	61,5117	<,0001	1,05
	Religião	5 — Afro-brasileira	–1,0806	0,0243	1984,3995	<,0001	0,34
	Religião	6 — Oriental	0,4635	0,0233	397,4621	<,0001	1,59

Continua

Resposta	Parâmetro	Nível	Estimativa	Erro-padrão	Estatística de Wald	Nível descritivo (p)	Razão condicional
	Religião	7 — Outras	–0,00917	0,00792	1,34	0,247	0,99
	Religião	8 — Ignorado	–0,7295	0,0427	292,0788	<,0001	0,48
	Crédito pessoal	Tem cartão ou cheque especial	0,1637	0,00184	7898,6419	<,0001	1,18
	Despesa financeira	Sim	0,3687	0,00304	14690,322	<,0001	1,45
	Cond. renda familiar	Alguma dificuldade	–0,3	0,0013	27663,91	<,0001	0,74
	Cond. renda familiar	Alguma facilidade	–0,3016	0,00409	5427,1194	<,0001	0,74
	Cond. renda familiar	Dificuldade	0,0906	0,00162	3141,2364	<,0001	1,09
	Cond. renda familiar	Facilidade	–0,8748	0,00651	18085,185	<,0001	0,42
	Cond. renda familiar	Ignorado	–0,3539	3,427E+09	0	1	0,70
	Cond. renda familiar	Muita facilidade	1,0895	0,00797	18704,505	<,0001	2,97
	Cond. renda familiar	Não respondido	–0,3905	1397,5	0	0,9998	0,68
	Atraso	Ignorado	0				1,00
	Atraso	Não respondido	–0,2281	3,021E+16	0	1	0,80
	Atraso	Sim	0,0759	0,00155	2407,0608	<,0001	1,08
	Freqüenta escola	1 — Sim, rede privada	0,4803	0,00555	7489,0955	<,0001	1,62
	Freqüenta escola	2 — Sim, rede pública	–0,0718	0,00298	580,7629	<,0001	0,93
	Freqüenta escola	3 — Não, já freqüentou	0,0818	0,000995	6757,2317	<,0001	1,09
	Freqüenta escola	4 — Ignorado	–0,3785	0,0438	74,7013	<,0001	0,68
	Energia elétrica	Bom	0,0508	0,000931	2972,1643	<,0001	1,05
	Energia elétrica	Ignorado	0				1,00
	Energia elétrica	Não respondido	–0,3103	2304	0	0,9999	0,73
	Energia elétrica	Ruim	–0,096	0,00341	793,1279	<,0001	0,91

Fonte: CPS/FGV, a partir dos microdados da POF 2003, do IBGE.

11

Outras modalidades financeiras

Marcelo Neri
Gabriel Buchmann
Luisa Carvalhaes
André Luiz Neri

> Os indivíduos, pobres e ricos, necessitam de acesso a serviços financeiros para que suas idéias possam se juntar a seus ativos e, com isso, gerar crescimento sustentável de longo prazo.
>
> *Raghuram G. Rajan*

Neste capítulo, veremos como se dá a distribuição do acesso ao crédito e a algumas modalidades financeiras complementares e substitutas do crédito nos diversos estados do Nordeste. Além da proporção de indivíduos que têm despesas com crédito, observaremos o acesso a crédito pessoal, examinando o acesso a cartão de crédito e a cheque especial, e a aplicações financeiras, entre as quais foram selecionadas a poupança e os fundos de aplicação, e, por último, a distribuição das agências bancárias por estado.

Uma fração muito reduzida dos microempresários apresentou despesas financeiras com crédito, sempre abaixo de 7% em cada estado. Quanto à distribuição da população que tinha despesas financeiras com crédito pelos estados, a maior fração com acesso estava no Piauí, com 6,6%, e no Ceará, com 6,3%, enquanto o Maranhão tem 2,9%. Já no tocante à despesa média com crédito, Alagoas liderava com folga o *ranking* das despesas, com R$ 226, seguido do Maranhão, com R$ 145, do Ceará, com R$ 139, e da Bahia, com R$ 132.

Tabela 1

Despesas com crédito — estados

Estados	População (contagem)	População (%)	Não têm despesa (%)	Têm despesa (%)	Média de despesas com crédito
Maranhão	1.017.091	13,60	97,12	2,88	145,34
Piauí	414.719	5,54	93,42	6,58	127,58
Ceará	1.143.113	15,28	93,73	6,27	138,72
Rio Grande do Norte	315.567	4,22	93,00	7,00	125,34
Paraíba	412.925	5,52	95,11	4,89	82,42
Pernambuco	1.332.817	17,82	93,40	6,60	66,23
Alagoas	284.804	3,81	95,52	4,48	226,47
Sergipe	242.478	3,24	95,87	4,13	102,80
Bahia	2.315.959	30,96	94,03	5,97	132,30

Fonte: CPS/FGV, a partir dos microdados da POF, do IBGE.

Teremos aqui apenas uma breve descrição espacial do acesso a crédito pessoal, uma vez que este foi extensamente analisado no capítulo 10. Os estados que apresentaram a maior proporção de pessoas com cartão de crédito foram Bahia (18,8%), Ceará (18,4%), Alagoas (17,8%) e Pernambuco (15,5%), e o, destacadamente, com menor proporção foi o Maranhão (8,3%). Quanto a cheque especial, o líder foi o Rio Grande do Norte (10,7%), seguido da Bahia (9,4%) e de Alagoas (8,8%), sendo novamente o destaque negativo o Maranhão, com 4%.

Tabela 2

Acesso a crédito pessoal — estados

Estados	População (contagem)	Têm cartão de crédito e cheque especial (titular em ambos)	Têm cartão de crédito	Têm cheque especial	Não têm nenhum
Maranhão	1.017.091	2,47	4,28	1,50	91,74
Piauí	414.719	5,60	6,50	2,80	85,10
Ceará	1.143.113	5,88	10,82	1,74	81,56
Rio Grande do Norte	315.567	8,02	7,07	2,66	82,25
Paraíba	412.925	6,06	7,76	1,75	84,43
Pernambuco	1.332.817	5,29	10,17	1,41	83,12
Alagoas	284.804	7,30	8,97	1,50	82,22
Sergipe	242.478	5,24	9,99	2,40	82,36
Bahia	2.315.959	7,38	9,43	2,01	81,18

Fonte: CPS/FGV, a partir dos microdados da POF, do IBGE.

Examinemos agora a distribuição do investimento em poupança, modalidade financeira alternativa (podendo ser também complementar) ao crédito, entre os microempresários do Nordeste. Considerando a distribuição da poupança entre os diferentes estados, o Ceará, sede do programa CrediAmigo, foi o estado com maior montante depositado (total de R$ 6.927, com diferença de R$ 4.539), mais do dobro do segundo, Alagoas (R$ 3.459 e R$ 1.569), seguido por Pernambuco (R$ 2.654 e R$ 1.755), Piauí (R$ 2.272 e R$ 739) e Bahia (R$ 2.151 e R$ 1.418).

Tabela 3

Poupanças (depósitos e retiradas) — estados

Estados	População (contagem)	Depósito em poupança	Retirada poupança	Diferença poupança
Maranhão	1.017.091	1.194,13	408,25	785,88
Piauí	414.719	2.272,15	1.533,63	738,52
Ceará	1.143.113	6.927,26	2.387,52	4.539,74
Rio Grande do Norte	315.567	1.311,16	2.878,72	–1.567,57
Paraíba	412.925	1.430,03	1.152,09	277,94
Pernambuco	1.332.817	2.653,93	898,56	1.755,37
Alagoas	284.804	3.458,72	1.890,03	1.568,69
Sergipe	242.478	1.719,80	680,71	1.039,09
Bahia	2.315.959	2.150,72	632,34	1.518,38

Fonte: CPS/FGV, a partir dos microdados da POF, do IBGE.

Para efeito de comparação com a população total do Nordeste, a análise dos dados do Banco Central para 2000 permitiu perceber que o estado com a maior poupança média era Sergipe, com R$ 394, seguido de Pernambuco, com R$ 329, Rio Grande do Norte e Bahia, com R$ 263. No outro extremo estavam o Piauí, com R$ 183, e o Maranhão, com R$ 121. Vê-se claramente que esses valores referentes à média da população são muito menores do que os dos empreendedores.

A tabela 4 apresenta também a evolução da poupança total e média do Nordeste como um todo em 1991, 1996 e 2000.

Tabela 4
Investimentos em poupança (total e *per capita*)* — estados

Estado	Poupança R$ de 2000 (mil)			Média por habitante		
	1991	1996	2000	1991	1996	2000
Maranhão	164.961,01	385.134,86	682.891,81	32,77	71,55	120,60
Piauí	118.017,70	284.107,43	520.722,72	44,85	103,46	182,89
Ceará	475.282,20	1.143.765,12	1.931.801,72	73,27	162,59	259,42
Rio Grande do Norte	158.982,04	427.931,10	732.657,70	64,28	161,95	263,34
Paraíba	189.475,05	498.435,38	819.375,39	58,32	148,63	237,68
Pernambuco	1.424.595,69	1.867.838,19	2.608.284,76	196,83	244,99	328,91
Alagoas	157.253,30	507.763,16	675.402,03	61,11	187,52	238,89
Sergipe	241.543,92	444.954,52	705.807,37	157,76	265,56	394,56
Bahia	1.869.747,54	2.249.342,54	3.437.191,96	154,05	178,20	262,62

Fonte: Banco Central.
* Deflacionado pelo deflator implícito do PIB nacional.

A seguir, temos a distribuição dos fundos de aplicação entre os microempresários do Nordeste: primeiro, a média do total dos depósitos em fundos de aplicação e, depois, a diferença entre o total depositado e o total retirado dos fundos. Como se pode observar claramente, os estados onde os microempresários mais investem em fundos de aplicações são Alagoas (R$ 206 depositados e diferença de R$ 196) e o Ceará (R$ 193 e R$ 89), com uma diferença bem grande para os próximos, Bahia (R$ 100 e R$ 70) e Piauí (R$ 62 e R$ 61). Os demais estados aparecem com quantias muito reduzidas.

Fazendo a mesma análise anterior e examinando o investimento médio total em aplicações bancárias em geral para todo o Nordeste, utilizando dados do Banco Central para 2000, observou-se que, desta feita, a Bahia aparecia em primeiro lugar, com R$ 740, seguida de Pernambuco, com R$ 679, e de Sergipe, com R$ 693. O Ceará, sede do programa, figurava em 4º lugar, com R$ 576. Além disso, pôde-se observar que, das aplicações bancárias, a poupança representa uma fração que oscila de 31%, no Maranhão, até 54%, na Paraíba.

Tabela 5
Fundos de aplicação (depósitos e retiradas) — estados

Estados	População (contagem)	Depósito em fundo de aplicação	Retirada de fundo de aplicação	Diferença fundo de aplicação
Maranhão	1.017.091	1,10	0,00	1,10
Piauí	414.719	61,83	0,77	61,06
Ceará	1.143.113	192,84	104,30	88,54
Rio Grande do Norte	315.567	33,80	20,58	13,23
Paraíba	412.925	2,20	0,14	2,06
Pernambuco	1.332.817	0,63	0,00	0,63
Alagoas	284.804	206,41	10,62	195,79
Sergipe	242.478	14,23	0,00	14,23
Bahia	2.315.959	100,36	30,17	70,19

Fonte: CPS/FGV, a partir dos microdados da POF, do IBGE.

Tabela 6
Aplicações bancárias (total e *per capita*) * — estados

	Aplicações bancárias R$ de 2000 (mil)			Média por habitante		
Estado	**1991**	**1996**	**2000**	**1991**	**1996**	**2000**
Maranhão	3.902.703	1.416.535	2.150.145	775	263	380
Piauí	943.483	1.028.554	1.218.183	359	375	428
Ceará	7.335.736	4.725.796	4.288.788	1.131	672	576
Rio Grande do Norte	1.238.859	1.085.516	1.516.059	501	411	545
Paraíba	1.686.700	847.319	1.492.019	519	253	433
Pernambuco	12.560.797	6.327.617	5.383.096	1.735	830	679
Alagoas	2.651.766	4.804.621	1.546.331	1.030	1.774	547
Sergipe	1.173.462	814.545	1.240.135	766	486	693
Bahia	17.815.095	7.963.761	9.684.126	1.468	631	740

Fonte: Banco Central.

* Ajustado pelo deflator implícito do PIB nacional

Por último, dados do Banco Central de 2000 permitiram verificar a existência de 4,4 milhões de agências bancárias, perfazendo uma média de 11 pessoas por agência. O estado com maior número de agências era a Bahia, com 714 mil (média de 18 mil habitantes por agência), seguida de Pernambuco, com 409 mil (média de 19 mil) e Ceará, com 319 (média de 23 mil). O estado com menor média de pessoas por agência e, por conseguinte, com maior acesso bancário médio, caso se assuma uma distribuição uniforme, era Sergipe, com 12 mil, seguido de Bahia e Pernambuco. Os estados onde a razão de agências por habitante era maior foram: Piauí, com 29 mil, Alagoas, com 27 mil, e Paraíba, com 24 mil. O restante consta da tabela 7, que mostra também a evolução do número de agências entre os anos de 1991, 1996 e 2000. Nota-se que o número de habitantes por agência aumentou ao longo dos anos em todos os estados, o que mostra que o número de agências não acompanhou o crescimento da população.

Tabela 7
Agências bancárias — estados

Estados	Número de agências bancárias (mil)			Habitantes por agência		
	1991	1996	2000	1991	1996	2000
Maranhão	262	263	239	19.215	20.468	23.692
Piauí	96	105	98	27.412	26.153	29.053
Ceará	311	359	319	20.858	19.595	23.344
Rio Grande do Norte	113	128	123	21.887	20.643	22.619
Paraíba	160	169	141	20.307	19.843	24.450
Pernambuco	442	466	409	16.375	16.361	19.389
Alagoas	135	147	106	19.062	18.420	26.672
Sergipe	158	154	143	9.690	10.880	12.509
Bahia	756	778	714	16.054	16.225	18.331

Fonte: Banco Central.

Conclusão

Marcelo Neri

A baixa quantidade e qualidade do crédito no país pode ser sintetizada no que González Vega chamou, em 1997, de "misterio brasileño", referindo-se às razões do pouco desenvolvimento do crédito produtivo popular privado no Brasil. De lá para cá, houve a implementação de diversas políticas de microcrédito em diversos níveis de governo e da sociedade. Mas o percentual de empresas urbanas de até cinco empregados com financiamento manteve-se constante entre 1997 e 2003. Ou seja, o mistério brasileiro continua atual.

A pesquisa revelou um crescimento do crédito produtivo popular diferenciado no Nordeste urbano, o que chamamos de mistério nordestino: por que o crédito produtivo popular urbano, embora ainda em nível muito baixo, se desenvolveu recentemente mais no Nordeste do que em outras regiões do país? Dada a importância relativa do programa CrediAmigo em termos regionais — ocupando mais de 60% do mercado de microcrédito —, a investigação dos impactos desse programa no acesso ao crédito e na vida dos tomadores de empréstimos e de suas famílias constitui um tema central neste livro. Além disso, como a área urbana de cobertura da Ecinf corresponde à área de atuação do CrediAmigo, aproveitou-se esse fato para analisar os clientes potenciais do programa.

Prospectivamente, foram estudados os segmentos de mercado para a expansão do CrediAmigo e as possibilidades de aprimoramento do desenho do programa como política de combate à pobreza de forma sustentável, explorando ligações com elementos da política pública, em particular com programas de transferência de renda.

De maneira geral, a pesquisa revelou a importância estratégica do CrediAmigo, pela combinação dos quesitos tamanho, eqüidade, eficiência e sustentabilidade. Nesse ponto, o CrediAmigo pode ser chamado de o Grameen Bank brasileiro não só por usar tecnologia similar de colateral social em áreas urbanas pobres, como pelo foco e os resultados obtidos pelo programa entre os produtores de renda mais baixa (pobres) como as mulheres.

Observou-se que o microcrédito se difundiu mais nas cidades do Nordeste (a região mais pobre do Brasil), fato admirável, mas que para ser considerado uma virtude precisa permitir que as boas oportunidades de negócios floresçam e que as más não. Cumpre avaliar não só a eqüidade como a eficiência alocativas da concessão do microcrédito. Nesse aspecto, os resultados do programa em termos de redução da pobreza são notáveis: dos beneficiários, apenas 1,5% dos não-miseráveis cruzaram no sentido descendente a linha de pobreza, enquanto 60,8% dos que se situavam abaixo dela saíram de sua condição de miserabilidade. Informou-se aqui os resultados a partir da linha de R$ 117, regionalizados pelo custo de vida calculado a partir da linha da FGV, mas que são robustos para linhas de outras instituições como o Ipea ou usando o salário mínimo como linha de corte.

Perfil econômico dos clientes efetivos do CrediAmigo

Socioeconomia do CrediAmigo

O CrediAmigo, assim como a maior parte dos programas de microcrédito, tem como clientes predominantemente mulheres, representando estas 61,73% de sua clientela, contra 38,27% de homens.

A maioria dos clientes tem entre 30 e 39 anos (30,4%), seguidos dos clientes com 40-49 anos (27,09%) e dos com 20-29 anos (20%). A proporção é de 15,09% na faixa dos 50-59 anos, 6,62% na dos com mais de 60 anos e apenas 0,77% dos com menos de 19 anos.

No que se refere à educação, prevalecem os clientes com 1º grau, ou ensino fundamental, completo (62,51%), seguidos dos que têm 2º grau, ou ensino médio, completo (28,6%). Olhando para os extremos, vemos que apenas 2,8% não têm qualquer instrução e que apenas 3% têm nível superior completo. Verificou-se que 75,35% dos clientes viviam em casa própria, 10,3% em casa alugada, 4% em casa de familiares e 9,1% sozinhos.

O estado com maior número de clientes era, de longe, o Ceará, sede do programa, com 29,8%, seguido de Maranhão, com 11,6%, e da Bahia, com 11,5%, esses três estados perfazendo mais da metade dos clientes. O restante estava bem distribuído entre os demais estados do Nordeste, com destaque para Pernambuco (9,5%), Paraíba (9,1%) e Piauí (8%), e 4,1% viviam fora do Nordeste, em Minas Gerais, Espírito Santo e Distrito Federal, estes dois últimos tendo apenas 545 clientes.

Características dos negócios

No que se refere aos empreendimentos financiados, observou-se que 33,7% realizavam suas atividades na própria casa, seguidos de perto pelos que tinham um ponto comercial, com 32,3%. Já 20,5% prestavam serviços a domicílio, 10,61% possuíam uma barraca ou banca e 3,65% tinham atividades móveis. Aproximadamente um quarto dos negócios, 26,92%, eram ambulantes e, dos negócios fixos restantes, 53,84% eram próprios e 20% alugados.

A esmagadora maioria, 92%, atuava no setor do comércio, contra 4,91% do setor de serviços e 2,82% do setor industrial. Verificou-se, portanto, que, claramente, o foco do programa é o fornecimento de crédito comercial. De acordo com o porte, os clientes do CrediAmigo podem ser divididos em três grupos: subsistência (vendas mensais iguais ou inferiores a R$ 1.000), acumulação simples (vendas mensais entre R$ 1.000 e R$ 5.000) e acumulação ampliada (vendas mensais entre R$ 5.000 e R$ 36.146,26), ou ainda ser classificados como empresas de pequeno porte, categoria na qual se enquadram os clientes de maior porte, já formalizados. Utilizando-se essa divisão referente ao nível de estruturação do negócio, constatou-se que somente 0,3% consistia em empresas de pequeno porte; 6,1% realizavam acumulação ampliada; 48,9% acumulação simples; e 44%, ou seja, quase metade dos empreendimentos, realizava atividades de subsistência. Ou seja, 93% dos negócios dos clientes do CrediAmigo tinham vendas inferiores a R$ 5.000.

Características do empréstimo CrediAmigo

No que se refere aos empréstimos do CrediAmigo, verificou-se por sua base de dados que a maior parte, 79,6%, foi feita através do produto capital de giro popular solidário, 15,5% do produto giro solidário, 2,6% de investimento fixo, 2,43% de capital de giro individual e apenas um empréstimo do tipo crédito comunidade havia sido realizado até dezembro de 2006. Portanto, a esmagadora maioria dos empréstimos do programa (95%) são empréstimos solidários que têm como garantia apenas o colateral social dos clientes.

Praticamente todos 98,8% tinham uma agenda mensal de pagamento, com apenas 1,2% pagando os empréstimos quinzenalmente. Em 92% dos casos, a operação se encontrava em andamento normal, estando atrasada em apenas 0,04% dos casos e já quitada em 6,81%.

A maior parte das operações (63%) era realizada com prazo de quatro meses, 10,6% com prazo de três meses, 14,9% com prazo de cinco meses e 8% com prazo de seis meses, o que já inclui 97,2% das operações.

Desempenho dos clientes

Os dados mostram que houve substancial aumento das principais variáveis relativas ao desempenho dos negócios, tanto em termos de fluxo quanto de estoque. Apresentam, de maneira geral, um significativo aumento dos valores reais de faturamento, custos, lucro, capacidade de pagamento e consumo, sugerindo uma melhora em todos os indicadores de desempenho apresentados.

No caso do lucro operacional — o correspondente mais próximo da renda do trabalho da Pnad —, exercícios multivariados mostraram que o impacto do programa em termos de crescimento foi um aumento de 30,7%. As mulheres apresentaram lucro operacional 21,17% inferior ao dos homens, embora entre os dois períodos tenham mostrado um crescimento relativo de 4,1% em relação a eles. O lucro operacional médio, que no primeiro período era de R$ 975, passou para R$ 1.333 em dezembro de 2006, o que corresponde a uma variação de 36,7%. Esse aumento verificou-se de forma equilibrada nos diversos segmentos da sociedade, assim como nas diferentes faixas etárias, estados civis, gêneros e graus de escolaridade. Já o lucro operacional mediano, que no primeiro período era de R$ 709, passou para R$ 1 173 em 2006, o que corresponde a um aumento de 47%, donde se pode concluir que, além de o lucro dos clientes ter aumentado substancialmente, esse aumento foi relativamente maior para clientes com menor nível de lucro.

O lucro bruto médio dos clientes, que era de R$ 1.166, passou para R$ 1.576, um crescimento de 35,1%, resultado de um aumento na média de recebimento de vendas de 34,6%, de R$ 3.149 para R$ 4.238, e na média dos pagamentos com materiais de 41,8%, de R$ 2.812 para R$ 3.986. Ou seja, tanto o faturamento quanto os custos das microempresas apresentaram considerável incremento, com um resultante aumento substancial no lucro bruto agregado dos clientes, o que demonstra claramente que houve uma substancial expansão no tamanho médio dos negócios. Já no que se refere aos valores medianos, observou-se que os valores do lucro bruto mediano nos dois períodos foram R$ 609 e R$ 808 — um aumento de 32% —, do faturamento foram de R$ 2.274 e R$ 3.500 e do pagamento com materiais de R$ 1.264 e R$ 2.000, bem menos elevados do que os valores médios observados, o que deixa claro que há uma substancial desigualdade entre os clientes do programa, com poucos clientes com negócios de porte razoável e muitos clientes com pequenos negócios.

Outra tendência relevante foi a de concentração dos negócios. Houve uma redução de 156 mil (80%) para 145 mil (74%) clientes com mais de um negócio, com um paralelo aumento de 40 mil (20%) para 51 mil (26%) clientes com apenas um negócio.

O lucro médio dos clientes ativos do programa, R$ 1.333, é bem mais elevado do que o dos clientes em potencial, que era de apenas R$ 600 em 2005. O mesmo se verifica, mas com uma diferença ainda maior, no lucro mediano, com o valor dos clientes ativos do programa correspondendo a R$ 1.173 e o dos clientes potenciais a R$ 300. Isso mostra claramente que, por mais que o programa tenha fornecido acesso a crédito a indivíduos antes restritos, proporcionando melhorias a camadas da população marginalizadas pelo sistema financeiro, ainda há muito a se avançar na direção de tornar o programa ainda mais pró-pobre, a fim de que atinja indivíduos de renda ainda mais baixa.

A única variável que apresentou redução entre os períodos foi justamente a que não guarda relação direta com a ampliação do aceso ao crédito. Houve uma redução de 5,6% nas outras rendas da família, de uma média de R$ 359 quando do primeiro empréstimo do cliente a uma média de R$ 339 em 2006.

Além disso, verificou-se um aumento de 28,2% nas despesas pessoais dos clientes e suas famílias, que em média se elevaram de R$ 364 para R$ 466, assim como de seus valores medianos, que também se elevaram, embora um pouco menos (22,8%), de R$ 289 para R$ 355. Uma análise controlada apontou um crescimento de 13% nessas despesas relativas ao consumo das famílias entre os períodos.

Por último, detectou-se um substancial aumento na capacidade de pagamento entre os períodos analisados, que se elevou, em média, 30,4%, de R$ 920 para R$ 1.199, assim como na capacidade real, que se ampliou 49,3%, de R$ 698 para R$ 1.043.

Já no que se refere a variáveis de estoque, pôde-se observar pelo balanço que a média do ativo total de um cliente do CrediAmigo apresentou um considerável crescimento de 18,1%, de R$ 20.987 no momento de sua adesão ao programa para R$ 24.782 em dezembro de 2006. O cliente mediano, por sua vez, experimentou um incremento de 39% no valor de seu ativo total, o que demonstra a existência de uma convergência entre os ativos dos clientes do programa, isto é, uma melhoria relativa dos que tinham ativos mais reduzidos.

O total médio do ativo circulante, que era de R$ 3.956, passou para R$ 5.430 — um aumento de 37%; o imobilizado produtivo passou de R$ 5.080 para R$ 5.425 — um aumento de 6,8%; e os ativos da família passaram de R$ 11.951 para R$ 13.927 — um aumento de 16,5%. Com isso, o ativo circulante, que representava 18,8%, passou a representar 21,9% do ativo total; o ativo imobilizado, que representava 24,2%, passou a 21,9% do ativo total; e os ativos da família, que representavam 56,9%, passaram a representar 56,2%.

Do lado do passivo, a evidência mais notável foi que, enquanto o valor médio total de financiamentos provenientes do CrediAmigo aumentou substancialmente, de R$ 4 para R$ 75, o total dos demais financiamentos de curto prazo caiu de R$ 51 para R$ 40 e os financiamentos de longo prazo sofreram queda de R$ 76 para R$ 47.

A margem de lucro bruta manteve-se praticamente a mesma, variando de 37% para 37,2%, assim como a margem de lucro operacional praticamente não se alterou, variando de 31% para 31,5%. A margem líquida também só se modificou marginalmente, de 29,2% para 29,3%. Cabe destacar, entretanto, que essa relativa estabilidade nas margens de lucro mostra apenas uma faceta da realidade, uma vez que, na verdade, todas as medidas de lucro experimentaram grande aumento em valores absolutos no período, assim como as vendas, mas cresceram praticamente na mesma proporção.

Já as duas medidas de retorno utilizadas apresentaram maior alteração. O retorno sobre o investimento (ROI) teve um incremento de 4,4% para 4,8%, enquanto o retorno sobre o patrimônio líquido se ampliou de 4,5% para 5%. Todos esses números representam valores de retorno de investimento bastante elevados.

Finalmente, é preciso comparar o desempenho dos clientes do programa com os de um grupo de controle local, pois a economia nordestina tem apresentado crescimento acima da média nacional pelo menos até o final de 2006. O lucro dos clientes do CrediAmigo passou de R$ 1.210 para R$ 1.965, ficando 27% acima de outros nanoempresários com atributos similares situados nas grandes metrópoles nordestinas.

Foco no desempenho das mulheres

Uma das características essenciais do Grameen Bank é sua clientela feminina. Nas avaliações de microcrédito que se teve a oportunidade de fazer pela América Latina observou-se que quem comanda os negócios são as mulheres; os homens, quando presentes, ficam observando suas mulheres comandar as ações, sendo estas, sim, as verdadeiras protagonistas econômicas dos negócios da família. Os dados do CrediAmigo indicam uma clientela predominantemente de mulheres, que representam cerca de 62% dos clientes, contra 38% de homens, o que inverte a proporção de gênero entre os empreendedores urbanos, compostos de 65% de homens e 35% de mulheres.

As mulheres em geral apresentam um lucro operacional 21,17% inferior ao dos homens, embora entre os dois períodos tenham tido um crescimento relativo de 4,1% acima do deles. Esse tipo de análise pode ser facilmente generalizado para as demais variáveis econômicas do negócio. Outro dado a ser destacado refere-se ao aumento das despesas dos clientes não associadas ao negócio, que, apesar de se mostrarem 12,3% menores nas famílias das microempresárias em relação a dos microempresários, tiveram uma melhoria relativa de desempenho de 2,1% em relação aos homens. O consumo representa uma *proxy* importante do ponto de vista do bem-estar, na medida em que capta não só a situação de suprimento de necessidades presentes como expectativas de cumprimento dessas necessidades no futuro. Heuristicamente, o microcrédito em geral, e o CrediAmigo, em particular, funciona como a fonte de financiamento da chamada revolução feminina, que ainda está em sua fase inicial no Nordeste.

Saída da pobreza

A ampliação do acesso ao crédito para os mais pobres tem sido apontada na literatura como uma das alternativas para a redução significativa da pobreza. É oportuno verificar se o financiamento concedido potencializa os atributos dos microempresários de baixa renda, ou se existe diferenciação de retornos entre aqueles indivíduos considerados pobres e que tomaram os empréstimos, e os impactos sobre as condições econômicas das famílias.

Pôde-se constatar um índice de sucesso de saída da pobreza bastante alentador para o programa CrediAmigo (60,8% para LP FGV, 50% para LP Ipea, e 48,1% para LP SM). Observou-se também que a proporção de clientes em situação inversa, ou seja, que sofreram reduções de renda ao nível de pobreza, foi muito pequena, sugerindo a alta eficácia líquida do programa em retirar as pessoas da condição de pobreza inicial na qual se encontravam.

Um importante passo é investigar os condicionantes desse sucesso. Para tanto, estimou-se nesta pesquisa um modelo multivariado de probabilidade linear de sucesso para um conjunto de variáveis que incluem, além do tempo de programa, características individuais e familiares (idade, nível educacional, gênero e tipo de domicílio), características do negócio (estrutura, tempo de atividade, setor, tipo de controle administrativo e prazo de venda), características do empréstimo (valor, prazo e participação no empréstimo do grupo solidário) e aspectos regionais (efeito fixo dos estados e renda *per capita* municipal). Um importante resultado verificado é que a velocidade de saída da situação de pobreza entre os clientes do CrediAmigo é bastante elevada. A probabilidade de um cliente ultrapassar as linhas de pobreza especificadas aumenta consideravelmente a cada seis meses, quando ele se mantém como cliente ativo. Aqueles indivíduos com mais de cinco anos no programa têm uma probabilidade maior de deixar essa situação, variando essa probabilidade de 35,72% a 40,69%, dependendo da linha utilizada, em relação aos clientes novatos. Isso nos dá uma velocidade média anual de saída em torno de 7-8%. Esse resultado sugere uma eficácia dupla do programa, que, além de servir como importante instrumento de fornecimento de capital financeiro ao indivíduo pobre, também cria condições para a ampliação do capital social, pois o CrediAmigo acompanha e dá assistência ao tomador de crédito. Quanto às características individuais, pode-se destacar a influência positiva da educação na fuga da pobreza. Outros resultados também sugerem retornos diferenciados com relação a colaterais e habilidades organizacionais. Indivíduos que, ao entrarem no programa, possuíam domicílio próprio ou uma estrutura de negócio fixo têm maior probabilidade de sair da pobreza do que aqueles sem residência própria (ou alugada),[1] ou do que aqueles com um negócio ambulante. Outras evidências apontaram que o valor do primeiro crédito foi positivamente relacionado com a saída da pobreza.

---

[1] Interessante observar que aqueles que pagam aluguel têm uma probabilidade maior de sair da pobreza que aqueles com domicílio próprio. Neste caso, podemos considerar que esta capacidade de pagamento também pode servir como colateral.

Combate à pobreza: agenda

Se a expansão da transferência de renda em áreas mais pobres talvez não ajude a resolver o mistério nordestino pregresso, ela abre uma agenda de futuras políticas de natureza estrutural que talvez permita abrir as chamadas portas de saída da pobreza, levando o microcrédito até onde ele nunca foi antes. Combinar o aspecto compensatório de programas como o Bolsa-Família com programas de crédito, mediante medida administrativa relativamente simples ao permitir a consignação, pode levar o beneficiário a deixar de ser pobre e aproveitar as oportunidades criadas pelo próprio programa nas áreas de saúde e educação, determinantes da produtividade individual, assim como a injeção monetária propiciada na economia local. Cada beneficiário pode então realizar oportunidades produtivas mais a altura de suas possibilidades. A Argentina começou a experimentar um programa de bancarização a partir de seus programas sociais que está sendo avaliado pelo BID e deveria ser acompanhado com atenção.

Mercado potencial

O tamanho do mercado

Descreve as principais características de um universo de 4.552.381 trabalhadores por conta própria e empregadores do Nordeste urbano, com base principalmente na Pnad 2005, a última disponível. Os dados do Nordeste foram comparados com os de outras regiões, que correspondem a um universo de 13.314.052 de trabalhadores por conta própria e empregadores urbanos. O universo em questão, que correspondia a 3,5 milhões de pessoas em 1998, em 2005 já alcançava 4,5 milhões. Optou-se por diagnosticar os trabalhadores por conta própria e empregadores presentes, dada a regra usual de financiar os negócios já em operação. A parcela de microempresários nordestinos na PEA é de 27,4% e na PIA, de 19,07%. O banco de dados existente permite observar medidas mais abrangentes de mercado potencial de beneficiários do crédito, dependendo do contexto em questão. Considerando o mercado potencial, os dados mostram um lucro anual agregado de R$ 32,4 bilhões, e uma renda agregada de todas as fontes de R$ 37 bilhões, o equivalente a aproximadamente 22% e 25% da renda agregada de todas as fontes do Nordeste como um todo, respectivamente.

É importante destacar que nas estatísticas só foram considerados os empreendedores, mas que o impacto social de suas atividades cresce quando se levam em conta suas famílias. Há também alguns dados referentes às famílias dos microempresários que possibilitam avaliar a extensão dos impactos econômicos e sociais diretos da atividade microempresarial. Como as famílias de trabalhadores por conta própria e empregadores têm em média 4,64 membros, cerca de 21 milhões de pessoas são impactadas diretamente pelas atividades produtivas exercidas, incluindo a possibilidade de acesso a crédito por parte dos negociantes. Nesse caso, trata-se, nada mais nada menos, de 42% do total da população do Nordeste, que corresponde a aproximadamente 50,5 milhões de residentes. Em termos de tendências temporais da renda média individual do trabalho, esta, que era de R$ 535 em 1992, se elevou para R$ 849 em 1996 e regrediu até R$ 548 em 2003, voltando a subir até atingir R$ 600 em 2005.

Trajetória similar foi observada para a renda domiciliar *per capita* média de todas as fontes de rendimentos, cujos valores nesses anos foram de R$ 267 em 1992, um auge de R$ 426 em 1996, um decréscimo paulatino até R$ 351 em 2003 e recuperação a R$ 395 em 2005. Já quando foram usadas medidas de miséria e a mediana baseadas na renda *per capita* de todas as fontes na cauda inferior da distribuição de renda, a Pnad 2005 demonstrou a melhor posição histórica dos microempresários urbanos nordestinos, o que não aconteceu quando se usou a renda média.

Perfil dos microempresários

A análise abrangeu diversos grupos socioeconômicos, como sexo, idade, tempo de negócios e localização, entre muitos outros. A população de empreendedores nordestinos tem um perfil mais jovem e menos instruído do que o restante do país, apresentando uma proporção duas vezes maior de adolescentes e dois anos a menos de estudo na média.

A escolaridade dos microempreendedores se mostrou um importante determinante da produtividade dos negócios: a elasticidade do lucro em relação à escolaridade encontrada foi de 0,89. Ou seja, tomando esses resultados por seu valor de face, tem-se que cada 10% de aumento na escolaridade média do segmento (cerca de 0,6 ano, correspondendo ao aumento ocorrido entre 1997 e 2005) pode gerar um aumento de lucro de 8,9%.

De maneira geral, o público potencial típico do CrediAmigo é do sexo masculino, pardo, com apenas o ensino fundamental completo, igualmente distribuído entre as diferentes faixas etárias acima dos 20 anos, pertence às classes C, D ou E, com renda média do trabalho — que corresponde a seu lucro — de R$ 538 e renda domiciliar *per capita* de R$ 361, muita dificuldade de chegar ao fim do mês com a renda que ganha, bem servido de energia elétrica, água encanada, iluminação de rua e drenagem e escoamento e com boas condições de moradia, embora com problemas de umidade, telhados com goteiras e pouco espaço. Os dados mostram também que dois terços dos nanonegócios desenvolvem atividades fora do domicílio e somente um terço as desenvolvem no próprio domicílio.

Crédito pessoal dos microempresários

No que se refere ao acesso a crédito pessoal, os dados mostraram que 16,4% tinham acesso ou a cartão de crédito ou a cheque especial. Tanto renda quanto escolaridade, mesmo quando controladas por inúmeras outras variáveis, mostraram-se sempre positivamente correlacionadas com o acesso a crédito pessoal. Conforme esperado, os trabalhadores por conta própria têm uma probabilidade muito menor de obter acesso a crédito pessoal do que os empregadores. Quando se analisou o uso efetivo do crédito (e não apenas o acesso), pelas despesas com crédito, detectou-se que 5,6% dos microempreendedores tinham despesas com crédito pessoal, e uma despesa média de R$ 120 mensais. Na análise de inadimplência — medida pela probabilidade de o indivíduo ou alguém da família ter atrasado o aluguel ou a prestação da casa nos últimos 12 meses —, verificou-se que

7,4% dos microempresários atrasavam o pagamento. A proporção de indivíduos inadimplentes é muito maior nos níveis mais elevados de educação do que na população analfabeta ou de menor escolaridade e, de modo geral, há uma correlação positiva entre escolaridade e probabilidade de inadimplência. Por último, não foram encontradas evidências de correlação entre o recebimento do Bolsa-Família, ou o recebimento de aposentadorias, e a probabilidade de o indivíduo se tornar inadimplente, mas há evidências de que o fato de o indivíduo ter acesso a crédito pessoal — cartão de crédito ou cheque especial — está positivamente correlacionado à probabilidade de ele ser inadimplente em outros tipos de contas.

Dificuldades das microempresas

A grande maioria dos pequenos produtores apresentou dificuldades no período, sendo a presença de dificuldades curiosamente maior entre os tomadores de crédito. A dificuldade mais freqüentemente percebida em qualquer negócio é a falta de clientes (maior no Nordeste brasileiro do que no restante do país), mas essa dificuldade é menos sentida entre os tomadores de crédito nordestinos. A principal dificuldade do ponto de vista dos tomadores de empréstimo estava ligada a necessidades de gerenciamento, seguida por problemas de infra-estrutura e de instalação física. Entre as outras dificuldades elencadas, a falta de capital próprio e a falta de crédito, que, somadas, foram mencionadas por um terço dos entrevistados, levam à percepção de que existe um problema de financiamento. Os dados mostram também que aqueles que já dispõem de acesso a crédito têm também acesso aos demais serviços financeiros, como conta corrente, talão de cheques, cheque especial e ativos em geral, e lutam com menos dificuldades.

Acesso a seguros e a agências bancárias

No que se refere ao acesso a seguros, a população nordestina se encontra em situação altamente desfavorável em relação ao restante do Brasil, especialmente quanto a seguros de imóveis/instalações e residência. Esse resultado sugere a necessidade de ampliar o leque de oferta de outros produtos de microfinanças, em particular no Nordeste. Curiosamente, o tempo de deslocamento até a agência bancária mais próxima é surpreendentemente menor no Nordeste urbano do que nas outras áreas urbanas do país, pois dois terços das pessoas moram a uma distância de até 10 minutos de uma agência bancária.

Microcrédito e performance microempresarial

Performance empresarial

Uma das virtudes da pesquisa foi calcular o lucro das microempresas deduzindo os custos e gastos das receitas auferidas. O lucro médio foi de R$ 390, resultantes de um faturamento médio de R$ 1.232 e de um gasto de R$ 842. Os microdados permitiram a abertura desagregada das informações e mostraram que os primeiros cinco centésimos da distribuição de lucro microempresarial correspondem, na verdade, a valores negativos, significando a ocorrência de prejuízo econômico. O prejuízo nos primeiros centésimos da distribuição do fluxo de resultados é tão forte que acaba tornando negativo o lucro médio dos 50% menores resultados, sejam estes expressos em reais (R$ –42,70) ou como proporção da renda total (–5,5%). Os 40% seguintes da distribuição de lucros (ou de prejuízos!) comandam quase a mesma parcela da renda (41,9%) que a população. Esses 40% do segmento intermediário detêm em média um lucro de R$ 403,10, pouco acima do lucro médio de todos os segmentos reunidos, que é de R$ 389,80. Já os 10% com lucros mais altos auferem por mês, em média, R$ 2.381,80 e detêm 63,6% da massa de renda do segmento microempresarial urbano. Pesquisas domiciliares como a Pnad, o censo e a PME, em geral, limitam o valor da renda a números não-negativos. Nesse sentido, o risco microempresarial estaria subestimado nas pesquisas domiciliares.

A concentração de dívida entre os 10% mais altos valores foi de 96,61%, contra 60,93% no caso do faturamento e 63,6% no caso do lucro. Mesmo quando a pesquisa se restringiu à cauda inferior dos negócios, a desigualdade no acesso a crédito foi gritante, em particular pela total ausência de acesso a crédito para a maior parte desse segmento.

Impactos do microcrédito

Os impactos do microcrédito sobre a performance microempresarial, como lucro, faturamento e custo dos nanonegócios, foram estimados e depois relacionados com variáveis de uso e intensidade de uso de crédito tanto no que tange à freqüência de uso quanto ao valor da dívida. Inicialmente, vale enfatizar novamente o papel da instrução dos proprietários no desempenho dos micronegócios, não só por seu poder preditivo como pelo fato de ser uma variável potencialmente observável pelo emprestador. Variáveis contínuas relacionadas com a acumulação de capital humano geral, como idade e tempo de negócio, exercem importante papel preditor de variáveis de desempenho do mercado de trabalho, no caso o sucesso microempresarial. Usou-se um polinômio quadrático em ambas as variáveis a fim de captar a ocorrência de rendimentos crescentes, lineares ou decrescentes. A idade do empreendedor e o tempo de funcionamento da empresa apresentam rendimentos positivos, mas decrescentes. Se o termo quadrático for dispensado na análise (o que corresponderia a analisar a variável no ponto inicial ou zero), o lucro sobe para o primeiro ano de idade e tempo de negócio em 6,9% e 4,5%, respectivamente. Observaram-se também rendimentos crescentes para a variável educação, esta significativa apenas nos níveis mais altos (57% e 110%, respectivamente para ensino médio e superior). Isto é, a taxa de retorno da educação sobe à medida que se acumula um ano adicional de estudo. Nesse sentido, políticas de reforço do capital humano em geral se mostram extremamente relevantes para o fomento das atividades microempresariais.

O próprio acesso a crédito nos últimos três meses (17,1% maior), assim como a existência de dívida pendente (13% maior) corroboram a relação positiva entre tomada de financiamento e lucro do negócio. Por outro lado, deve-se ressaltar que uma maior relação entre os montantes de dívida como proporção do lucro guarda uma relação negativa com o próprio lucro auferido.

Determinantes do microcrédito

Mercado de microcrédito

O mercado de microcrédito revelou-se incipiente nas áreas urbanas do Nordeste, onde apenas 6,1% dos nanonegócios (até cinco empregados) obtiveram acesso a crédito nos três meses anteriores à pesquisa, enquanto 17,1% tinham estoque de dívida contraída. A ligação a entidades de classe está correlacionada à obtenção de crédito, pois verificou-se que a vantagem aumenta em 44% para quem está associado a algum sindicato, associação ou cooperativa em relação aos que não possuem ligação com esses elementos do capital social. A questão da legalidade também parece facilitar o acesso a crédito: quem possui constituição jurídica tem uma vantagem 23% maior em relação aos demais. Destaca-se a variável indicativa da posse de equipamentos, pois a vantagem de quem os utiliza é aproximadamente 16% maior, o que é consistente com a importância de garantias reais. Optou-se também por testar um critério estatístico de seleção de variáveis para verificar qual delas teria maior poder explicativo, destacando-se os elementos ligados a garantias reais ou alternativas.

A dívida média de quem está endividado é de R$ 367. Conforme já se viu, 83% da população urbana de empresários nordestinos não têm dívida. Os 10% com dívidas mais altas têm dívida média de R$ 3.501 e detêm 96,6% da massa de dívida do segmento microempresarial. Estimou-se um modelo log-linear de dívida função de controles e variáveis associadas a colaterais físicos ou sociais que apresentaram associação crescente com o volume de dívida, e verificou-se a existência de impacto percentual tal como indicado a seguir: equipamentos, 10,6%; filiação a cooperativa, 42,3%; formalização, 52%; controle de contas do negócio, 50,9%. Isso significa, por exemplo, que quem pertence a uma cooperativa apresenta uma dívida 42,3% maior do que quem não pertence, mas tem padrões idênticos nas demais características observáveis consideradas na regressão.

Os empregadores com dívida apresentam valores 27% maiores do que os trabalhadores por conta própria também endividados. Como se viu no modelo logit de posse ou não de dívida, os empregadores têm uma vantagem relativa de 42,6% em relação aos seus similares trabalhadores por conta própria. É importante notar que os dois efeitos se acumulam na mesma direção nesse caso. Talvez o fato mais interessante seja o seguinte: quem tomou algum empréstimo nos últimos três meses antes da pesquisa apresenta uma dívida 357% maior do que aqueles que contraíram a mesma dívida a mais tempo.

Apesar de apresentarem as correlações esperadas da maioria das variáveis determinantes do uso e da intensidade do crédito e, em particular, da dívida, esses modelos são limitados na captação da direção da causalidade envolvida. Investigou-se a relação da quantidade e da qualidade do crédito contraído com o desempenho nanoempresarial, utilizando a experiência do CrediAmigo como experimento para testar a direção dessa causalidade.

Há evidências de aumento mais pronunciado do crédito no Nordeste urbano em relação às demais áreas urbanas do restante do país no período 1997-2003. Observou-se um grande incremento no fluxo de crédito nordestino e uma maior composição dos fluxos que tinham como fonte as vias formais e eram usados crescentemente para financiamento de capital de giro, tendências em linha com a forma de atuação do programa CrediAmigo. Aplicando o método de diferenças-em-diferenças, foram encontradas evidências claras, controladas e não-controladas, de que, no Nordeste, aumentou a chance relativa de se obter crédito, de se estar endividado, e diminuiu a chance de se alegar dificuldade por falta de crédito somada a falta de capital, assim como diminuiu a chance de se reclamar da falta de crédito isoladamente. Portanto, todas as variáveis demonstram melhora diferenciada na região Nordeste no que se referente ao acesso a crédito.

Observou-se também uma redução relativa do acesso a crédito tanto para negócios de pessoas sem instrução, como para empregadores, o que pode conotar um efeito eqüitativo e um efeito de geração de emprego. Além disso, quando realizadas regressões e análises com filtros de subgrupos da população, notou-se que, no Nordeste, no período, houve aumento no acesso a crédito do setor comércio, que é justamente o setor econômico alvo do CrediAmigo.

Referências bibliográficas

ADAMS, D. W.; VON PISCHKE, P. D. Micro enterprise credit programmes: déjà vu. *World Development*, v. 20, n. 10, p. 1463-1470, 1992.

AGHION, B.; MORDUCH, J. *The economics of microfinance*. Cambridge, Mass.: MIT Press, 2005.

AGRESTI, A. *An introduction to categorical data analysis*. New York: John Wiley, 1996.

AMADEO, Edward et al. *Institutions, the labor market and the informal sector in Brazil*. Washington, DC: Inter-American Development Bank, 1992.

________; GILL, Indermit; NERI, M. C. Assessing the impact of labor regulations on informal workers in Brazil. In: GILL, I.; MONTENEGRO, Claudio; DOMELAND, Dorte (Eds.). *Crafting labor policy: techniques and lessons from Latin America*. Oxford: Oxford University Press, 2002. p. 67-95.

ARMENDARIS, B. de A.; GOLLIER, C. *Peer group formation in an adverse selection model*. London: Department of Economics. University College, 1997. ms.

ANDRADE, M. I. *Direitos de propriedade e renda pessoal: um estudo de caso das comunidades do Caju*. 2004. Dissertação (Mestrado em Economia) — Instituto de Economia/UFRJ, Rio de Janeiro, 2004.

ARAÚJO, E. A. *Risco de crédito: desenvolvimento de modelo credit scoring para a gestão da inadimplência de uma instituição de microcrédito*. 2006. Disponível em: <www.ipea.gov.br>.

ARNOTT, R.; STIGLITZ, J. E. Moral hazard and nonmarket institutions: dysfunctional crowding out of peer monitoring. *American Economic Review*, v. 81, n. 1, p. 179-190, 1991.

BANARJEE, A. V.; NEWMAN, A. F. Occupational choice and the process of development. *Journal of Political Economy*, v. 101, p. 274-298, 1993.

________; BESLEY, T.; GUINNANE, T. The neighbor's keeper: the design of a credit cooperative with a theory and a test. *Quarterly Journal of Economics*, v. 109, n. 2, p. 451-515, 1994.

BASTELAER, T. V. *Imperfect information social capital and the poor's access to credit*. College Park: University of Maryland, Feb. 2000. (Working Paper).

BELL, C. Credit markets and interlinked transactions. In: CHENERY, H.; SEINIVASAN, T. N. (Eds.). *Handbook of development economics*. New York: North-Holland, 1988-1995. v. 1, p. 763-726.

BERGER, A.; UNDELL, G. The economics of small business finance: the roles of private equity and debt markets in the financial growth cycle. *Journal of Banking and Finance*, v. 22, 1998.

BERGER, Marguerite et al. (Eds.). *An inside view of Latin American microfinance*. Washington, DC: Inter-American Development Bank, 2006.

BERNANKE, B. S. Nonmonetary effects of the financial crisis in the propagation of the great Depression. *American Economic Review*, v. 73, n. 2, June 1983.

BESLEY, T. Property rights and investment incentives: theory and evidence from Ghana. *The Journal of Political Economy*, v. 103, n. 5, p. 903-937, Oct. 1995.

________; COATE, S. Group lending, repayment incentives and social collateral. *Journal of Development Economics*, v. 46, p. 1-18, 1995.

BLANCHFLOWER, David G.; OSWALD, Andrew J. What makes an entrepeneur? *Journal of Labor Economics*, v. 16, n. 1, p. 26-60, 1998.

BLAU, David M. Self-employment and self-selection in developing country labor markets. *Southern Economic Journal*, v. 51, n. 2, p. 351-363, 1985.

BNDES. *Investimento e geração de emprego: uma metodologia aplicada aos financiamentos do sistema BNDES*. Brasília, DF: BNDES, 1992. (Estudos BNDES, 22).

BOURDIEU, P. Le capital social: notes provisoires. *Actes de la Recherche en Sciences Sociales*, n. 31, jan. 1980.

BOURGUIGNON, F.; FERREIRA F. H. G. *Understanding inequality in Brazil: a conceptual overview*. Rio de Janeiro: PUC-Rio, 2000. (Texto para Discussão, 434).

BRAVERMAN, A.; GUASCH, J. L. Rural credit markets and institutions in developing countries: lessons for policy analysis from practice and modern theory. *World Development*, v. 14, n. 10/11, p. 1253-1267, 1986.

CAMARANO, Ana Amélia (Org.). *Muito além dos 60: os novos idosos brasileiros*. Rio de Janeiro: Ipea, 1999.

________ (Org.). *Sixty plus: the elderly Brazilians and their new social roles*. Rio de Janeiro: Ipea, 2005.

CARVALHO, F. J. C. et al. *Economia monetária e financeira*. Rio de Janeiro: Campus, 2000.

CGAP. *Linking microfinance and safety net programs to include the poorest*. Microfinance Management Institute, May 2001. (Focus Notes, 20). Disponível em: <www.cgap.org>.

CHOW, G. *Econometrics*. New York: McGraw-Hill, 1983.

CHOWDHURY, M. J. A.; GHOSH, D.; WHIGHT, R. E. The impact of microcredit on poverty: evidence from Bangladesh. *Progress in Development Studies*, v. 5, n. 4, 2005.

COCO, G. On the use of collateral. *Journal of Economic Surveys*, v. 14, n. 2, p. 191-214, 2002.

COLEMAM, J. Social capital in creation of human capital. *American Journal of Sociology*, n. 94, p. 95-121, 1988.

CONNING, J. *Group lending, moral hazard and the creation of social collateral*. College Park: University of Maryland, May 1996. (Working Paper, 195).

________. *Outreach, sustainability and leverage in monitored and peer-monitored lending*. s.l.: Williams College, Mar. 1999. (Working Paper).

DE SOTO, Hernando. *O mistério do capital*. Rio de Janeiro: Record, 2000.

________; GHERSI, E.; GHIBELLINI, M. *El otro sendero: la revolución informa*. Lima: El Barranco, 1986.

DEATON, A. S. *The analysis of household surveys: microeconometric analysis for development policy*. Baltimore: Johns Hopkins University Press, 1997.

DIAMOND, D. W. Financial intermediation and delegated monitoring. *Review of Economic Studies*, v. 51, n. 3, p. 393-414, 1984.

DYE, R. Optimal monitoring policies in agencies. *Rand Journal of Economics*, v. 17, n. 3, Autumn 1986.

ECINF. *Economia informal e urbana*. Rio de Janeiro: IBGE, 2003.

ELBERS, C.; LANJOUW, J. O.; LANJOUW, P. Welfare in villages and towns: micro-measurement of poverty and inequality. Amsterdam: Free University of Amsterdam, 1999. ms.

FAJNZYLBER, P.; MALONEY, W. F.; ROJAS, G. V. Montes. Does formality improve micro-firm performance? Quasi-experimental evidence from the Brazilian Simples Program. 2006. ms. Disponível em: www.fedesarrollo.org.co/includes/scripts/open.asp?ruta=/images/dynamic/articles/521/ Fajnzylber.pdf>.

FAO. *Credit bureaus and the rural microfinance sector: Peru, Guatemala, and Bolivia*. Berkeley: University of California, FAO Office for Latin America, Dec. 2003.

FERREIRA, F. H. G.; LANJOUW, P.; NERI, M. C. *The urban poor in Brazil in 1996: a new poverty profile for Brazil using PPV, Pnad and census data*. Rio de Janeiro: PUC-Rio, 2000. (Texto para Discussão, 418).

________; ________; ________. A robust poverty profile for Brazil using multiple data sources. *Revista Brasileira de Economia*, v. 57, n. 2, p. 59-92, jan./mar. 2003.

FOSTER, J. E.; GREER, J.; THORBECKE, E. A class of decomposable poverty indices. *Econometrica*, n. 52, p. 761-766, 1984.

FREITAS, X.; ROCHET, J. C. *Microeconomics of banking*. Cambridge, Mass.: MIT Press, 1997.

GALAL, A. Potential winners and losers from formalization. *Development Outreach*, v. 7, n. 1, Mar. 2005.

GHATAK, M.; GUINNANE, T. W. The economics of lending with joint liability: theory and practice. *Journal of Development Economics*, v. 60, p. 195-228, 1999.

GHOSH, P.; DEBRAJ, R. Cooperation in community interaction without information flows. *The Review of Economic Studies*, v. 63, n. 3, p. 491-519, Jul. 1996.

GILL, J. *Generalized linear models: a unified approach*. Thousand Oaks, CA: Sage, 2000. (Sage University Paper Series on Quantitative Applications in the Social Sciences, 7-134).

GOLDEBERG, Nathanael. *Measuring the impact of microfinance: taking stock of what we know*. Grameen Foundation, 2005. Disponível em: <http://www.grameenfoundation.org>.

GOLDFELD, Stephen. The case of the missing money. *Brookings Papers on Economic Activity*, v. 7, n. 3, p. 683-740, 1976.

GOLDMARK, L. et al. *A situação das microfinanças no Brasil*. Brasília, DF: BNDES, BID, 2000.

GONZÁLEZ VEGA, C. Pobreza y microfinanzas: lecciones y perspectivas. Columbus, Ohio: Rural Finance Program/Department of Agricultural Economics/Ohio State University, 1997. (Economics and Sociology Occasional Paper, 2.392).

GREEN, W. *Econometric analysis*. 5. ed. Saddle River: Prentice Hall, 2000.

GROSSMAN, S.; HART, O. Analysis of the principal-agent problem. *Econometrica*, v. 51, p. 7-46, 1983.

GULLI, H. *Microfinance and poverty: questioning the conventional wisdom*. Washington, DC: Inter- American Development Bank, 1998.

HARRIS, J. R.; TODARO, M. Migration, unemployment and development. *American Economic Review*, v. 60, p. 126-142, 1970.

HIRSCHMAN, A. O. *The strategy of economic development*. New Haven: Yale University Press, 1958.

HODGAM, D. R. Credit risk and credit rationing *Quarterly Journal of Economics*, v. 75, p. 258-278, 1960.

HOLMSTROM, B.; MILGROM, P. Multitask principal-agent analyses: incentive contracts, asset ownership, and job design. *Journal of Law, Economics and Organization*, v. 7, p. 24-52, 1991.

________; TIROLE, J. *LAPM: A liquidity-based asset pricing model*. Cambridge: MIT, Mar. 1997. ms.

HOLTZ-EAKIN, D.; ROSEN, H. S.; WEATHERS, R. *Horatio Alger meets the mobility tables*. Cambridge, Mass.: National Bureau of Economic Research, 2000. (NBER Working Papers, 7.619).

HUPPI, M.; FEDER, G. The role of groups and credit cooperatives in rural lending. *World Bank Research Observer*, v. 5, n. 2, p. 187-204, 1990.

ITOH, H. Cooperation in hierarchical organizations: an incentive perspective. *Journal of Law, Economics and Organization*, v. 8, n. 2, 1992.

JOHNSON, Simon; McMILLAN, John; WOODRUFF, Christopher. Property rights and finance. *The American Economic Review*, v. 92, n. 5, p. 1335-1356, Dec. 2002.

KANDEL, E.; LAZEAR, E. P. Peer pressure and partnerships. *Journal of Political Economy*, v. 100, n. 4, 1992.

KAPLAN, A. The influence of size do firms on the functioning of the economy. *The American Economic Review*, v. 40, n. 2, p. 74-84, 1950.

KLAEHN, J.; HELMS, B.; DESHPANDE, R. *Mexico: country-level savings assessment*. Mexico: s.ed., 2006.

LA ROVERE, R. Estratégias competitivas em sistemas de micro, pequenas e médias empresas: a importância da gestão das informações. In: LASTRES, H. M. M. et al. *Pequena empresa: cooperação e desenvolvimento local*. Rio de Janeiro: Relume-Dumará, 2003.

LAFFONT, J. J.; TIROLE, J. The dynamics of incentive contracts. *Econometrica*, v. 56, n. 5, p. 1153-1175, Sept. 1988.

________; ________. *A theory of incentives in procurement and regulation*. Cambridge, Mass.: MIT Press, 1993.

LANGONI, C. G. *Distribuição da renda e desenvolvimento econômico do Brasil.* Rio de Janeiro: Expressão e Cultura, 1973.

LASTRES, H.; CASSIOLATO, J. E.; MACIEL, M. L. (Orgs.). Pequena empresa: cooperação e desenvolvimento local. Rio de Janeiro: Relume-Dumará, 2003.

LITTLE, R.; RUBIN, D. *Statistical analysis with missing data.* Hoboken, N J: Wiley, 2002.

MARSHALL, A. *Principles of economics.* London: MacMillan, 1890.

MARULANDA, B. Downscaling: moving Latin America banks into microfinance. In: *An inside view of Latin American Microfinance.* Inter-American Development Bank, 2006.

________; OTERO M. The profile of microfinance in Latin America in 10 years: Vision & Characteristics. ACCION International, Abr. 2005. Disponível em: <www.accion.org/moreaboutmicrofinance>.

MAS-COLELL, Andreu. *Microeconomic theory.* New York: Oxford University Press, 1995. 988p.

MATIN, I. Repayment performance of Grameen Bank borrowers: the unzipped state. *Saving and Development*, v. 22, n. 4, 1997.

MEZERRA, J. *O mercado de microcrédito no Brasil.* Rio de Janeiro: Campus, 2003.

MILGROM, P. Good news and bad news: representation theorems and applications. *Bell Journal of Economics*, v. 12, p. 380-391, 1981.

MINCER, J. *Shooling, experience and earnings.* New York: NBER, 1974.

MONTEIRO, J. C. M.; ASSUNÇÃO, J. J. Outgoing the shadows: estimating the impact of bureaucracy simplification and tax cut on formality and investment. Rio de Janeiro: PUC-Rio, 2006. ms.

MOOKERJEE, D. Optimal incentive schemes with many agents. *Review of Economic Studies*, n. 51, p. 433-446, 1984.

MORDUCH, J. The role of subsidies in microfinance: evidence from the Grameen Bank. *Journal of Development Economics*, v. 60, n. 1, p. 229-248, Oct. 1999.

________. The microfinance promise. *Journal of Economic Literature*, v. 37, n. 4, p. 1569-1614, Dec. 1999.

MORLEY, S. *Poverty and inequality in Latin America: the impact of adjustment and recovery in the 1980's*. Baltimore: Johns Hopkins University Press, 1995.

________. What happened to the rich and the poor during the post reform period. s.l.: Cepal, 1999. ms.

NAJBERG, S.; VIEIRA, S. P. *Modelos de geração de emprego aplicado à economia brasileira, 1985-1995*. Brasília, DF: BNDES, 1996. (Textos para Discussão, 39).

NAVAJAS, S.; TEJERINA, L. *Microfinance in Latin America and the Caribbean: how large is the market?* Washington, DC: Inter-American Development Bank/ Sustainable Development Department, 2006. (Best Practices Series).

NERI, M. C. *Inflação e consumo: modelos aplicados ao imediato pós-cruzado*. Rio de Janeiro: BNDES, 1990.

________. Limitações dos conta-próprias cariocas e implicações de política com base no piloto da Ecinf 1994: nota técnica. *O Mercado de Trabalho do Rio de Janeiro: Conjuntura e Análise*, n. 5, p. 17-19, jun. 1999.

________. Os empresários da Rocinha na perspectiva do microcrédito. *O Mercado de Trabalho do Rio de Janeiro: Conjuntura e Análise*, n. 8, p. 26-30, jun. 2000a.

________. Políticas estruturais de combate à pobreza no Brasil. In: HENRIQUES, Ricardo (Org.). *Desigualdade e pobreza no Brasil*. Rio de Janeiro: s.ed., 2000b. p. 503-526.

________. Direitos informais. In: *Previdência, assistência social e combate à pobreza*. Brasília, DF: s.ed., maio 2001a. (Série Debates, 3).

________. Mapa de ativos: combate sustentável à pobreza. Rio de Janeiro: Ibre, CPS, dez. 2001b.

________. O mapa do fim da fome. Rio de Janeiro: IBRE, CPS, jul. 2001c.

________. Decent work and the informal sector in Brazil. Rio de Janeiro: EPGE, 2002a. (Ensaios Econômicos).

________. O máximo da renda mínima. *Conjuntura Econômica*, v. 55, n. 4, abr. 2002.

________. *Cobertura previdenciária: diagnóstico e propostas*. Brasília, DF: MPS, 2003.

________. *Pobreza e políticas sociais na década da redução da desigualdade*. Rio de Janeiro: s.ed., 2007.

________; CARVALHAES, L. Vida financeira. In: KASZNAR, I. K.; OLIVEIRA, F. B. de (Orgs.). *Saúde, previdência e assistência social*. Rio de Janeiro: Pearson Education do Brasil, 2006.

________; GIOVANNI, F. da S. Negócios nanicos, garantias e acesso a crédito. *Revista de Economia Contemporânea*, v. 9, set./dez. 2005.

________; MEDRADO, A. L. *Experimentando microcrédito: uma análise do impacto do CrediAmigo sobre o acesso a crédito*. Rio de Janeiro: EPGE, dez. 2005. (Ensaios Econômicos, 608).

________; AMADEO, Edward; CARVALHO, Alexandre P. de. Assets, markets and poverty in Brazil. In: ATTANASIO, Orazio; SZÉKELY, Miguel (Eds.). *Portrait of the poor — an assets-based approach*. Washington, DC: IDB, 2001.

________ et al. Aspectos dinâmicos do desemprego e da posição na ocupação. *Estudos Econômicos*, v. 27, n. esp., 1997.

________ et al. Em busca de incentivos para atrair o trabalhador autônomo para a previdência social. *Nova Economia*, v. 17, n. 3, set./dez., 2007.

NORTH, D. *Institutions, institutional change and economic performance*. Cambridge: Cambridge University Press, 1990.

OLIVEIRA, Francisco; BELTRÃO, Kaizô; FERREIRA, Mônica G. Reforma da previdência. In: *A economia brasileira em perspectiva*. Rio de Janeiro: Ipea, 1998.

PAZZELLO, E.; BIVAR, W.; GONZAGA, G. *Criação e destruição de postos de trabalho por tamanho de empresa na indústria brasileira*. Rio de Janeiro: PUC-Rio, 2000. (Texto para Discussão, 431).

PERO, V. L. A carteira de trabalho no mercado de trabalho metropolitano brasileiro. *Pesquisa e Planejamento Econômico*, v. 22, n. 2, p. 305-342, 1992.

PINHEIRO, A.; CABRAL, C. Mercado de crédito no Brasil: o papel do Judiciário e outras instituições. Brasília, DF: BNDES, 1998. (Ensaios BNDES, 9).

PRESCOTT, E. Group lending and financial intermediation: an example. *FED of Richmond Economic Quarterly*, v. 83/84, 1997.

RAJAN, R.; ZINGALES, L. *Saving capitalism from the capitalists*. Princeton: Princeton University Press, 2004.

RANIS, Gustavo; STEWART, Frances. V-goods and the role of the urban informal sector in development. *Economic Development and Cultural Change*, v. 47, n. 2, p. 259-288, 1999.

REINKE, J. Alternative models for microcredit in South Africa theoretical foundations and two case studies. *Saving and Development*, v. 20, n. 3, 1996.

RHYNE, E. The yin and yang of microfinance: reaching the poor and sustainability. *The Microbanking Bulletin*, v. 2, n. 1, 1998.

________; HOLT, S. Women in finance and enterprise development. Washington, DC:World Bank, 1994. (Education and Social Police Discussion Paper Series, 40).

________; OTERO, M. Financial services for microenterprises: principles and institutions. *World Development*, v. 20, n. 11, p. 1561-1571, 1992.

ROBINSON, S. Multissectoral models. In: CHENERY, H.; SRINIVASAN, T. (Eds.). *Handbook of development economics*. New York: North-Holland, 1988-1995.

ROSA, A. L.; CASTELAR, L. M. Demanda por microcrédito em Fortaleza: uma análise do método de avaliação contingente. *Revista Econômica do Nordeste*, v. 30, n. esp., 1999.

SAINTIVE, M. B. *Crédito produtivo popular: origens teóricas e o caso VivaCred*. 2000. Dissertação (Mestrado em Economia) — Instituto de Economia/UFRJ, Rio de Janeiro, 2000.

SCHOENBERG, S. Microfinance prospects in Brazil. Washington, DC: World Bank, 2000.

SCHREINER, M. Informal finance and the design of microfinance. *Development in Practice*, v. 11, n. 5, p. 637-640, 2001.

STIGLITZ, J. E. Peer monitoring and credit markets. *The World Bank Economic Review*, v. 4, n. 3, p. 351-366, 1990.

________; GREENWALD, B. *Towards a new paradigm in monetary economics*. Cambridge: Cambridge University Press, 2003.

________; WEISS, H. Credit rationing in markets with imperfect information. *American Economic Review*, v. 71, n. 2, June 1981.

________; ________. Credit rationing and collateral. In: EDWARDS, J.; MAYER, C. (Eds.). *Recent developments in corporate finance*. Cambridge: Cambridge University Press, 1986.

TAYLOR, Mark. Earnings, independence or unemployment: why become self-employed. *Oxford Bulletin of Economics and Statistics*, v. 58, n. 2, p. 253-266, 1996.

TIMBERG, T.; AIYAR, C. Informal credit markets in India. *Economic Development and Cultural Change*, v. 33, p. 44-59, 1984.

VARIAN, H. Monitoring agents with other agents. *Journal of Institutional and Theoretical Economics*, v. 146, p. 153-174, 1989.

VELLOSO, João Paulo dos Reis; ALBUQUERQUE, Roberto Cavalcanti. *Soluções para a questão do emprego*. Rio de Janeiro: José Olympio, 2000.

VISCUSI, W. Kip; VERNON, John; HARRINGTON, J. Economics of regulation and antitrust. 2. ed. Cambridge, Mass.: MIT Press, 1995.

WOOLDRIDGE, Jeffrey M. Econometric analysis of cross-section and panel data. Cambridge, Mass.: MIT Press, 2001.

________. *Introductory econometrics:* a modern approach. Cincinnati: South-Western College, 2003.

WORLD BANK. Access to financial services in Brazil. Washington, DC: World Bank, 2004.

________. *Brazil: measuring poverty using household consumption*. Washington, DC: World Bank, 2007. (Report n. 36358-BR).

YUNUS, Muhammad. *Banker to the poor*. London: Public Affairs, 1999.

________. *O banqueiro dos pobres*. São Paulo: Ática, 2006.

Anexos

Anexo ao capítulo 1
A teoria do CrediAmigo: modelo de Conning

Fábio Silva
Marcelo Neri

Este anexo explora os avanços na literatura acerca de mecanismos de incentivo relacionados ao microcrédito, com foco especial no modelo de Conning, que aborda principalmente as seguintes questões: a) como um programa como o CrediAmigo pode oferecer taxas de juros diferenciadas a cada tipo de empresário, aumentando o número de pessoas atingidas pelo crédito; b) como o setor bancário formal resolve problemas de assimetria de informações; c) como se dá a atuação de um monitor delegado (oficial de crédito); d) os grupos de empréstimo.

Descrição

Seja um conjunto de clientes do CrediAmigo que deseja obter empréstimo para seu empreendimento. Eles possuem o capital próprio C e necessitam de um tamanho total de investimento I. Portanto, a quantidade necessária a ser tomada como empréstimo é $I - C$. Conning (1999) mostra, num modelo de um período,[1] o colateral e o retorno mínimo do

[1] Utilizar um período evita problemas de colateral superavaliado, ou seja, colocando-se o problema em vários períodos, é preciso reavaliar continuamente a necessidade de colateral, pois pode ocorrer que este, mais os valores já pagos, representem uma quantia maior que o valor do projeto. Ou seja, o projeto teria risco zero para o emprestador, não significando maximização de bem-estar para o tomador. Um exemplo típico seria: um cliente A toma um

projeto que o microempresário deve possuir para obter crédito, segundo cada uma das metodologias adotadas nesse mercado, a saber:

- setor bancário formal: o banco possui informação imperfeita sobre os tomadores, dada sua distância em relação a ele;
- o setor bancário formal aproveita as informações obtidas pelo emprestador local (*moneylender*),[2] distinguindo os tipos de tomadores fornecendo taxas de juros mais adequadas;
- grupo de empréstimo.

O que se busca é uma estrutura de incentivo que garanta ao microempresário, de acordo com sua capacidade de pagamento, a escolha da metodologia que convenha a ele e ao CrediAmigo. Mesmo com uma escolha ótima, determinados tomadores ainda ficam excluídos do mercado devido à incapacidade de estender o crédito a um maior número de tomadores dado o custo elevado. São procurados os incentivos que um fundo de aval e novos sócios teriam em repassar recursos para o CrediAmigo.

Para tal tarefa, o contrato a seguir desenhado estabelece que o CrediAmigo maximiza seus retornos quando os microempresários atuam com zelo em seu projeto. Sempre vale observar que o retorno do projeto é dividido entre o emprestador, o tomador e o monitor delegado. Cada parte deve se empenhar para o sucesso da missão. O projeto gera, após um período fixo de tempo, a receita $\Pi_a Q\, f(I)$, se executado com sucesso e zelo, e zero em caso de falha:

- I indica a quantidade de fatores (insumos) necessários para o projeto;
- $f(I)$ representa a função de produção ($f(I) \geq 0$), duas vezes diferenciável, $f'' < 0$;

empréstimo de R$ 100 para ser pago em 10 prestações fixas de R$ 10. Esse cliente tem um colateral de R$ 80. Suponha que o crédito foi honrado até a oitava prestação, mas, na nona, ocorreu algum fato exógeno que impossibilitou a continuidade do pagamento, havendo a necessidade de colateral. Neste caso, o emprestador receberia, além dos R$ 80 já pagos, o colateral já depreciado, podendo o total ultrapassar o valor tomado de empréstimo.

[2] Como um banco que terceirize o departamento de monitoramento. No caso, a empresa contratada é o *moneylender* local, representando a figura do monitor delegado.

- Π_a representa a probabilidade de o tomador executar ação de alta, atuando com zelo no empreendimento de forma a que este tenha sucesso;
- Q é a habilidade do tomador ou o nível de conhecimento do projeto que está sendo desenvolvido. No universo de tomadores, supõe-se que cada um possua um nível de habilidade diferente.

Dado que o retorno do projeto está dividido entre os atores acima relacionados, a dúvida é como formalizar esses incentivos. A tarefa se torna simples se imaginarmos que o tomador possui uma função benefício privado (B) em ser desleixado com o seu empreendimento, dada uma intensidade de monitoramento (g) fornecida pelo emprestador: a) B(g) que é contínua e duas vezes diferenciável: $B' < 0$ e $B'' > 0$.

Se o CrediAmigo, por sua vez, não tiver incentivo a emprestar, todo o contrato passa a ser inoperante. Assim, o retorno que obteria emprestando aos microempresários tem que ser maior do que o custo de oportunidade do programa de utilizar os recursos em outros fins. O monitor por ele delegado deve obter um lucro maior atuando efetivamente na fiscalização e no auxílio dos tomadores.

Resumindo, ter-se-iam os seguintes incentivos:

1. O emprestador deve obter um retorno maior do que se aplicasse os recursos em outro tipo de investimento, mais um custo fixo (condição de *break even* do emprestador — IR_e).
2. O tomador deve ganhar um retorno em ação de alta suficiente de sorte que cubra os retornos em ação de baixa, mais o benefício privado em tomar tal ação (restrição de compatibilidade de incentivo do tomador — IC_t).
3. Os retornos do monitor em ação de alta, descontados os gastos com monitoramento, devem superar os retornos que poderia obter com ação de baixa (restrição de compatibilidade de incentivo do monitor — IC_m).
4. E, por fim, o retorno do tomador deve superar pelo menos o colateral que ele perderia em caso de fracasso (restrição de responsabilidade limitada).

Explicou-se até aqui como se comportam o emprestador, o monitor delegado e o tomador. Propõem-se incentivos para que tomem ações de qualidade. Mas como fazer para formalizar a idéia de que o microempresário escolha a metodologia de crédito que corresponda a seu perfil? No contrato proposto a seguir, ver-se-á que, ao incorporar as cláusulas acima relacionadas, o resultado do problema de otimização corresponde exatamente aos níveis de colateral necessários para uma ou outra metodologia.

Contrato proposto ao tomador do crédito

Considere que:

Π_a e Π_b são a probabilidade de tomar uma ação de alta e de baixa, respectivamente;
O_p = custo de oportunidade;
g_0 = custo fixo de manusear o empréstimo;
i = s (sucesso) ou = f (fracasso);
Ro_i = retorno da operação;
Rm_i = retorno do monitor do empréstimo;
Re_i = retorno do emprestador (organização de microcrédito);
Rt_i = retorno do tomador;
A = colateral;
$E (Rt_i \mid \Pi_a) = \Pi_a Rt_s + (1 - \Pi_a) Rt_f$
$Re_i = Ro_i - Rt_i - Rm_I$

max $E (Rt_i \mid \Pi_a)$ Rti, Rmi, I, g

Sujeito a:

1. $E (Re_i \mid \Pi_a) \geq O_p (I - C) + g_0$ (IR_e)
2. $E (Rt_i \mid \Pi_a) \geq E (Rt_i \mid \Pi_b) + B(g) (I - C)$ (IC_t)
3. $E (Rm_i \mid \Pi_a) - g \geq E (Rm_i \mid \Pi_b)$ (IC_m)
4. $Re_i + Rm_i \leq Ro_i + A$ $i = s,f$
5. $g \geq 0,$ $Rm_i \geq 0,$ $\Pi_a > \Pi_b > 0$

Onde a restrição de responsabilidade limitada (4) pode ser melhorada, usando o fato de que $Re_i = Ro_i - Rt_i - Rm_i$, e substituindo em (4) $Re_i + Rm_i \leq Ro_i + A$, tem-se:

(4) ‘$Rt_i \geq - A$, que implica que o tomador perde o colateral em caso de insucesso no projeto.

Regimes de empréstimo resultantes do problema de otimização

Abordagem sem monitoramento delegado

Banco *versus* tomador, onde banco implementa gasto de monitoramento direto.

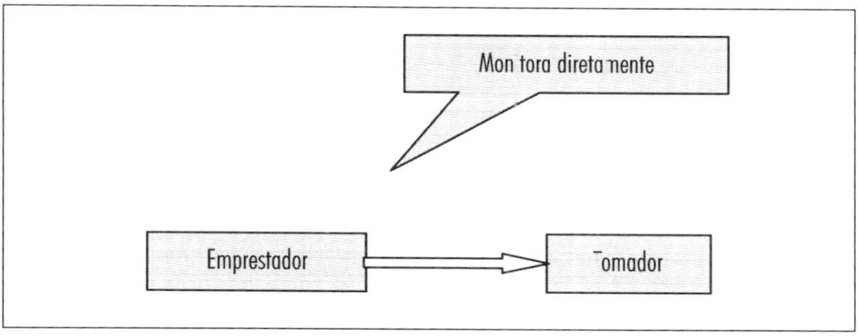

A situação típica do setor bancário formal pode ser representada tornando a IC do monitor não-ativa ($Rm_s = Rm_f = 0$). Considere que o gasto com monitoramento é implementado pelo emprestador e, como o monitor delegado foi afastado, há imperfeita informação.

Resultado 1: O retorno esperado mínimo de um tomador em determinado projeto e o nível de colateral necessário para a obtenção do crédito serão, respectivamente, no setor bancário formal:

$$E(Rt_i \mid \Pi_c) = \Pi_a (B(g) / \Delta\Pi)(I - C) - A$$
$$A(g) = \Pi_a (B(g) / \Delta\Pi)(I - C) + Op(I - C) + g_0 - \Pi_a Q f(I)$$

Sabendo-se qual o retorno mínimo que um tomador deveria obter, a pergunta agora é: dado esse retorno, qual o tamanho do empréstimo que a instituição emprestadora concederia se o microempresário possuísse um nível de colateral A, um capital próprio C e uma habilidade Q?

Primeiramente, sabe-se que o emprestador, para participar do projeto, necessita que sua restrição de racionalidade (1) seja satisfeita. O retorno mínimo esperado para que o tomador seja diligente foi calculado acima. Substituindo-se então este e o retorno do projeto na restrição do emprestador, obtém-se que o lucro do projeto tem que ser pelo menos o lucro do tomador mais gastos com monitoramento, pois, nesse caso, o emprestador obteria lucro zero com incentivos a emprestar (lucro do projeto = lucro do emprestador + lucro do tomador).

$$E\ (Re_i \mid \Pi_a) = E\ (Ro_i \mid \Pi_a) - E\ (Rt_i \mid \Pi_a)$$
$$(*)\ \Pi_a\ Q\ f(I) - Op\ I \geq (\Pi_a / \Delta\Pi)\ (B(g)\ (I - C)) - A - Op\ C + g + g_0$$

Ignore por hora o lado direito da desigualdade acima. O objetivo disso é perceber o problema de maximização do lucro como uma instituição emprestadora com pouca informação: "tenho um mercado onde os tomadores possuem qualidade Q e desejo maximizar meus retornos". O lucro do projeto é dado por:

$$L(I) = \Pi_a\ Q\ f(I) - Op\ I$$

A condição de primeira ordem mostra o nível ótimo de investimento: L' (I) = 0

$$\Pi_a\ Q\ f'(I) - Op = 0 \Rightarrow \Pi_a\ Q\ f'(I) = Op$$

Portanto, o ponto I* para essa instituição que imagina, por falta de informação, um mundo perfeito, pela hipótese de mercado competitivo, é o ponto que solucionaria essa equação e de máximo bem-estar, Pareto eficiente. Mude-se agora o foco. Admita-se que, apesar da pouca informação, o emprestador sabe que existem diferentes qualidades e que quer maximizar seus retornos. Neste ponto entram as restrições do contrato, porque permitem avaliar como um tomador com característica (Q, C, A) pode ter sua situação melhorada em termos de bem-estar, caso o emprestador ofereça apenas determinado nível de crédito. Como exemplo, veja o gráfico a seguir. Nele, no ponto I_0 representa quanto crédito um tomador sem capital próprio C e colateral A, com um emprestador implementando monitoramento zero, poderia obter. Em I_1 a única diferença é que o tomador possui capital próprio para pôr a risco. Note-se a melhoria de bem-estar.

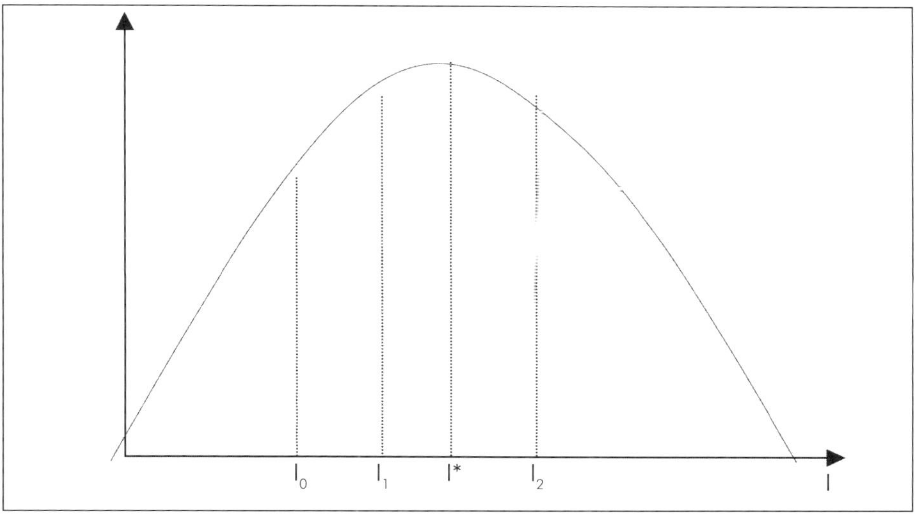

Uma vez que o bem-estar aumenta à medida que se chega a I*, como fazer para mensurar essa aproximação do máximo bem-estar de acordo com as necessidades de colateral e capital próprio?

Resultado 2: O cidadão de baixa renda, que em geral não possui capital, pode obter uma melhoria de bem-estar se colocar colateral a risco. Contudo, os ganhos proporcionados no caso de possuir capital seriam maiores: $dI/dC > 1$ e $dI/dA > 0$.

Monitoramento ótimo

Resultado 3: A intensidade de monitoramento depende da tecnologia adotada com tal fim.

Custo marginal de alcançar o pobre

Resultado 4: Para uma dada tecnologia, dg/dC < 0 e dg/dA < 0, implicando que quanto maior o nível de colateral real e de capital próprio, menor a necessidade de monitoramento.

Abordagem com monitoramento delegado

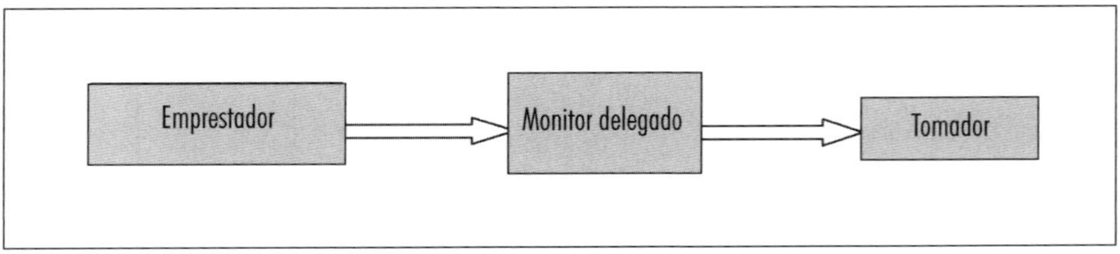

Até agora, pouca atenção foi dada a uma importante variável: o custo de manusear o empréstimo (g_0). Quando se trata de pequenos créditos, esses gastos podem se tornar tão significativos que não justifiquem que o emprestador oferte o crédito. Basta visualizar a restrição de racionalidade do emprestador (IR_e) para se ter uma visão mais acurada da afirmativa. A solução, apenas observando essa restrição, é transferir o custo de monitoramento para um terceiro e conseguir novos sócios dispostos a dividir as despesas e riscos. Um exemplo típico do que pode fazer é o fundo de aval do CrediAmigo, mediante o qual sindicatos e prefeituras transferem recursos para o programa para que este os redistribua.

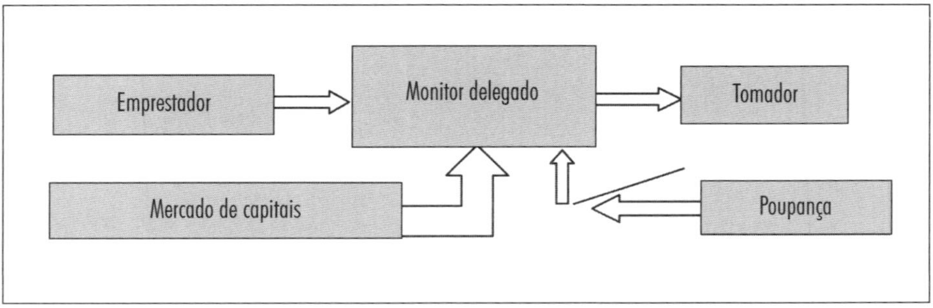

O efeito básico de uma atitude desse tipo é, segundo Diamond (1984), pelo bem conhecido efeito diversificação, aumentar-se a quantidade de projetos para diminuir o risco. Uma vez diminuído este, o custo de monitoramento também diminui. Assim sendo, primeiramente cabe estudar como terceirizar, por assim dizer, o monitoramento, a fim de transferir seu custo para um monitor, ou seja, para pessoas próximas do grupo-alvo de tomadores. Em seguida, como uma organização de microfinanças pode alavancar créditos externos. Como os emprestadores externos e os de microfinanças têm o mesmo custo de oportunidade, que incentivos podem ser dados aos externos para que emprestem ao pobre sem qualquer informação ou coação?

Custo da delegação no CrediAmigo: salários do *staff* e incentivos

Como mecanismo para melhorar a informação, o monitor delegado entra no modelo representando o *moneylender* local. A pergunta que se faz é se recursos monetários são suficientes para incentivá-los? Na literatura, as evidências empíricas mostram que sim (ver exemplo boliviano, Crediamigo, entre outros). Recuperando assim a IC_m, tem-se condições de calcular que incentivo o oficial do crédito teria em monitorar os microempresários. Tome-se o retorno do projeto (Ro_i), dividido entre o tomador (Rt_i), o emprestador (Re_i) e o retorno do monitor delegado (Rm_i), podendo o retorno do monitor delegado ser performance contingente, ou seja, salário mais bônus.

Resultado 5: O retorno mínimo esperado do monitor delegado para que efetue sua tarefa com zelo é dado por: $\Pi_a (g / \Delta\Pi.)$.

Assim, a restrição de confiança limitada $Rm_i \geq 0$ pode ser substituída por $Rm_i \geq Rm$, o que altera a expressão (*) para:

$$(^{**})\ \Pi_a Q\ f(I) - Op\ I \geq (\Pi_a / \Delta\Pi)\ (B(g)\ (I - C)) - A - Op\ C + \Pi_a (g / \Delta\Pi.) + g_0$$

Como $\Pi_a > \Pi_b > 0$,

$$(\Pi_a / \Delta\Pi)\ g > g$$

Qual a implicação disso? Em primeiro lugar, o lucro da instituição de microcrédito diminui, porque há uma remuneração a ser paga ao monitor delegado e esta é maior do que aquela que a instituição pagaria a seus funcionários num modelo de crédito formal. Por outro lado, a população atendida aumenta, o que deve compensar a redução no lucro. Definitivamente, o custo de monitoramento é um entrave ao desenvolvimento. O que se pode fazer para melhorar isso é estabelecer parcerias ou mesmo transferir totalmente o monitoramento para um grupo de empréstimo.

Alavancagem máxima

Incorporar a noção de fundos de aval no modelo não passa de uma questão de rótulos. Imagine-se que o monitor delegado é também uma instituição de microcrédito e que põe capital a risco.

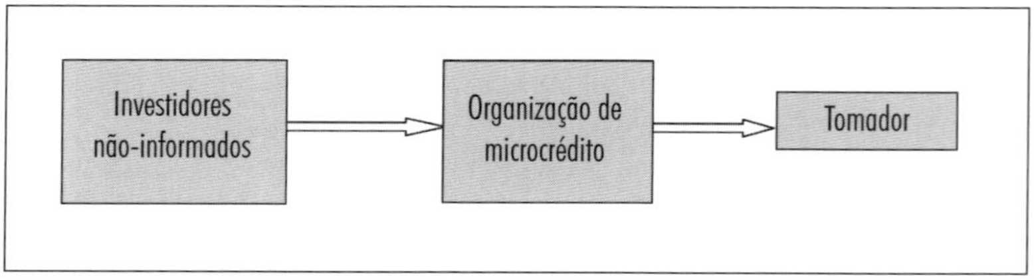

Exemplificando: é o caso de o oficial de crédito ser o proprietário do CrediAmigo e receber recursos do Banco do Nordeste. O contrato resume-se agora a três atores: tomadores (Rt_i), monitores delegados (Rm_i) que colocam seus ativos como um colateral para o crédito, e emprestadores não-informados (Re_i) ou credores externos.

No modelo, isso implica que a restrição $Rm_i \geq 0$ é removida, uma vez que o monitor pode perder o capital dele (organização de microcrédito).

A intuição que segue é que emprestadores externos não-informados só colocarão seu capital a risco se os monitores tiverem bastante custo de monitoramento com a melhor tecnologia. A idéia é que se o emprestador externo verificar que o monitor delegado está atuando na condição de lucro zero, ou seja, está se empenhando ao máximo, ele colocará seu capital a risco.

Resultado 6: O retorno mínimo que o monitor delegado deverá ter para tomar uma ação de alta é dado por: $-Op\ L_m + (g / \Delta\Pi)$

Resultado 7: Como uma instituição de microcrédito está atuando na condição de mercado competitivo, o emprestador externo concordará em passar recursos para o monitor delegado se este estiver atuando na condição de lucro zero: Op $L_m = \Pi_a (g / \Delta\Pi) - g$

Crédito com monitoramento par

Até o momento, foram procuradas formas de estender o crédito via diminuição das necessidades de colateral real. O monitoramento atua como meio de melhorar a informação que o credor tem do microempresário e diminuir o custo do empréstimo, uma vez que um dos motivos dos juros altos é a falta de informações. Contudo, esta é uma faca de dois gumes: se, por um lado, o monitoramento é positivo, pois permite uma melhor seleção e cumprimento de projetos, por outro, torna mais caro o crédito, uma vez que o credor incorre em custos. A tarefa então é encontrar meios de manter ou melhorar o monitoramento sem custo para a instituição emprestadora. A pergunta que se pode fazer é: em uma estrutura de grupo e utilizando o contrato, como prover incentivos ao tomador para que este aja com zelo em seu projeto e atue da mesma forma que o monitor delegado dos seus parceiros de grupo? Considerando que ambas as escolhas são sujeitas a *moral hazard*,[3] a estrutura do problema passa a ser *principal* com vários agentes, na qual ao *principal* cabem diversas tarefas, segundo Holmstrom e Milgrom (1991). Por isso, o foco será dado sobre um contrato de empréstimo simétrico entre membros de grupos formados por dois elementos, nos quais cada um destes possui retornos de produção estatisticamente independentes.

Como na atividade de monitoramento delegado, o tomador não observa perfeitamente a atuação do parceiro do grupo. A função benefício B(g) será mantida por simplicidade. Ela descreve como um membro do grupo pode diminuir o benefício privado de outro membro derivado de uma ação de baixa ao monitorá-lo com intensidade g. O gasto com

---

[3] O microempresário pode utilizar o crédito obtido para fins diferentes do negócio ou não monitorar o vizinho de grupo com zelo, deixando de conferir o desempenho deste.

monitoramento deve incorporar encontros, emprego de supervisores, enfim, toda a estrutura necessária para influenciar a ação do tomador.

Devido à interação dos membros do grupo, o contrato se modifica, na medida em que deve medir o comportamento estratégico não-cooperativo entre os agentes e prevenir seu conluio. A linha do tempo é modificada para atender às novas exigências:

1. O contrato é escolhido.
2. Os tomadores executam um jogo simultâneo de quanto monitorar o projeto do parceiro, seguido de outro jogo, também simultâneo, para determinar o zelo a ser empregado nos próprios projetos.

Ou seja, o problema é encontrar um contrato ótimo, se este existir, que satisfaça a um equilíbrio de subjogo perfeito de Nash, no qual é escolhida a ação alta do projeto, com monitoramento do parceiro a um custo mínimo. No primeiro estágio do jogo, o tomador deve monitorar a uma intensidade de equilíbrio g, que sustenta ou implementa ação de alta como equilíbrio no estágio final do jogo.

Resultados 8: O colateral mínimo para grupos de empréstimos, que só têm como incentivo a obtenção, pelo microempresário, do máximo retorno caso zele por seu projeto e monitore o vizinho com eficiência é equivalente ao colateral real requerido pelo setor bancário formal.

$$A(g) = \Pi_a B(g) (I - C) / \Delta\Pi + Op (I - C) + g_0 - \Pi_a Q f(I)$$

Mas por que, dada a vantagem[4] que o contrato de grupo oferece em relação aos demais tipos de contratos para um determinado nível de monitoramento, ele não é considerado a melhor alternativa? Porque, se o gasto com o monitoramento do grupo for muito alto, pode levar ao conluio entre os membros do grupo e, logo, à possibilidade de não monitorar e/ou não zelar pelo empreendimento. O problema surge porque pode ser implementada uma multiplicidade de equilíbrios de Nash.[5]

[4] O custo com monitoramento, que antes ficava a cargo do emprestador, agora cabe a membros do grupo, e o nível de colateral continua sendo o mesmo.
[5] Mookerjee, 1984.

Para tanto, o contrato deve incorporar a restrição de não-conluio, ou seja, o retorno do tomador por monitorar e executar seu projeto com zelo deve ser maior do que seria se não o fizesse.

Resultado 9: O colateral mínimo dado de que o tomador é incentivado a não entrar em conluio[6] é representado por:

$$A(g) = \Pi_b^2 (B(g) (I - C)) / (\Pi_a \Delta\Pi) + B(0) + g + Op (I - C) + g_0 - \Pi_a Q f(I)$$

Observando-se atentamente, nota-se que o colateral obtido com a incorporação do não-conluio é maior do que o colateral real, conforme a equivalência percebida no resultado 1. Ou seja, não há dúvida de que restrições a incentivos, especificamente ao não-conluio, proporcionam ganhos de colateral. Usando o formalismo da teoria dos jogos, resta que melhor retorno e não-conluio implicam que o equilíbrio de Nash é uma ação de alta com monitoramento para ambos os tomadores. Pela análise de equilíbrio dos diferentes subjogos, verifica-se que a melhor alternativa do microempresário desse grupo é atuar com zelo em seu projeto e efetuar o monitoramento no projeto do vizinho.

Finalmente, é interessante observar que, se a "estrutura do jogo for modificada de modo que o tomador-monitor escolha executar simultaneamente, e não seqüencialmente a ação de monitoramento e sua atividade produtiva, então o escopo da criação do colateral social através do monitoramento par entra em colapso". Esse resultado, segundo Conning (1996), pode ser visto da seguinte forma: suponha que exista um contrato de grupo que implemente um par de ação simétrica e que o equilíbrio de Nash (Π_a, g) deva ser a melhor resposta simétrica. O tomador 1 poderia dizer que este não é o caso. A melhor resposta seria (Π_a, 0), dado o fato de o tomador 2 ter escolhido uma ação de alta, que ele pode economizar o gasto de monitoramento g. O tomador 2 diria, da mesma forma, dado que escolheu (Π_a, 0), que a melhor resposta seria (Π_b, 0). Isso levaria o tomador 1 a escolher a mesma ação por igual mo-

[6] Entende-se por não-conluio que o incentivo de retorno do microempresário em tomar uma ação de alta com monitoramento é maior do que o de uma ação de baixa sem monitoramento.

tivo. Portanto, o equilíbrio conduziria a estratégia do jogo para (Π_b, 0), o que ilustra plenamente o resultado obtido por Itoh (1992) para *team work*: a desutilidade marginal para o esforço de monitoramento é zero no caso de monitoramento zero.

O que fica da história é que o dilema de Itoh aponta novos problemas no aspecto do projeto de contratos de grupo e que não se deve confiar somente no estabelecimento de um contrato de responsabilidade como meio de induzir o monitoramento par, e sim em uma *timing sequence* e/ou *commitment technology* específica.

Simulação

A simulação tem o intuito de mostrar os efeitos reais da aplicação de um modelo. Não obstante já se saber de antemão, pelos resultados teóricos, quando um ou outro método de concessão de crédito é melhor, a simulação ilustra, em termos numéricos, o que a teoria prediz. Assim, pode-se delimitar um corte claro (banco × tomador e *group lending*), que servirá plenamente para mostrar os efeitos políticos da adoção de uma ou outra metodologia. Com isso, a intenção é responder às questões a seguir:

a) Sabemos que, no modelo de Conning, o aparato de *group lending* é o que melhor se comporta, em termos teóricos, em pequenos empréstimos pelo fato de substituir as necessidades de colateral real por colateral social. Em que medida isso é feito? Ou, de outra forma, suponha uma população de pobres com diversos níveis de capital. Será mesmo significativo aplicar um grupo de empréstimo como tentativa de aumentar o nível de colateral da transação?
b) Como se comportariam os níveis de colateral à medida que o tamanho do investimento/capital crescesse?

Realizando 250 simulações — isto é, gerando 250 níveis diferentes de probabilidades e calculando o colateral para cada um desses níveis — com técnicas de Monte Carlo, obteve-se como resultado um colateral médio conforme tabela abaixo e um desvio em relação a esse colateral. Como tecnologia de monitoramento (B(g)) foi utilizada a função e^{-g} para expressar a função benefício privado em tomar a ação de baixa. Assumiu-se, então, que essa função é a mesma a ser adotada por membros do grupo ao monitorar seus companheiros, conforme citado em Conning (1999). Neste caso, g representa os gastos com monitoramento.

a) Banco × tomador, com o banco implementando o monitoramento g = I – C.

$$A(g) = \Pi_a \, (B(g) / \Delta\Pi) \, (I - C)$$

Investimento: 60	**Colateral médio**	**Desvio-padrão**
Capital: 48	0,000271	0,000924
Capital: 36	3,32E-09	1,14E-08
Capital: 24	3,06E-14	1,05E-13
Capital: 12	2,51E-19	8,58E-19
Capital: 0	1,93E-24	6,59E-24
Investimento: 100	**Colateral médio**	**Desvio-padrão**
Capital: 80	1,51E-07	5,17E-07
Capital: 60	6,24E-16	2,13E-15
Capital: 40	1,93E-24	6,59E-24
Capital: 20	5,3E-33	1,81E-32
Capital: 0	1,36E-41	4,66E-41
Investimento: 140	**Colateral médio**	**Desvio-padrão**
Capital: 112	7,1E-11	2,43E-10
Capital: 84	9,82E-23	3,36E-22
Capital: 56	1,02E-34	3,48E-34
Capital: 28	9,39E-47	3,21E-46
Capital: 0	8,12E-59	2,77E-58
Investimento: 180	**Colateral médio**	**Desvio-padrão**
Capital: 144	3,06E-14	1,05E-13
Capital: 108	1,42E-29	4,86E-29
Capital: 72	4,95E-45	1,69E-44
Capital: 36	1,53E-60	5,23E-60
Capital: 0	4,43E-76	1,51E-75
Investimento: 220	**Colateral médio**	**Desvio-padrão**
Capital: 176	1,26E-17	4,29E-17
Capital: 132	1,95E-36	6,68E-36
Capital: 88	2,28E-55	7,8E-55
Capital: 44	2,37E-74	8,09E-74
Capital: 0	2,3E-93	7,87E-93

b) Grupo de empréstimo, no qual cada membro implementa g = I – C como monitoramento.

$$A(g) = \Pi_b^2 \,(B(g) \ \ (I - C)) \,/\, (\Pi_a \,\Delta\Pi) + B(0) + g$$

Investimento: 60	Colateral médio	Desvio-padrão
Capital: 48	13,00017	0,000917
Capital: 36	25	1,13E-08
Capital: 24	37	1,05E-13
Capital: 12	49	0
Capital: 0	61	0
Investimento: 100	**Colateral médio**	**Desvio-padrão**
Capital: 80	21	5,13E-07
Capital: 60	41	2,34E-15
Capital: 40	61	0
Capital: 20	81	0
Capital: 0	101	0
Investimento: 140	**Colateral médio**	**Desvio-padrão**
Capital: 112	29	2,41E-10
Capital: 84	57	0
Capital: 56	85	0
Capital: 28	113	0
Capital: 0	141	0
Investimento: 180	**Colateral médio**	**Desvio-padrão**
Capital: 144	37	1,05E-13
Capital: 108	73	0
Capital: 72	109	0
Capital: 36	145	0
Capital: 0	181	0
Investimento: 220	**Colateral Médio**	**Desvio-padrão**
Capital: 176	45	0
Capital: 132	89	0
Capital: 88	133	0
Capital: 44	177	0
Capital: 0	221	0

Comparando os níveis de colateral calculados, pode-se notar que, no caso do empréstimo tradicional (banco × tomador), o mais pobre dos pobres pode ser alcançado por uma política de microcrédito desde que os bancos se proponham a implementar um gasto com monitoramento que substitua as necessidades de colateral. Pelas tabelas, verifica-se que, colocando-se R$ 60 como monitoramento (60 [= investimento] – 0 [= capital próprio]), consegue-se reduzir as necessidades de colateral praticamente a zero. A desvantagem disso é que todos os custos ficam com o banco. O governo poderia entrar nesse ponto, para repartir as despesas e criar incentivos à expansão do crédito. Porém, essa é outra questão, tratada no modelo de Cotler.

No caso de empréstimos para grupos, a situação muda, pois maiores níveis de colateral podem ser fornecidos, variando de acordo com o tamanho do investimento, sem qualquer ônus para o banco. Exemplificando: no caso tradicional, o banco que implementa o monitoramento consegue que o tomador forneça um colateral de aproximadamente zero, independentemente do tamanho do projeto. No *group lending*, além de o banco transferir os custos do monitoramento para o grupo, este fornece, em todos os casos simulados, colateral equivalente ao tamanho do investimento, o que significa não só uma garantia a mais para o banco, como que empréstimo de grupo é de fato uma boa alternativa para emprestar para aqueles que não têm garantias a oferecer.

O empréstimo de grupo é de fato a melhor alternativa para se fornecer crédito para o pobre? A resposta fica no ar porque depende da tecnologia de monitoramento utilizada e, sobretudo, de fatores culturais alheios ao modelo. Um exemplo empírico: na África do Sul, a experiência de microcrédito não foi bem-sucedida devido a problemas na formação dos grupos. Não havia elo entre os membros do grupo, ou porque os membros dos grupos formados não tinham residência fixa ou pela própria etnia, não se conseguiu a pressão eficaz entre os componentes (monitoramento par). Mas essa é outra questão.

O modelo de Conning caracterizou todas as modalidades de crédito existentes. Foi calculada a intensidade de monitoramento, como este poderia substituir as necessidades de colateral, tudo no intuito de fazer a transição até chegar ao colateral social. Por simulação, verificou-se que entre banco × tomador, banco × delegado × tomador e empréstimo para o grupo, esta última opção oferece melhores níveis de colateral para os pobres do que as demais, o que não significa necessariamente que seja a melhor. Contudo, constitui um arranjo alternativo para o desenvolvimento desse mercado.

Dessa forma, constatou-se a possibilidade de efetuar uma política de microcrédito eficaz com a metodologia tradicional banco × tomador, desde que sejam implementados esquemas de incentivo adequados. Quanto ao empréstimo para grupo que usa a pressão social como colateral, trata-se de uma questão um pouco mais delicada, principalmente em se tratando de Brasil, pois envolve um problema de legislação. Ou seja, há a necessidade de uma regulamentação específica para o colateral social. E ainda existem problemas decorrentes da formação de grupos. Deve haver um forte elo de ligação entre os membros do grupo para que esse tipo de esquema funcione. A pergunta é: será que se pode aplicá-lo em qualquer região brasileira? Mesmo para outras ciências é difícil dizer. Mas, sem dúvida, trata-se de um esquema que, dado o enorme sucesso em todo o mundo, deveria ser estudado para resolver os problemas de aplicação e testado em algumas regiões do país.

Anexo ao capítulo 5

Tabela 1

Brasil: método *stepwise* de seleção de variáveis — têm crédito
Modelo logístico análise dos parâmetros estimados

		Estimativa	Erro-padrão	Estatística t	Razão de chances Condicional
Posição na família	Chefe	0,0974	0,0399	2,44**	1,1023
Cor	Brancos	–0,0971	0,0346	–2,81**	0,9075
Idade	15 anos	0,5593	0,3659	1,53	1,7494
	15 a 25 anos	–0,1887	0,1230	-1,53	0,8280
	25 a 35 anos	0,0995	0,0895	1,11	1,1046
	45 a 55 anos	0,0954	0,0935	1,02	1,1001
	55 a 65 anos	–0,1350	0,1209	–1,12	0,8737
	Mais de 65 anos	–0,5470	0,2047	–2,67**	0,5787
Escolaridade	Sem instrução	1,1707	27,4892	0,04	3,2242
	Sabe ler e escrever	1,8330	27,4892	0,07	6,2526
	Ensino fundamental	1,7291	27,4890	0,06	5,6356
	Ensino médio	1,8449	27,4890	0,07	6,3275
Imigração	Nasceu neste município	–0,0923	0,0318	–2,90**	0,9118
Jornada de trabalho	Menos de 20 horas	–0,0791	0,0644	–1,23	0,9239
	20 a 39 horas	0,1539	0,0912	1,69*	1,1664
	45 a 49 horas	–0,1869	0,1058	–1,77*	0,8295
	50 a 59 horas	–0,2265	0,1127	–2,01**	0,7973
	60 a 69 horas	0,1661	0,1452	1,14	1,1807
	Mais de 70 horas	0,0628	0,0883	0,71	1,0648
Tempo de empresa	1 a 3 anos	0,0501	0,2160	0,23	1,0514
	Mais de 5 anos	0,1824	0,4226	0,43	1,2001
Negócio desenvolvido	Local exclusivo dentro do domicílio	0,1056	0,0448	2,36**	1,1114
	Loja, oficina, escritório etc.	0,1245	0,0424	2,94**	1,1326

Continua

		Estimativa	Erro-padrão	Estatística t	Razão de chances Condicional
Tem outro trabalho	Sim	0,1759	0,0447	3,94**	1,1923
Nos últimos cinco anos Recebeu algum tipo de assistência		0,5445	0,0650	8,38**	1,7237
Controla as contas do negócio	Sim	0,2960	0,0351	8,43**	1,3445
Tem constituição jurídica	Sim	0,1424	0,0510	2,79**	1,1530
Vende a prazo	Sim	0,2908	0,0339	8,58**	1,3375
Região	Metropolitana	–0,1953	0,0438	–4,46**	0,8226
	Alagoas	–0,3564	0,1370	–2,60**	0,7002
	Ceará	–0,0783	0,0938	–0,83	0,9247
	Maranhão	0,1508	0,0915	1,65*	1,1628
	Paraíba	–0,0847	0,1154	–0,73	0,9188
	Pernambuco	0,1057	0,0783	1,35	1,1115
	Piauí	0,5605	0,0969	5,78**	1,7515
	Rio Grande do Norte	–0,0339	0,1283	–0,26	0,9667
	Sergipe	–0,4408	0,1772	–2,49**	0,6435
É empregador	Sim	0,1818	0,0457	3,98**	1,1994
Número de Observações 49236					

*Estatisticamente significante no nível de confiança de 90%

**Estatisticamente significante no nível de confiança de 95%

Variáveis omitidas: Quando for variável binária é o complemento. Exemplo: Em sexo aparece homem, logo foi omitida a mulher.

Demais variáveis omitidas: Idade (35 a 45 anos), escolaridade (superior), jornada de trabalho (40 a 44 horas), Tempo de empresa (menos de um ano) e unidade de federação (Bahia).

	Nº de pessoas	%
Tem crédito	3.064	6,2
Não tem crédito	46.172	93,8

Fonte: CPS/FGV, elaborado a partir dos microdados da pesquisa Ecinf 1997, do IBGE

Tabela 2

Método *stepwise* de seleção de variáveis — têm dívida
Modelo logístico — análise dos parâmetros estimados — Brasil
Tem dívida
Seleção do modelo pelo método STEPWISE

		Estimativa	Erro-padrão	Estatística t	Razão de chances Condicional
Sexo	Homem	–0,0994	0,0244	–4,07**	0,9054
Cor	Brancos	0,0867	0,0380	2,28**	1,0906
Idade	15 anos	–0,4833	0,3192	–1,51	0,6167
	15 a 25 anos	0,0163	0,0818	0,20	1,0164
	25 a 35 anos	0,1424	0,0671	2,12**	1,1530
	45 a 55 anos	0,1014	0,0700	1,45	1,1067
	55 a 65 anos	0,0158	0,0833	0,19	1,0159
	Mais de 65 anos	–0,0334	0,1171	–0,29	0,9672
Escolaridade	Sem instrução	1,6178	28,5456	0,06	5,0420
	Sabe ler e escrever	1,7319	28,5457	0,06	5,6514
	Ensino fundamental	2,0033	28,5456	0,07	7,4135
	Ensino médio	2,0982	28,5456	0,07	8,1515
Imigração	Nasceu neste município	–0,0423	0,0205	–2,06**	0,9586
Jornada de trabalho	Menos de 20 horas	–0,2448	0,0427	–5,73**	0,7829
	20 a 39 horas	0,1430	0,0588	2,43**	1,1537
	45 a 49 horas	–0,0248	0,0645	–0,38	0,9755
	50 a 59 horas	–0,1205	0,0728	–1,66*	0,8865
	60 a 69 horas	0,1334	0,1034	1,29	1,1427
	Mais de 70 horas	0,2352	0,0583	4,03**	1,2652
Tempo de empresa	1 a 3 anos	0,2728	0,1896	1,44	1,3136
Negócio desenvolvido	Local exclusivo dentro do domicílio	0,0766	0,0268	2,86**	1,0796
É filiado	Cooperativa, sindicato e associação	0,2009	0,0364	5,52**	1,2225
Motivo de saída do último emprego	Foi demitido	0,0938	0,0253	3,64**	1,0983
Tem sócio	Sim	–0,1018	0,0515	–1,98**	0,9032

		Estimativa	Erro-padrão	Estatística t	Razão de chances Condicional
Nos últimos cinco anos recebeu algum tipo de assistência		0,2741	0,0559	4,90**	1,3153
Controla as contas do negócio	Sim	0,3428	0,0220	15,58**	1,4089
Tem constituição jurídica	Sim	0,0966	0,0367	2,63**	1,1014
Utiliza equipamentos	Sim	–0,3382	0,3747	–0,90	0,7131
Vende a prazo	Sim	0,1769	0,0209	8,46**	1,1935
Região	Metropolitana	–0,1682	0,0272	–6,18**	0,8452
	Alagoas	–0,4122	0,0879	–4,69**	0,6622
	Ceará	0,0854	0,0576	1,48	1,0892
	Maranhão	0,1041	0,0621	1,68*	1,1097
	Paraíba	0,2249	0,0684	3,29**	1,2522
	Pernambuco	0,0308	0,0504	0,61	1,0313
	Piauí	0,0045	0,0769	0,06	1,0045
	Rio Grande do Norte	–0,0542	0,0834	–0,65	0,9472
	Sergipe	–0,3307	0,1055	–3,13**	0,7184
É empregador	Sim	0,1020	0,0323	3,16**	1,1074
Número de observações 49.236					

*Estatisticamente significante no nível de confiança de 90%.

**Estatisticamente significante no nível de confiança de 95%.

Variáveis omitidas : Quando for variável binária é o complemento. Exemplo: Em sexo aparece homem, logo foi omitida a mulher.

Demais variáveis omitidas: Idade (35 a 45 anos), escolaridade (superior),jornada de trabalho (40 a 44 horas),

Tempo de empresa (menos de um ano) e unidade de federação (Bahia).

	Nº de pessoas	%
Tem dívida	3.159	16,7
Não tem dívida	15.761	83,3

Fonte : CPS/FGV, elaborado a partir dos microdados da pesquisa Ecinf 1997, do IBGE.

Tabela 3

Regressão logística — não obteve empréstimo, crédito ou financiamento nos últimos três meses

Parâmetro	Categoria	Estimativa	Erro-padrão	Qui-quadrado sig	Razão condicional
Intercepto		2,8484	0,0017	2973225**	
Ano	2003	–0,2069	0,0022	9184,99**	0,81311
Ano	1997	0,0000	0,0000		1,00000
Região	NE	0,3298	0,0036	8275,51**	1,39063
Região	Fora do NE	0,0000	0,0000		1,00000
Ano*região	**NE*2003**	**–0,2974**	**0,0046**	**4241,19****	**0,74272**
Ano*região	Fora do NE*2003	0,0000	0,0000		1,00000
Ano*região	NE*1997	0,0000	0,0000		1,00000
Ano*região	Fora do NE*1997	0,0000	0,0000		1,00000

Fonte: CPS/FGV, através do processamento dos microdados da Ecinf, do IBGE.

* Estatisticamente significante no nível de confiança de 90%.

** Estatisticamente significante no nível de confiança de 95%.

Tabela 4

Regressão logística — não obteve empréstimo, crédito ou financiamento (freqüentemente) nos últimos três meses

Parâmetro	Categoria	Estimativa	Erro-padrão	Qui-quadrado sig	Razão condicional
Intercepto		4,3033	0,0033	1725921**	
Ano	2003	-0,3136	0,0042	5636,84**	0,73078
Ano	1997	0,0000	0,0000		1,00000
Região	NE	0,1276	0,0067	361,01**	1,13613
Região	Fora do NE	0,0000	0,0000		1,00000
Ano*região	NE*2003	-0,2192	0,0084	688,40**	0,80319
Ano*região	Fora do NE*2003	0,0000	0,0000		1,00000
Ano*região	NE*1997	0,0000	0,0000		1,00000
Ano*região	Fora do NE*1997	0,0000	0,0000		1,00000

Fonte: CPS/FGV, através do processamento dos microdados da Ecinf, do IBGE.

* Estatisticamente significante no nível de confiança de 90%.

** Estatisticamente significante no nível de confiança de 95%.

Tabela 5

Regressão logística — tem dívida — ainda pagando (V4334 = 2)

Parâmetro	Categoria	Estimativa	Erro-padrão	Qui-quadrado sig	Razão condicional
Intercepto		1,8919	0,0011	2727029**	,
Ano	2003	–0,4135	0,0015	81179,3**	0,66134
Ano	1997	0,0000	0,0000		1,00000
Região	NE	–0,1080	0,0022	2487,04**	0,89758
Região	Fora do NE	0,0000	0,0000		1,00000
Ano*região	**NE*2003**	**0,1708**	**0,0028**	**3694,75****	**1,18622**
Ano*região	Fora do NE*2003	0,0000	0,0000		1,00000
Ano*região	NE*1997	0,0000	0,0000		1,00000
Ano*região	Fora do NE*1997	0,0000	0,0000		1,00000

Fonte: CPS/FGV, através do processamento dos microdados da Ecinf, do IBGE.

* Estatisticamente significante no nível de confiança de 90%.

** Estatisticamente significante no nível de confiança de 95%.

Tabela 6

Regressão logística — maior dificuldade do negócio não é a falta de crédito

Parâmetro	Categoria	Estimativa	Erro-padrão	Qui-quadrado sig	Razão condicional
Intercepto		4,4165	0,0039	1303794**	,
Ano	2003	–1,2670	0,0043	86118,80**	0,28167
Ano	1997	0,0000	0,0000		1,00000
Região	NE	–0,0562	0,0073	59,66**	0,94535
Região	Fora do NE	0,0000	0,0000		1,00000
Ano*região	**NE*2003**	**–0,0552**	**0,0081**	**46,27****	**0,94634**
Ano*região	Fora do NE*2003	0,0000	0,0000		1,00000
Ano*região	NE*1997	0,0000	0,0000		1,00000
Ano*região	Fora do NE*1997	0,0000	0,0000		1,00000

Fonte: CPS/FGV, através do processamento dos microdados da Ecinf, do IBGE.

* Estatisticamente significante no nível de confiança de 90%.

** Estatisticamente significante no nível de confiança de 95%.

Tabela 7

Regressão logística — maior dificuldade do negócio não é a falta de crédito ou a falta de capital próprio

Parâmetro	Categoria	Estimativa	Erro-padrão	Qui-quadrado sig	Razão condicional
Intercepto		1,7745	0,0012	2213074**	,
Ano	2003	–0,2888	0,0015	34943,8**	0,74916
Ano	1997	0,0000	0,0000		1,00000
Região	NE	–0,5129	0,0020	63043,4**	0,59874
Região	Fora do NE	0,0000	0,0000		1,00000
Ano*região	**NE*2003**	**0,0291**	**0,0027**	117,97**	**1,02950**
Ano*região	Fora do NE*2003	0,0000	0,0000		1,00000
Ano*região	NE*1997	0,0000	0,0000		1,00000
Ano*região	Fora do NE*1997	0,0000	0,0000		1,00000

Fonte: CPS/FGV, através do processamento dos microdados da Ecinf, do IBGE.

* Estatisticamente significante no nível de confiança de 90%.

** Estatisticamente significante no nível de confiança de 95%.

Tabela 8

Regressão logística — principal origem do capital para o início do negócio não foi um empréstimo bancário

Parâmetro	Categoria	Estimativa	Erro-padrão	Qui-quadrado sig	Razão condicional
Intercepto		4,5043	0,0036	1551394**	,
Ano	2003	–0,4826	0,0045	11629,5**	0,61717
Ano	1997	0,0000	0,0000		1,00000
Região	NE	0,1142	0,0074	239,71**	1,12102
Região	Fora do NE	0,0000	0,0000		1,00000
Ano*região	**NE*2003**	**–0,2487**	**0,0089**	**781,36****	**0,77980**
Ano*região	Fora do NE*2003	0,0000	0,0000		1,00000
Ano*região	NE*1997	0,0000	0,0000		1,00000
Ano*região	Fora do NE*1997	0,0000	0,0000		1,00000

Fonte: CPS/FGV, através do processamento dos microdados da Ecinf, do IBGE.

* Estatisticamente significante no nível de confiança de 90%.

** Estatisticamente significante no nível de confiança de 95%.

Tabela 9

Regressão logistica — não obteve empréstimo, crédito ou financiamento nos últimos três meses (V4331 = 3 ou 5)

Parâmetro	Categoria	Estimativa	Erro-padrão	Qui-qua-drado sig	Razão condicional
Intercepto		3,0799	0,0043	512217**	,
Sexo	Masculino	0,1565	0,0014	11819,9**	1,16942
Sexo	Feminino	0,0000	0,0000		1,00000
Chefe	Chefe	–0,1451	0,0015	9776,45**	0,86496
Chefe	Não-chefe	0,0000	0,0000		1,00000
Raça	Brancos e amarelos	–0,1876	0,0014	17718,7**	0,82895
Raça	Negros, pardos e indígenas	0,0000	0,0000		1,00000
Idade	15-25 anos	–0,1119	0,0020	3031,63**	0,89410
Idade	25-35 anos	–0,0785	0,0017	2107,26**	0,92449
Idade	45-55 anos	0,0704	0,0019	1343,18**	1,07289
Idade	55-65 anos	0,3035	0,0028	11405,8**	1,35460
Idade	Mais de 65 anos	0,4457	0,0049	8348,64**	1,56161
Idade	Menos de 15 anos	–0,5935	0,0052	13158,8**	0,55239
Idade	35-45 anos	0,0000	0,0000		1,00000
Educação	1º grau completo	0,3077	0,0037	6967,35**	1,36023
Educação	1º grau incompleto	0,4355	0,0035	15723,1**	1,54571
Educação	2º grau completo	0,0395	0,0035	130,12**	1,04027
Educação	2º grau incompleto	0,2641	0,0038	4771,32**	1,30226
Educação	Sem instrução	0,5018	0,0043	13422,1**	1,65166
Educação	Superior completo	0,1041	0,0039	717,01**	1,10971
Educação	Superior incompleto	0,0000	0,0000		1,00000
Local	Atividade fora do domicílio em que reside	0,0257	0,0021	150,89**	1,02606
Destino	Local exclusivo para o desempenho da atividade	–0,5550	0,0023	60842,0**	0,57406

Continua

Parâmetro	Categoria	Estimativa	Erro-padrão	Qui-quadrado sig	Razão condicional
Negócio	Negócio em loja, oficina, escritório etc.	-0,9028	0,0016	314992 **	0,40544
Região	NE	0,1522	0,0037	1691,30 **	1,16436
Região	Fora do NE	0,0000	0,0000		1,00000
Ano	2003	–0,2560	0,0020	17149,4 **	0,77412
Ano	1997	0,0000	0,0000		1,00000
Região*ano	**NE*2003**	**–0,2277**	**0,0040**	**3259,21 ****	**0,79633**
Região*ano	NE*1997	0,0000	0,0000		1,00000
Região*ano	Fora do NE*2003	0,0000	0,0000		1,00000
Região*ano	Fora do NE*1997	0,0000	0,0000		1,00000

Fonte: CPS/FGV, através do processamento dos microdados do censo do IBGE.
* Estatisticamente significante no nível de confiança de 90%.
** Estatisticamente significante no nível de confiança de 95%.

Tabela 10

Regressão logística — não obteve empréstimo, crédito ou financiamento (freqüentemente) nos últimos três meses (V4331 = 5)

Parâmetro	Categoria	Estimativa	Erro-padrão	Qui-quadrado sig	Razão condicional
Intercepto		4,6104	0,0083	306149**	,
Sexo	Masculino	0,4568	0,0026	31710,1**	1,57906
Sexo	Feminino	0,0000	0,0000		1,00000
Chefe	Chefe	–0,2193	0,0027	6742,11**	0,80307
Chefe	Não-chefe	0,0000	0,0000		1,00000
Raça	Brancos e amarelos	–0,0628	0,0026	601,17**	0,93912
Raça	Negros, pardos e indígenas	0,0000	0,0000		1,00000
Idade	15-25 anos	–0,1639	0,0037	1929,94**	0,84883
Idade	25-35 anos	–0,1686	0,0031	2892,58**	0,84482
Idade	45-55 anos	0,0220	0,0036	38,12**	1,02226

Continua

Parâmetro	Categoria	Estimativa	Erro-padrão	Qui-quadrado sig	Razão condicional
Idade	55-65 anos	0,2599	0,0053	2377,27**	1,29680
Idade	Mais de 65 anos	0,6927	0,0103	4522,83**	1,99904
Idade	Menos de 15 anos	–0,9665	0,0081	14193,1**	0,38041
Idade	35-45 anos	0,0000	0,0000		1,00000
Educação	1º grau completo	–0,0547	0,0071	59,42**	0,94673
Educação	1º grau incompleto	0,3416	0,0069	2465,34**	1,40718
Educação	2º grau completo	–0,1532	0,0068	511,00**	0,85800
Educação	2º grau incompleto	–0,0962	0,0073	174,48**	0,90833
Educação	Sem instrução	0,1222	0,0082	222,57**	1,12999
Educação	Superior completo	–0,0722	0,0075	91,89**	0,93036
Educação	Superior incompleto	0,0000	0,0000		1,00000
Local	Atividade fora do domicílio em que reside	0,1177	0,0039	924,02**	1,12495
Destino	Local exclusivo para o desempenho da atividade	–0,7628	0,0039	38798,3**	0,46634
Negócio	Negócio em loja, oficina, escritório etc.	–1,0063	0,0031	105730**	0,36558
Região	NE	–0,0208	0,0068	9,19**	0,97945
Região	Fora do NE	0,0000	0,0000		1,00000
Ano	2003	–0,4241	0,0038	12437,6**	0,65437
Ano	1997	0,0000	0,0000		1,00000
Região*ano	**NE*2003**	**–0,0423**	**0,0073**	**33,09****	**0,95863**
Região*ano	NE*1997	0,0000	0,0000		1,00000
Região*ano	Fora do NE*2003	0,0000	0,0000		1,00000
Região*ano	Fora do NE*1997	0,0000	0,0000		1,00000

Fonte: CPS/FGV, através do processamento dos microdados da Ecinf, do IBGE.

* Estatisticamente significante no nível de confiança de 90%.

** Estatisticamente significante no nível de confiança de 95%.

Tabela 11

Regressão logística — possui estoque de dívida — ainda pagando

Parâmetro	Categoria	Estimativa	Erro-padrão	Qui-quadrado sig	Razão condicional
Intercepto		2,0152	0,0029	468476**	,
Sexo	Masculino	–0,0106	0,0010	124,43**	0,98941
Sexo	Feminino	0,0000	0,0000		1,00000
Chefe	Chefe	–0,0753	0,0009	6440,91**	0,92746
Chefe	Não-chefe	0,0000	0,0000		1,00000
Raça	Brancos e amarelos	–0,0156	0,0009	318,90**	0,98449
Raça	Negros, pardos e indígenas	0,0000	0,0000		1,00000
Idade	15-25 anos	0,0746	0,0013	3228,81**	1,07748
Idade	25-35 anos	0,0643	0,0011	3469,98**	1,06644
Idade	45-55 anos	0,1455	0,0012	14667,5**	1,15657
Idade	55-65 anos	0,2859	0,0017	28244,4**	1,33095
Idade	Mais de 65 anos	0,6709	0,0031	45506,0**	1,95596
Idade	Menos de 15 anos	–0,1452	0,0036	1591,32**	0,86482
Idade	35-45 anos	0,0000	0,0000		1,00000
Educação	1º grau completo	0,1448	0,0025	3226,40**	1,15583
Educação	1º grau incompleto	0,2841	0,0024	13692,2**	1,32851
Educação	2º grau completo	–0,0316	0,0025	166,05**	0,96886
Educação	2º grau incompleto	0,0671	0,0026	648,67**	1,06944
Educação	Sem instrução	0,6138	0,0029	44376,2**	1,84738
Educação	Superior completo	0,3910	0,0029	18628,2**	1,47842
Educação	Superior incompleto	0,0000	0,0000		1,00000
Local	Atividade fora do domicílio em que reside	–0,1381	0,0013	11232,4**	0,87100
Destino	Local exclusivo para o desempenho da atividade	–0,5403	0,0014	139275**	0,58259
Negócio	Negócio em loja, oficina, escritório etc.	–0,5820	0,0010	317914**	0,55877
Região	NE	–0,2097	0,0022	8938,44**	0,81083
Região	Fora do NE	0,0000	0,0000		1,00000

Continua

Parâmetro	Categoria	Estimativa	Erro-padrão	Qui-quadrado sig	Razão condicional
Ano	2003	–0,4450	0,0013	112401**	0,64082
Ano	1997	0,0000	0,0000		1,00000
Região*ano	**NE*2003**	**0,2147**	**0,0024**	**7920,13****	**1,23955**
Região*ano	NE*1997	0,0000	0,0000		1,00000
Região*ano	Fora do NE*2003	0,0000	0,0000		1,00000
Região*ano	Fora do NE*1997	0,0000	0,0000		1,00000

Fonte: CPS/FGV, através do processamento dos microdados da Ecinf, do IBGE.

* Estatisticamente significante no nível de confiança de 90%.

** Estatisticamente significante no nível de confiança de 95%.

Tabela 12

Regressão logística — a maior dificuldade do negócio foi a falta de crédito

Parâmetro	Categoria	Estimativa	Erro-padrão	Qui-quadrado sig	Razão condicional
Intercepto		4,1221	0,0068	367231**	,
Sexo	Masculino	–0,2812	0,0021	18014,8**	0,75491
Sexo	Feminino	0,0000	0,0000		1,00000
Chefe	Chefe	–0,0101	0,0021	23,41**	0,98995
Chefe	Não-chefe	0,0000	0,0000		1,00000
Raça	Brancos e amarelos	0,1486	0,0019	5862,40**	1,16024
Raça	Negros, pardos e indígenas	0,0000	0,0000		1,00000
Idade	15-25 anos	0,1757	0,0032	3095,56**	1,19210
Idade	25-35 anos	–0,1582	0,0025	4072,10**	0,85370
Idade	45-55 anos	–0,1512	0,0026	3297,31**	0,85969
Idade	55-65 anos	0,0421	0,0037	127,49**	1,04299
Idade	Mais de 65 anos	0,0490	0,0059	67,80**	1,05020
Idade	Menos de 15 anos	–0,8490	0,0063	17882,7**	0,42784
Idade	35-45 anos	0,0000	0,0000		1,00000

Continua

Parâmetro	Categoria	Estimativa	Erro-padrão	Qui-quadrado sig	Razão condicional
Educação	1º grau completo	0,3990	0.0053	5674,27**	1,49036
Educação	1º grau incompleto	0,6038	0,0050	14450,6**	1,82900
Educação	2º grau completo	0,1512	0,0050	905,78**	1,16328
Educação	2º grau incompleto	0,1436	0,0054	708,98**	1,15437
Educação	Sem instrução	0,2603	0,0057	2081,10**	1,29730
Educação	Superior completo	0,4330	0,0060	5200,68**	1,54191
Educação	Superior incompleto	0,0000	0,0000		1,00000
Local	Atividade fora do domicílio em que reside	0,5810	0,0027	44883,4**	1,78777
Destino	Local exclusivo para o desempenho da atividade	–0,3258	0,0029	12807,7**	0,72195
Negócio	Negócio em loja, oficina, escritório etc.	–0,8188	0,0024	121022**	0,44096
Região	NE	–0,0429	0,0073	34,19**	0,95804
Região	Fora do NE	0,0000	0,0000		1,00000
Ano	2003	–1,2371	0,0041	89499,9**	0,29022
Ano	1997	0,0000	0,0000		1,00000
Região*ano	**NE*2003**	**–0,0258**	**0,0076**	**11,66****	**0,97449**
Região*ano	NE*1997	0,0000	0,0000		1,00000
Região*ano	Fora do NE*2003	0,0000	0,0000		1,00000
Região*ano	Fora do NE*1997	0,0000	0,0000		1,00000

Fonte: CPS/FGV, através do processamento dos microdados da Ecinf, do IBGE.

* Estatisticamente significante no nível de confiança de 90%.

** Estatisticamente significante no nível de confiança de 95%.

Tabela 13

Regressão logística — a maior dificuldade do negócio não foi a falta de crédito ou a falta de capital próprio (V4356 = 3 ou 12)

Parâmetro	Categoria	Estimativa	Erro-padrão	Qui-quadrado sig	Razão condicional
Intercepto		1,3932	0,0031	202302**	,
Sexo	Masculino	0,0577	0,0010	3503,65**	1,05937
Sexo	Feminino	0,0000	0,0000		1,00000
Chefe	Chefe	–0,0534	0,0010	3000,14**	0,94802
Chefe	Não-chefe	0,0000	0,0000		1,00000
Raça	Brancos e amarelos	0,1416	0,0009	24626,5**	1,15209
Raça	Negros, pardos e indígenas	0,0000	0,0000		1,00000
Idade	15-25 anos	0,1421	0,0014	10129,3**	1,15265
Idade	25-35 anos	–0,0593	0,0011	2745,02**	0,94239
Idade	45-55 anos	0,0359	0,0012	860,00**	1,03650
Idade	55-65 anos	0,3771	0,0018	44563,5**	1,45802
Idade	Mais de 65 anos	0,5156	0,0030	29580,2**	1,67460
Idade	Menos de 15 anos	–0,1244	0,0038	1084,86**	0,88305
Idade	35-45 anos	0,0000	0,0000		1,00000
Educação	1º grau completo	0,0624	0,0028	511,61**	1,06437
Educação	1º grau incompleto	0,1435	0,0026	2976,28**	1,15428
Educação	2º grau completo	0,0857	0,0027	1023,58**	1,08949
Educação	2º grau incompleto	–0,0483	0,0028	288,79**	0,95288
Educação	Sem instrução	0,1053	0,0030	1261,16**	1,11106
Educação	Superior completo	0,6918	0,0032	45645,2**	1,99727
Educação	Superior incompleto	0,0000	0,0000		1,00000
Local	Atividade fora do domicílio em que reside	0,6020	0,0013	228817**	1,82578
Destino	Local exclusivo para o desempenho da atividade	–0,3123	0,0014	52937,5**	0,73175
Negócio	Negócio em loja, oficina, escritório etc.	–0,8039	0,0011	520539**	0,44758
Região	NE	–0,4827	0,0021	52610,4**	0,61709

Continua

Parâmetro	Categoria	Estimativa	Erro-padrão	Qui-quadrado sig	Razão condicional
Região	Fora do NE	0,0000	0,0000		1,00000
Ano	2003	–0,3312	0,0014	56243,4**	0,71804
Ano	1997	0,0000	0,0000		1,00000
Região*ano	**NE*2003**	**0,0705**	**0,0023**	**942,69****	**1,07302**
Região*ano	NE*1997	0,0000	0,0000		1,00000
Região*ano	Fora do NE*2003	0,0000	0,0000		1,00000
Região*ano	Fora do NE*1997	0,0000	0,0000		1,00000

Fonte: CPS/FGV, através do processamento dos microdados da Ecinf, do IBGE.

* Estatisticamente significante no nível de confiança de 90%.

** Estatisticamente significante no nível de confiança de 95%.

Tabela 14

Regressão logística — a principal origem do capital foi um empréstimo bancário (V4402 = 6)

Parâmetro	Categoria	Estimativa	Erro-padrão	Qui-quadrado sig	Razão condicional
Intercepto		4,3594	0,0078	308616**	,
Sexo	Masculino	0,1061	0,0028	1464,87**	1,11194
Sexo	Feminino	0,0000	0,0000		1,00000
Chefe	Chefe	–0,0756	0,0028	746,88**	0,92720
Chefe	Não-chefe	0,0000	0,0000		1,00000
Raça	Brancos e amarelos	–0,0850	0,0027	1028,43**	0,91849
Raça	Negros, pardos e indígenas	0,0000	0,0000		1,00000
Idade	15-25 anos	0,1638	0,0040	1694,74**	1,17802
Idade	25-35 anos	0,0366	0,0033	126,62**	1,03728
Idade	45-55 anos	–0,0281	0,0036	62,26**	0,97227
Idade	55-65 anos	0,0372	0,0051	53,26**	1,03790
Idade	Mais de 65 anos	–0,1819	0,0077	551,22**	0,83367
Idade	Menos de 15 anos	0,1023	0,0127	64,79**	1,10768

Continua

Parâmetro	Categoria	Estimativa	Erro-padrão	Qui-quadrado sig	Razão condicional
Idade	35-45 anos	0,0000	0,0000		1,00000
Educação	1º grau completo	0,7847	0,0062	16078,2**	2,19172
Educação	1º grau incompleto	1,0962	0,0058	35905,0**	2,99271
Educação	2º grau completo	0,4647	0,0057	6590,90**	1,59158
Educação	2º grau incompleto	0,4156	0,0062	4442,66**	1,51522
Educação	Sem instrução	1,8770	0,0088	45994,1**	6,53377
Educação	Superior completo	0,3726	0,0066	3195,73**	1,45155
Educação	Superior incompleto	0,0000	0,0000		1,00000
Local	Atividade fora do domicílio em que reside	–0,5632	0,0041	18423,6**	0,56941
Destino	Local exclusivo para o desempenho da atividade	–0,6209	0,0046	18261,3**	0,53747
Negócio	Negócio em loja, oficina, escritório etc.	–0,1709	0,0030	3184,56**	0,84287
Região	NE	–0,1416	0,0076	349,55**	0,86793
Região	Fora do NE	0,0000	0,0000		1,00000
Ano	2003	–0,5280	0,0042	15930,4**	0,58980
Ano	1997	0,0000	0,0000		1,00000
Região*ano	**NE*2003**	**–0,1327**	**0,0080**	**272,56****	**0,87575**
Região*ano	NE*1997	0,0000	0,0000		1,00000
Região*ano	Fora do NE*2003	0,0000	0,0000		1,00000
Região*ano	Fora do NE*1997	0,0000	0,0000		1,00000

Fonte: CPS/FGV, através do processamento dos microdados da Ecinf, do IBGE.

* Estatisticamente significante no nível de confiança de 90%.

** Estatisticamente significante no nível de confiança de 95%.

Anexo ao capítulo 6

Tabela 1

Valores acumulados por décimo de variáveis nanoempresariais Em ordem de lucro (prejuízo) — Ecinf 2003

Centésimos de lucro	Lucro marginal	Lucro	Faturamento	Dívida	Gasto	Dívida/lucro
—	–65.200,00	–65.200,00	7.500,00	0,00	72.700,00	0,00
1	–1.420,00	–4.603,06	3.743,82	3.338,01	8.346,87	0,00
2	–630,00	–2.785,86	2.751,80	2.119,52	5.537,66	0,00
3	–290,00	–2.005,44	2.129,01	1.599,16	4.134,45	0,00
4	–130,00	–1.554,78	1.730,30	1.276,63	3.285,08	0,00
5	–50,00	–1.259,31	1.480,97	1.159,55	2.740,28	0,00
6	0,00	–1.053,87	1.298,71	984,50	2.352,58	0,00
7	0,00	–903,61	1.138,36	863,40	2.041,98	0,00
8	0,00	–790,34	1.034,33	802,07	1.824,67	0,00
9	1,00	–702,59	930,74	785,47	1.633,33	0,00
10	10,00	–630,99	841,84	706,77	1.472,83	0,12
11	18,00	–573,00	770,83	669,13	1.343,83	1,85
12	20,00	–523,80	712,66	615,57	1.236,46	1,79
13	25,00	–481,78	666,90	571,02	1.148,68	1,80
14	30,00	–444,91	625,17	535,43	1.070,08	1,89
15	30,00	–413,36	588,39	500,69	1.001,75	1,79
16	40,00	–385,66	558,82	475,99	944,48	1,86
17	40,00	–360,60	532,35	449,42	892,95	1,79
18	47,00	–338,17	507,75	425,29	845,92	1,71
19	50,00	–317,91	487,05	405,88	804,96	1,68
20	50,00	–299,50	469,48	387,30	768,98	1,63
21	55,00	–282,63	454,09	369,49	736,71	1,57
22	60,00	–266,95	439,39	353,66	706,34	1,52
23	68,00	–252,83	427,62	339,24	680,44	1,46
24	72,00	–239,42	417,98	327,88	657,40	1,44
25	80,00	–226,80	409,61	316,14	636,41	1,40

Continua

Centésimos de lucro	Lucro marginal	Lucro	Faturamento	Dívida	Gasto	Dívida/lucro
26	80,00	–214,97	400,46	305,49	615,43	1,37
27	90,00	–203,78	392,89	295,77	596,67	1,33
28	100,00	–193,03	387,91	292,17	580,94	1,36
29	100,00	–182,91	381,97	284,42	564,87	1,33
30	100,00	–173,47	376,63	277,28	550,10	1,31
31	100,00	–164,71	372,44	269,75	537,15	1,28
32	100,00	–156,41	367,75	261,99	524,15	1,25
33	115,00	–148,43	365,92	256,24	514,35	1,23
34	120,00	–140,49	362,27	251,77	502,76	1,22
35	120,00	–133,06	359,44	245,59	492,50	1,20
36	130,00	–125,79	357,90	241,16	483,69	1,18
37	140,00	–118,80	358,16	236,03	476,95	1,16
38	150,00	–111,94	357,53	231,64	469,47	1,14
39	150,00	–105,24	359,27	230,00	464,51	1,14
40	150,00	–98,86	359,70	227,57	458,56	1,14
41	150,00	–92,72	357,93	223,23	450,65	1,12
42	160,00	–86,91	357,76	219,85	444,67	1,10
43	170,00	–81,13	359,74	218,19	440,87	1,10
44	180,00	–75,31	359,94	214,61	435,24	1,08
45	190,00	–69,58	360,67	210,65	430,25	1,06
46	200,00	–63,86	367,86	209,89	431,72	1,06
47	200,00	–58,23	369,31	206,35	427,54	1,04
48	200,00	–52,81	370,75	204,02	423,56	1,03
49	200,00	–47,69	375,29	201,04	422,99	1,01
50	200,00	–42,66	376,66	198,63	419,32	1,00
51	200,00	–37,99	377,30	195,59	415,29	0,98
52	220,00	–33,24	381,37	192,85	414,61	0,97
53	230,00	–28,43	382,84	191,58	411,27	0,96
54	240,00	–23,53	385,93	189,99	409,46	0,95
55	240,00	–18,72	389,21	187,35	407,93	0,94
56	240,00	–14,15	391,65	184,57	405,79	0,93

Continua

Centésimos de lucro	Lucro marginal	Lucro	Faturamento	Dívida	Gasto	Dívida/lucro
57	250,00	–9,65	393,36	184,55	403,01	0,92
58	250,00	–5,14	395,16	183,45	400,31	0,91
59	255,00	–0,84	398,13	181,59	398,97	0,90
60	275,00	3,64	405,06	187,64	401,42	0,92
61	285,00	8,14	408,83	185,93	400,69	0,91
62	300,00	12,72	413,55	184,62	400,83	0,90
63	300,00	17,28	422,33	185,28	405,06	0,90
64	300,00	21,68	426,80	186,28	405,12	0,90
65	300,00	25,96	435,10	186,53	409,14	0,90
66	300,00	30,15	438,32	187,85	408,17	0,90
67	315,00	34,20	445,58	187,91	411,38	0,89
68	330,00	38,49	450,47	189,44	411,98	0,89
69	350,00	42,86	454,92	188,99	412,06	0,89
70	350,00	47,25	460,50	187,80	413,25	0,88
71	370,00	51,66	470,72	187,09	419,06	0,87
72	400,00	56,29	478,09	186,58	421,80	0,87
73	400,00	60,99	485,06	188,30	424,06	0,86
74	400,00	65,57	492,44	189,61	426,86	0,86
75	400,00	70,03	498,35	189,88	428,33	0,86
76	438,00	74,60	505,62	191,51	431,02	0,86
77	455,00	79,42	512,26	194,12	432,83	0,86
78	480,00	84,51	522,54	193,19	438,03	0,85
79	500,00	89,58	535,51	193 16	445,92	0,84
80	500,00	94,74	545,21	193,08	450,47	0,84
81	500,00	99,75	554,73	194,40	454,99	0,83
82	540,00	104,81	569,60	195,88	464,80	0,83
83	600,00	110,43	578,58	197,77	468,15	0,83
84	600,00	116,23	588,41	203,34	472,18	0,83
85	630,00	122,03	601,54	208,27	479,51	0,83
86	700,00	128,30	619,24	210,61	490,95	0,83
87	720,00	134,91	634,78	218,44	499,87	0,84

Continua

Centésimos de lucro	Lucro marginal	Lucro	Faturamento	Dívida	Gasto	Dívida/lucro
88	800,00	142,08	657,92	227,58	515,83	0,84
89	830,00	149,52	671,82	229,17	522,30	0,84
90	925,00	157,65	692,15	235,43	534,50	0,84
91	1.000,00	166,56	719,50	242,00	552,94	0,84
92	1.000,00	175,63	747,83	247,60	572,21	0,84
93	1.200,00	185,46	785,71	257,28	600,26	0,84
94	1.344,00	196,63	819,14	265,17	622,51	0,84
95	1.500,00	210,12	855,82	274,12	645,70	0,84
96	1.800,00	224,88	890,40	280,21	665,52	0,84
97	2.050,00	242,81	938,69	294,27	695,88	0,84
98	3.000,00	265,54	993,89	307,48	728,36	0,84
99	4.410,00	299,59	1.069,06	314,74	769,48	0,83
100	96.700,00	389,75	1.232,15	366,62	842,40	0,83

Fonte: CPS/FGV, através do processamento dos microdados da Ecinf, do IBGE.

Tabela 2

Medidas do desempenho dos microempresários nordestinos por mesorregião

		% tem dívida		% tem crédito		% sindicalizado		% tem const. jurídica		% vende a prazo		% controla as contas		% tem assist. técnica		% negócio fora do dom.	
Não-identificado		15,7	0,3	5,3	0,1	15,9	0,3	15,0	0,3	48,3	0,6	49,8	0,6	2,7	0,1	63,8	0,6
Mesorregiões	Norte maranhense	10,7	0,9	2,9	0,3	8,6	0,7	8,8	0,8	53,0	2,4	39,6	2,3	1,0	0,1	59,6	2,3
	Oeste maranhense	18,4	1.6	1,2	0,1	5,5	0,6	5,2	0,5	54,6	2,7	39,0	2,6	0,9	0,1	63,2	2,5
	Centro maranhense	21,8	1,9	1,0	0,1	10,4	1,0	8,4	0,9	50,6	2,8	50,0	2,8	0,0	0,0	63,0	2,6
	Leste maranhense	17,2	1,6	1,3	0,2	10,8	1,1	6,1	0,6	52,2	2,8	40,8	2,7	0,3	0,0	54,5	2,8
	Sul maranhense	20,9	2,9	0,8	0,1	11,6	1,8	3,1	0,5	34,1	3,9	79,8	2,8	0,0	0,0	66,7	3,8
	Norte piauiense	23,1	1,6	4,9	0,4	6,4	0,6	12,4	1,0	51,1	2,3	54,4	2,3	3,6	0,3	59,1	2,2
	Centro-Norte piauiense	13,9	1,2	2,1	0,2	7,3	0,7	11,0	1,0	51,2	2,5	38,3	2,4	1,8	0,2	64,8	2,3
	Sudoeste piauiense	11,6	0,8	6,6	0,5	4,3	0,3	9,2	0,7	51,0	2,0	36,0	1,8	2,1	0,2	66,3	1,8
	Sudeste piauiense	15,6	1,4	3,5	0,4	6,8	0,7	8,5	0,8	42,9	2,6	47,6	2,7	2,4	0,2	66,2	2,4
	Noroeste cearense	7,1	1,4	1,2	0,2	1,2	0,2	7,1	1,4	49,4	5,3	39,3	5,1	0,0	0,0	71,8	4,3
	Norte cearense	12,3	1,8	0,0	0,0	0,0	0,0	10,9	1,6	44,2	4,1	42,4	4,1	0,0	0,0	62,3	3,9
	Metropolitana de Fortaleza	12,6	0,9	7,2	0,6	8,7	0,7	17,0	1,2	53,3	2,1	46,5	2,1	3,1	0,3	55,6	2,1
	Jaguaribe	11,1	4,6	0,0	0,0	0,0	0,0	5,6	2,4	38,9	11,0	16,7	6,4	0,0	0,0	66,7	10,3
	Oeste potiguar	20,0	1,5	3,4	0,3	10,9	0,9	13,6	1,1	57,7	2,4	46,7	2,4	0,7	0,1	67,9	2,1
	Central potiguar	12,5	1,3	5,7	0,6	8,2	0,9	14,2	1,4	51,2	2,9	46,5	2,9	0,7	0,1	66,2	2,6
	Agreste potiguar	16,8	1,4	6,0	0,6	6,8	0,6	14,4	1,3	64,1	2,4	61,9	2,4	8,2	0,8	62,2	2,4
	Leste potiguar	19,0	0,3	7,3	0,4	11,1	0,6	15,1	0,8	59,0	1,5	57,7	1,5	2,8	0,2	63,7	1,4
	Sertao paraibano	15,1	1,2	4,5	0,4	7,0	0,6	14,9	1,1	52,7	2,3	41,4	2,2	6,6	0,6	65,2	2,0
	Borborema	13,9	1,5	1,7	0,2	0,8	0,1	8,8	1,0	44,1	3,1	35,0	2,9	0,8	0,1	59,2	3,1
	Agreste paraibano	19,4	0,9	4,3	0,2	11,6	0,6	14,3	0,7	47,0	1,5	46,9	1,5	7,2	0,1	63,3	1,4
	Mata paraibana	19,2	1,1	4,4	0,3	7,6	0,5	11,5	0,7	51,9	1,8	38,4	1,7	1,9	0,1	59,5	1,7
	Sertao pernambucano	13,0	3,0	11,1	2,6	1,9	0,5	1,9	0,5	37,0	6,2	12,5	2,9	0,0	0,0	46,3	6,6
	Agreste pernambucano	11,2	1,3	11,6	1,3	4,0	0,5	12,1	1,4	35,3	3,0	17,5	1,9	1,3	0,2	62,5	3,1
	Mata pernambucana	17,2	2,5	10,7	1,7	9,0	1,5	16,4	2,4	36,1	4,1	30,0	3,7	0,8	0,1	66,4	4,0
	Metropolitana de Recife	14,9	0,9	7,7	0,5	8,6	0,6	18,1	1,1	36,6	1,7	38,0	1,7	3,4	0,2	67,4	1,6
	Sertao alagoano	16,9	1,8	5,6	0,7	11,3	1,2	14,9	1,6	52,4	3,1	67,6	2,7	2,4	0,3	68,1	2,7
	Agreste alagoano	15,2	1,5	3,0	0,3	4,8	0,5	8,2	0,9	46,8	3,0	33,6	2,7	3,7	0,4	68,4	2,6
	Leste alagoano	7,2	0,3	1,6	0,1	8,3	0,4	12,7	0,6	45,0	1,2	46,3	1,3	3,0	0,1	69,2	1,1
	Sertao sergipano	14,1	2,1	3,1	0,5	5,5	0,9	9,4	1,5	59,4	4,2	34,9	3,9	2,3	0,4	60,2	4,2
	Agreste sergipano	19,1	1,4	2,9	0,3	5,2	0,4	8,4	0,7	58,9	2,2	34,0	2,0	1,7	0,1	66,5	2,0
	Leste sergipano	19,6	0,8	3,7	0,2	11,2	0,5	12,5	0,6	61,0	1,2	50,3	1,3	2,4	0,1	64,4	1,2
	Extremo-Oeste baiano	17,2	2,5	5,7	1,0	18,0	2,6	11,5	1,8	62,3	4,2	51,7	4,4	5,7	1,0	73,0	3,5
	Vale Sao Franciscano da Bahia	18,1	2,4	3,5	0,5	11,8	1,7	15,3	2,1	51,4	4,1	39,2	3,9	0,0	0,0	63,9	3,8
	Centro-Norte baiano	13,6	1,4	9,6	1,0	12,1	1,2	16,8	1,6	69,6	2,5	44,8	2,9	2,1	0,2	67,9	2,6
	Nordeste baiano	17,7	1,8	3,8	0,4	7,7	0,9	21,2	2,0	67,7	2,7	43,3	3,0	1,2	0,1	62,7	2,8
	Metropolitana de Salvador	19,0	4,0	8,6	2,0	1,7	0,4	17,2	3,7	41,4	6,2	30,4	5,4	0,0	0,0	58,6	6,2
	Centro-Sul baiano	9,5	1,7	0,0	0,0	2,1	0,4	5,3	1,0	51,6	5,0	35,5	4,6	0,0	0,0	71,6	4,1
	Sul baiano	20,3	2,6	7,7	1,2	3,5	0,6	22,4	2,8	58,7	4,0	49,3	4,1	6,3	1,0	74,1	3,1

Anexo ao capítulo 7

Tabela 1

Equações mincerianas de lucro — CrediAmigo e PME

Parâmetro	Lucro habitual PME		Lucro efetivo PME	
	Estimativa	P-Valor	Estimativa	P-Valor
Intercepto	48,519,337	<,0001	48,105,978	<,0001
Sexo — homem	0,4901888	<,0001	0,4917786	<,0001
Sexo – mulher	*0,0000000*		*0,0000000*	
Idade	0,0088166	<,0001	0,0091480	<,0001
Escolaridade — educação — 1º grau	0,2826825	0,0053	0,2947351	0,0022
Escolaridade — educação — 2º grau	0,7283869	<,0001	0,7526627	<,0001
Escolaridade — educação — superior	17,909,916	<,0001	18,147,681	<,0001
Escolaridade — ignorada	0,0784227	0,4856	0,0782259	0,4706
Escolaridade – sabe ler e escrever	*0,0000000*		*0,0000000*	
Tamanho da empresa — 1 a 4 pessoas	–0,0333312	0,4060	–0,0347573	0,3869
Tamanho da empresa — 5 pessoas ou mais	0,6221500	<,0001	0,5867787	<,0001
Tamanho da empresa – não aplicável	*0,0000000*		*0,0000000*	
Setor comércio	–0,1022150	<,0001	–0,1050797	<,0001
Setor indústria	–0,1184157	<,0001	–0,1240535	<,0001
Outro setor	0,0000000		0,0000000	
RM Recife	–0,0912766	<,0001	–0,0882722	<,0001
RM Salvador	0,0000000		0,0000000	
Momento — 2006	0,0134391	0,5272	0,0006884	0,9750
Momento – 2005	*0,0000000*		*0,0000000*	
Base CrediAmigo	14,279,725	<,0001	14,413,575	<,0001
Base PME	0,0000000		0,0000000	
Momento*base 2006 CrediAmigo	0,0775901	0,0213	0,0907435	0,0079
*Momento*base 2006 PME*	*0,0000000*		*0,0000000*	
*Momento*base 2005 CrediAmigo*	*0,0000000*		*0,0000000*	
*Momento*base 2005 PME*	*0,0000000*		*0,0000000*	

Fontes: CPS/FGV, através do processamento dos microdados do CrediAmigo, do Banco do Nordeste e da PME, do IBGE.

Tabela 2

Equações mincerianas de lucro — PME — mulheres *versus* homens

Parâmetro	Pesquisa mensal do emprego			
	Lucro habitual		Lucro efetivo	
	Estimativa	P-Valor	Estimativa	P-Valor
Intercepto	53,232,546	<,0001	52,241,896	<,0001
Sexo — Mulher	–0,5684197	<,0001	–0,5673099	<,0001
Sexo – Homem	*0,0000000*		*0,0000000*	
Idade	0,0110783	<,0001	0,0115410	<,0001
Escolaridade — educação — 1o grau	0,7522903	0,0347	0,7781581	0,0033
Escolaridade — educação — 2o grau	13262690	0,0002	13698967	<,0001
Escolaridade — educação — superior	24031816	<,0001	24427293	<,0001
Escolaridade — ignorada	0,5986587	0,0957	0,6144815	0,0224
Escolaridade – sabe ler e escrever	*0,0000000*		*0,0000000*	
Tamanho da empresa — 1 a 4 pessoas	–0,6511620	<,0001	–0,6158399	<,0001
Tamanho da empresa — 5 pessoas ou mais	0,0000000		0,0000000	
Tamanho da empresa – não-aplicável				
Setor comércio	–0,1020261	<,0001	–0,1055570	<,0001
Setor indústria	–0,1152044	<,0001	–0,1197069	<,0001
Outro setor	*0,0000000*		*0,0000000*	
RM Recife	-0,0202592	0,3425	-0,0164846	0,4555
RM Salvador	0,0000000		0,0000000	
Momento — 2006	0,0455291	0,0878	0,0346294	0,2031
Momento – 2005	*0,0000000*		*0,0000000*	
Sexo*momento — mulher 2006	–0,0781438	0,0719	–0,0852532	0,0586
*Sexo*momento – mulher 2005*	*0,0000000*		*0,0000000*	
*Sexo*momento – homem 2006*	*0,0000000*		*0,0000000*	
*Sexo*momento – homem 2005*	*0,0000000*		*0,0000000*	

Fonte: CPS/FGV, através do processamento dos microdados longitudinais – PME, do IBGE — 2005 e 2006.

Anexo ao capítulo 8

Tabela

Média das variáveis utilizadas no modelo de probabilidade linear

Discriminação	LP FGV	LP Ipea	LP SM
Renda familiar *per capita* inicial (R$ de out. 2006)	83,77	112,81	118,16
Renda familiar *per capita* final (R$ de out. 2006)	166,08	198,75	204,29
Tempo de programa			
0-5 meses	0,1692	0,1648	0,1638
6-12 meses	0,1710	0,1704	0,1695
13-18 meses	0,1342	0,1337	0,1327
19-24 meses	0,1006	0,1015	0,1007
25-30 meses	0,0882	0,0886	0,0894
31-36 meses	0,0645	0,0681	0,0684
37-42 meses	0,0661	0,0661	0,0662
43-48 meses	0,0493	0,0501	0,0507
49-54 meses	0,0397	0,0424	0,0432
55-60 meses	0,0286	0,0313	0,0320
Mais de 60 meses	0,0887	0,0830	0,0834
Características individuais			
Idade	36,88	37,13	37,20
Sexo masculino	0,2979	0,3176	0,3199
Analfabeto	0,0500	0,0438	0,0424
1º grau incompleto	0,5934	0,5793	0,5763
1º grau completo	0,1241	0,1315	0,1328
2º grau incompleto	0,0479	0,0491	0,0488
2º grau completo	0,1676	0,1769	0,1798
Superior incompleto	0,0073	0,0087	0,0089
Superior completo	0,0098	0,0108	0,0110
Domicílio próprio	0,7508	0,7594	0,7618
Domicílio alugado	0,0870	0,0882	0,0886
Domicílio parentes	0,0624	0,0532	0,0519
Outros domicílios	0,0697	0,0715	0,0701
Domicílio emprestado	0,0302	0,0276	0,0276
Características do negócio			

Continua

Discriminação	LP FGV	LP Ipea	LP SM
Tempo de atividade	6,09	6,02	6,06
Contrato administrativo inexistente	0,1869	0,1723	0,1686
Contrato administrativo precário	0,5047	0,4889	0,4892
Contrato administrativo bom	0,0754	0,0784	0,0780
Contrato administrativo satisfatório	0,2330	0,2603	0,2642
Negócio fixo	0,5633	0,5966	0,5996
Negócio ambulante	0,4367	0,4034	0,4004
Vendas à vista	0,3999	0,3990	0,3972
Vendas a prazo1	0,5129	0,5092	0,5107
Vendas a prazo2	0,0819	0,0855	0,0856
Vendas a prazo3	0,0052	0,0063	0,0065
Comércio	0,9145	0,9186	0,9179
Indústria	0,0361	0,0319	0,0321
Serviço	0,0495	0,0495	0,0501
Características do empréstimo			
Valor — R$ –200	0,1194	0,0752	0,0710
Valor — R$ 201-300	0,2935	0,2304	0,2211
Valor — R$ 301-400	0,3005	0,2916	0,2887
Valor — R$ 401-500	0,1752	0,2153	0,2180
Valor — R$ 501-600	0,0862	0,1349	0,1410
Valor — R$ 601-700	0,0137	0,0264	0,0295
Valor — R$ 701-800	0,0064	0,0131	0,0151
Valor — R$ 801	0,0051	0,0131	0,0155
Participação em grupo de empréstimo	19,93	20,84	20,91
Prestações — 3 meses	0,4686	0,4663	0,4667
Prestações — 4 meses	0,4057	0,4165	0,4145
Prestações — 5 meses	0,0332	0,0306	0,0319
Prestações — 6 meses	0,0798	0,0741	0,0744
Prestações — mais de seis meses	0,0127	0,0125	0,0125
Controle temporal			
D1998	0,0112	0,0074	0,0075
D1999	0,0253	0,0179	0,0171
D2000	0,0195	0,0219	0,0222
D2001	0,0425	0,0472	0,0480

Continua

Discriminação	LP FGV	LP Ipea	LP SM
D2002	0,0755	0,0803	0,0819
D2003	0,1215	0,1227	0,1231
D2004	0,1637	0,1672	0,1684
D2005	0,2596	0,2602	0,2580
D2006	0,2810	0,2752	0,2737
Características regionais			
Ceará	0,4062	0,3670	0,3809
Alagoas	0,0408	0,0480	0,0488
Maranhão	0,0794	0,0950	0,0963
Rio Grande do Norte	0,0282	0,0345	0,0364
Espírito Santo	0,0002	0,0001	0,0004
Piauí	0,0411	0,0548	0,0566
Pernambuco	0,1354	0,1335	0,1171
Bahia	0,0788	0,0897	0,0858
Minas Gerais	0,0394	0,0301	0,0361
Sergipe	0,0593	0,0544	0,0517
Paraíba	0,0913	0,0928	0,0898
Renda *per capita* municipal (R$ 100)	1,1525	1,1744	1,1815

Anexo ao capítulo 10

Tabela 1

Modelo logístico (Simples) – atraso em contas de água, luz, gás

Resposta	Parâmetro	Nível	Estimativa	Erro-padrão	Estatística de Wald	Nível descritivo (p)	Razão condicional
Sim	Intercepto		–0,9212	0,000497	3429938,9	<,0001	
	Sexo	Feminino	0,0822	0,000807	10377,869	<,0001	1,086
	Cor	Amarela	0,0698	0,009	60,1618	<,0001	1,072
	Cor	Branca	–0,3591	0,000915	154117,7	<,0001	0,698
	Cor	Ignorada	–2,942	0,02	21705,603	<,0001	0,053
	Cor	Indígena	0,9881	0,0208	2250,2232	<,0001	2,686
	Cor	Parda	–0,0114	0,000637	319,1123	<,0001	0,989
	Idade	10-19	0,8771	0,00209	176671,11	<,0001	2,404
	Idade	20-29	0,7066	0,00104	461986,58	<,0001	2,027
	Idade	30-39	0,8179	0,000932	770465,71	<,0001	2,266
	Idade	40-49	1,106	0,00109	1034701,8	<,0001	3,022
	Idade	50-59	0,8075	0,00134	363932,71	<,0001	2,242
	Idade	60-69	0,5759	0,00199	83631,407	<,0001	1,779
	Rentof		0,015	0,000152	9672,693	<,0001	1,015
	Anos de estudo	1 — 1 a 3 anos	0,1499	0,00106	19951,357	<,0001	1,162
	Anos de estudo	2 — 4 a 7	0,2594	0,000943	75619,257	<,0001	1,296
	Anos de estudo	3 — 8 a 11	0,3213	0,000908	125069,8	<,0001	1,379
	Anos de estudo	4 — 12 ou mais	–0,00182	0,00226	0,6522	0,4193	0,998
	Anos de estudo	5 — ignorado	–0,1721	0,00464	1373,5771	<,0001	0,842
	Classes	A1 — acima de 45	–9,5436	0,1675	3247,7551	<,0001	0
	Classes	A2 — 25 a 45	–0,7502	0,00327	52628	<,0001	0,472
	Classes	B1 — 15 a 25	–0,691	0,00261	69905,736	<,0001	0,501
	Classes	B2 — 10 a 15	–0,0157	0,00198	62,8961	<,0001	0,984
	Classes	C — 4 a 10	0,2109	0,000936	50734,219	<,0001	1,235
	Classes	D — 2 a 4	0,1097	0.000892	15141,385	<,0001	1,116
	Região do domicílio	Capital	0,448	0,000972	212286,42	<,0001	1,565

Resposta	Parâmetro	Nível	Estimativa	Erro-padrão	Estatística de Wald	Nível descritivo (p)	Razão condicional
	Região do domicílio	Área Metropolina	0,4026	0,00155	67423,607	<,0001	1,496
	Ocupação	Conta própria	0,0386	0,000516	5575,0925	<,0001	1,039
	UF	AL	–0,2606	0,0025	10881,125	<,0001	0,771
	UF	BA	0,2073	0,000911	51792,578	<,0001	1,23
	UF	MA	–0,0238	0,00131	327,8921	<,0001	0,977
	UF	PB	–0,0133	0,00206	41,8145	<,0001	0,987
	UF	PE	0,0869	0,00118	5405,9528	<,0001	1,091
	UF	PI	0,4044	0,00216	34889,925	<,0001	1,498
	UF	RN	0,0691	0,00241	823,5667	<,0001	1,072
	UF	SE	–0,0311	0,00274	129,2225	<,0001	0,969
	Tem renda aposentadoria	Sim	–0,116	0,00177	4289,2382	<,0001	0,89
	Tem renda Bolsa	Sim	0,3583	0,00198	32767,493	<,0001	1,431
	Tem outras rendas	Sim	0,0649	0,000751	7459,7827	<,0001	1,067

Fonte: CPS/FGV, a partir dos microdados da POF 2003, do IBGE.

Tabela 2

Modelo logístico (Simples) — atraso em prestações de bens

Resposta	Parâmetro	Nível	Estimativa	Erro-padrão	Estatística de Wald	Nível descritivo (p)	Razão condicional
Sim	Intercepto		–1,6982	0,228	55,4827	<,0001	
	Sexo	Feminino	0,1115	0,044	6,4123	0,0113	1,1179
	Cor	Amarela	0,5445	0,3544	2,3602	0,1245	1,7237
	Cor	Branca	–0,0779	0,0833	0,8742	0,3498	0,925
	Cor	Ignorada	1,3669	0,5093	7,2034	0,0073	3,9232
	Cor	Indígena	–0,723	0,7527	0,9225	0,3368	0,4853
	Cor	Parda	0,1089	0,0761	2,0494	0,1523	1,115
	Idade	10-19	0,9562	0,2106	20,6114	<,0001	2,6018
	Idade	20-29	1,0309	0,1973	27,3119	<,0001	2,8036
	Idade	30-39	0,9371	0,1956	22,9463	<,0001	2,5525

Continua

Resposta	Parâmetro	Nível	Estimativa	Erro-padrão	Estatística de Wald	Nível descritivo (p)	Razão condicional
	Idade	40-49	0,9382	0,1946	23,244	<,0001	2,5553
	Idade	50-59	0,7553	0,1934	15,246	<,0001	2,1282
	Idade	60-69	0,3091	0,1965	2,4746	0,1157	1,3622
	Rentof		0,00675	0,00267	6,4107	0,0113	1,0068
	Anos de estudo	1 — 1 a 3	–0,1953	0,0744	6,8948	0,0086	0,8226
	Anos de estudo	2 — 4 a 7	0,0816	0,0728	1,2583	0,262	1,0851
	Anos de estudo	3 — 8 a 11	–0,00335	0,0777	0,0019	0,9656	0,9967
	Anos de estudo	4 — 12 ou mais	–0,0822	0,1261	0,4248	0,5146	0,9211
	Anos de estudo	5 — ignorado	–0,1623	0,1851	0,7602	0,3833	0,8502
	Classes	A1 — acima de 45	–1,4456	0,3297	19,2289	<,0001	0,2356
	Classes	A2 — 25 a 45	–0,3878	0,1695	5,2339	0,0222	0,6785
	Classes	B1 — 15 a 25	–0,2199	0,1359	2,6181	0,1056	0,8026
	Classes	B2 — 10 a 15	0,2882	0,0968	8,8689	0,0029	1,334
	Classes	C — 4 a 10	0,2277	0,0602	14,319	0,0002	1,2557
	Classes	D — 2 a 4	0,3016	0,0554	29,6975	<,0001	1,3521
	Região do domicílio	Capital	–0,0113	0,0504	0,0507	0,8218	0,9887
	Região do domicílio	Área metropolina	0,0328	0,0724	0,2055	0,6503	1,0334
	Ocupação	Conta própria	–0,1663	0,0874	3,6217	0,057	0,8468
	UF	AL	0,0115	0,1199	0,0092	0,9238	1,0115
	UF	BA	–0,1003	0,0682	2,1652	0,1412	0,9045
	UF	MA	0,3461	0,0783	19,5289	<,0001	1,4135
	UF	PB	0,0945	0,103	0,8424	0,3587	1,0991
	UF	PE	0,2497	0,0736	11,5219	0,0007	1,2836
	UF	PI	0,3395	0,1003	11,4466	0,0007	1,4042
	UF	RN	–0,228	0,1185	3,6984	0,0545	0,7962
	UF	SE	–0,1783	0,1314	1,8414	0,1748	0,8367
	Tem renda aposentadoria	Sim	–0,0796	0,1046	0,5792	0,4466	0,9234
	Tem renda Bolsa	Sim	0,0238	0,0896	0,0707	0,7903	1,0241
	Tem outras rendas	Sim	0,2527	0,0473	28,5356	<,0001	1,2875

Fonte: CPS/FGV, a partir dos microdados da POF 2003, do IBGE.

Por último, verificou-se que os trabalhadores por contas própria tinham uma probabilidade muito menor de obter acesso a crédito pessoal do que os empregadores, e que não havia diferença significante entre os diferentes estados do Nordeste.

Tabela 3

Modelo logístico (Simples) — têm cartão de crédito ou cheque especial

Resposta	Parâmetro	Nível	Estimativa	Erro-padrão	Estatística de Wald	Nível descritivo (p)	Razão condicional
Sim	Intercepto		–4,5326	0,3748	146,2273	<,0001	
	Sexo	Feminino	–0,0641	0,0656	0,956	0,3282	0,9379
	Cor	Amarela	0,3127	0,5219	0,3589	0,5491	1,3671
	Cor	Branca	0,3378	0,1264	7,1435	0,0075	1,4019
	Cor	Ignorada	–0,8145	0,7302	1,244	0,2647	0,4429
	Cor	Indígena	1,4965	0,7046	4,5112	0,0337	4,4662
	Cor	Parda	0,0537	0,1198	0,2006	0,6542	1,0551
	Idade	10-19	–1,5195	0,4168	13,2895	0,0003	0,2188
	Idade	20-29	0,3274	0,3159	1,0737	0,3001	1,3873
	Idade	30-39	0,804	0,3123	6,6265	0,01	2,2345
	Idade	40-49	0,4608	0,3115	2,1886	0,139	1,5854
	Idade	50-59	0,5823	0,3094	3,5416	0,0598	1,7902
	Idade	60-69	–0,00434	0,3198	0,0002	0,9892	0,9957
	Rentof		0,0205	0,00759	7,2964	0,0069	1,0207
	Anos de estudo	1 — 1 a 3	0,3456	0,1836	3,5441	0,0598	1,4128
	Anos de estudo	2 — 4 a 7	0,7855	0,1715	20,978	<0,0001	2,1935
	Anos de estudo	3 — 8 a 11	1,5751	0,1694	86,4355	<,0001	4,8314
	Anos de estudo	4 — 12 ou mais	2,2235	0,1949	130,1545	<,0001	9,2398
	Anos de estudo	5 — ignorado	1,4275	0,2562	31,0473	<,0001	4,1683
	Classes	A1 — acima de 45	2,1295	0,2769	59,1249	<,0001	8,4109

Continua

Resposta	Parâmetro	Nível	Estimativa	Erro-padrão	Estatística de Wald	Nível descritivo (p)	Razão condicional
	Classes	A2 — 25 a 45	2,61	0,2041	163,559	<,0001	13,5993
	Classes	B1 — 15 a 25	2,3648	0,1692	195,389	<,0001	10,6419
	Classes	B2 — 10 a 15	1,992	0,1457	187,0462	<,0001	7,3305
	Classes	C — 4 a 10	1,5281	0,1206	160,5347	<,0001	4,6093
	Classes	D — 2 a 4	0,6624	0,1277	26,9206	<,0001	1,9395
	Região do domicílio	Capital	0,8032	0,0701	131,2446	<,0001	2,2326
	Região do domicílio	Área metropolina	0,2578	0,1117	5,33	0,021	1,2941
	Ocupação	Conta própria	–0,7	0,0997	49,3342	<,0001	0,4966
	UF	AL	0,1832	0,1777	1,0623	0,3027	1,201
	UF	BA	0,00186	0,0978	0,0004	0,9849	1,0019
	UF	MA	–0,1463	0,1357	1,1626	0,2809	0,8639
	UF	PB	0,287	0,1555	3,4076	0,0649	1,3325
	UF	PE	–0,1167	0,1082	1,1616	0,2811	0,8899
	UF	PI	–0,0285	0,1573	0,0328	0,8563	0,9719
	UF	RN	–0,1323	0,1672	0,6261	0,4288	0,8761
	UF	SE	0,2384	0,1876	1,6152	0,2038	1,2692
	Tem renda aposentadoria	Sim	0,3771	0,1462	6,6543	0,0099	1,458
	Tem renda Bolsa	Sim	–0,3689	0,1673	4,8655	0,0274	0,6915
	Tem outras rendas	Sim	0,5318	0,0694	58,7154	<,0001	1,7019

Fonte: CPS/FGV, a partir dos microdados da POF 2003, do IBGE.

Sobre os colaboradores

Ana Andari é pesquisadora do CPS/Ibre/FGV e mestre em estudos latino-americanos pela Universidade de Londres.

André Luiz Medrado é economista do BNDES e graduado em economia pela EPGE/FGV.

André Luiz Neri trabalha na área de marketing do CPS/Ibre/FGV e é graduado em publicidade e propaganda pela Faculdade Helio Alonso.

Carolina Bastos é estatística do CPS/Ibre/FGV, graduada pela Escola Nacional de Ciências Estatísticas (Ence/IBGE)

Flávio Ataliba Barreto é professor do Departamento de Economia da Universidade Federal do Ceará (UFC), coordenador/pesquisador do Laboratório de Estudos da Pobreza (Caen/UFC), doutor em economia pela EPGE/FGV e pós-doutor em desenvolvimento econômico pela Kennedy School, Universidade de Havard.

Gabriel Buchmann é pesquisador do CPS/Ibre/FGV e mestre em economia pela Pontifícia Universidade Católica do Rio de Janeiro (PUC-Rio)

Helen Harris é pesquisadora do CPS/Ibre/FGV, e mestranda em economia pela Columbia University.

Luisa Carvalhaes é pesquisadora do CPS/Ibre/FGV e graduada em economia pela Universidade Federal Fluminense (UFF).

Marcelo Azevedo Teixeira é gerente do ambiente de microfinanças do Banco do Nordeste e mestre em economia pela Universidade Federal do Ceará (UFC).

Paloma Madanelo é programadora estatística do CPS/Ibre/FGV e graduada pela Ence/IBGE.

Ricardo Brito Soares é professor do Departamento de Economia da Universidade Federal do Ceará (Caen/UFC), pesquisador do Laboratório de Estudos da Pobreza (Caen/UFC) e Phd pela University of New Hampshire.

Samanta Monte é estatística do CPS/Ibre/FGV, e mestre em estudos populacionais e pesquisas sociais pela Ence/IBGE.

Impresso nas oficinas da
SERMOGRAF - ARTES GRÁFICAS E EDITORA LTDA.
Rua São Sebastião, 199 - Petrópolis - RJ
Tel.: (24)2237-3769

Lilly Marcou

A vida privada de Stálin

Tradução:
André Telles

ZAHAR

Título original:
Staline
(Vie privée)

Tradução autorizada da primeira edição francesa,
publicada em 1996 por Calmann-Lévy, de Paris, França

Jorge Zahar Editor Ltda.
rua Marquês de S. Vicente 99 – 1º | 22451-041 Rio de Janeiro, RJ
tel (21) 2529-4750 | fax (21) 2529-4787
editora@zahar.com.br | www.zahar.com.br

Grafia atualizada respeitando o novo
Acordo Ortográfico da Língua Portuguesa

Preparação: Larissa Helena Santos Gomes | Revisão: Vania Santiago, Suelen Lopes
Indexação: Gabriella Russano | Capa: Dupla Design
Fotos da capa: © Chinese School/Getty Images; Library of Congress/Science Faction/
Getty Images | Fac-símiles das p.60 e 62: © Calmann-Lévy, 1996

CIP-Brasil. Catalogação na fonte
Sindicato Nacional dos Editores de Livros, RJ

Marcou, Lilly, 1936-
M267v A vida privada de Stálin / Lilly Marcou; tradução André Telles. – Rio de Janeiro: Zahar, 2013.

Tradução de: Staline (Vie privée)
Inclui bibliografia
ISBN 978-85-378-0993-8

1. Stalin, Joseph, 1879-1953. 2. Chefes de Estado – União Soviética – Biografia. 3. União Soviética – História – 1925-1953. 4. União Soviética – Política e governo, 1936-1953. I. Título.

CDD: 947.084
12-8630 CDU: 94(47+57)

Sumário

– Mamãe, lembra-se do nosso czar?
– Claro!
– Pois bem, de certa forma sou o novo czar...
– Pondo tudo na balança, você teria feito melhor virando padre.

Diálogo entre Stálin e a mãe

Portanto quem julgar necessário, em seu novo governo, controlar os inimigos, atrair os amigos, vencer por força ou astúcia, ser amado e temido pelo povo, acompanhar os soldados e ser por eles respeitado, arruinar os que podem ou inclinam-se a prejudicarnos, modernizar mediante novos recursos os antigos costumes, ser rigoroso e benevolente, altivo e liberal, destruir uma milícia infiel, criar uma nova, manter-se amigo dos reis e príncipes, de maneira que eles o adulem voluntariamente ou não o prejudiquem sem inquietude, este não pode escolher exemplos mais recentes do que os feitos do duque de Valentinois.

MAQUIAVEL, *O príncipe*

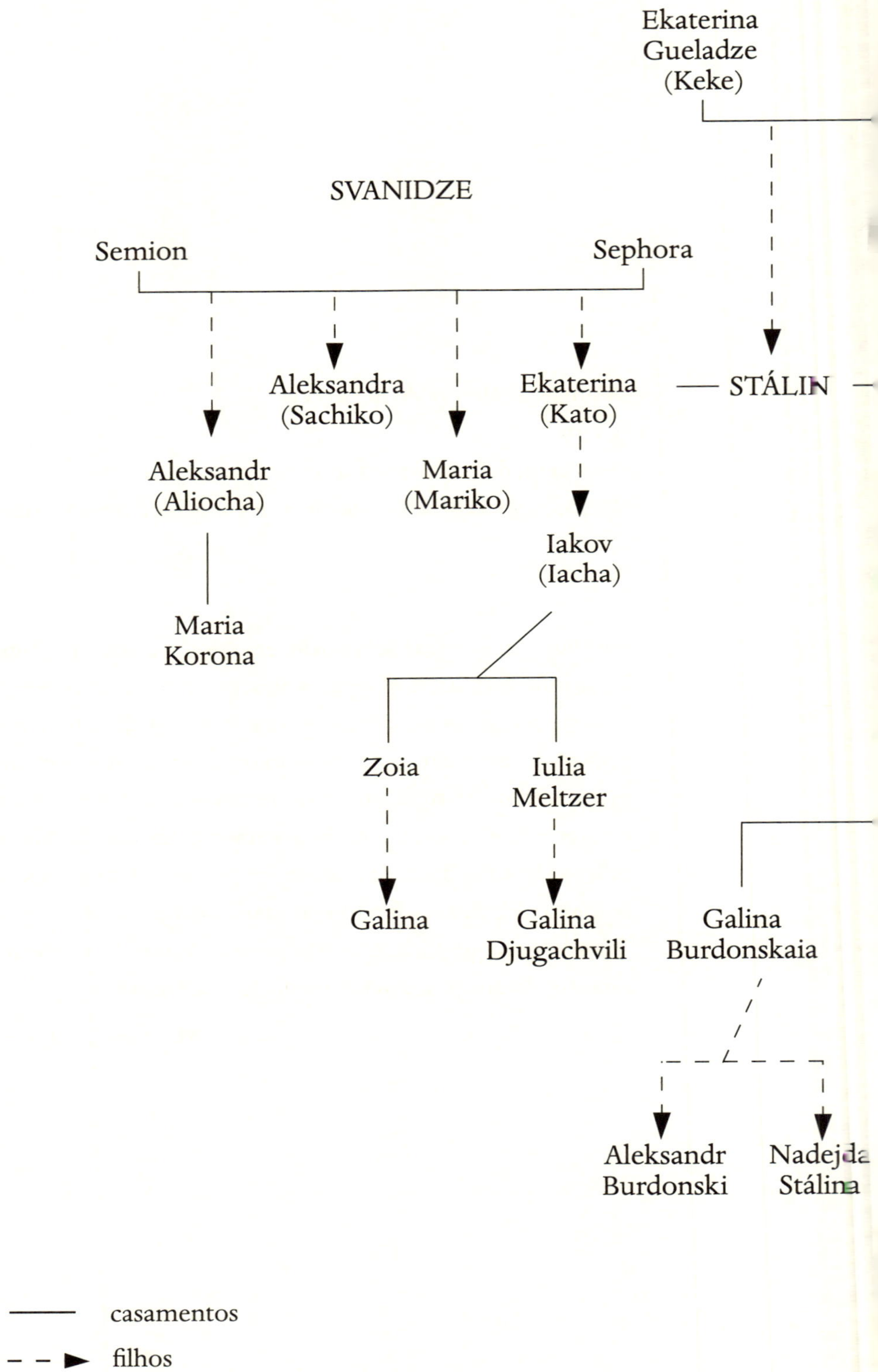
Ekaterina
Gueladze
(Keke)
SVANIDZE
Semion
Sephora
Aleksandra
(Sachiko)
Ekaterina
(Kato)
STÁLIN
Aleksandr
(Aliocha)
Maria
(Mariko)
Iakov
(Iacha)
Maria
Korona
Zoia
Iulia
Meltzer
Galina
Galina
Djugachvili
Galina
Burdonskaia
Aleksandr
Burdonski
Nadejda
Stálina
casamentos
filhos

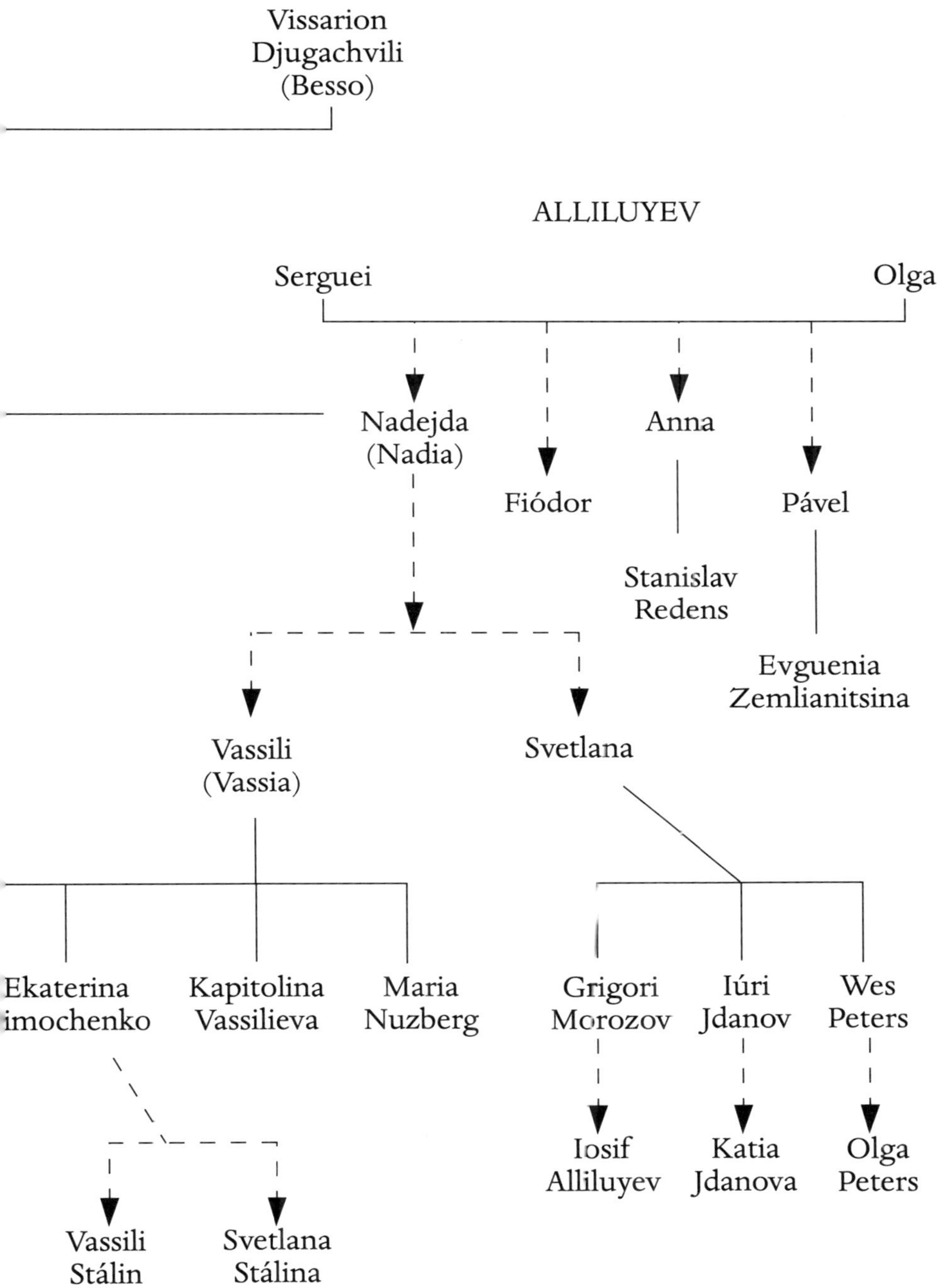
Vissarion Djugachvili (Besso)
ALLILUYEV
Serguei
Olga
Nadejda (Nadia)
Fiódor
Anna
Pável
Stanislav Redens
Evguenia Zemlianitsina
Vassili (Vassia)
Svetlana
Ekaterina imochenko
Kapitolina Vassilieva
Maria Nuzberg
Grigori Morozov
Iúri Jdanov
Wes Peters
Vassili Stálin
Svetlana Stálina
Iosif Alliluyev
Katia Jdanova
Olga Peters

Prólogo

O HOMEM STÁLIN ACABOU OFUSCADO pelo mito, cujo espectro determina toda a perspectiva do século XX. Neste livro, procuro descrever a vida privada desse homem, aludindo aos fatos históricos apenas quando necessários à inteligibilidade do itinerário pessoal do indivíduo ou quando permitem desvelar, nuançar ou transformar as interpretações julgadas definitivas. Por muito tempo a aura de "monstro abjeto" impediu que desvendássemos o enigma de um caráter. Decerto é tranquilizador pensar que o homem sob cujo regime tais horrores foram cometidos não pode ser senão um demônio: maneira de desculpar as pessoas que o cercavam, preservar o otimismo à la Rousseau quanto à inocência da natureza humana e banir dessa humanidade comum o único responsável pelos crimes perpetrados. Essa demonização de Stálin, contudo, não passa de preguiça intelectual, como sua deificação o fora ontem: fazendo-o existir em carne e osso, humano, demasiado humano, nem por isso ele se torna menos vulnerável ao julgamento da História.

Não ignoro que tentar captar a personalidade do homem Stálin, a partir de arquivos inéditos e conversas com os sobreviventes da linhagem familiar e do círculo mais íntimo, poderá parecer obsceno aos olhos de alguns. O quê?! Falar das emoções desse tirano sem levar em conta sua responsabilidade nos milhões de mortes pelas quais ele é culpado? Mergulhar sem ideias pré-concebidas nos ignóbeis segredinhos da história privada, deixando em segundo plano uma das maiores tragédias do século? A estes, faço questão de responder antecipadamente que minha proposta aqui não é promover um novo julgamento dos anos de terror stalinista: a causa é justa, e subscrevo-a. Acontece apenas que estou convencida de que, no caso de um personagem dessa dimensão, não há "ignóbeis segredinhos": toda e qualquer prova material que venha a surgir deve ser despejada no dossiê da História.

À exceção de numerosos e abalizados estudos dos sovietólogos ocidentais, a abertura dos arquivos soviéticos estimulou a publicação de livros que escapavam a qualquer rigor deontológico. A liberdade de expressão, em se tratando de um tema tabu, era confundida com o direito de falar qualquer coisa. Proliferaram então publicações fantasiosas e rocambolescas, que ainda pululam nas bancadas dos livreiros ambulantes pelas ruas de Moscou. Cumpria esperar por uma nova geração de historiadores que esmiuçassem os documentos com a única preocupação de apreender a verdade, para reconstituir uma história que deixara de ser prisioneira dos arquivos fechados.

Em breve completarão trinta anos que estudo a vida de Stálin, e cinquenta que o enigma Stálin me obceca. Nenhuma explicação jamais me convenceu inteiramente, ainda que eu concorde com as grandes biografias a ele dedicadas por Isaac Deutscher ou Robert C. Tucker, que muito me ensinaram e ajudaram a empreender minha própria reflexão. Portanto, o esboço biográfico que hoje apresento constitui a síntese de anos de estudos que nem por isso deixaram de resultar num saber sempre fragmentado e parcial, tão vasto é o tema. Ele não pretende elucidar todas as questões teóricas e históricas que o caso Stálin coloca para os pesquisadores. Procurar estudar a pessoa, sem cair no psicologismo, não tem como intenção qualquer tipo de reabilitação – operação impossível, parece-me, até para as gerações vindouras. Alimenta apenas a modesta ambição de, por meio das fontes primárias, inéditas em sua maioria, apreender a complexidade, as contradições e os paradoxos do personagem. Mergulhando nos arquivos de Stálin, busquei criar um vazio com relação a um saber por demais engessado, no intuito de captar o que há de novo, iluminar as zonas de sombra, fazer a mediação entre verdade e rumor, dirimir certas controvérsias e revelar aspectos ignorados ou desconhecidos.* Se por um lado o retrato pessoal ganha proporções humanas, por outro ele só faz endurecer os traços de caráter daquele que sempre colocou acima de tudo seu credo revolucionário, a razão de Estado, o poder absoluto, a certeza de que ele e seus métodos fariam a felicidade de todos.

Aos crimes, ao terror e aos erros com que Stálin e seu reinado são confundidos há cerca de quarenta anos, esqueceram-se recentemente de acrescentar a esperança, o entusiasmo, o heroísmo, o espírito de sacrifício de que essa história "impossível" foi porta-voz. O arroubo e a admiração despertados pela URSS e seu líder carismático nos anos 1930 e 1940 podem ter outras explicações que não a enganação, a mentira, o medo e a manipulação... Complexa e paradoxal, a URSS oferecia, aos que dela se aproximavam, um leque de sucessos e fracassos, de magia e tragédias ao mesmo tempo. Numerosos foram os que apreenderam esse carácter dúplice de uma realidade inédita para a época. O Estado inovador fascinava; a utopia em vias de tornar-se realidade entusiasmava; o voluntarismo, transformado em valor fundamental, era contagiante.

Nem o relatório secreto de Kruchtchev, nem a glasnost de Gorbatchev foram capazes de arrefecer, nas profundezas da memória coletiva da ex-sociedade soviética, a ideia de que a época stalinista foi igualmente motivo de glória e orgulho nacional para os povos da URSS. E de que o homem que a encarnou não é o único responsável pelo terror que a sacudiu.[1] Para todos, ele continua um gigante que marcou duradouramente o

* Recusei-me a entrar numa polêmica sobre afirmações difusas, não alicerçadas nos arquivos, como as de Victor Suvorov, que, por ter sido anteriormente agente dos serviços secretos militares soviéticos, julgou-se capaz de convencer o público com "revelações" segundo as quais Stálin teria ajudado Hitler a tomar o poder e deflagrado a Segunda Guerra Mundial, e preparava um ataque, às vésperas da invasão nazista da URSS, no intuito de conquistar a Europa. (Cf. Victor Suvorov, Le brise-glace, Paris, Orban, 1989.) Da mesma forma, recusei-me a participar de outra controvérsia – antiga e atual ao mesmo tempo – sobre Stálin como agente da Okhrana, que nenhum arquivo confirma e que Robert C. Tucker recusou de maneira científica em sua grande biografia *Staline révolutionnaire, 1879-1929, essai historique et psychologique* (Paris, Fayard, 1975, p.93-6).

século com seus crimes e suas vitórias. Nem epifenômeno, como pensava Roy Medvedev; nem termidoriano, como julgava Trótski, porque Stálin pretendia-se herdeiro fiel do legado leninista; nem causa de todos os males, como o acusava Kruchtchev, porque havia uma relação simbiótica entre ele e seu "mundo".

1. Sosso

Gori

Cercada de montanhas e situada a aproximadamente setenta quilômetros de Tíflis, a cidade de Gori, na Geórgia, assentada numa colina arborizada e florida, em meio a uma natureza encantadora e agreste, não imaginara, ao longo de sua veneranda e trágica história, que se tornaria conhecida no século XX graças a um robusto caucasiano ali nascido em 6 de dezembro de 1878 e batizado no dia 17 do mesmo mês (no início de sua carreira de revolucionário profissional, ele mudará a data de nascimento, declarando 21 de dezembro de 1879 à polícia).[1] Localizada numa das margens do Kura, na encruzilhada de três vales ricos em vinhedos e terras escuras, iluminada pelo sol meridional – embora ali o céu fosse quase sempre tempestuoso –, Gori tinha ao fundo a cadeia das montanhas caucasianas, cujos picos mais altos permanecem eternamente cobertos de neve. Não longe da cidade, erguia-se uma antiga fortaleza bizantina. Foi nesse panorama, ao mesmo tempo despojado e aconchegante, que Iosif Vissarionovitch Djugachvili, alcunhado Sosso desde o nascimento por seus pais, amigos e colegas de escola, passou os primeiros 16 anos de sua vida. Uma infância penosa, apesar de protegida pelo amor profundo de uma mãe extremosa e devota.

A casinha onde ele nasceu, lar do casal Vissarion Ivanovitch Djugachvili (vulgo Besso) e Ekaterina Gavrilovna Gueladze (Keke), atesta a pobreza endêmica da família. Situada no centro da cidade, perto de uma catedral – que foi destruída em 1921 por ocasião de um terremoto –, a construção, coberta por uma laje de argila, tinha apenas dois cômodos. Havia buracos no teto e, durante as chuvas diluvianas que às vezes despencavam na cidade, entrava água na casa. Poucos e modestos móveis conferiam ao cenário um caráter austero, malgrado as paredes forradas com tapeçarias, à moda caucasiana: um baú que servia de armário, uma mesa na qual ficavam o samovar e os livros escolares de Sosso, uma cama de madeira. Uma escada íngreme descia até o porão, onde a mãe cozinhava. O piso de todos os cômodos era de tijolos. Keke, que se esfalfava da manhã à noite para prover as necessidades do filho que ela criava sozinha, descansava no quintalzinho, num banco de madeira.[2] Essa pequena casa continua a existir, incrustada no mármore e transformada em museu.

A família Djugachvili, de origem osseta, tinha ancestrais servos, e um dos bisavós paternos do futuro Stálin gozara de uma fama fugaz na região. No despontar do século XIX, Zaza Djugachvili participara de um levante camponês contra os russos e tivera de se esconder, primeiro nas montanhas, depois na aldeia de Didi-Lilo, não muito longe de Tíflis, onde permanecera até sua morte. Vano, seu filho, tornara-se vinicultor na região, e foi nesse lugarejo que nasceu Vissarion. Após a morte do pai, Besso emigrara para a capital e arranjara um emprego na fábrica Adelkhanov, onde aprendera a profissão de sapateiro. Em seguida, estabelecera-se em Gori, onde trabalhara numa oficina de conserto de calçados antes de abrir sua própria lojinha. Nessa nova vida, conhecera a bela Ekaterina, por sua vez oriunda de uma família de servos da aldeia de Gambareuli, que, quando estes foram emancipados na Geórgia, em 1864, instalara-se em Gori. Quando conheceu Besso, ela tinha dezoito anos e ele, 24. Casaram-se logo depois, em 1874.*

Casamento fracassado, em função do caráter inconsequente de um marido alcoólatra. Violento, espancava sem escrúpulo e por ninharias sua mulher e seu filho único recém-nascido. Por conta desses furores sem fim, bem como do fracasso do empreendimento privado de Besso, o casal terminou por separar-se em 1883. O pai voltou a trabalhar e morar em

---

* A certidão de casamento traz a menção "Livro do segundo casamento", o que sugere que, para Vissarion, tratava-se de uma segunda aliança. A idade dos cônjuges é indicada nesse documento. (Coleção 558, inventário 4, dossiê 1.)

Tíflis, quando Sosso tinha apenas cinco anos. Retornava de tempos em tempos à sua casa em Gori, deixando invariavelmente apenas lágrimas atrás de si. Morreu em 1909,* em Tíflis, durante uma briga numa taberna. Sosso não guardou uma boa recordação desse pai beberrão que o queria à sua imagem, opondo-se à mãe, que fazia esforços sobre-humanos para enviá-lo à escola.

Vissarion era o verdadeiro pai de Stálin? Há mais de uma versão a respeito disso. Dependendo dos períodos e dos autores, essa paternidade foi atribuída ora a um prelado, em cuja casa sua mãe trabalhou por um tempo, ora a um aristocrata georgiano, do qual ela era lavadeira, ora a um célebre explorador russo, Prjevalski, que visitou Gori e em quem alguns observadores viram uma semelhança espantosa com Stálin. E muitos outros. Mas é o conde Iakov Egnatachvili que Nadejda, neta de Stálin, considera o pai mais plausível. Keke trabalhava como faxineira na casa e era ama de leite do filho do conde, Aleksandr, que a mãe, doente, não podia aleitar. Keke teria tido um relacionamento amoroso com o conde num momento em que a condessa estava acamada. Mais tarde, em todo caso, Sosso será constantemente recebido e alimentado por essa família, e foi uma parenta do conde, uma certa Sophiko, que o tomou sob seus cuidados, em Rustavi, cidade situada nas proximidades de Tíflis, quando ele adoeceu seriamente. Para os descendentes do conde, não resta dúvida: Stálin é um filho da família, e foi graças a ela que conseguiu matricular-se no seminário de Gori, depois no de Tíflis. Prova disso, afirmam, é que, quando Stálin estava no auge do poder, mandou chamar ao Kremlin seu irmão de leite Aleksandr Iakovlievitch. Embora soubesse quem era seu pai verdadeiro, Iosif deu credibilidade à lenda de Vissarion a fim de lavar a honra da mãe, conforme declara Nadejda Stálina. Fato é que a única fotografia que possuímos do pretenso pai legítimo de Stálin é uma fraude.

* Os principais biógrafos ocidentais de Stálin apontam 1890 como data da morte de seu pai, ao passo que as testemunhas de sua infância declaram 1905 ou 1907. (Coleção 558, inventário 4, dossiê 665.) Num formulário da polícia preenchido por Stálin em 19 de abril de 1908, ele ainda menciona seu pai como residente em Tíflis, onde trabalha como sapateiro. (Cf. coleção 558, inventário 4, dossiê 98.)

Vissarion jamais foi fotografado em vida. Pegaram uma fotografia de Stálin e acrescentaram-lhe uma barba: a semelhança era necessariamente perfeita.* Cumpre dizer que, ruiva, com um rosto franco e sossegado, cheio de sardas, Keke era atraente e parece de fato ter vivido várias aventuras galantes. Dela Stálin herdou sobretudo a tenacidade, o pragmatismo, a aplicação no trabalho, bem como a rudeza. Com o tempo, ela aderiu ao visual das devotas georgianas, usando o barrete tradicional e vestindo-se com roupas pretas de freira. Muito respeitada, era vista como uma mulher que consagrara a vida a Deus e ao filho.

Após a partida de Besso, mãe e filho instalaram-se num dois quartos contíguo à casa de um padre, onde Keke fazia faxina.

Antes de Iosif, o casal Djugachvili tivera dois filhos: Mikhail e Giorgy, ambos mortos antes de completar um ano de vida. É compreensível o cuidado extremoso que Keke dispensou ao terceiro filho. Aos oito anos, Sosso entrou no seminário de Gori, onde, bom aluno, obteve uma bolsa. Era um menino ativo, enérgico, que procurava companhia. Alegre, fazia piadas, gostava de falar e chamar a atenção para sua pessoa. Desenhava mapas otimamente. Mostrou logo desenvoltura com a aritmética, depois foi brilhante em matemática. Espantava os professores acima de tudo pela prodigiosa memória. Embora a mãe fosse devota e ele tenha frequentado uma escola religiosa, nunca foi tocado pela fé. A necessidade de rezar e adotar os ritos do culto o entediavam. Assim, aprendeu muito cedo a dissimular o que efetivamente pensava e sentia. Sua verdadeira natureza impelia-o para o real, o racional, o pragmático. A leitura precoce, aos treze anos de idade, de Darwin – seguramente uma versão adaptada – pôs um termo definitivo às suas dúvidas sobre a existência de Deus: "Eu já sabia. Deus não existe!" teria exclamado, fechando o livro.[3]

---

* Entrevista com Nadejda Stálina, Moscou, 17 de junho de 1995. Para essa neta de Stálin, que morou em 1971-72 em Gori e aproximou-se então da família Egnatachvili, não resta dúvida: Stálin não poderia ser filho de Vissarion. Apontando o alcoolismo do pai como a causa da morte dos primeiros bebês de Keke, ela não vê por que o terceiro teria sobrevivido e se beneficiado de uma constituição saudável. Surpreende-a inclusive que os grandes ocidentais tenham dado crédito à versão segundo a qual Stálin era filho do sapateiro Vissarion.

Constantemente estabelecia metas que terminava por atingir. Plenamente satisfeito, exprimia então sua alegria dando cambalhotas, lembra-se Piotr Kapanatze, seu amigo de infância.[4] Trabalhava com afinco, tornou-se o líder no pátio de recreio e primeiro-tenor no coro da escola e da igreja.

Nem por isso o aluno brilhante deixava de viver constantemente numa situação material precária. Para prover suas necessidades, a mãe trabalhava como faxineira na casa dos professores da escola de Iosif, lavava roupa e costurava para os ricos da cidade. Seu pai opunha-se a que ele permanecesse na escola. Quando Sosso fez dez anos, o pai arrancou-o a força de Gori e levou-o para Tíflis, onde empregou-o na fábrica Adelkhanov como operário. Não sem dificuldades, a valente Keke conseguiu trazer o filho de volta para Gori, após uma semana de brigas, matriculando-o novamente na escola.

Naquele fim de século, dois graves problemas agitavam a sociedade na Geórgia: as relações russo-georgianas e as consequências da abolição da escravidão no Cáucaso. Foi nessa época que o menino tomou consciência das desigualdades sociais e nacionais, mostrando-se ressentido diante da arrogância dos ricos filhos de mercadores de vinho ou de sementes e dos descendentes das antigas famílias aristocráticas. Suas tentativas para impor-se a todo custo, graças às suas proezas escolares e sua agilidade no terreno esportivo, para adquirir o status de líder, talvez sejam a primeira desforra do filho do sapateiro contra suas modestas origens sociais.

A despeito de seu desempenho escolar e esportivo, era de certa forma uma criança de saúde frágil. Aos seis anos pegou varíola, o que deixou seu rosto marcado para sempre. Aos dez, foi atropelado por uma carroça durante um festejo popular. Levado para casa quase sem sentidos, teve forças para dizer à mãe desesperada: "Não se preocupe. Está tudo certo!" Após semanas de dores, acabou convalescendo, com um achaque menor, que o acompanhará por toda a vida: uma rigidez crônica na articulação do cotovelo esquerdo. Mais tarde, isso fez com que fosse declarado inapto para o serviço militar. Superou com coragem as dores físicas: alguns amigos desse período afirmam nunca tê-lo visto chorar.[5]

Recebia os golpes da vida com estoicismo e, também, aparentemente, com um quê de indiferença. Seu cotidiano, porém, não era cor-de-rosa. Não conhecia o aconchego de um lar estável e protetor. Precisava esforçar-se para escapar das pancadas do pai ébrio e assistir, impotente porque muito jovem, às brutalidades que este infligia à mãe, que se matava de trabalhar para criar o filho segundo seus preceitos. Iosif amava aquela mãe devota que tinha apenas a ele na terra, embora tampouco ela economizasse nos tabefes e severidades de todo tipo. Embora ela não tivesse nenhuma instrução e falasse apenas o georgiano, ele a respeitava. Um dia, para defendê-la, acabou lançando uma faca na direção do pai. Este jogou-se sobre ele, que se safou por um triz, escondendo-se por alguns dias na casa de vizinhos.[6] A partir desse dia, adotou uma atitude de desconfiança, vigilância e dissimulação com relação ao pai. Traços de caráter que carregará para sempre.

Para escapar desse cotidiano penoso, o jovem Sosso refugiava-se nos livros. Apesar da inclinação pronunciada pelo real e o concreto, tinha uma grande propensão ao sonho. Identificando-se com personagens heroicos, buscava sublimar a vida miserável que levava. No início, suas primeiras leituras, em georgiano, limitam-se aos romances de capa e espada. Afora dramas sociais e amores infelizes, eles exaltavam de maneira romântica a resistência caucasiana face à grande Rússia. Guardou especialmente na memória a narrativa *O parricídio*, de Aleksandr Kesbegui. A ação se passa na época do lendário imã Chamil, quando os montanheses caucasianos combatiam os russos. A história celebra a coragem e tenacidade de um fora da lei conhecido como Koba (que significa o Indomável), vingador exemplar do povo escravizado. Essa alegoria romântica, que exalta o patriotismo caucasiano, parece ter marcado profundamente o imaginário do jovem Sosso, que prendia a respiração diante das façanhas guerreiras de Koba. Anos mais tarde, durante sua clandestinidade revolucionária, em Batum (em 1901), adotará o nome, que conservará até tornar-se, dez anos mais tarde, Stálin.

No fim dos estudos em Gori, sendo o primeiro da classe, candidatou-se ao seminário de Tíflis.* Recebeu um diploma especial. Partiu com a mãe

---

* Alguns amigos dessa época dizem que era inclusive o melhor da escola. (Coleção 558, inventário 4, dossiê 665.)

para Tíflis em 1894, um menino magro e de aspecto atlético, com olhos pretos brilhantes e um nariz proeminente, cujo caminhar denunciava um caráter independente e determinado, para cursar a escola religiosa e cumprir os votos maternos tornando-se padre. Passou com louvor no exame de admissão e foi matriculado em setembro como semi-interno,[7] com bolsa. Isso era ainda mais meritório na medida em que, em seus anos em Gori, Sosso tivera de mudar seu idioma de estudo. Quando entrara na escola, o ensino era ministrado em georgiano. Dois anos mais tarde, o russo tornara-se a língua nacional. A passagem havia sido dolorosa para a maioria dos alunos: os recalcitrantes eram severamente punidos. Aparentemente, o jovem Djugachvili saiu incólume dessa provação ao mesmo tempo linguística e patriótica. Estava impregnado da ambição que sua mãe lhe incutira.

Tíflis

O seminário de teologia ortodoxa russa de Tíflis, o estabelecimento de ensino superior mais importante da Geórgia, oferecia ao jovem Sosso uma perspectiva de vida bem diferente da que ele conhecera em Gori. Embora o objetivo inicial da instituição fosse a formação de sacerdotes, ela não deixou de ser um viveiro de revolucionários, devido tanto à atmosfera repressiva reinante quanto à russificação exagerada lá adotada. Nos anos 1860 e 1870, ali eclodiram atos de rebelião e grupelhos secretos conspiravam na sombra, permitindo a infiltração de ideias políticas subversivas que desafiavam as normas feudais então vigentes na escola. Grandes figuras nacionais georgianas fizeram sua iniciação nas armas atrás dos muros espessos desse seminário. Djugachvili só passou a frequentá-lo meses depois da última grande greve que paralisou o estabelecimento. Percebendo imediatamente o clima opressivo, ele também não demorou a rebelar-se contra a rotina estabelecida. Já em seu primeiro ano letivo em Tíflis deixou de ser o aluno aplicado que tanto admirava os professores em Gori, e o registro das punições comprova sua indisciplina e gênio difícil, como se a libertação da influência protetora mas decerto opressiva da mãe lhe permitisse finalmente exprimir sua verdadeira natureza. "Iosif Djugachvili, falando alto e rindo, impede seus colegas de dormir", já anotava o inspetor em 21 de novembro de 1894. E em dezembro as punições multiplicaram-se: almoço depois de todo mundo, refeição de pé na cantina, horas de solitária...

Mas o que ele fazia de tão grave? Artes típicas de um adolescente cuja educação não havia sido muito esmerada: comportava-se mal na igreja, recostando-se na parede; cantava alto demais no coro, sem levar em conta as observações do inspetor; ameaçava os colegas; chegava atrasado às preces matinais; não respeitava a disciplina da instituição, que vivia no ritmo de um quartel; fazia barulho na cantina; muitas vezes não aparecia na sala de aula.[8] Nesse primeiro ano, seus resultados escolares sofreram com isso, ficando muito aquém do desempenho em Gori.

Ainda assim, na volta às aulas, em 1895, foi aceito como interno em tempo integral.[9] Atrás dos muros da escola levava-se uma vida difícil, os alunos eram malnutridos e espremiam-se em grupos de vinte ou trinta nos dormitórios, sob constante vigilância. Esse confinamento quase penitenciário era-lhe insuportável. A camisa de força da escola deixava-o furioso e ele manifestava ruidosamente sua recusa a entrar na linha com um comportamento cada vez mais recalcitrante. Alvorada às 7h, preces, café da manhã, aula até as duas, almoço às três, chamada às cinco, preces da tarde, chá, estudo, cama às dez:[10] Essa rotina de vida cronometrada e monótona deixou-o alérgico para sempre a qualquer programa que envolvesse um horário preciso.

As disciplinas que era obrigado a estudar não despertavam nem sua curiosidade nem sua sede de saber: teologia, escrituras sagradas, literatura, matemática, história, grego e latim. Aos domingos e feriados, tinha de assistir a ofícios religiosos que duravam horas. Os reiterados castigos desestabilizavam-no completamente. Começou então uma queda de braço entre um aluno cada vez mais revoltado e a direção do seminário, que desejava subjugá-lo e humilhá-lo. Ele adotou a revolta como regra.

Embora cultivasse uma paixão pela leitura, o jovem Iosif não apreciava os livros religiosos. Desde o início de seus estudos no seminário, mostrou-se interessado pelos textos profanos, à margem do caminho traçado pela escola. Leu então, em edições adaptadas, Galileu, Copérnico e Darwin. Em história, foi a Comuna de Paris que mais o entusiasmou. Devorava igualmente a literatura clássica russa: Púchkin, Lermontov, Dobroliubov, Saltykov-Chtchedrin, Gógol, Tchekhov. "Os livros eram os amigos inseparáveis de Iosif. Não queria ficar longe deles nem nas horas de comer", lembra-se Glurdjidze, um de seus colegas de classe. Sosso lia durante a noite, escondido, à luz da vela, lembra-se Iremachvili. Seus novos focos de interesse afastaram-no ainda mais da escola religiosa.[11] Os registros da escola listam escrupulosamente suas condenáveis leituras: em 30 de novembro de 1896, o inspetor anota: "Soube que Djugachvili era sócio da biblioteca popular, onde pegava livros emprestados. Hoje confisquei-lhe *Os trabalhadores do mar*, de Victor Hugo. Foi castigado com a solitária prolongada. Eu já o avisara quando encontrei com ele o *Noventa e três*, de Victor Hugo." Em 3 de março de 1897, confiscam-lhe *A evolução literária das nações*, de Letourneau; foi novamente punido com a solitária prolongada em regime severo.[12]

Os monges espionavam os alunos, suas leituras, revistavam seus bolsos, escutavam às portas e denunciavam todo e qualquer deslize. A revolta de Sosso não era um fato excepcional na história do seminário. A partir dos anos 1860, as expulsões por razões políticas multiplicaram-se em Tíflis. Em 1885, Sylvestr Djibladze,* um aluno expulso, agrediu o diretor da escola, que chamara a língua georgiana de "língua para cães". Embora Sosso não se rebelasse no terreno linguístico – falava um russo perfeito, a despeito do forte sotaque georgiano, que, para seu grande desespero, conservou vida afora –, seus colegas de turma, pouco mais velhos que ele, tinham recebido muito mal a supressão da língua nacional. Houve motins em 1890 e 1893, resultando em greves. As autoridades terminaram por fechar o seminário durante um mês e expulsar 87 alunos, dos quais 23 foram proibidos de permanecer em Tíflis.[13] Entre eles, um ex-colega dos tempos de escola em Gori, Lado Ketskhoveli, apenas três anos mais velho que Sosso, que desempenhou papel relevante em seu engajamento

---

* Sylvestr Djibladze será um dos fundadores da social-democracia georgiana.

político. Portanto, era num cenário de rebeldias que o jovem Stálin exprimia sua revolta.

Durante esse período difícil, em que procurava seu caminho, ele escreveu versos em georgiano, que publicou em 1895 assinando-se Sosselo, num grande periódico georgiano, *Iveria*. Misto de romantismo popular e arroubos patrióticos, celebravam sobretudo a natureza e apiedavam-se da condição camponesa: "Floresce, meu belo país/ O país dos georgianos/ E, tu, georgiano/ Faz o país feliz com teus estudos", lê-se no poema "A rosa desabrochou".[14] Em julho de 1896, o jovem terminou sua carreira de poeta iniciante com a publicação de "Velho Ninika" no periódico *Kvali* (O Trilho).

A partir dessa data, juntou-se a outros alunos para criar uma agremiação clandestina de jovens socialistas. Durante esse período de guinada, seu caráter modificou-se progressivamente: a criança, depois o adolescente alegre, franco e cheio de entusiasmo, cedia lugar a um rapaz cada vez mais introvertido, contido, desconfiado. Nasce um personagem cujas lendas posteriores nos ensinam que já se via como um chefe, mas ainda não sabia para onde canalizar efetivamente sua revolta. Estabelecer contato com este jovem era difícil: pretenderia impor-se de saída como um líder, como o Koba de suas leituras de adolescente? Se, em determinado grupo, não fosse ele o líder, criava outro para poder dominá-lo a seu bel-prazer. Nos relatórios a seu respeito durante o último ano letivo, 1898-99, ele figura como um agitador. Em 28 de setembro de 1898, "às 21h, o inspetor observou na cantina um grupo de alunos em torno de Djugachvili, que lia alguma coisa para eles. Quando o vigilante se aproximou, Djugachvili tentou esconder a folha de papel, e foi somente após reiteradas injunções que entregou seu manuscrito. Fato é que Djugachvili lia livros proibidos pela direção do seminário e estabelecia notas de leitura, que mostrava em seguida aos outros alunos."[15]

Cada vez mais ausente da sala de aula ou atrasado na prece, Sosso era repreendido junto com outros alunos aparentemente cooptados por ele: "Vários alunos da quinta série, entre eles Djugachvili, atrasaram-se para a aula de liturgia. Punição: meia hora de solitária." Quando comparecia à prece, falava, ria ou agitava os colegas. As autoridades sentiam-se cada vez mais impotentes diante daquele aluno, que exprimia seu descontentamento em voz alta quando vistoriavam suas coisas, que se mostrava cada vez mais grosseiro com a direção, que faltava ao respeito com alguns dos professores e que não estava mais sozinho em sua rebelião.[16] Nem a solitária, nem as reprimendas conseguiam domá-lo. O último registro de punições a ele data de 7 de abril de 1899.

Durante essa última fase de sua vida de seminarista, Iosif Djugachvili leu Marx, Plekhanov e, por fim, Lênin. Literatura, história e política tornaram-se suas paixões. Passou a cultivar esse gênero de leituras.

Desde 1898 ele vinha tentando abandonar o seminário e ir trabalhar como operário. Embora hesitante, julgou ter encontrado seu caminho. Nesse mesmo ano, filiara-se a uma organização clandestina, Messame Dassi (O Terceiro Grupo),* que constituía uma das primeiras estruturas social-democratas em Tíflis. Inspirava-se acima de tudo no exemplo de Lado Ketskhoveli, a quem admirava e que, expulso do seminário, dedicava-se exclusivamente à ação militante. Após uma passagem por Kiev, onde tentou prosseguir os estudos, Lado chegara ilegalmente a Tíflis em 1897 e ali levava a vida clássica do revolucionário profissional, trabalhando como gráfico – profissão-fetiche dos revolucionários de todos os tempos.

* Em 1801, o czar Alexandre I promulgou um ucasse proclamando a anexação da Geórgia Oriental à Rússia. A reação dos georgianos foi imediata, desencadeando rebeliões que se estenderam ao longo do tempo. Somente em torno de 1860 a região foi pacificada. Nasceu então um movimento social e cultural visando a despertar a consciência nacional georgiana. Foi o primeiro grupo de intelectuais cujas obras mesclaram os temas da opressão nacional aos do protesto social com posições liberais. Sob a direção do príncipe Ilia Tchavtchadze, encontramos nessa época grandes figuras da *intelligentsia* georgiana, como Daniel Tchukadze, Akaki Tseretelli e Raphael Eristavi, todos eles fundadores do jornal *Iveria*. Paralelamente, um segundo grupo, Meore Dassi, militava na mesma direção, mas com posições mais radicais. Adiante, entre 1892 e 1893, formou-se um terceiro grupo, o Messame Dassi, influenciado pelo marxismo e cujo mentor foi Noi Jordania. Esse grupo deu origem à social-democracia georgiana influenciada pelo marxismo. Mais tarde, Jordania e a maioria moderada do Messame Dassi irão alinhar-se com as posições dos mencheviques russos, ao passo que uma minoria se identificará com a dos bolcheviques. Após a Revolução de Outubro, Jordania será presidente da República georgiana autônoma, proclamada em 1918 – que será liquidada pelo Exército Vermelho em 1921.

Estabelecia então as bases de uma imprensa clandestina na Transcaucásia. Em 1900, no momento em que o próprio Sosso dava seus primeiros passos na vida de revolucionário, Lado instalou-se em Baku e montou uma gráfica, imprimindo jornais marxistas ilegais: o *Iskra* (A Fagulha) e a *Brdzola* (A Luta). Stálin, colega de turma no seminário de Vado, irmão de Lado, entrou em contato com ele em Tíflis. Conviveram por um breve tempo, antes que a amizade terminasse tragicamente. Preso em 1902, Ketskhoveli foi morto por um guarda, na prisão, em agosto de 1903, após ter gritado pela janela de sua cela: "Abaixo a autocracia! Viva a liberdade! Viva o socialismo!"

Sosso deixou o seminário em 29 de maio de 1899 sem ter feito os exames de fim de ano nem tampouco concluído os estudos. Não tinha, portanto, nenhum diploma, vendo-se impossibilitado de tornar-se padre, como teria desejado sua mãe. Teria sido expulso pela ausência não justificada nas provas de fim de ano, como atestam os anais do seminário? Ou retirado pela mãe, porque a severidade da escola poderia fazer com que o filho desenvolvesse tuberculose, como ela afirma mais tarde? Seja como for, aquela vida de jovem clandestino e de seminarista banido era de fato prejudicial à sua saúde. Cada vez mais pálido, devastado por uma tosse preocupante, estava no fim das forças. Ele mesmo explicará na sequência que fora expulso em consequência de sua atividade marxista. Durante todo esse período, voltou regularmente para passar as férias em Gori. Para lá retornou quando deixou o seminário, e lá permaneceu durante todo o verão de 1899.

Em 28 de dezembro de 1899, o ex-seminarista Djugachvili começa a trabalhar no principal observatório físico de Tíflis,[17] sobretudo como fachada para acobertar seu trabalho ilegal. Seu quarto no observatório, o primeiro em que morava sozinho, marcou o início de sua vida privada. Às vezes, recebia ali amigos ou operários que pretendia conquistar para a causa. Eventualmente realizavam-se pequenas reuniões. O militante clandestino ia se delineando. Junto com alguns outros companheiros, preparou a manifestação de 1º de maio no Cáucaso. O modesto comício mais parecia uma procissão religiosa ortodoxa que uma ação de massa proletária, mas, na ocasião, Djugachvili dirigiu-se aos manifestantes, e este foi seu primeiro discurso em público.[18]

Terminou sendo descoberto. Um relatório do comissariado de Tíflis, datado de 23 de março de 1901, registra que Djugachvili, que trabalhava no observatório, mantinha relações com operários e pertencia ao partido social-democrata. Durante buscas em sua casa, encontraram o livro de Prokopovitch, *O movimento operário no Ocidente*, contendo anotações e comentários escritos pelo envolvido, referindo-se a obras proibidas. A partir desse momento, entrou no rol dos suspeitos.[19]

Em consequência dessas buscas, Sosso foi obrigado a deixar o observatório e mergulhar ainda mais profundamente na clandestinidade e na precariedade. Ele e seus colegas colaboradores eram vigiados regularmente. Um relatório da polícia desse período conclui: "Djugachvili é um social-democrata e mantém relações com os operários. A vigilância mostrou que está constantemente de sobreaviso, que se volta o tempo todo quando caminha na rua."[20] Diversos motivos levaram-no a escolher uma vida difícil. Anos mais tarde ele oferecerá uma explicação para isso: "Tornei-me marxista não só em virtude de minha posição social ... mas também devido à rígida intolerância e à disciplina jesuítica que me atormentavam sem misericórdia no seminário... A atmosfera na qual eu vivia era saturada de ódio contra a opressão czarista."[21] Ele pretendia então combater um sistema opressivo e anacrônico, e sua causa era antes de tudo a da liberdade. Trocava as preces e as aulas de religião pelos círculos marxistas e pela pregação da boa nova entre os operários. Foi o *Messame Dassi* que o nomeou para dirigir o círculo de estudos formados por trabalhadores das oficinas ferroviárias. Três ex-seminaristas eram seus principais guias espirituais: Sylvestr Djibladze, Aleksandr Tsulukidze e Lado Ketskhoveli. Era com eles que ia às vezes à redação do *Kvali*, jornal liberal, mas que servia de tribuna para os líderes de *Messame Dassi*. E foram eles que o orientaram para a criação de grupos de estudos e formação para operários. Frequentou então os pardieiros superlotados dos operários dos subúrbios de Tíflis, empesteados pela fumaça densa, que se misturava ao cheiro de suor e sujeira. Iniciou no marxismo pequenos grupos de doze homens. As reuniões realizavam-se na véspera das festas ou dos feriados, nos apartamentos operários, fora da cidade. Nelas, Sosso deu seus primeiros passos como propagandista, demonstrando imediatamente possuir o dom da exposição concisa e límpida, além de um senso didático inato. Sem ser um grande tribuno, sabia exprimir-se e prender a atenção dos operários. Sua análise clara e eloquência rude eram eficientes. Momentos exaltantes para ele, se comparados à atmosfera melancólica e humilhante do seminário. Tornou-se rapidamente um dos membros mais dinâmicos do pequeno grupo que incitava os operários de Tíflis.[22]

Aos 21 anos, começava efetivamente sua carreira de revolucionário profissional clandestino.

Batum

Em 1899, o jovem Iosif começou sua vida de clandestino, revolucionário e conspirador em alerta constante. Junto aos companheiros – grupo, facção, partido –, descobria uma atmosfera de ebulição permanente, discussões internas, fortes inimizades pessoais. Soube de traições que só fizeram aumentar suas dúvidas e suspeitas quanto ao perigo real de uma infiltração da polícia secreta no seio do Partido. Descobriu as batalhas doutrinais, com seu cortejo de distorções e interpretações. Dominou rapidamente os ritos da vida clandestina: como se esconder, escapar das perseguições, evitar as buscas. À noite, com o rosto enfiado na gola do sobretudo, olhando constantemente para trás para verificar se não estava sendo seguido, Sosso encarnava para as polícias de todas as Rússias "o Caucasiano".

Regularmente seguido, não lhe faltavam coragem nem determinação: era incansável na organização de greves, manifestações de rua, reuniões secretas, comícios. Daí em diante sua vida viu-se engolida pela ação revolucionária, que prevaleceu sobre todo o resto. Não sabe mais o que é relaxamento, conforto ou bem-estar. E quando, no auge do poder, tiver acesso a eles, nunca saberá desfrutar. A dúvida, a suspeita e a traição permanecerão como ameaças obsessivas, que impedirão o homem maduro, e em seguida o velho, de gozar o descanso.

Quando deixou o observatório de Tíflis, Sosso viu-se entregue à própria sorte. Não podia contar com a ajuda da mãe ou de parentes ou amigos. Não queria ser um fardo para Keke, a quem, pelo contrário, gostaria de ajudar. Precisava ganhar a vida – nem que fosse modestamente. Num primeiro momento, deu aulas particulares e trabalhou como contador. Mas dedicava a maior parte do tempo às atividades de propaganda nos círculos de estudos dos operários das ferrovias. Aproximou-se então da miséria material mais completa. Vivia sobretudo da ajuda de alguns companheiros com condições um pouco melhores.

Associou-se ao trabalho de Ketskhoveli e ao de Aleksandr Tsulukidze,* à criação de *Brdzola*, o primeiro jornal georgiano marxista. Foi nele que redigiu seus primeiros artigos políticos.[23] Impondo-se cada vez mais, foi nomeado em novembro de 1901 membro do comitê social-democrata de Tíflis.[24] Esse organismo abrangia nove pessoas e coordenava a ação dos grupos socialistas na capital, após haver temporariamente representado a executiva para todo o Cáucaso.

Ao entrar no fogo e no jogo da luta revolucionária, ele mantinha, apesar da baixa estatura (media 1,67 metro) e da saúde frágil, a silhueta esguia e as feições acentuadas por um nariz proeminente, um queixo vigoroso e uma basta cabeleira negra; o bigode e a barba curta conferiam-lhe o aspecto clássico de um indomável. Bolchevique precoce, começava a criar uma reputação de homem enérgico, dinâmico, com o qual se podia contar, mas também a de uma criatura complicada, individualista e autoritária.

Em 2 de dezembro de 1901, o comitê enviou-o a Batum para trabalhar na propaganda.[25] Esse porto do mar Negro, ligado a Baku por um oleoduto, tornara-se no ano anterior o novo centro da indústria petrolífera na fronteira turca. Batum precisava de um organizador enérgico, e foi

---

* O príncipe Tsulukidze foi uma das figuras mais interessantes entre os marxistas georgianos desse início de século. De constituição frágil, a vida clandestina o destruirá, e ele morre em 8 de junho de 1905. Stálin será um dos principais oradores por ocasião de seu enterro.

assim que Sosso viu-se encarregado de despertar a consciência de classe dos operários, cuja formação política deixava a desejar, se comparada à dos operários de Tíflis. Ele começou por reunir sete operários no quarto de um militante. Antes disso, pediu para encontrá-los separadamente. Era prudente. Ninguém conhecia seu nome verdadeiro, ninguém sabia onde morava nem onde passava a noite. Encontrou sem demora a linguagem adequada: vocabulário simples, frases claras e diretas. Tinha respostas para todas as perguntas. No fim da sessão, pedia a cada um dos presentes que reunisse por sua vez sete operários e lhes transmitisse o teor de suas palavras. Assim, num lapso de tempo de quinze dias os operários de todas as fábricas da cidade haviam sido alcançados pela propaganda de Sosso.[26]

Os relatórios da polícia registram pedidos incessantes de Iosif a seus companheiros de Tíflis para que lhe enviassem livros proibidos. Infiltrados, os social-democratas eram de tal forma vigiados que a polícia estava a par de todos os seus passos. Segundo ela, Djugachvili estava entre os principais dirigentes do movimento.[27] Foi durante sua temporada nessa cidade que ele começou a utilizar o pseudônimo Koba. Magro, esbelto, geralmente usava uma típica camisa russa em cetim azul, de colarinho alto fechado lateralmente, por cima da qual enfiava um casaco apertado, rematando com um barrete turco preto. Foi assim que ele ficou na memória dos que o conheceram na época.[28]

Em dezembro de 1901, a cidade de Batum foi palco de uma agitação operária fora do comum. Em fevereiro seguinte, greves estouraram na refinaria Rothschild e na fábrica Mantatchev. A prisão dos operários rebeldes provocou, em 9 de março, uma insurreição em massa, que terminou em escaramuças com a polícia e um grande número de mortos e feridos entre os manifestantes.

Em 13 de fevereiro de 1902, a polícia de Batum observara a respeito de Sosso, num relatório secreto: "Expulso do seminário, residente em Batum sem visto de permanência, sem ocupação específica nem domicílio, o morador de Gori Iosif Djugachvili foi visto em uma reunião no apartamento de um operário da fábrica Mantatchev."[29]

Perseguido pela polícia, Koba rumou para uma aldeia da Abkásia, próximo a Batum. Instalou-se na casa de um velho muçulmano chamado Khachim. Lá, montou uma gráfica. Os membros da organização que iam ao local para buscar panfletos ilegais, disfarçavam-se de mulheres, o rosto coberto pela *chadra* – o longo véu tradicional das caucasianas. Os vizinhos começaram a se inquietar com aquele vaivém incessante, e corria o boato de que o georgiano fabricava dinheiro falso. Os aldeões pediram então parte dos lucros. Koba conseguiu explicar o sentido de sua ação e conquistar-lhes a confiança. Contudo, parece ter sido obrigado a prometer a Khachim que se converteria ao islamismo.[30]

Na noite de 6 de abril, os membros do comitê social-democrata de Batum, inclusive Djugachvili, foram presos. Sua temporada em Batum durara apenas quatro meses e meio, porém foi um período de intensa atividade. A prisão marcou o início de seus litígios com a polícia.

O círculo do Partido Operário Social-democrata da Rússia em Tíflis fora minuciosamente esquadrinhado desde 1901, e Iosif Djugachvili fazia parte dos poucos líderes particularmente visados pela polícia política. Nos relatórios do comissariado da cidade, começava a ser descrito como um intelectual e um dos principais dirigentes social-democratas. Mudara a data de seu nascimento e fornecera outro local de origem: era assim que figurava nos arquivos da polícia como "um camponês de Didi-Lilo" de 23 anos de idade. Teria sido para proteger a pobre mãe que evitara designar Gori como cidade natal? É possível. Mas por que atribuir um ano a menos? Verdade que nessa época tratava-se de uma prática comum, mas ainda assim a explicação deixa a desejar...

Por ocasião dos motins de Batum, foi classificado, ao lado de Kandelaki,* entre "os principais chefes e instrutores dos operários de Batum". Eram acusados de ter "iniciado o motim e a queda do governo czarista".[31] Foi detido, incurso no artigo 251.

De Gori, a mãe de Sosso tentava salvar o filho. Escreveu à polícia pedindo que o libertassem.[32] Em vão. As informações dos agentes e os depoimentos das testemunhas multiplicavam as acusações, apontando-o como

* Constantin Kandelaki era um operário que já tinha uma base de formação socialista e que o Partido enviou para auxiliar Sosso em suas ações.

um dos principais responsáveis pelos motins: "Djugachvili pronunciava discursos para provocar o descontentamento dos operários com relação ao regime e incitá-los à luta contra a autocracia." Foi acusado, junto com outros dirigentes social-democratas georgianos, de "haver pertencido, do outono de 1901 até fevereiro de 1902, a uma organização criminosa secreta cujo objetivo era a mudança do regime monárquico na Rússia e a proclamação de uma Constituição democrática".[33] Um policial afirma que ele se encontrava em meio à multidão durante o motim. Em 28 de maio de 1902, o comissariado de Kutaissi acrescentou que as informações sobre Kandelaki e Djugachvili obtidas por seus agentes haviam sido estudadas com grande atenção pelo promotor do tribunal local, que julgara necessária a detenção de ambos.[34]

Iosif declarou inocência, mas em vão. Foi julgado como um dos principais líderes e condenado. Encarcerado durante mais de um ano na prisão de Batum, depois mais seis meses na de Kutaissi, terminou exilado por três anos na aldeia de Novaia Uda, na região de Irkutsk, na Sibéria oriental. Chegou lá no fim de novembro de 1903. Era o primeiro ciclo de uma série que continuará até 1913: constantemente detido, preso, exilado, quase sempre conseguirá escapar. De 1902 a 1913, será preso oito vezes; exilado, sete; e fugirá em seis oportunidades. Até 1917, sua vida foi feita de prisões e deportações. Contudo, saberá transformar tais eventos em "universidades", e concluir sua formação intelectual. O regime das prisões e dos locais de exílio na época czarista era ao mesmo tempo brutal e permissivo. Havia violência o suficiente para exacerbar o ódio dos prisioneiros pela ordem existente e relaxamento o suficiente para que o trabalho revolucionário pudesse prosseguir dentro dos muros da prisão e, assim, eventualmente, se planejassem as fugas.

Koba aproveitou-se amplamente disso. Impôs-se uma disciplina de ferro, trabalhou duro, leu vorazmente e tornou-se um dos principais oradores do coletivo da prisão. Taciturno e distante, intervinha de maneira decisiva e altiva.

Em março de 1903, quando ele ainda estava no exílio, os grupos social-democratas do Cáucaso formaram uma Federação Transcaucasiana. Embora ausente, ele foi nomeado membro do conselho executivo.

Em Bruxelas, em julho do mesmo ano, numa sala dos fundos da Casa do Povo Socialista, teve início o Congresso Social-democrata Russo, que terminou em Londres na segunda metade de agosto e ficou conhecido depois como o "Segundo Congresso", quando se considerou retrospectivamente a reunião em Minsk de 1898 como a certidão de batismo do Partido Comunista russo. Nesse encontro, o socialismo russo dividiu-se em duas facções: os bolcheviques e os mencheviques; em outros termos, os revolucionários (majoritários) e os moderados (minoritários), ou ainda os "duros" e os "flexíveis", como a princípio eles próprios se designavam.

Foi só de muito longe que Koba recebeu os ecos desse acontecimento, que não obstante interessava-lhe no mais alto grau. Sua vida pessoal na época era, como dito, uma série de transferências de prisão em prisão, até a deportação para a Sibéria. Talvez tenha recebido fiapos de informações sobre a cisão antes que o comboio dos exilados, escoltado por policiais, deixasse a costa do mar Negro para a terrível viagem pelo inverno siberiano. O grupo parava regularmente no caminho para pegar deportados provenientes de outras prisões.

Fato é que tão logo chegaram eles se puseram a preparar a fuga. Na confusão reinante, em virtude de uma guerra iminente com o Japão, a vigilância das autoridades diminuíra. Em 5 de janeiro de 1904, Koba viajou de volta através das planícies nevadas. Uma primeira tentativa fracassou, por falta de roupas suficientemente quentes. Quase enregelado, teve que retornar até seu local de relegação. Na aldeia onde estava exilado, e onde viviam populações autóctones, alugava uma cabana ou um quarto na casa de um morador. Vivia como queria, a despeito da vigilância da polícia. Precisava suportar o duro inverno siberiano e a solidão, o que exigia uma sólida constituição física e psíquica, alicerçada numa imensa vontade. Da segunda vez, a fuga foi mais bem-organizada; ele partiu primeiro a pé, depois numa carroça de um camponês, que o levou para o Ural. Passou frio e fome, tossia sem parar e esteve perto da tuberculose.[35] Enfraquecido fisicamente, mas aguerrido na mesma medida por essa primeira provação de prisioneiro, voltou a Tíflis no início de fevereiro.

2. Koba

O komitetchik*

De volta a Tíflis em fevereiro de 1904, Koba simplesmente retomou o trabalho e passou a coordenar suas ações, que se estendiam por três cidades-chave: Tíflis, que se tornara a encruzilhada ferroviária do Cáucaso, Baku, o maior centro de extração de petróleo do mundo, e Batum, célebre por suas refinarias. Nessa região, operava um núcleo de operários de fábrica russos exilados no Cáucaso devido a suas atividades socialistas, e que trabalhavam nas oficinas ferroviárias de Tíflis ou na central elétrica de Baku. Entre eles, o futuro presidente da União Soviética, Mikhail Kalinin.

Enfim livre, Sosso não pensou um instante em voltar para casa, para junto da mãe. Instalou-se provisoriamente em Tíflis, na casa de um colega, Mitcho Botchoridze. Foi lá que conheceu Serguei Iakolevitch Alliluyev, seu futuro sogro. Porém, nesse momento, aquela que virá a ser sua segunda esposa tinha apenas três anos.

De origem russa e condição modesta – o pai era cocheiro e a mãe camareira –, Serguei trabalhava como operário mecânico nas oficinas da ferrovia de Tíflis. Ao chegar ao Cáucaso no início dos anos 90, casara-se com Olga Evguenievna Fedorenko, que, apesar de também ser russa, nascera e crescera na Geórgia, de onde seu pai era originário. De uma família burguesa com nove crianças, educada na fé da Igreja protestante pela mãe, Magdalina Aigkhgolts, filha de colonos alemães, a jovem Olga, que tinha apenas catorze anos, tivera que fugir da casa paterna pulando pela janela

* Membro do comitê, em russo.

para se casar com um operário. Não conhecendo senão o georgiano e o alemão, fora obrigada, já adulta, a aprender o russo, que falava com um forte sotaque caucasiano. Permanecera protestante e, a despeito de seu casamento com um bolchevique, continuou a praticar sua religião, mesmo depois que se tornou sogra de Stálin.[1]

Quando Sosso conheceu os Alliluyev, a residência do casal, na periferia de Tíflis, era um local de reunião dos revolucionários, como serão também mais tarde suas casas em Batum e Baku, e depois em São Petersburgo, onde se estabelecem com seus quatro filhos – Anna, Fiódor, Pável e Nadejda, todos nascidos no Cáucaso. Koba afeiçoou-se imediatamente a Serguei, e continuará a visitá-lo quando ele se instalar em Baku.

Tão logo recuperou a liberdade, Djugachvili lançou-se com paixão nas lutas de facções que dividiam os social-democratas após a cisão de Bruxelas e Londres, em 1903. Sem hesitar, alinhou-se do lado dos bolcheviques,[2] adotando as posições de Lênin.

Essa escolha combinava com sua natureza: por temperamento, pertencia ao grupo dos revolucionários duros. Também via em Lênin o eco de suas próprias opções. Estava seduzido pelas qualidades de concisão e precisão das teses leninistas. A batalha era ainda mais árdua para ele uma vez que seu país natal, a Geórgia, via-se dominado pelos mencheviques.

Que fazer?, a obra mais importante de Lênin, escrita em 1902, e a "Carta a uma camarada referente às nossas tarefas de organização", escrita em 1903, tiveram influência determinante sobre Stálin. Ele se reconhecia no retrato do revolucionário profissional, ao qual Lênin atribuía um papel primordial. Admirava Lênin, identificando-se com ele como identificara-se com Koba, o heroico vingador do povo.

Queria ser um "segundo Lênin", o "Lênin do Cáucaso": moldava-se por esse personagem, imitava sua maneira de ser e falar, impregnava-se de seu pensamento. Terminou por venerá-lo, e muitos de seus colegas da época apontaram, não sem uma ponta de ironia, o mimetismo de Stálin. Sua ambição era tornar-se o principal companheiro de armas do *Vojd*. E perpetuará essa lenda ao longo do tempo.

Durante os meses seguintes, viajou pela Transcaucásia: em junho estava em Baku, em setembro-outubro na Geórgia ocidental, onde parou por um momento em Kutaissi; em seguida, passou breves temporadas em Batum e Tchiatura. É apontado nos relatórios do comissariado de Tíflis nesse período como líder do Partido Operário Social-democrata georgiano.[3] Não voltava mais a Gori, embora houvesse declarado à polícia residir nessas duas cidades. Suas relações com a mãe, a despeito de sua afeição por ela, ficaram em segundo plano. Trabalhava como um possesso. De dia, lia e escrevia. À noite, comparecia a duas reuniões clandestinas. Vivia modestamente de sua pensão, retirando pouco dos trinta rublos mensais que lhe eram alocados.[4]

A revolução de 1905, o famoso "ensaio geral", segundo a fórmula de Lênin, assumiu formas bastante violentas no Cáucaso. Os camponeses amotinaram-se, os operários revoltaram-se e as ruas foram tomadas por manifestações de massa. A reação foi terrível: a multidão furiosa foi massacrada em Tíflis, e os cossacos, enviados como reforços, não hesitaram em usar o chicote. Os social-democratas não estiveram à altura da tarefa: suas divisões, face à insurreição espontânea, só fizeram acentuar-se. Koba, assim como seus camaradas, mostrou-se mais interessado pelas lutas de facções que pelo próprio desfecho da revolução. Ainda assim, redigiu dois panfletos em nome do comitê de Tíflis: "Cidadãos!" (outubro de 1905) e "A todos os operários" (19 de outubro de 1905) – no qual proclamava: "A hora da insurreição soará!", "A revolução ruge!" – e um artigo não assinado, intitulado "Tíflis, 20 de novembro de 1905".[5]

Preocupado acima de tudo com o desenvolvimento de sua tendência, Koba contribuiu para equilibrar o caixa dos bolcheviques. Nessa época, social-democratas caucasianos executaram uma série de "expropriações" – em outros termos, assaltos a bancos e furgões do correio a mão armada –, que Lênin aprovava, ao contrário dos mencheviques. Elas prosseguiram, aliás, depois de 1905. Em junho de 1907, por exemplo, o assalto ao banco estatal de Tíflis proporcionou enorme soma de dinheiro à tesouraria bolchevique. O principal artífice dessa operação foi o lendário Kamo, cujo nome verdadeiro era Semion Ter-Petrossian, mas parece – e Stálin nunca desmentiu isso* – que Koba exerceu um papel importante nos bastidores, no planejamento da ação, bem como em outras do mesmo tipo realizadas na Transcaucásia.[6]

Em dezembro de 1905, aconteceu o primeiro encontro histórico entre Lênin e aquele que ainda não era Stálin, na cidade finlandesa de Tammerfors. Reencontraram-se um ano mais tarde, em 1906, em Estocolmo, para o congresso do Partido, e em 1907, em Londres, para novo congresso do Partido, onde Koba também conheceu aquele que viria a ser seu rival, Trótski. Foram suas primeiras incursões no estrangeiro, sob o pseudônimo Ivanovitch.**

Vinte anos mais tarde, ainda lembrava-se de seu espanto ao conhecer Lênin: "Encontrei Lênin pela primeira vez em dezembro de 1905, na conferência dos bolcheviques, em Tammerfors. Esperava ver a águia das montanhas de nosso Partido, o grande homem, tanto do ponto de vista político quanto do ponto de vista físico, pois eu imaginara Lênin como um gigante majestoso e imponente. Qual não foi minha decepção quando conheci um homem dos mais comuns, mais baixo que eu, que nada, absolutamente nada, distinguia do restante dos mortais. .." Reação típica de um provinciano face ao homem do centro. Ficou ainda mais decepcionado quando descobriu que Lênin "chegara à conferência antes dos outros delegados e que, sentado num canto, conversava o mais humildemente possível com os mais modestos delegados".[7] Mais tarde, compreenderá os motivos dessa

---

* Quando, em 1931, Emil Ludwig interrogou-o a esse respeito, Stálin evitou dar uma resposta precisa. Tampouco desmentiria essa participação durante a polêmica travada em 1918 com Martov, líder dos mencheviques, sobre o tema.

** De seu exílio de 1903-4, Koba escrevera a um amigo, um certo Davitichvili, que morava em Leipzig e conhecia Lênin, elogiando seus trabalhos, sobretudo suas análises relativas ao Partido. Em seguida, Stálin afirma que Lênin lhe respondera. Parece que Lênin, a quem essa carta foi transmitida, tinha sido sensível ao elogio de Stálin. Foi só em maio de 1905 que Stálin começou sua correspondência com Lênin enquanto membro do comitê de união caucasiano, num momento em que era o mentor dos bolcheviques caucasianos contra os mencheviques georgianos e o principal dirigente da facção rival, Noi Jordania. Mas fora em Estocolmo, em 1906, que Lênin percebera que tinha em Koba-Ivanovitch um partidário a ser considerado.

pseudomodéstia, e imitará Lênin, forjando-se um personagem voluntariamente apagado, que tenta permanecer na sombra a fim de não enfatizar muito sua elevada posição, construindo assim seu próprio contramito.

Primeiro casamento

Difícil saber se, antes de conhecer Ekaterina Semionovna Svanidze, a quem todos chamavam de Kato, ele tivera outras aventuras amorosas ou casos passageiros. Foi o irmão da moça, Aleksandr Svanidze – um colega de turma de Sosso no seminário de Tíflis, que adotará o codinome Aliocha em sua vida de bolchevique clandestino – que apresentou os dois em torno de 1902. Reencontraram-se no fim de 1904. Era uma jovem forte e bonita, com grandes olhos negros, cabelos escuros volumosos e reluzentes, que usava em coque, e parecia iluminada pela devoção e admiração ao seu Iosif. Devota como o era a mãe de Stálin, Keke, com quem também tinha em comum o nome, será o primeiro grande amor de Stálin.

Não era nem uma revolucionária nem uma intelectual, antes uma moça na tradição das esposas dedicadas ao marido e ao lar, submissas mas não escravas, fiéis mas não servis. Amava Iosif com a afeição típica de sua educação e esperava do fundo do coração que um dia ele desistisse dos perigos da vida revolucionária e aceitasse levar uma vida sossegada de chefe de família. Venerava-o como um semideus. Em junho de 1906, um colega do seminário, Christophe Tkhinvoleli, casou-os secretamente na igreja de São Davi, em Tíflis.[8] Koba devia estar bastante apaixonado por Kato para, bolchevique empedernido, entrar no jogo e ir à igreja, que ele detestava como instituição, a fim de consumar o rito do casamento ortodoxo. Manteve em segredo a vida inteira esse cerimonial religioso.

Foi um relacionamento constantemente perturbado pelas idas e vindas de Koba, breves estadas e intermináveis ausências. Moraram um tempo com a família de Ekaterina na aldeia de Didi-Lilo, antes de se instalarem em Baku. Ela era a caçula das quatro crianças Svanidze: Aleksandr (Aliocha), Aleksandra (Sachiko) e Maria (Mariko). Ganhava a vida como costureira, mas aceitava de bom grado outros trabalhos a fim de prover as necessidades da família.

Quando, em julho de 1907, Serguei Alliluyev decidiu deixar a Geórgia para ir morar em São Petersburgo, foi saudar seu amigo Koba, que na época morava com a mulher num subúrbio operário de Baku. O casal ocupava um conjugado numa casinha de um andar. Quando entrou na residência, Sosso estava lendo. "Ele parou de ler, levantou-se e, muito gentilmente, disse-me: 'Seja bem-vindo'", lembrará mais tarde o velho Alliluyev. Considerando-se tolhido pela vigilância policial, Alliluyev explicou a Koba sua decisão de ir morar em Piter. "Tem razão, precisa partir", concordou Koba, "porque seus inimigos irão apanhá-lo." Deu-lhe dinheiro e desejou-lhe boa sorte. Foi a última vez que Alliluyev viu Stálin em casa com a mulher.[9] Outras visitas admiraram-se com o contraste entre a austeridade antiga da casa e a limpeza do quarto ocupado por Koba e Kato. As cortinas duplas brilhavam de tão alvas, apliques de renda enfeitavam as almofadas da cama de madeira. Um tapete cobria o chão de barro. E, num canto, ficava o ateliê da costureira.[10] A graça e a delicadeza de Kato ajudavam Koba em sua vida de homem acuado, e, quando ele era preso, era ela que ia até as portas da prisão entregar-lhe farnéis.

Em setembro de 1907, Kato deu à luz um filho, que eles batizaram Iakov. Catorze meses mais tarde, ela morreu de tifo, aos 24 anos de idade. O menino foi criado na Geórgia por Sachiko, a irmã mais velha de Kato; a ama de leite Monaselidze dispensou-lhe os primeiros cuidados, e continuou depois a criá-lo. Foi só em 1921 que Iacha foi ao encontro do pai em Moscou. Sua avó materna conseguiu com um padre que ele adiasse a data de nascimento da criança para, dessa forma, postergar seu serviço militar – e, com isso, a data oficial do nascimento de Iakov é 16 de março de 1908.*

A morte da esposa foi uma terrível provação para Stálin. Amava-a profundamente, e ela lhe oferecia aquilo de que ele precisava: um lar

---

* Aleksandr Kolesnik, *Mife i pravda o seme Stalina* (Carcóvia, Prostor, 1990, p.10). Essa versão sobre a data de nascimento de Iakov me foi confirmada igualmente por sua filha Galina. Entrevista com Galina Djugachvili, Moscou, 7 de junho de 1995.

calmo, sossegado e acolhedor. "É com dor no coração que participamos aos camaradas, amigos e parentes a morte de Ekaterina Semionovna Svanidze Djugachvili... A trasladação do corpo para a igreja Kolubanskaia terá lugar em 25 de novembro (1908) às 9h da manhã." Os signatários dessa participação são Iosif, o marido, Semion e Sephora, os pais, e Aleksandr, Sachiko e Mariko, os irmãos de Kato.[11] Como ela faleceu enquanto seu marido estava preso, a direção do presídio permitiu a Koba comparecer aos funerais. No enterro, ele pareceu arrasado pelo sofrimento. Diante do caixão, cabelos desalinhados, feições devastadas, petrificado de dor, ele parecia enterrar seu coração e sua juventude. Respeitando a fé da falecida e o desejo da família, encomendara um ofício religioso.*

Com o coração vazio, sentia-se agora mais só do que nunca. Mas a ação revolucionária não lhe permitia descanso. Primeiro, tomou o caminho do exílio. Em seguida, conseguiu escapar e dedicou-se, como de costume, a organizar greves, influenciar a política dos sindicatos e redigir artigos. Foi a época em que adotou, entre muitos outros, o codinome Kaioz Nijaradze.

Os exílios

Stálin nunca foi um revolucionário emigrado, vivendo na Europa, como Lênin, Trótski, Plekhanov, Vera Zassulitch, Zinoviev e tantas outras figuras do marxismo russo. Em sua maioria, essas personalidades, de origem burguesa, haviam recebido ainda muito jovens uma formação intelectual sólida e tinham perfeito conhecimento de línguas estrangeiras, principalmente do alemão. Seu longo exílio acostumara-os à vida ocidental, permitindo-lhes aproximar o socialismo do Ocidente. Para eles, a miséria das massas trabalhadoras no império czarista, seu obscurantismo, seu primitivismo intrínseco representavam conceitos filosóficos ou noções

---

* O único depoimento que possuímos a respeito do enterro da primeira mulher de Stálin é o de Iosif Iremachvili, *Stalin und die Tragödie Georgiens* (Berlim, Volksblatt-Druckerei, 1932, p.30).

políticas. Stálin foi o único dos principais bolcheviques de primeira hora a impregnar-se de maneira íntima, cotidiana, do infortúnio dos pobres. Conhecia o marasmo, o atraso, e, como *komitetchik*, tinha uma prática efetiva nesse terreno. Lênin foi o primeiro a compreender o peso de tal experiência e o papel que poderia delegar àquele profissional.

Afora algumas breves viagens ao estrangeiro, Koba passou todo o período pré-revolucionário na Rússia, vivendo na clandestinidade, mergulhado num trabalho de rotina para planejar a revolução futura. Se por um lado o internacionalismo do movimento operário permanecia para ele uma questão de princípio, por outro ele tinha um conhecimento direto das dissidências ferozes entre clãs e povos do Cáucaso. Em 1904, escrevera um ensaio a respeito, cujo tema viria a ser central para as preocupações dos marxistas: a questão nacional. Nesse primeiro ensaio, "Como a social-democracia compreende a questão nacional?",[12] já transparecia a antipatia que lhe inspiravam o nacionalismo em geral e o dos georgianos em particular.

Por conta própria, desde 1899 empreendera a própria formação política e teórica e logo se tornara um marxista erudito.[13] Transformara esse saber em ferramenta revolucionária. Lendo constantemente – seu quarto estava sempre abarrotado de pilhas de livros e folhetos –, e contando com uma memória infalível, conseguira rapidamente dominar seu campo de estudos e adquirira sólida autoridade em matéria de marxismo.[14] Sua série de artigos "Anarquismo ou socialismo?", escritos entre 1906 e 1907, dá a medida desse domínio e do profundo comprometimento de Djugachvili com o pensamento marxista. O marxismo mudava sua visão de mundo, dava um sentido à sua vida, uma vida de lutas que se inscrevia acima de tudo na luta de classes.

A despeito da constante vigilância da polícia, ele era um dos membros mais atuantes do comitê de Baku. Era apoiado por um velho amigo, bolchevique eficiente, Sergo Ordjonikidze. Após nove meses de trabalho duro, os dois georgianos caíram nas malhas da Okhrana: "Na noite de 25 de março", descreve um relatório do comissariado de Baku, datado de 3 de abril de 1908, "a polícia judiciária efetuou uma batida nos bares frequentados por criminosos. Alguns suspeitos foram presos... dentre eles Nijaradze, com o qual foi encontrada uma correspondência ilegal."[15]

Djugachvili foi confinado no presídio Bailov, em Baku, onde permaneceu até o início de novembro. Semion Vepiachiak lembra-se de tê-lo visto no dia da Páscoa: os soldados do regimento de Salianski faziam um corredor polonês para os presos políticos; Koba caminhava como os outros no meio daquela coluna dupla, de onde choviam golpes de todos os lados, sem abaixar a cabeça, com um livro nas mãos; saiu da prova com um olhar feroz e altivo,[16] porém jamais esqueceu tal humilhação. Em seguida, foi condenado a dois anos de exílio na província de Vologda. Passou pelo já conhecido ritual: o comboio em grupo, de prisão em prisão, recolhendo outros prisioneiros. Ao chegar em janeiro de 1909 a Vologda, atribuíram-lhe como residência a pequena aldeia de Solvytchegodsk. Mais uma vez, pôs-se a caminho, viajando por etapas, às vezes a pé. Em 8 de fevereiro de 1909, terminou por contrair tifo e foi hospitalizado em Viatka.[17] Foi somente em 27 de fevereiro que chegou finalmente a Solvytchegodsk.

Alugou um quarto na casa de um aldeão, dedicando a maior parte de seu tempo, como os outros exilados, à caça, à pesca, à leitura e à escrita. Vivia com uma pequena soma que o governo destinava aos exilados, mas que era insuficiente para resistir aos rigores do clima. A maioria dos exilados dependia dos amigos ou da família para sobreviver. Stálin era o mais pobre de todos: o que lhe restava de família não podia ajudá-lo, e, a propósito, durante esse período de provações jamais pediu o que quer que fosse à mãe. Bem ou mal, adaptou-se, chegando a escrever um artigo durante esse breve exílio.

Quando conseguiu escapar, em junho, essa segunda fuga acarretou uma vigilância mais intensa. "Um recém-chegado, fugitivo de Solvytchegodsk, originário de Gori, um social-democrata conhecido na organização pelo codinome Koba, que se chama Sosso, trabalha neste momento em Tíflis", afirma um relatório do comissariado de Baku datado de 27 de agosto de 1909. "Ele chega amanhã às 9h. Poderá ser visto na estação de Balahansk com outros membros do Partido." Todas as polícias foram informadas da presença daquele homem considerado perigoso. "Foi representante da organização de Baku no comitê de Oblast. Participou de diversos congressos. Aqui, naturalmente, ocupará um lugar central, começará a trabalhar imediatamente... Tomamos todas as medidas para impor uma vigilância ininterrupta a Koba."[18]

Em 20 de novembro de 1909, foi identificado, sob o pseudônimo Oganes Vortanov Totomints, como o cabeça da organização do Partido de Baku.[19] Acabou sendo preso novamente, em 23 de março de 1910, sob o nome Zakhar Grigorian Melidiants, e confinado mais uma vez no presídio Bailov. "Punido por fugir do local de reclusão", Djugachvili foi "reencaminhado em 23 de setembro para Vologda, onde deve passar o restante do exílio sob a vigilância da polícia". Pior ainda, levando em conta "a atividade nefasta de Koba por ocasião de sua estada irregular em Baku, ele foi proibido de morar no Cáucaso durante cinco anos, segundo o artigo 27".[20]

Em outubro, portanto, estava de volta a Solvytchegodsk. De lá, escreveu a Vladimir Bobrovski uma carta que se tornaria célebre, a respeito de uma polêmica surgida entre Lênin e Plekhanov de um lado e Trótski-Martov-Bogdanov do outro. A polêmica acentuava o fosso entre os intelectuais exilados num certo conforto ocidental e os revolucionários que permaneciam no terreno e que, em sua grande maioria, mofavam nas jaulas do czar. Arriscando-se a desagradar Lênin, o futuro Stálin não hesitava em qualificar essa querela teórica de "tempestade em copo d'água", para depois queixar-se também de seus tormentos, do "tédio quase sufocante" de sua vida de recluso. Essa carta foi interceptada pela polícia, sempre à espreita.[21]

O filho natural

No início de 1911, Stálin alugou, em Solvytchegodsk, um quarto na casa de Maria Kuzakova, viúva com cinco filhos para cuidar. Mulher forte e inteligente, embora bem mais velha que seu jovem locatário, soube propiciar-lhe apoio e ajuda a fim de que ele prosseguisse com sua ação revolucionária. Cada tentativa de evasão de Koba a preocupava, e ela temia que um dia, querendo fugir, ele terminasse por se afogar, como tantos outros exilados antes dele. Em sua humilde isbá, dessa amizade precária e provisória nasce, em 1912, um filho, Konstantin, que receberá o patronímico do finado marido da mãe, Stepanovitch. Desde a mais tenra idade, seu aspecto caucasiano bastante marcado contrastava com os de seus colegas de brincadeira, louros do Grande Norte. Portanto, esse filho natural de Stálin, que a lenda familiar julgava antes oriundo de um caso em Turuhansk, é na verdade fruto de um exílio anterior. Os exilados revolucionários não demoraram a identificá-lo: "É você o filho de Djugachvili? É a cara dele!" dizem-lhe um dia, quando, ainda pequeno, brincava num terreno baldio. Desse dia em diante tentou desvendar o segredo de seu nascimento, fez perguntas à mãe: "Você é meu filho, nunca fale do resto com ninguém", respondeu-lhe esta, já cautelosa.

Esse filho encoberto, mas jamais perdido de vista e frequentemente amparado, permaneceu um segredo de Estado, ainda que em outros círculos não passasse de um segredo de polichinelo. Antes que o terror fechasse as bocas, ele foi interpelado pelo secretário do Komsomol, ao ser aprovado com excelência em seus exames: "Então, filho de Stálin, seu pai talvez esteja contente agora!" Konstantin Kuzakov ficou com medo e, seguindo então o conselho da mãe, não declarou nem confirmou para ninguém a identidade do pai.

Stálin, o personagem histórico mais discreto e fechado quanto a sua vida privada, mencionou contudo o nome da mãe de Konstantin na cronologia oficial de suas *Obras*, informando-nos que, em março-junho de 1911, "buscas reiteradas foram feitas nos aposentos de Stálin, na casa de M.P. Kuzakova, em Solvytchegodsk".[22]

Discretamente protegido, o jovem Konstantin realizou estudos brilhantes e subiu rapidamente os degraus de uma carreira cultural de prestígio: professor universitário, foi assessor do chefe da direção para propaganda do Comitê Central do Partido antes de tornar-se assessor principal do ministro de Cinematografia. Em 1947, contudo, o terror alcançou-o e ele foi apanhado na teia de aranha tecida por Beria. Como todos os mais próximos de Stálin sabiam quem ele era, Beria pediu-lhe para denunciar

Jdanov junto a Stálin. Ele recusou. Foi expulso do Partido, demitido do emprego e quase preso. "Não vejo nenhuma razão para a prisão de Kuzakov", teria dito Stálin. E todo o processo de perseguição foi interrompido. Em todo caso, Konstantin só será definitivamente reabilitado com a prisão de Beria.

Nunca viu o pai cara a cara, embora o avistasse de longe e se aproximasse dele anonimamente. Guardou a imagem de um homem ensimesmado e fechado aos sentimentos humanos. Somente em 1995 quebrou o silêncio e revelou sua verdadeira identidade.*

Voltemos a Solvytchegodsk, onde, em 27 de junho de 1911, teve fim a pena de exílio de Koba e, ao mesmo tempo, seu relacionamento com Maria. Contudo, como estava proibido de ir para uma cidade grande ou para o Cáucaso, escolheu a cidade de Vologda, situada no caminho para São Petersburgo, e, em 6 de setembro, trocou-a clandestinamente pela capital. Lá visitou Alliluyev e, por seu intermédio, entrou em contato com o estado-maior secreto do Partido. Estava munido de um passaporte em nome de Tchijikov, no qual até mesmo os mais perspicazes de seus biógrafos viram um novo pseudônimo; na realidade, Koba foi ajudado em Vologodsk por um bolchevique que acabava de cumprir sua pena de exílio, um certo Piotr Tchijikov, que lhe emprestou seu passaporte – trapaça rapidamente descoberta pela polícia da cidade: "O procurador de São Petersburgo foi informado em 19 de outubro que Djugachvili reside com um passaporte que não lhe pertence. É conveniente que Djugachvili seja detido segundo o artigo 977 e que um processo seja aberto segundo o decreto sobre a segurança do Estado."[23] Foi preso no fim de outubro e novamente deportado para três anos em Vologda.

Koba começava a acostumar-se à vida de exilado. Levava a mesma vida dos outros proscritos, com a diferença de que continuava o mais pobre de todos. Num formulário da polícia, que ele preencheu em 1911 e no qual

---

* "Kuzakov – syn I.V. Stalina" *Argumenty i fakty* 37, 1995. Quando Kyra Alliluyeva o conheceu, ficou estupefata com a semelhança com seu tio. "Ele anda como Stálin, come igual a ele, faz os mesmos gestos quando fala", disse-me ela. Entrevista com Kyra Alliluyeva, Moscou, 12 de junho de 1995.

notificava não haver ninguém que pudesse acompanhá-lo em seu exílio, não dispor de nenhum meio de subsistência e não ter pais para ajudá-lo,[24] percebemos todo o seu desânimo.

Durante esse mesmo período, quando vivia jogado de um exílio a outro, entre reuniões do Partido e a prisão, parece no entanto ter tido outro relacionamento, com uma mulher chamada Pelágia Gueorguievna Onufrieva, também residente na região de Vologda. Dois cartões postais – cuja escolha é bastante simbólica: um apresentando duas estátuas antigas enlaçadas, cuja legenda nos informa tratar-se da "centelha elétrica", e outro no qual está escrito em maiúsculas a palavra "Afrodite" contra um pano de fundo bucólico – revelam um Stálin afável e engraçado. "Devo-lhe meu beijo, pois Petka me transmitiu o seu. Abraço-a efusivamente (não posso simplesmente abraçá-la)."[25] Em 24 de dezembro de 1911, Koba, num tom trocista, escreve à mesma Pelágia: "Então, Pola, 'a má', estou em Vologda e beijo a 'amabilíssima Petinka'. Estamos sentados à mesa e bebemos à saúde de Paula, 'a inteligente'. Vocês também, bebam à saúde do 'excêntrico' que conhecem." Assinado Iosif.[26] Essas poucas palavras revelam uma faceta desconhecida de sua personalidade: embora perseguido e vivendo precariamente, nem por isso perdia um certo senso de humor e o prazer de cortejar as damas.

De 5 a 17 de janeiro de 1912, em Praga, por ocasião da VI Conferência do Partido, Koba foi cooptado como membro do Comitê Central, embora continuasse exilado em Vologda. Tornou-se então um dirigente nacional. Sergo Ordjonikidze foi até lá para dar-lhe essa notícia decisiva. No fim de fevereiro, Koba foi ilegalmente a Baku e Tíflis a fim de aplicar na Transcaucásia as decisões da Conferência de Praga.* Do Cáucaso, dirigiu-se às pressas para Moscou, onde encontrou-se com Ordjonikidze. Sempre

* Esse novo Comitê Central criara um escritório russo encarregado de dirigir as atividades do Partido no interior da Rússia. Era formado por quatro membros: Koba, Ordjonikidze, Spanderian e um certo Golochechekin. (Cf. Isaac Deutscher, *Staline* – edição definitiva, Paris, Gallimard, 1973, p.128.)

clandestinamente, chegou em abril a São Petersburgo, onde fez contato com os deputados bolcheviques da Duma,* cujas atividades ele passou a controlar para o CC. Além disso, preparou a publicação do primeiro número do *Pravda*. Porém, no fim do mês, tornou a ser preso. Novamente a rotina do êxodo por etapas até a cidadezinha de Narym, dessa vez na província de Tomsk, na Sibéria. Para cumprir três anos. Em setembro, fugiu. De Moscou, o comissariado passou um cabograma para São Petersburgo: "Koba Djugachvili fugiu da região de Narym. Esteve em Moscou, de onde se dirigiu para São Petersburgo. É muito ligado ao operário Badaiev, eleito para a Duma de Estado. Djugachvili e Badaiev têm a intenção de viajar para reunirem-se com Lênin. Se o encontrar, peço que o detenha, mas não imediatamente: é preferível fazê-lo logo antes de sua partida para o estrangeiro."[27]

Com efeito, Koba procurava organizar a campanha para as eleições da IV Duma, embora tivesse um exército inteiro de policiais em seus calcanhares. A leitura dos relatórios oficiais evoca a trama de um romance policial. Em 29 de outubro de 1912, "à 1h30 da tarde, ele chegou pelo trem de Moscou. Saindo da estação, atravessou o bairro de Tovarni, saiu à rua... Percorreu a Nievski Prospect, entrou na rua... depois na rua..., entrou no prédio 17 às 14h. Ali, passou quatro horas e 45 minutos, saiu de lá às 18h45... Entrou no restaurante F... Permaneceu ali duas horas... Ficou dois minutos na esquina da rua... O caucasiano entrou num fiacre, dirigiu-se à estação Finlândia e, na estação, foi perdido de vista às 21h."

A fim de encontrá-lo, a polícia fornecia sua descrição: "Intelectual, entre 32-35 anos, estatura acima da média, compleição mediana, moreno,

* Na esteira da revolução de 1905, e sobretudo do "Domingo Vermelho" (22 de janeiro), quando a polícia da capital abriu fogo contra uma imensa manifestação operária, fazendo 130 mortos, Nicolau II declarou sua intenção de convocar uma assembleia consultiva. Como no verão de 1905 houve novas greves, revoltas camponesas, motins no Exército e movimentos de oposição diligentes, em 19 de agosto um documento anunciou a criação de uma Duma eleita, cujo papel seria consultivo. Isso não impediu a greve geral de outubro. Em 30 de outubro, o czar publicou o "manifesto de Outubro", que garantia direitos civis aos russos e anunciava a eleição de uma nova Duma, dessa vez investida de poder legislativo. Em 7 de maio de 1906, reuniu-se a primeira Duma.

pele bronzeada, nariz aquilino, barba rala, usa um chapeuzinho preto e um sobretudo velho com gola..."

No dia seguinte, a vigilância recomeça, das 9h30 às 19h. É visto numa casa da qual não saiu durante o dia. E assim continuou, diariamente, até o dia 3 de novembro, quando foi seguido por vários recantos da cidade até que, na estação Finlândia, a polícia perde seu rastro, sem saber se ele partira ou chegara.[28] Na realidade, o "caucasiano" tomara um trem para Cracóvia a fim de encontrar-se com Lênin. Voltou para uma breve estadia em São Petersburgo, onde continuava sendo procurado, e retornou a Cracóvia no fim de dezembro. Ali permaneceu até fevereiro de 1913. Foi sua temporada mais longa no exterior. Foi nesse intervalo de tempo que se transformou em Stálin.

3. Stálin

VIAJANDO SEM PASSAPORTE, Koba teve dificuldades para atravessar a fronteira. Após múltiplas peripécias, chega em 10 de dezembro de 1912 a Cracóvia para participar da reunião dos membros do Comitê Central. Ficará ali até o fim do mês. Seu objetivo era, assim que estivesse de volta a São Petersburgo, coordenar os trabalhos de um pequeno grupo bolchevique da IV Duma de Estado. Como de costume, escondeu-se nas casas do deputado Badaiev e do velho amigo Serguei Alliluyev. Contudo, mal regressara à capital, Lênin chamou-o imperativamente de volta a Cracóvia para uma nova sessão do CC. Apesar dos perigos, pôs-se novamente a caminho. Ao chegar à pequena cidade fronteiriça, estabeleceu contato, dessa vez por instinto, com um homem que conheceu por acaso. Era um polonês, um sapateiro. Caçado e desconfiado, ainda assim o revolucionário aceitou a hospitalidade do desconhecido. Aceitou igualmente partilhar suas magras refeições. Conversaram sobre seus países e Djugachvili contou a seu anfitrião que seu pai também era sapateiro. Levou a confiança a ponto de confessar que iria atravessar a fronteira ilegalmente. O homem quis ajudá-lo; conhecia bem o lugar. Uma vez em porto seguro, Stálin ofereceu-lhe pagamento: "Não", disse o homem, "não faça isso... Somos filhos de nações oprimidas e devemos nos ajudar mutuamente."[1] Era um polonês falando com um georgiano. E o georgiano caminhava então para um momento decisivo de sua vida: seu primeiro encontro a sós com Lênin.

O surgimento de um teórico

Contrariando o Bund (a União Geral dos Operários Judeus da Lituânia, Polônia e Rússia), que preferia que o partido russo adotasse a palavra de ordem austromarxista "autonomia nacional-cultural", Lênin lutava contra toda forma de separatismo nacional. Do seu ponto de vista, o partido que ele dirigia não deveria ser nada além de um movimento revolucionário de classe contra o czarismo. Os militantes deveriam esquecer sua nacionalidade e trabalhar todos juntos. A organização transcaucausiana oferecia-lhe então a ilustração viva de seu sonho: uma estrutura na qual conviviam revolucionários de diversas nacionalidades – georgiana, russa, armênia e outras.

Em Koba, metamorfoseando-se gradualmente em Stálin,* Lênin encontrou um homem que, nesse terreno, pensava como ele – embora fosse um "nacional" –, que desde a virada do século opusera-se a toda forma de nacionalismo e sempre defendera um partido russo centralizado, lutando por uma homogeneização dos proletários para além das fronteiras nacionais. Esta havia sido a própria essência de sua luta contra os mencheviques georgianos e o chefe destes, Jordania. O encontro histórico desses dois homens estava, portanto, inscrito na sequência lógica dos acontecimentos. Independentemente de suas origens, tinham as mesmas ideias. E Koba/Stálin era mais bem-qualificado que qualquer outro para escrever sobre a questão nacional. Lênin instigou-o, incentivou-o e aconselhou-o a ir a Viena para documentar-se sobre a questão.

Na segunda metade de janeiro de 1913, Iosif Djugachvili desembarcou na capital austríaca – viagem de sonho para aquele provinciano que passara grande parte da juventude entre as paredes de um seminário, depois nas prisões do czar. Ali permaneceu por um mês a fim de pesquisar e redigir seu estudo. Viena, berço dos austromarxistas, era então visitada por numerosos revolucionários russos. Mas era, acima de tudo, a capital de um império multiétnico, onde convivia um mosaico de nações que não podiam senão instigar ainda mais a reflexão de Stálin. Ali reencontrou Trótski e, pela primeira vez, esteve com Bukharin e Aleksandr Troyanovski. Antipatizara com Trótski desde o primeiro instante: anos mais tarde,

* Em russo, *stal* = aço; Stálin significa "homem de aço". Há uma lenda segundo a qual o nome de Stálin tem como origem um relacionamento amoroso com uma mulher chamada Ludmila Stahl, que ele teria conhecido durante esse período, e que o teria ajudado durante seus numerosos exílios.

este ainda se lembrará da "centelha de animosidade" que então detectara em Stálin.

Na época, Trótski apoiava os mencheviques, embora ele próprio não pertencesse a seus quadros. Numa carta à revista *Social-democrata*, em 12 de janeiro de 1913, Stálin designou-o como "um ruidoso contorcionista de músculos flácidos". Desde o início Trótski tratara-o com altivez, manifestando seu desprezo. Subestimara aquele georgiano saído das catacumbas ou, como ele mesmo dizia, dos "atrasos do movimento operário russo"[2] sem suspeitar que, por trás do ar caipira e do sotaque forte, escondiam-se um estrategista habilidoso e um caráter inflexível. Era apenas o início de suas diferenças, de uma inimizade e rivalidade que se transformariam em ódio.

Com Bukharin, em contrapartida, a conversa foi cordial. Ainda muito jovem, este já carregava a aura de um erudito, e tudo leva a crer que ajudou Koba em suas pesquisas e na leitura dos textos alemães – tanto na prisão quanto durante suas deportações. Stálin treinara a leitura em alemão e, apesar de não conseguir falar fluentemente, decifrava-o corretamente. Esse encontro foi o início de uma amizade que terminou em tragédia.

Stálin redigiu a maior parte de seu estudo[3] em Viena. Possuía então um conhecimento bastante aprofundado das questões de nacionalidades na Suíça, na Polônia, no Império russo e, principalmente, no Cáucaso. A partir desse estudo, concebe uma definição do conceito de nação que, logo em seguida, fez escola: "A nação é uma comunidade estável, historicamente constituída, determinada por quatro características: comunidade de linguagem, comunidade de território, comunidade de vida econômica e comunidade de formação psíquica." Em seguida, atacava o conceito austromarxista* de "autonomia nacional-cultural", tal como enunciado por Karl

* O austromarxismo é a única escola de pensamento marxista a ter uma denominação coletiva. O termo diz respeito ao esforço dos marxistas austríacos para encontrar um caminho socialista no âmbito do "capitalismo organizado" e refere-se à prática do movimento social-democrata pré-1914-18 no Império Austro-Húngaro e, mais tarde, na Áustria. O austromarxismo propõe três temas de reflexão: 1) a questão nacional (Otto Bauer); 2) a democracia operária (a autogestão); 3) o papel do marxismo nas ciências sociais, na estética, até mesmo na física e na matemática. Max Adler, Rudolf Hilferding, Otto Bauer e Karl Renner são os principais líderes dessa corrente de pensamento.

Renner e Otto Bauer, conceito que julgava anacrônico face à derrubada das barreiras nacionais. Concebia a existência de uma autonomia regional cultural para as minorias que quisessem salvaguardar sua língua materna e ter suas próprias escolas, revistas, teatros etc. Politicamente, contudo, só podia haver um único Partido, reunindo os operários de uma classe única, para a edificação do socialismo.

Esse estudo foi considerado fundamental por Lênin, que numa carta a Górki, na segunda metade de fevereiro de 1913, já exprimira seu entusiasmo face às posições de Stálin sobre o problema das nacionalidades: "Temos aqui um maravilhoso georgiano, que, após reunir todos os textos austríacos e outros, empenhou-se em compor um grande artigo para o *Prosvechtchenie*." Quando o estudo foi publicado, Lênin afirmou que ele irradiava na "literatura marxista teórica ... os princípios do programa nacional da social-democracia".[4] O artigo não passou despercebido, e gerou controvérsia quanto a quem seria seu verdadeiro autor. Trótski pensava que fora escrito por Lênin, outros atribuíam-no a Bukharin e Troyanovski. Na realidade, as cartas de Turukhansk, que leremos adiante, acabam de vez com essas alegações;[5] além disso, nas análises do Stálin de 1913 encontramos ideias que ele defendia já em 1904.[6] Com esse estudo, Stálin impôs-se ao mesmo tempo como marxista e como teórico.

O siberiano

Em meados de fevereiro, Stálin retornou a São Petersburgo e começou a reorganizar, junto com Iakov Sverdlov, a redação do *Pravda*, em conformidade com as indicações de Lênin. Porém uma semana mais tarde, em 23 de fevereiro, a polícia o deteve na Sala Kalachnikov durante um sarau musical organizado pelos bolcheviques em prol do *Pravda*. Havia sido traído por Roman Malinovski – um agente provocador da Okhrana que conseguira conquistar a confiança de Lênin e, dessa forma, infiltrar-se na hierarquia do Partido; como diversos outros bolcheviques, Stálin confiava nele.* O sarau acabara de começar quando a polícia chegou ao local. Tentaram salvar Stálin, cobrindo-o com um casaco de mulher, mas ele foi descoberto e detido. Preso imediatamente, recebeu uma pena de quatro anos de exílio na região de Turukhansk.

A prisão de Stálin despertou a fúria de Lênin, que logo tentou planejar sua fuga. Para isso, contudo, convocou Malinovski, que sabotou a missão: o comissariado da província de Turukhansk foi prontamente informado da operação. Um despacho datado de 25 de agosto de 1913 pede expressamente à chefia do comissariado de Iênissei que impeça Djugachvili e Sverdlov de escaparem do exílio, "pois pretendem retomar suas atividades no Partido".[7]

Até 8 de março de 1917, portanto, Stálin permaneceu nas mãos da polícia.

Em julho de 1913, sob escolta, embarcou no trem até Kransnoiarsk. Em seguida, desceu o Iênissei de barco até a aldeia de Monastyrskoie. Dali, foi transferido para o remoto ponto que lhe fora destinado como local de relegação: a aldeia de Kostino, situada numa vasta região desértica do norte da Sibéria central. Lá, a vida era severíssima, e a fuga, quase impossível. As poucas cartas que mandou desse lugar isolado atestam sua aflição. Doente e privado de tudo, enviava verdadeiros pedidos de socorro a todos que, de uma maneira ou de outra, pudessem ajudá-lo. Assim, o primeiro sinal de vida que deu foi uma mensagem cifrada endereçada ao sr. Radomylski, isto é, Zinoviev, por intermédio de uma certa Anna Abramovna Rozenkrantz, moradora de Kiev, que por sua vez deveria transmiti-la a Esfiri Finkelstein (as mulheres aparentemente atuavam como caixas postais): "Estou, como vê, em Turukhansk... Depois da viagem, caí doente. Preciso me recuperar. Envie-me dinheiro... Envie-me livros... Assinado K. St-na."[8] Este será o *leitmotiv* de seus pedidos durante os quatro anos de exílio. Sua saúde, nesse período, deixa constantemente a desejar. Para esse homem do Sul, a vida na Sibéria era uma difícil provação física. Alguns à sua volta sucumbiam, como Spanderian, que terminará por morrer de tuberculose. Os que

* Próximo de Lênin e deputado na Duma, Roman Malinovski só foi desmascarado em 1917, na abertura dos arquivos da polícia secreta. Foi imediatamente executado, por ordem do governo soviético.

tinham mais resistência física quebravam psiquicamente: ou soçobravam na depressão, ou se suicidavam – a menos que, tal como Sverdlov, conseguissem levar consigo família, mulher e filhos. Stálin, prisioneiro de seu caráter altivo e rude, viu-se sozinho e pobre. Tudo – roupas, lenha, comida – lhe custava uma exorbitância. Os que haviam sido condenados por um tribunal, como era o seu caso, dependiam de seus próprios recursos e não recebiam nenhuma pensão.[9]

Perto de completar 35 anos, tendo vivido toda a juventude entre as prisões e o exílio, Stálin retraiu-se mais ainda. Isolado de seus contatos no Partido e paralisado em suas ações, não tinha outra coisa a fazer senão tentar adaptar-se à indigência cotidiana e à solidão da Sibéria. Paralelamente à sua necessidade constante de dinheiro, buscava instruir-se, ler e aprender línguas estrangeiras, assim como concluir seu trabalho sobre as nacionalidades iniciado em Viena. Em 10 de novembro, por exemplo, escreve a alguns camaradas: "Finalmente recebi a carta de vocês. Achava que me haviam esquecido. E eis que ainda se lembram de mim. Como vivo? O que faço? Vivo mal, não faço quase nada. O que posso fazer na ausência total, ou quase total, de meus queridos livros? No que se refere à questão nacional, não disponho das 'obras científicas' e tampouco consigo que me mandem de Moscou, por falta de dinheiro, o miserável *Problemas nacionais*. Tenho diversos temas e questões na cabeça, mas nenhum texto." Enviará assim mesmo um manuscrito a Serguei Alliluyev para que este o transmita a Lênin.[10]

A falta de dinheiro é a preocupação dominante, e ele a expressa constantemente, sem nenhum pudor. "Vocês me fazem perguntas sobre meus recursos financeiros. Posso lhes dizer que em nenhum exílio vivi tão modestamente quanto aqui. E por que me fazem essas perguntas? Por acaso choveu dinheiro sobre suas cabeças? Teriam pensado em dividi-lo comigo? Vamos, ajam! Seria realmente o melhor momento."[11]

Escreveu inclusive a Malinovski, ignorando ser ele o responsável por seu exílio. Devia estar em uma situação dramática para pedir socorro a uma pessoa que não conhecia muito bem e que, em hipótese alguma, era seu amigo. Mas Malinovski era deputado, podia ajudá-lo. Aparentemente não era hora de bancar o orgulhoso ou o durão: "Bom-dia, amigo, constrange-me escrever-lhe, mas vejo-me obrigado a isso. Acho que nunca vivi situação tão terrível. Gastei todo o meu dinheiro, estou com uma tosse suspeita por causa do frio (−37°C), meu estado geral é enfermiço, não tenho mais pão, nem açúcar, nem carne, nem gasolina (gastei todo o dinheiro em roupas e calçados). Sem provisões, é muito difícil, pois tudo é muito caro. Pão de centeio a 4 copeques e meio a libra, gasolina a 15 copeques, carne a 18 copeques, açúcar a 25 copeques. Preciso de leite e lenha, mas não tenho dinheiro, caro amigo. Não sei como sobreviverei ao inverno nessa situação. Não tenho pais ricos, nem amigos. Não tenho ninguém a quem procurar, volto-me então para você. Você não é o único; escrevo a Petrovski e Badaiev. Minha demanda consiste em pedir-lhe uma ajuda de pelo menos 60 rublos, que a ala democrata-socialista poderá retirar do 'fundo dos reprimidos'. Transmita meu pedido a Tchkeidze e diga-lhe que peço que compreenda minha solicitação. Não peço isso na condição de patriota, mas basicamente como presidente da facção. Se esse fundo não existe mais, talvez todos juntos encontrem alguma alternativa conveniente. Compreendo que todo mundo, e sobretudo você, esteja ocupado, mas que o diabo me carregue, não tenho ninguém mais a quem procurar. Não queria morrer aqui sem ter-lhe escrito. É imperioso providenciar isso hoje mesmo e enviar o dinheiro por telégrafo o mais rapidamente possível, pois esperar significa passar fome, sendo que já estou magro e doente. Você sabe meu endereço: região de Turukhansk, *oblast* de Iênissei, aldeia de Kostino." Assinado Iosif Djugachvili. E em *postscriptum* acrescenta, confirmando dessa forma que, apesar de seu estado desesperador, continua a refletir e procura trabalhar sobre a questão nacional: "Zinoviev me escreveu que os artigos sobre a 'questão nacional' serão publicados como folhetos. Sabe alguma coisa sobre isso? É que, se for verdade, será preciso acrescentar aos artigos mais um capítulo (poderei fazê-lo em poucos dias, basta me avisarem). Espero ainda (tenho o direito de esperar) receber honorários (neste buraco maldito onde não há nada exceto peixe, precisamos de dinheiro como do ar). Espero que me defenda, se necessário, e consiga honorários para mim. Espero receber tudo que lhe peço e aperto-lhe a mão. Um beijo, que o diabo me carregue. Seu Iosif."[12]

No mesmo 10 de novembro Stálin enviou um despacho a Tatiana Aleksandrovna Slavotinski, uma bolchevique que ele conhecera e que se encontrava no sarau musical quando ele foi preso: "Guardo esta carta há duas semanas, pois a intempérie atrasa a partida do correio. Tatiana Aleksandrovna, hesito muito em lhe escrever, mas não há nada a fazer, é a miséria que me obriga. Não tenho um copeque e todas as minhas reservas se esgotaram. Eu possuía um pouco de dinheiro, mas fui obrigado a comprar roupas de frio, calçados e produtos alimentícios, que aqui são caríssimos. Não posso obter crédito. Não sei o que será de mim depois. Não seria possível mobilizar conhecidos (entre os camponeses) e providenciar 20 ou 30 rublos? Talvez um pouco mais? Será minha salvação. Quanto mais rápido, melhor, pois é o auge do inverno (ontem fez −33°C). Ainda não comprei lenha em quantidade suficiente; os estoques se esgotaram. Espero que, caso se disponha, consiga fazer isso. Então, minha cara, ao trabalho, senão 'o Caucasiano da bolsa Kalachnikovskaia' perecerá..." Tatiana fez o que pôde para socorrê-lo, como atesta uma carta de Stálin de 12 de novembro: "Querida e amável Tatiana Aleksandrovna, recebi sua remessa, mas não lhe pedi para comprar roupa branca nova. Pedi apenas que me remetesse a velha. E você comprou a nova. Gastou dinheiro que lhe faz falta. Não sei como lhe agradecer, minha amável querida." Em 20 de novembro no entanto, uma mensagem aflita: "Minha cara. Minha pobreza aumenta de hora em hora. Estou desesperado, cada vez mais doente; tenho uma tosse suspeita. Preciso de leite, mas não tenho dinheiro. Minha cara, se arranjar dinheiro, envie-me imediatamente por telégrafo. Não tenho mais forças para esperar."*

* Essas cartas foram interceptadas pelo comissariado de Ienissei (Coleção 558, inventário 1, dossiê 5.392). Serão então guardadas no arquivo secreto da KGB. No entanto, o neto de Tatiana Slavotinski, o escritor Iúri Trifonov, obterá cópias. Essa relação, acima de tudo amistosa, não deixará contudo de alimentar o rumor de um relacionamento amoroso e a hipótese de que Trifonov poderia ser neto de Stálin. Embora tudo isso pertença à esfera dos rumores, o destino da família de Tatiana foi cruel. Seu genro, o pai de Trifonov, foi

Em 7 de dezembro de 1913, Stálin parece mais animado. Numa carta dirigida a Herr Radomylski, na Áustria, discute com segurança questões de divisão interna e sugere que "o melhor não é ir em frente… ou acariciar, é bater… não falar, mas cortar". Esses métodos punitivos são propostos enquanto ele sofre de uma "tosse terrível" e de indigência quase total.[13] No dia seguinte, escreveu ao mesmo correspondente: "Em sua carta datada de 9 de novembro, o senhor diz que enviará sua 'dívida' em várias partes. Eu gostaria que a enviasse o mais rápido possível, por menores que sejam. Pode enviá-las diretamente para Kostino. Digo isso porque passo grande necessidade. Tudo seria nada se não houvesse a doença, essa maldita doença que exige cuidados (isto é, dinheiro), que me desequilibra e acaba com a minha paciência. Aguardo. Assim que receber os livros alemães, completarei os artigos e os enviarei corrigidos. Seu Ios(if)."[14]

A situação de Stálin piorou ainda mais, devido às maquinações de Malinovski: em março de 1914, ele foi enviado para Kureika, pequena aldeia de pescadores situada além do círculo polar, e a vigilância policial foi reforçada em torno dele.

Num primeiro momento, dividiu um quarto com Sverdlov – que viria a ser o primeiro presidente da URSS. A convivência foi um fracasso. Selvagem e solitário, desorganizado e rude, Stálin não era um companheiro agradável para Sverdlov, longe disso. "É um bom sujeito, mas individualista demais na vida cotidiana", escreveu a um amigo.[15] Separaram-se no fim de maio. Cada um seguiu seu caminho. Sverdlov, magoado, escreveu então: "O triste é que, na prisão e no exílio, os homens se desnudam à sua frente e mostram o que há de mais mesquinho neles… Aqui não há espaço para as grandes qualidades. Agora, esse camarada e eu estamos separados e só raramente nos vemos."[16] Tal desentendimento era ainda mais preju-

fuzilado em 1938 e sua filha, deportada. Salvaram-se do expurgo apenas a avó e o neto, que foram expulsos da casa do Cais (pertencente ao governo), onde moravam, indo parar num alojamento comunitário – prova de que ter ajudado Stálin em seu exílio não era, durante o Terror, garantia de proteção. Mais tarde, o escritor Trifonov receberá o prêmio Stálin de literatura. As contradições dessa época são infindáveis. (Cf. Natalia Ivanova, "Dogoe prochanie", *Moskovski Novosti*, 13-20 de agosto de 1995.)

dicial na medida em que eles eram os dois únicos exilados políticos em Kureika. Logo em seguida, Sverdlov foi transferido para outra aldeia e Stálin permaneceu sozinho. Apesar dessa incompatibilidade de gênios, Stálin mantinha contato com Sverdlov por necessidade de sua causa. Encontrava igualmente outros camaradas do Partido, exilados como Spanderian, com o qual manteve uma relação de amizade até a morte deste.[17]

Os exilados viviam em minúsculas cabanas, separadas umas das outras por dezenas ou centenas de quilômetros de deserto invariavelmente congelado. Durante o longo inverno, que geralmente durava em torno de nove meses, o termômetro volta e meia chegava a −40°C. Vivendo em extrema precariedade, Stálin terminou por adaptar-se à nova vida e aproximar-se dos nativos, que pertenciam a um povoado do Norte chamado Ostyaks. Devido à aridez do solo, viviam sobretudo da caça e da pesca. Durante meses, Stálin morou como eles, numa casa de estilo esquimó. A lenda posterior o descreverá como amigo das pessoas pobres, ajudando-as a construir uma casa, conversando com elas, integrando-se às suas vidas, pescando como elas no Iênessei.[18] Mais tarde, foi construído em Kureika um museu que mostra a vida de Stálin nesse canto perdido entre 1914 e dezembro de 1916.

Durante esse período, pôde escrever um artigo, "Da autonomia nacional cultural", que enviou ao estrangeiro para publicação por intermédio de Alliluyev. Sem nenhuma notícia quanto à sua recepção, escreveu com ironia a Zinoviev, em Cracóvia, em 1914: "Uma notícia: Stálin enviou... um imenso artigo sobre a autonomia nacional cultural. Parece que o artigo é bom. Penso que ele receberá polpudos honorários e assim deixará de pedir dinheiro. O artigo critica a brochura de Kostrov (em georgiano), por causa das posições comuns dos autonomistas culturais."[19] Em seu empenho de aprender línguas estrangeiras, escreve em 27 de fevereiro de 1914 a um certo G. Bielynski, em Paris, no 13º *arrondissement*: "Segundo rumores, existe em Paris uma sociedade de ajuda intelectual aos exilados russos. Ocorre que o senhor é membro da mencionada sociedade. Se isso for verdade, peço-lhe que me envie um dicionário de bolso francês-russo e alguns números de qualquer jornal inglês. Caso necessário, pode obter informações por meio de Kamenev, a quem dirijo minha cordial saudação.

Exilado administrativo Iosif Vissarionovitch Djugachvili."[20] Na mesma época, conseguiu *O príncipe*, de Maquiavel, que leu com atenção.[21]

Foi durante sua vida de recluso em Kureika que tomou conhecimento do início da Primeira Guerra Mundial. Nenhuma carta evoca sua reação diante desse acontecimento crucial. Sua situação material parece haver se estabilizado durante esse ano de 1914, e com isso sua saúde melhorou. Mais que nunca, queria estudar francês e inglês. Numa carta dirigida a Zinoviev sob seu verdadeiro nome Radomylski, na Áustria, em 20 de maio de 1914, pede, como sempre, livros e "qualquer jornal inglês (mesmo antigo, tanto faz, pois é para leitura). Aqui, não há nada em inglês e, sem treino, receio perder o que já domino."[22]

Durante esse mesmo ano, escreveu a um companheiro sobre a situação do grupo bolchevique na Rússia. Nessa missiva, sua paixão pelas lutas de facções mostra-se ainda mais exacerbada por ele não poder agir diretamente. Seu moral parece elevado, bem como seu humor: "Beijo-o no nariz como os esquimós. Que o diabo me carregue, isto aqui é um tédio sem você. Estou enfastiado, juro. Não tenho ninguém com quem conversar, ninguém com quem me abrir."[23]

Em fevereiro de 1915, Stálin dirige-se à aldeia de Monastyrskoie* para encontrar-se com Spanderian. Envia então uma carta a Lênin, que se encontrava na Suíça, na qual critica Kropotkin, Plekhanov e a social-democracia ocidental: "Um cordialíssimo bom-dia, meu caro Ilitch. Bom-dia a Zinoviev e a Nadejda Konstantinovna. Como vão vocês? Como vai sua saúde? Pois eu vivo como antes. Resta metade da pena. Entedio-me um pouco, mas não há nada a fazer. Como vão seus negócios? Na sua casa, o ambiente deve ser mais alegre. Li recentemente os artigos de Kropotkin – velho imbecil, está completamente caduco. Li também o artigo de Plekhanov, no *Retch*: uma velha tagarela, uma velha incorrigível...

---

* A aldeia de Monastyrskoie era geralmente onde a maioria dos principais dignitários bolcheviques cumpria sua pena de exílio. Em julho de 1915, da Suíça, onde se encontrava, Lênin organizou nesse vilarejo uma reunião de todos os líderes bolcheviques exilados em Turukhansk a fim de debaterem sua posição com relação à guerra e à conduta dos deputados bolcheviques na Duma. Stálin foi um dos participantes.

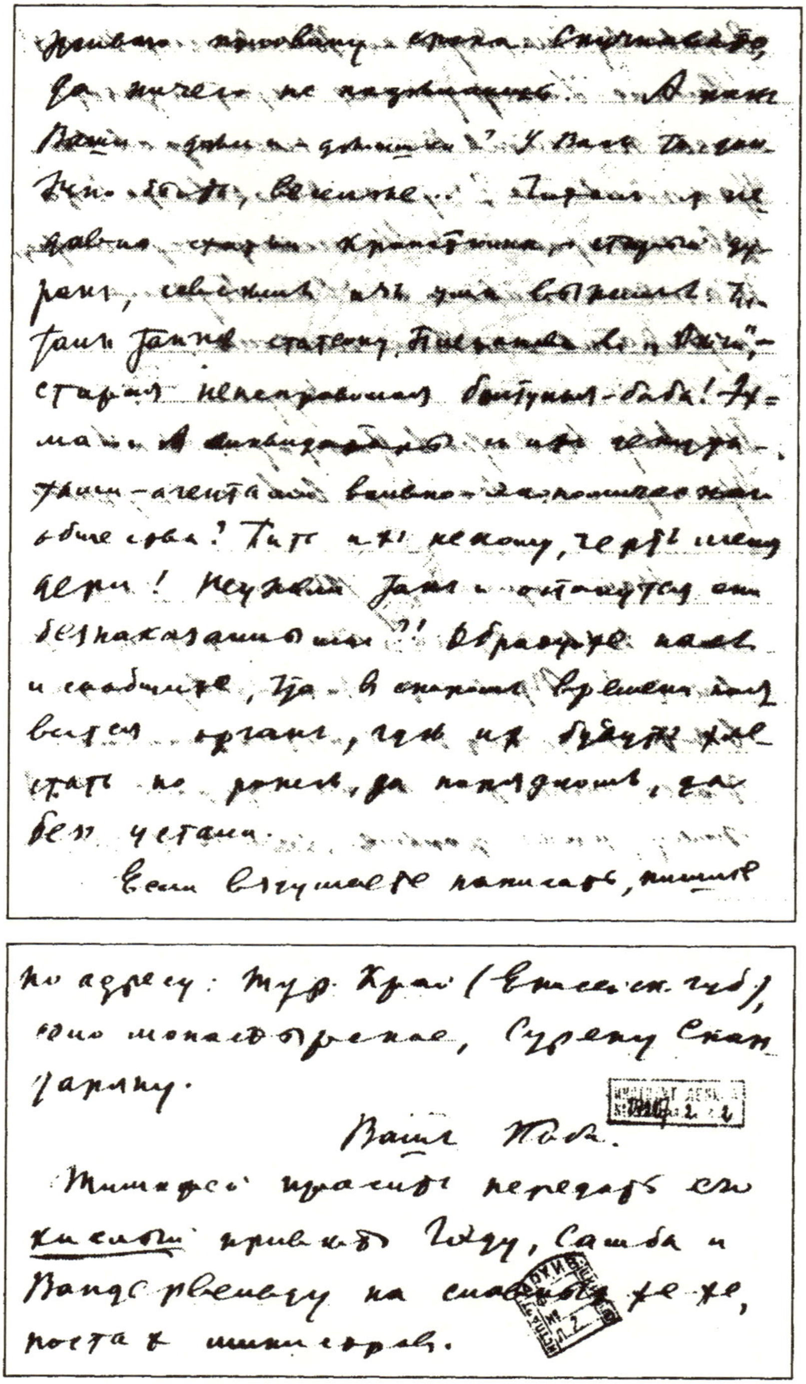

Excerto de uma carta de Stálin a Lênin, fevereiro de 1915.

E os liquidantes, com seu dinheiro da Sociedade econômica livre? Não há ninguém para surrá-los, diabos? Vão permanecer impunes?! Alegre-nos dizendo que logo irão criar-se meios que permitam esbofeteá-los sem parar, sem trégua... Seu Koba. P.S. Timóteo (Spanderian) pede que façam chegar a Guesde, Sembat e Vandervelde suas ácidas congratulações por seus gloriosos postos de ministros. Rá! Rá!"[24]

O Stálin repressivo aparece sutilmente por ocasião desse longo exílio, no qual a precariedade da vida parece tê-lo endurecido ainda mais; isso repercute na maneira como ele passa a conceber a luta contra aqueles com quem não concorda. Spanderian, com quem redigiu essa missiva, aparentemente compartilha seu ponto de vista.

Durante esse duro período de sua vida, foram os Alliluyev que mais se corresponderam com ele. Ajudavam-no na medida do possível, escrevendo-lhe cartas e enviando-lhe coisas úteis. Serguei também repassava-lhe o dinheiro proveniente da verba de auxílio do Partido. Dessa relação próxima restou apenas uma única carta, que Stálin enviou a Olga em 20 de novembro de 1915: "Sou-lhe muito grato, querida Olga Evguenievna, por sua bondade e pela pureza de seus sentimentos para comigo. Jamais esquecerei sua solicitude. Espero o fim de meu exílio e o momento de minha chegada a Petersburgo para agradecer-lhe pessoalmente por tudo, bem como a Serguei. Restam-me apenas dois anos. Recebi sua remessa, agradeço-lhe. Peço-lhe uma coisa: não gaste mais dinheiro comigo. Você precisa desse dinheiro. Eu ficaria muito contente se de quando em quando me enviasse cartas e cartões-postais com vistas da natureza etc. Neste canto maldito, as paisagens são pobres. No verão, o rio; no inverno, a neve. É tudo que a natureza oferece por aqui. Sinto saudades das paisagens contrastadas. Transmita meu bom-dia às crianças, desejo-lhes o melhor. Vivo como antes. Sinto-me bem. Talvez tenha me acostumado ao clima local, pois ele é severo. A temperatura nas últimas três semanas é de −45°C. Até a próxima carta, respeitosamente seu. Iosif."[25]

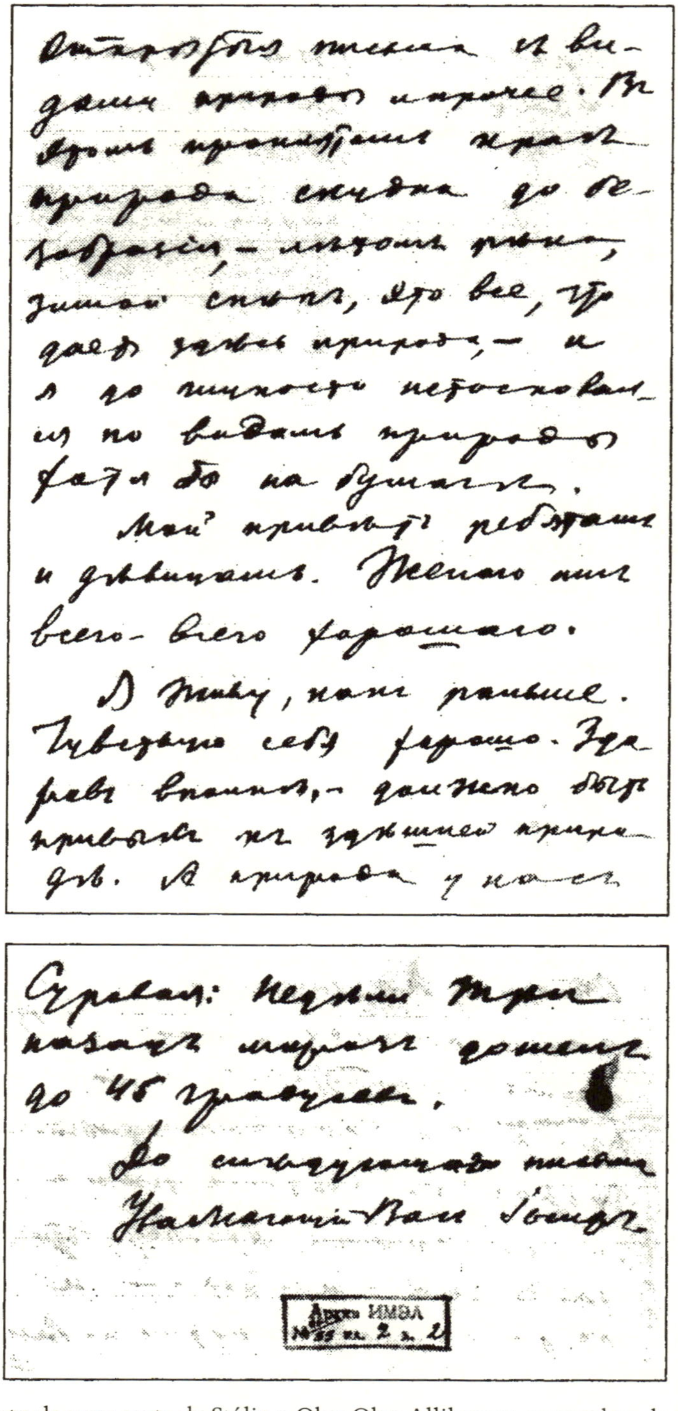

Excerto de uma carta de Stálin a Olga Olga Alliluyeva, novembro de 1915.

O TEMPO PASSOU, e Stálin parou de escrever. Seu artigo permanecera sem resposta. Em 25 de fevereiro de 1916, numa carta dirigida ao centro bolchevique no estrangeiro e expedida por intermédio de Inès Armand, Stálin perguntava por seu paradeiro. Envia um bilhete a uma certa srta. Émilie Mégroz para que esta o transmita à sra. Popoff, em Lutry, perto de Lausanne: "Escreva-me, por favor, sobre que destino teve o artigo de K. Stálin sobre a autonomia nacional cultural. Foi publicado, ou terá se perdido? Faz mais de um ano que tento obter sua publicação, mas não recebo notícias. Envie-me um cartão-postal com novidades sobre o artigo. Seu Iosif."[26]

Aparentemente perdido, esse texto de fato permaneceu inédito.

Em 14 de dezembro de 1916, Stálin foi encaminhado, por etapas, a Krasnoiarsk para alistar-se, mas dispensado em função de seu braço rígido. Em 20 de fevereiro, deixou Krasnoiarsk e foi para Atchinsk, onde recebeu autorização para morar até o fim da pena de exílio.

Esse lugarejo, onde em 1938 foi construído um museu sobre o exílio de Stálin, ficava no trajeto da Transiberiana, a quatro dias de trem de Petrogrado. Lev Kamenev e sua mulher Olga também viviam ali como exilados e Stálin conviveu com eles durante sua temporada nessa cidade – noites em que, taciturno, pouco intervinha nas conversas; quando eventualmente o fazia, Kamenev corria para lhe cortar a palavra com desprezo, fazendo com que Stálin se retraísse ainda mais, reacendendo seu cachimbo e não abrindo mais a boca.[27] Enquanto isso, Lênin não desistia de planejar a fuga de Stálin e Sverdlov; com esse propósito agendou para o início de 1917, uma reunião do Comitê Central. Pouco antes, enviou a Stálin 120 rublos.[28]

Mas eis que, sem que os bolcheviques se dessem conta, a Rússia lhes escapava, mergulhando por conta própria na revolução de fevereiro de 1917. Os distúrbios começaram em Petrogrado, estimulados pela guerra e seu cortejo de infortúnios. Manifestações e greves sacudiam a capital, e os soldados recusavam-se a atirar contra a multidão. O czar renunciou e, em 2 de março, o poder caiu nas mãos de um governo provisório formado sob os auspícios da Duma e presidido pelo príncipe Lvov. Os exilados políticos começaram a voltar para casa. No dia 8 de março, Stálin, os Kamenev e outros exilados embarcaram num trem em Krasnoiarsk, após enviarem um telegrama de saudações fraternas a Lênin. No caminho de volta, eram saudados nas estações por multidões inflamadas que cantavam a *Marselhesa*. Chegaram à capital no dia 12 de março.

Foi quando Stálin entrou para a História.

4. Na torrente da Revolução

O retorno do herói

Stálin dirigiu-se à casa dos Alliluyev assim que chegou a Petrogrado. O reencontro foi caloroso. Finalmente, o menino prodígio estava de volta, após um longo e rude exílio. Reuniram-se todos na casinha de subúrbio: Serguei, Olga e os filhos Fiódor, Anna e Nadejda. Somente Pável estava ausente. Stálin foi acossado por mil perguntas. Queriam saber tudo sobre sua experiência siberiana, os contatos que fizera por lá, como fora a viagem de volta. Iosif, felicíssimo de reencontrar a liberdade, com a Revolução em marcha e, talvez, quem sabe, a mulher amada, já usava de toda a sua habilidade para seduzir os amigos. Estava alegre, representava com talento cenas de sua vida de exilado e de seu recente encontro com as massas em polvorosa.

Passou a tarde e a noite na casa deles. Na manhã seguinte, saiu junto com Fiódor, Anna e Nadejda, que puseram-se à procura de um apartamento no centro da cidade para onde se mudar. Enquanto isso, ele iria à redação do *Pravda*. "Reserve um quarto para mim no novo apartamento. Não se esqueça", disse-lhes na hora de se despedir.[1] Já estaria apaixonado pela jovem Nadiucha, então com dezesseis anos? Corre na família que o namoro com Stálin teria começado quando ela tinha apenas catorze anos.[2] Para ela, de toda forma, era o retorno de um herói lendário. Sobretudo porque sempre lhe contaram que ele salvara sua vida quando, com apenas três anos de idade, ela quase se afogara ao cair de um embarcadouro – Sosso se atirara no rio para resgatá-la.

Nadejda Sergueievna Alliluyeva nasceu em 22 de setembro de 1901, em Baku. Sua infância foi no Cáucaso, onde seus pais moravam. Tinha, assim como os irmãos e a irmã, feições meridionais. As origens familiares eram, contudo, bastante heterogêneas. As poucas gotas de sangue cigano, da avó de Serguei, marcavam o aspecto e o caráter de Nadia. Sua beleza exótica era acentuada por um semblante altivo. Tinha um rosto bem-desenhado, levemente oblongo, seu perfil de camafeu marcado por sobrancelhas negras e densas, nariz aquilino, olhos castanhos sombreados por longos cílios e ressaltados por seus cabelos escuros, volumosos e lisos, usados em coque bem-puxado na nuca. A harmonia de seus traços evocava uma escultura de Brancusi. Desde a mais tenra infância foi doutrinada no bolchevismo, e a estatura de Koba, herói intrépido e indomável, que partira para tão longe e por tanto tempo, decerto inflamara sua imaginação. Estava acostumada a reencontrá-lo a cada fuga: o lar dos Alliluyev era o refúgio desse homem solitário, onde sentia-se em família. Lá, encontrava conforto junto aos velhos, sobretudo à matriarca. Apesar de jovem, Nadejda era mais fechada, mais determinada, e também mais séria que Fiódor, o intelectual sonhador, e a amável Anna, mais inclinada a fundar uma família. "Dos quatro filhos, todos cordiais e bondosos, mamãe era sem dúvida a mais equilibrada e obstinada. De personalidade forte, não recuava com facilidade em seus propósitos. Os outros eram mais cordatos", recorda sua filha Svetlana.[3] Foi uma mulher forte, tal como exigia a época em que se tornou adulta. E não foi acaso ter se apaixonado, desde a mais tenra juventude, por um personagem do porte de Koba, de caráter tão enigmático e intenso, e também tão imprevisível.

Por outro lado, como as outras crianças Alliluyev, era vulnerável e propensa à esquizofrenia da família da avó materna. Teria sido apenas "um bote acoplado num imenso transatlântico", como pensa Svetlana Alliluyeva?[4] Ou antes uma mulher de caráter complexo e irascível que, a despeito de tudo, soube resistir ao colosso que se tornara seu marido?

Por ora, em 1917, Stálin representava para a moça recém-saída da adolescência o modelo do intrépido revolucionário que sofreu, esteve várias vezes à beira da morte, mas sempre escapou. Era "o homem novo", que a Revolução deveria engendrar, bem como o construtor dos Tempos Modernos.

Quando os Alliluyev mudaram-se para um grande apartamento, à rua Rojdestvenskaia 10, reservaram imediatamente um quarto para Stálin. Ali, era reconfortado pela presença das duas irmãs, que sempre o esperavam até tarde da noite para servir-lhe uma refeição. Noites inesquecíveis para essas duas moças, que já participavam da Revolução em marcha – na época, Anna trabalhava em Smolny. Stálin contava-lhes sua vida pregressa, suas atividades do dia, lia para elas – não sem um certo talento – Tchekhov, Górki, Púchkin.

Para esse homem, que já se aproximava dos quarenta e para quem até então a vida não passara de infortúnio diário, luta encarniçada e prisão contínua, os momentos junto aos Alliluyev eram uma bênção. Percebeu de imediato que a caçula, ainda na escola, estava perdidamente apaixonada por ele. Afeiçoou-se a ela e terminou por se apaixonar também.

Ajudante de campo de Lênin

A primeira ação política de Stálin, recém-chegado à capital, foi sua entrada, junto com Kamenev e Muralov na redação do *Pravda*, dirigido então por Molotov. Durante as três semanas seguintes, na ausência de Lênin, foram Stálin e Kamenev que dirigiram o Partido em Petrogrado. Sua linha era centrista: considerando que a revolução socialista não era para amanhã, defendiam uma política flexível face ao governo provisório. Apesar da posição mais radical de Molotov, Stálin e Kamenev souberam impor seu ponto de vista, chegando para isso a criticar o próprio Lênin. Da Suíça, este, em suas "Cartas de longe", considerava o trabalho feito. Para ele, a revolução democrática já era página virada, cumprindo agora preparar a revolução socialista, e, para obter a paz – primeira exigência do povo –, era urgente derrubar o governo provisório. O *Pravda* publicou apenas uma das duas cartas e, mais uma vez, censurando boa parte dos ataques contra o governo provisório.[5]

Stálin continuava a preconizar uma política conciliadora, recusando-se a forçar os acontecimentos, não querendo perder a pequena burguesia. Daí o apoio ao governo provisório, defendido por Stálin e Kamenev por ocasião das jornadas de março. E, a fim de reunificar o Partido, foi mais uma vez Stálin quem propôs a abertura de negociações com os mencheviques. Em 3 de abril, o retorno de Lênin iria chacoalhar essa política moderadora. As "Teses de abril" puseram fim à política de apoio ao governo provisório. A intransigência revolucionária foi adotada como linha geral. "Sozinho contra 110", dizia Lênin, condenando as tentativas de aproximação dos mencheviques. A participação original de Stálin na Revolução Russa de fevereiro chegou então ao fim.

Nem por isso ele desistiu, num primeiro momento, junto com outros bolcheviques que conheciam bem a realidade do país, de opor-se à política pregada por Lênin. Em 6 de abril, no escritório russo do Comitê Central, Stálin e Kamenev mostram-se frontalmente contra as "Teses de abril". Lênin, que não obstante consegue impô-las, nem por isso é rigoroso com Stálin: concede-lhe, ao contrário, autonomia nas questões ligadas às minorias nacionais. Na conferência de abril, por exemplo, Stálin apresenta um relatório detalhado sobre a questão,[6] naquele momento uma das mais cruciais e delicadas. A desagregação do Império começara, e a ideia, cara a Lênin, do "direito das nações à autodeterminação" deveria ser aplicada. A Finlândia foi a primeira a querer deixar o Império. A Polônia seguia seu exemplo. Movimentos separatistas expandiam-se rapidamente na Ucrânia, na Transcaucásia e em outras regiões. Nesse ponto, Stálin inscrevia-se na mesma linha política de Lênin. Considerava que apenas o partido do proletariado deveria decidir sobre o assunto, levando em conta o desenvolvimento social e a luta de classes em cada região. "Pessoalmente, eu me oporia, por exemplo, à secessão da Transcaucásia e da Rússia."[7] "Sim, mas..." continuará sendo sua política face a essa questão. Com efeito, suas tendências centralizadoras podem ser lidas nas entrelinhas de suas análises.

Concordando com Lênin quanto à maneira de conceber a questão nacional, Stálin tornou-se naturalmente seu colaborador próximo. Lênin amparava-se cada vez mais nele, além de utilizar seus talentos e sua experiência de conspirador. Por ocasião dos acontecimentos de 3 e 4 de julho, os dirigentes bolcheviques decidiram na última hora juntar-se, a fim de enquadrá-la, à manifestação popular em Petrogrado – que exigia a renúncia do governo provisório e o fim do duplo poder do governo e dos sovietes. O governo provisório emitiu um mandado de prisão contra Lênin e outros chefes bolcheviques, acusados de fomentar distúrbios e atuar como agentes do Estado-maior alemão – e foi Stálin quem escondeu Lênin na casa dos Alliluyev, oferecendo-lhe seu quarto. Lênin permaneceu ali por alguns dias, o tempo de decidir se tomaria novamente o caminho do exílio ou se se renderia ao governo provisório. Stálin opôs-se à ideia de ceder a Kerenski,* convencido de que, em vez de ser preso, ele seria morto no momento em que se rendesse.

Para os Alliluyev, hospedar Lênin foi uma grande honra, e essa visita permaneceu gravada em suas memórias. "Um homem bastante modesto e cortês. Fazia perguntas e escutava as respostas com grande sinceridade", recordará Anna Sergueievna.

Stálin ia visitar Lênin diariamente e pedia a Olga para alimentar seu hóspede com o que tivesse de melhor. Lênin demonstrava a mesma preocupação com seu discípulo. Perguntava a Olga: "O que Stálin gosta de comer? Por favor, Olga Evguenievna, fique de olho nele, a cara dele não anda boa." Essas preocupações recíprocas divertiam Olga, que também guardará na memória a lembrança da simplicidade de Lênin quando ia conversar com ela na sala ou na cozinha.[8]

O perigo, contudo, estava cada vez mais presente. Serguei Alliluyev sugeriu a Lênin que deixasse a Rússia ou se refugiasse no golfo da Finlândia, na cidadezinha de Sestroretsk. Em 24 de julho, ele partiu e, para que não fosse reconhecido, Stálin serviu-lhe de barbeiro: raspou-lhe barba e bigode, deixando-o assim irreconhecível. Escoltado por Stálin e Alliluyev, Lênin alcançou a estação Finlândia e o apartamento dos Alliluyev tornou-se ra-

* Aleksandr Fiódorovitch Kerenski (1881-1970) foi um advogado trabalhista. Foi ministro da Justiça no governo provisório formado pelo príncipe Lvov após a abdicação de Nicolau II, em 2 de março de 1917, em favor de seu irmão, o grão-duque Miguel. Após a demissão deste (no dia seguinte), tornou-se ministro da Guerra em maio e primeiro-ministro e comandante em chefe dos exércitos em julho do mesmo ano. Em maio de 1918, embarcou em Murmansk para Londres, a fim de se radicar nos Estados Unidos.

pidamente sua caixa postal: todas as cartas secretas eram encaminhadas para lá, sob o controle de Stálin, que se encarregava de repassá-las.

Após a partida de Lênin, Stálin instalou-se de vez na casa dos Alliluyev, não sem uma ponta de remorso diante da ideia de fazê-los correr riscos com sua presença no apartamento. Mas Olga insistiu; sua família estava acostumada a desafiar a clandestinidade. Queria que Stálin tivesse finalmente um lugar adequado onde pudesse comer e dormir em condições decentes. Stálin terminou aceitando, para grande alegria de Nadejda.[9]

Guardou em seu quarto seus poucos pertences – livros, manuscritos e algumas roupas. Olga começou a cerzir suas roupas e terminou comprando-lhe um terno novo. Em troca, ele abastecia a mesa de sua família adotiva. Passava a maior parte do tempo livre com as duas irmãs, encontrando naquela casa a amizade, a devoção, o amor e o calor que sempre lhe haviam faltado.

Com Lênin e Zinoviev refugiados novamente na clandestinidade e Trótski e Kamenev na prisão, Stálin voltou à linha de frente, como no mês de março. Agora já era visto como um dos colaboradores mais próximos de Lênin, o que lhe conferia imenso prestígio. Foi portanto um novo Stálin que emergiu: o Stálin de julho era um leninista que trabalhava para a queda do governo provisório e anunciava a aproximação de tempos violentos.

Durante esses meses difíceis e perigosos (julho-outubro de 1917), Stálin não era o tribuno inflamado que viria a chamar a atenção dos observadores e permanecer na memória dos cronistas. Está ausente do livro de John Reed, *Dez dias que abalaram o mundo*, e é pouco evocado no de Nikolai N. Suhanov, *A Revolução Russa de 1917*. Contudo, à sua maneira discreta, ele subia na hierarquia. Ao chegar ao centro das decisões, figurando entre os principais cabeças do Partido, começava a agir como um líder. Em outubro, foi anunciado como um dos homens mais importantes para Lênin, ao lado de Zunoviev, Kamenev, Trótski, Sokolnikov e Bubnov.[10] Por fim, tornou-se ministro de Lênin, em seu primeiro governo após a tomada do poder* – seu primeiro cargo no governo,

* Na noite de 25 de outubro, o Comitê Revolucionário tomou de assalto o Palácio de Inverno, onde o governo provisório se encontrava entrincheirado. Às 14h35 teve início

que concretizou-se numa salinha de Smolny em cuja porta era possível ler, escrito a mão: "Comissariado do povo para as Nacionalidades".

Em 29 de novembro de 1917, Lênin, Stálin, Trótski e Sverdlov tornaram-se os quatro governantes encarregados de resolver as questões urgentes do país. Mais uma vez, Stálin exerceu a função de homem de confiança de Lênin, cumprindo missões delicadas. A salinha que lhe servia de ministério não ficava longe do gabinete de Lênin. Os dois telefonavam-se sempre, e Lênin frequentemente ia consultar Stálin a respeito de problemas do cotidiano.[11] Foi nessa época que Stálin realizou seu primeiro ato histórico, viajando a Helsinki na função de porta-voz de Lênin para conceder à Finlândia o direito à autodeterminação. Em compensação, no que se refere ao restante do Império, tanto Lênin quanto Stálin fizeram de tudo para deter as forças centrífugas, trabalhando para que a autonomia "nacional-territorial" se tornasse um meio eficaz de sovietização geral.

Um amor surgido entre a revolução e a guerra civil

A despeito de seus estudos e suas aulas de música, Nadejda não conseguia conter seus sentimentos. À noite, esperava Stálin, que nem sempre voltava, ou chegava tarde. Desde a Revolução de Outubro, sua vida ficara completamente absorvida pelos acontecimentos. Entre o fim de 1917 e o início de 1918, Nadia pouco viu seu herói.

A guerra civil começou em 1918. Com a pressão dos acontecimentos, o poder transferiu-se, em março, de Petrogrado para Moscou. Stálin obteve

---

a sessão extraordinária do soviete dos deputados operários e soldados de Petrogrado. Na ocasião Trótski declarou que o governo provisório havia sido derrubado, que o Parlamento fora dissolvido e os prisioneiros, libertados. Cabogramas comunicando a extinção do antigo poder foram enviados ao exército no campo. Recebido com entusiasmo, Lênin, fora de cena desde julho, finalmente apareceu. "Camaradas! A revolução operária e camponesa, cuja necessidade os bolcheviques explicaram incansavelmente, está consumada!" (Cf. Dimitri Volkogonov, *Staline, triomphe et tragédie*..., Paris, Flammarion, 1991, p.39.) Após a adoção do novo calendário, que apresentava uma defasagem de treze dias, o 25 de outubro – data histórica – passou a ser comemorado em 7 de novembro.

um gabinete e um pequeno apartamento no Kremlin, onde antes ficavam os quartos dos criados. No momento em que essa mudança se preparava, em 10 de março, ele escreveu a S.S. Pestkovski, seu vice-comissário para as Nacionalidades, para incluir na lista de evacuação do comissariado, na rubrica "Stálin e os membros de sua família", as seguintes pessoas: Serguei Alliluyev e Olga Alliluyeva, sua mulher.[12]

Assim que chegou a Moscou, Stálin contratou Nadejda como secretária. Em 12 de abril de 1918, despachava um bilhete manuscrito: "Forneça uma credencial a Nadejda Alliluyeva, empregada no comissariado popular para as Nacionalidades".[13] Documentos de arquivos atestam sua estreita colaboração em 1918: ao lado da assinatura de Stálin, encontramos a de Alliluyeva, que assina pelo secretariado.[14] Deve ter sido nesse momento que seu amor desabrochou. Os feitos de Stálin nesses dias memoráveis o tornavam ainda mais fascinante aos olhos daquela filha de um velho bolchevique. Passou a morar com ele em seu quartinho do Kremlin.

Não houve casamento, nem festa. A época não era propícia às cerimônias, e os casais bolcheviques se constituíam sem passar pelo registro civil. Poucas pessoas de seu círculo estavam a par de sua vida privada, que, de resto, não interessava a ninguém. A verdadeira vida estava longe dali: nos combates, nas conquistas, na repressão em nome do aperfeiçoamento da Revolução. Em 29 de maio, Stálin foi enviado como responsável à frente Sul. Nadejda o acompanhou até Tsaritsyn (que virou Stalingrado em 1924 e Volgogrado em 1962). Stálin ia investido de poderes extraordinários para a região do Volga, encarregado de organizar o abastecimento de pão para todo o sul da Rússia, bem como para Moscou e Petrogrado. Partiu num trem blindado, com um destacamento do Exército Vermelho e chegou em 6 de junho. Lá, Kliment Vorochilov dirigia o 10º Exército, que aderira ao novo regime. Assim que chegou, Stálin tomou as rédeas da situação; reorganizou as tropas e promoveu um expurgo feroz. Toda pessoa culpada de conspirar contra os bolcheviques era fuzilada sob suas ordens.

Nadia apareceu então pela primeira vez como esposa de Stálin, e foi nesse status que viajou ao seu lado no trem. Da manhã à noite, e às vezes noites inteiras, datilografava, codificando e decodificando os telegramas da linha direta de Stálin. O regime passava então por um dos momentos mais precários de sua breve existência. A fome era devastadora, as cidades viviam isoladas das aldeias. O pão era questão de vida ou morte para todos. Para remediar a situação, foi instaurado o "comunismo de guerra", com o envio do exército para confiscar o trigo nos campos.

Ao clima insurrecional ligado à guerra civil e à intervenção estrangeira acrescentava-se, durante esse verão de 1918, o terrorismo individual desencadeado pelos socialistas-revolucionários de esquerda. Para manifestar a oposição dos camponeses com relação à política, Iakov Blumkin assassinou o conde Mirbach, embaixador da Alemanha; em 30 de agosto, Uritski, chefe da Tcheka de Petrogrado, foi morto e Fanya Kaplan atirou em Lênin. Diante dessas ações, o governo deflagrou o Terror vermelho. "Cumpre mostrar-se impiedoso para liquidar esses infelizes aventureiros", telegrafa Lênin a Stálin em 7 de julho, antes de tornar-se igualmente vítima. "Tudo será feito para prevenir eventuais surpresas. Esteja certo de que nossa mão não tremerá...", respondeu-lhe Stálin.[15]

Nessa missão, Stálin levara consigo Serguei e Anna. A família Alliluyev compunha o secretariado. Stálin morava em seu trem. Mostrava-se amplamente acessível. Não tinha guarda-costas e vivia à sua maneira austera. Vivia exclusivamente para a Revolução, sem piedade consigo mesmo ou com os que o cercavam. Nessa época, foi amado por alguns e detestado por outros. Seu prestígio advinha do fato de ser visto como braço-direito de Lênin, mas, para os militares profissionais, não passava de um político.

Durante esse verão, Stálin mudou sua maneira de se apresentar e se vestir. Até então usava roupas civis. A partir desse período de guerra, adotou o uniforme semimilitar e passou a usar botas. Conservou esse estilo praticamente até o fim da vida.[16] Tinha um aspecto ainda jovem e, a despeito da baixa estatura, era magro e mantinha uma postura ereta, o que lhe conferia certa imponência.

Suas primeiras desavenças com Trótski envolviam um tema político que na verdade só fazia cristalizar a antiga rivalidade decorrente de sua relação – que todos queriam privilegiada – com Lênin. Stálin opunha-se ao papel crescente que Trótski, comissário para a Guerra, atribuía aos especialistas militares oriundos do antigo Exército czarista. Escreveu a Lênin: "Você pode estar certo de que não pouparemos ninguém e entregaremos o trigo apesar de tudo. Se nossos 'especialistas' militares (incompetentes!) fizessem algo além de dormir e catar pulgas, a linha não teria sido cortada e, se a linha for restabelecida, não será graças aos militares, mas a despeito deles."[17] A traição de alguns ex-oficiais do Exército czarista só fez confirmar a suspeita de Stálin.[18] E ele reivindicou poderes militares. De toda forma, recusava a autoridade de Trótski e tratava todas as questões de ordem militar diretamente com Lênin, passando por cima de Trótski, quando, de um ponto de vista hierárquico, deveria mantê-lo informado. "Se Trótski continuar a distribuir mandatos para todo lado sem pensar ... podemos ter certeza de que daqui a um mês as coisas irão piorar para nós no Cáucaso do Norte, e perderemos definitivamente esse território ... . Para levar as coisas a bom termo, necessito de poderes militares. (Caso contrário) eu mesmo demitirei, sem formalidades, os comandantes ... que torpedeiam nossa obra ..., e certamente não será a falta de um papel de Trótski que irá me deter."[19] De tanto insistir, obteve efetivamente os poderes militares que reivindicava, e os conflitos com Trótski exacerbaram-se. O comissário para a Guerra telegrafou em 4 de outubro a Lênin: "Exijo categoricamente a demoção de Stálin." Lênin cedeu e chamou Stálin de volta a Moscou. Em 9 de outubro, antes de partir, Stálin enviou um bilhete lapidar, aparentemente escrito às pressas, a Trótski: "Peço que deixe de me considerar membro do soviete revolucionário da frente Sul."[20] Em consequência, toda a região militar do Cáucaso do Norte tornou-se o centro da oposição à política de Trótski. Stálin começou então a formar sua própria base política. Vorochilov, Ordjonikidze, Budienny e o núcleo do grupo de Tsaritsy foram seus primeiros adeptos.

Imediatamente após a chegada de Stálin a Moscou, Lênin nomeou-o membro do Conselho Revolucionário da Guerra e, em 30 de novembro, ele ingressou, junto com Lênin e Trótski, no Conselho para a Defesa.

Entre uma missão e outra no front, vivia com sua jovem esposa. Sinal da pobreza da época, em uma anotação rabiscada a mão, em 6 de março de 1919, pede que lhe forneçam um tapete para uma sala com dois metros de largura. Singelo privilégio, mas o tapete foi prontamente entregue.[21]

Em janeiro de 1919, partiu para a frente oriental para assistir *in loco* à queda de Perm.

Em maio foi enviado a Petrogrado, ameaçada pelas forças contrarrevolucionárias dirigidas pelo general Iudenitch. Lá permaneceu durante todo o mês de junho. A ordem aos exércitos que defendiam a cidade, assinada por ele junto com Zinoviev, nos dá uma ideia sobre a atmosfera dessa época: "A presente ordem declara: as famílias de todos aqueles que se juntarem aos brancos serão imediatamente presas onde quer se encontrem; as terras desses traidores serão imediatamente expropriadas para sempre; todos os bens dos traidores serão confiscados; não há retorno possível para os traidores para qualquer território da República, a ordem é fuzilá-los no próprio local; as famílias de todos os chefes militares que traírem a causa dos operários e camponeses serão tomadas como reféns. Apenas o retorno imediato para o lado dos operários e camponeses da Rússia soviética, com a deposição das armas, pode salvar os instáveis de uma pena sem compaixão. Quem estiver a favor da Rússia camponesa e operária, e contra os traidores da Rússia, deve integrar o Exército Vermelho e lutar contra os brancos até seu completo extermínio. Soldados do Exército Vermelho, é sua terra que vocês defendem, é o poder dos operários e camponeses, é sua querida Rússia camponesa e operária. Os brancos querem o retorno do czar, da escravidão. Os brancos estão vendidos aos burgueses ingleses, franceses, alemães e finlandeses. É imperioso matar até o último dos brancos, sem o que não alcançaremos a paz. Quem der um único passo na direção dos brancos merecerá a morte imediata. A presente ordem deve ser lida em todos os destacamentos."[22]

Petrogrado foi salva, e os bolcheviques puderam parar de lutar nesse front, ao menos até o outono. Em 3 de julho, cumprida sua missão, Stálin retornou a Moscou. Por sua ação em Petrogrado, foi condecorado com a ordem da Estrela Vermelha. "No momento do perigo mortal, quando o poder soviético, cercado de maneira implacável pelos inimigos, respondia aos ataques do adversário, quando os opositores da revolução camponesaoperária aproximavam-se em julho de 1919 de Krasnaia Gorka, nesse momento Iosif Vissarionovitch Stálin..., com energia e dedicação, conseguiu reagrupar o Exército Vermelho. Achando-se pessoalmente na linha de frente e sob fogo, inspirava com seu exemplo pessoal todos aqueles que lutavam pela república soviética", registra a ordem do Comitê Revolucionário Militar da República, no dia 31 de dezembro de 1919.[23]

Nadejda, secretária de Lênin

Nadejda não acompanhou Stálin a todas as frentes de batalha aonde a guerra civil o levava. De volta a Moscou após a aventura da frente Sul, ela filiara-se ao Partido e empregara-se no secretariado do Conselho dos Comissários do Povo (Sovnarkom), onde trabalhava com Lydia Fotieva, coordenadora de todo o secretariado de Lênin. Atribuíram-lhe tarefas de caráter secreto. Perfeccionista, era cuidadosa e responsável no trabalho. Apreciando essas qualidades, Lênin pedia frequentemente que lhe atribuíssem tarefas mais delicadas.[24] Enquanto durou a guerra civil, Stálin não teve muito tempo para lhe dedicar, mas o casal parecia estabilizar-se. Ele encontrava em Nadejda uma pessoa de confiança com quem desabafar e, às vezes, se aconselhar. Paralelamente às atividades como secretária de Lênin, ela realizava diversas tarefas para ele. Ele lhe ditava seus artigos, ela recebia seus convidados – em suma, devia sempre, quando ele estava presente, mostrar-se à sua disposição. Certo dia, Nadejda chegou a seu gabinete de trabalho e avisou a Fotieva que Stálin queria que ela parasse de trabalhar para Lênin, pois não lhe estava dedicando tempo suficiente. Quando Lênin foi avisado, chamou Stálin de "*aziat*" e prometeu intervir se Nadejda não voltasse. Como ela compareceu no dia seguinte, tudo entrou nos eixos, e Lênin não foi obrigado a interferir nas relações conjugais de seu discípulo.[25]

NESSA ÉPOCA, o mais duro para Nadejda foi acostumar-se ao caráter difícil de Stálin, seu humor instável, seus caprichos e sua rudeza. Ela sofria diretamente com sua violência. Ele era particularmente severo com ela, ignorando seus focos de interesse[26] e não levando em conta sua juventude. Nadejda era uma mulher determinada, independente, e não podia ser a esposa submissa que Stálin conhecera no primeiro casamento. Desde o início, esses dois temperamentos fortes tiveram dificuldade para se adaptar um ao outro. O amor profundo que ela sentia por ele permitiu-lhe fundar uma família e forjar seu próprio caráter na sombra do marido – mas quanto tempo duraria a paixão romântica pelo companheiro? Difícil datar o momento em que surgiram as primeiras fissuras.

Em 1919, quando a guerra civil parecia ganha e os bolcheviques tiveram de começar a estabilizar a Revolução, o regime expropriou centenas de palacetes, mansões e casas de campo abandonadas pelos proprietários, que haviam fugido para o exterior ou perecido nos embates da guerra civil. A maioria desses prédios foi transformada em hospitais, asilos para crianças abandonadas, os famosos *besprizornkis*, casas de repouso. Houve também uma dezena de mansões, não distantes da estação de Ussovo, à beira do Moscova, que foram alugadas a certos dirigentes do Partido. Stálin, Vorochilov e Mikoian receberam datchas antes pertencentes a uma rica família de industriais do petróleo, os Zubalov. A mansão de Stálin, conhecida como nº4, menor e mais afastada das outras, foi, durante cerca de dez anos, o palco de sua vida em família.[27] Nadejda tentou criar uma atmosfera calorosa, proporcionando a Stálin um porto seguro. No início, pareceu que conseguiria. Nessa época, todos os que os rodeavam eram pobres e partilhavam os costumes bolcheviques de austeridade. A vida do casal era modesta. Em março de 1921, nasceu Vassili. Nadia, no começo, fizera questão de exercer seus direitos de mãe, o que a levou a negligenciar o trabalho, coisa inadmissível para os costumes da época. Em consequência disso, foi expulsa do Partido "por atividade social insuficiente". Foi preciso a intervenção de Lênin para explicar à comissão a situação da jovem mãe e, principalmente, para lembrar quem eram os Alliluyev: "Acho indispensável levar em conta o fato de que conheço toda a família Alliluyev ...

desde a Revolução de Outubro. Durante o mês de julho em especial ..., essa família nos abrigou e todos gozavam da confiança dos bolcheviques na época. Eles nos esconderam e nos prestaram inúmeros favores, sem os quais não teríamos escapado de Kerenski..."[28] Mesmo assim, Nadejda só foi reintegrada ao Partido em 1924.

Com o tempo, os dirigentes do Partido obtiveram facilidades para contratar empregados domésticos, governantas e educadores. A família deveria passar ao segundo plano, e as esposas dos dirigentes integrar-se à atividade política e social do Partido e do Estado.

Após o nascimento de Vassili, o lugar onde moravam tornou-se impraticável. Lênin interveio de novo: "Camarada Belenki", escreve em novembro de 1921 ao chefe de sua guarda, "não podemos encontrar nada de melhor para Stálin? Lênin." Escreveu também a Enukidze,* pedindo-lhe para acelerar a disponibilização de um apartamento mais confortável para Stálin. Terminarão por encontrar um, embora ainda longe do ideal.

Nadia continuou a trabalhar para Lênin, mesmo depois que ele sofreu uma síncope, em 1922, e continuou até ele morrer. Ela gozava da confiança do *Vojd*, além de conhecer segredos de que nem o Escritório Político estava a par. Soube manter silêncio diante do marido, ele próprio recebendo as informações através de Fotieva, que, desde essa época, passara para o seu lado.[29]

Em 1921, Iakov, o primogênito, foi morar com o pai em Moscou, onde ingressaria no liceu. Era um adolescente alto e bonito, porém tímido e indiferente. Stálin, que não tolerava seu temperamento meridional, logo entrou em choque com ele. Iakov, contudo, empenhava-se na escola e se esforçava para agradar àquele homem severo a quem amava, mas que o intimidava. Sentia saudades de sua Geórgia natal. Adaptava-se com dificuldade à nova vida e padecia para acompanhar as aulas, ministradas em russo. Adoecia com frequência. Felizmente, tinha a amizade de Nadejda, que adotou prontamente o enteado, apenas seis meses mais moço. Em suas cartas à mãe de Stálin, a nora informa à velha Keke sobre a evolução do neto: "Iacha já vai à escola. Seus estudos não vão mal, embora ele tenha

---

* Abel Safronovitch Enukidze era membro do Presidium do Comitê Central executivo.

dificuldade para aprender sozinho. Mas Iosif proibiu contratar alguém.", escreve em 8 de outubro de 1922. Sendo ela própria dura na queda, Nadia não podia abster-se de criticar o temperamento lento e dolente do enteado. Num mundo em que o trabalho tornava-se o valor essencial, o fato de ele não ser o primeiro da classe parecia um fracasso a Stálin, que se lembrava do garoto prodígio que ele mesmo fora. "Iakov é um bom rapaz, embora preguiçoso", escrevia novamente Nadejda em 1º de maio de 1923. "É por isso que seus estudos vão mal. Ele está do tamanho de Iosif, só a fisionomia não é a mesma."[30]

A família tentou reunir-se. Em 1922, Keke chegou de Gori. Foi uma visita breve: não gostava de morar no Kremlin e, devota, repugnava-lhe a visão das igrejas fechadas. Após um rápido retorno a Gori, instalou-se definitivamente em Tíflis, no palácio governamental, onde ocupou, até o fim de seus dias, um único quarto. Conservara sua rotina: ia à igreja e recusava os privilégios que lhe ofereciam. De longe, acompanhava a extraordinária carreira do filho, sem dela compreender muita coisa. Preocupava-se constantemente com sua saúde, enviando-lhe regularmente seus doces preferidos e tricotando meias para os duros invernos moscovitas. Era incessantemente convidada a retornar: "Nós a esperamos aqui em casa", escrevia-lhe Nadejda em 1º de maio de 1923. "Mas a senhora não pôde vir. Em Moscou faz muito frio e, para a senhora, que está acostumada ao calor, isso seria nefasto. Mas no verão, quando é tão quente como em Tíflis, nós a esperamos aqui em casa ... Incondicionalmente. A senhora irá com Vassia para a datcha. Tudo sairá a contento, e o essencial é que veja Iosif, a quem tanto ama."[31] Mas ela não se atrevia mais à viagem, adiando indefinidamente a data de suas visitas. Volta e meia mostrava-se contrariada com a falta de contato por parte do filho. "Bom dia, mamãe", escreve ele em 25 de janeiro de 1925. "Sei que está chateada, mas não há nada a fazer. Sou muito ocupado e não posso lhe escrever com maior frequência. Estou atarefado dia e noite, é por isso que não lhe proporciono alegria com minhas cartas. Viva mil anos. Seu Sosso."[32] Alguns meses depois, cabia a Nadia tranquilizá-la: "Iosif está muito ocupado. Escreva aquilo de que precisa que enviaremos de Moscou. Não se preocupe com a saúde de Iosif, ele está comendo seu doce e se lembra de você. Obrigada por tudo."

Com efeito, como poderia ser de outra forma? Como ela poderia acompanhar e compreender o que ele fazia na época?

A marcha para o poder

No outono de 1919, Stálin dirigiu-se novamente ao Sul para deter as investidas dos brancos em direção a Moscou após a tomada de Orel por Denikin. Em maio de 1920, foi nomeado comissário político para a frente Sudoeste. Concluiu sua missão, durante a guerra civil, no front de Lvov, por ocasião da guerra polaco-soviética de 1920.* Stálin – por uma vez concordando com Trótski – opunha-se à vontade de Lênin de tomar Varsóvia e exportar a Revolução pela ponta das baionetas do Exército Vermelho. Contudo, enquanto Trótski, Dzerjinski e Radek continuavam na contracorrente de Lênin, Stálin terminou por alinhar-se a seu ponto de vista. O ataque principal foi incumbido a um ex-oficial czarista convertido ao bolchevismo, Mikhail Tukhatchevski, que provara sua confiabilidade e competência durante a guerra civil. Stálin e o comandante da frente Sudoeste, Egorov, receberam ordens para recrutar um forte contingente e despachá-lo para o norte a fim de apoiar o avanço de Tukhatchevski rumo a Varsóvia. Stálin recusou-se a obedecer, dando prosseguimento a sua operação independente junto com o exército de cavalaria comandado por Budienny, que pretendia apoderar-se de Lvov. Quando os poloneses, apoiados pelos aliados ocidentais, lançaram o ataque contra Tukhatchevski

* Em 8 de maio de 1920, as tropas polonesas e ucranianas petliuristas, sob o comando de Pilsudski, entram em Kiev. Em julho, o Exército Vermelho investe contra Varsóvia. À sua frente, Tukhatchevski declara: "A revolução mundial passará sobre o cadáver da Polônia." A batalha de Varsóvia (13-19 de agosto de 1920) é um golpe desferido contra a progressão da Revolução na Europa Oriental. Os grandes vencedores são Pilsudski e o general Weigand, delegado do alto-comando aliado. O grande perdedor é Lênin. (Cf. *La Guerre polono-soviétique de 1919-1920*, Paris, Institut d'Études Slaves, 1975.)

em 16 de agosto, o Exército Vermelho foi vencido. Uma controvérsia que durou anos dividia os bolcheviques: quem fora o responsável por aquele fracasso? Datam daí os primeiros e ríspidos desentendimentos entre Stálin e Tukhatchevski – e não seriam os últimos.

Estabelecendo no exército um "regime de grão-duque", segundo a fórmula de Trótski, isto é, recusando-se a obedecer aos oficiais superiores e assim correndo o risco de desestabilizar todos os níveis do comando, como os aristocratas na época czarista, Stálin desafiava a hierarquia e tinha uma confiança inquebrantável em seu próprio tino. Seus traços de caráter, o rancor, a rudeza e o autoritarismo estavam subordinados a uma característica constante nele: a fé incondicional nas virtudes da Revolução. Sua inteligência e força de trabalho impunham-se a despeito dos defeitos que os mais próximos já lhe apontavam: construíra a imagem de um chefe enérgico, capaz de captar uma situação complexa e a ela reagir de maneira eficaz.[33]

No seio do Partido, sua maneira de ser agradava e correspondia aos tempos difíceis do "comunismo de guerra", e, quando a Comissão para Inspeção Operária e Camponesa (Rabkrin) foi criada em 1920, Lênin nomeou-o para presidi-la. Assim foi se instalando uma simbiose entre um "mundo" e o homem que encarnava seu "espírito", segundo a concepção hegeliana da unidade histórica. Esses tempos heroicos e trágicos haviam determinado o estilo e o espírito de Stálin, que saía dessas provas como o produto da história em marcha. Desse encontro decisivo nasceria um "mundo novo". Para a época que se anunciava e o sistema então instaurado, um chefe capaz, sensato e aparentemente de posições moderadas seduzia mais que as maneiras altivas e as teses radicais de Trótski – seu único verdadeiro rival. A imagem de Stálin lhe contrastava como a de um revolucionário severo, austero e popular.

Stálin vivia entre o indispensável trabalho de organização e a inclinação pela reflexão doutrinal focada numa ideia-mestra: como alcançar novas conquistas revolucionárias?

Em 3 de abril de 1922, por ocasião de uma plenária do CC, Stálin foi nomeado secretário-geral, posto recém-criado. Embora a nova função não fosse considerada fundamental, ele saberá dar-lhe peso no futuro.* Acumulava doravante três funções no Partido: membro do Politburo, do Escritório para Organização (Orgburo) e secretário-geral. No Estado, ocupava dois cargos de ministro: comissário do povo para as Nacionalidades e comissário do povo para a Inspeção Operária e Camponesa. Era também, entre outras coisas, membro do Conselho Militar Revolucionário da República, membro do Conselho do Trabalho e da Defesa...[34] Compreensível que tivesse pouco tempo para escrever cartas à mãe, ainda mais levando-se em conta a iminente sucessão de Lênin.

Em março de 1919, Sverdlov morrera de gripe espanhola; em maio de 1922, Lênin sofreu seu primeiro ataque. Trótski e Zinoviev almejavam a direção do Partido. Stálin queria tudo.

Desavenças com Lênin

A guerra civil fora vencida pelos bolcheviques, mas Lênin tinha consciência da situação catastrófica do país, que saíra arrasado de todas essas provações. Na primavera de 1921, ele deu por encerrada a fase do "comunismo de guerra" – aboliu o confisco de grãos e outros gêneros alimentícios, substituindo-o por impostos e liberdade para os camponeses venderem o excedente. Em seguida, a empresa privada – pequena e média – foi reintroduzida na indústria e no comércio, e o capital estrangeiro recuperou seu espaço. O Estado reservava-se a prioridade da grande indústria, do comércio exterior, dos transportes e o controle do conjunto da economia. Desenvolveu-se uma economia mista fervilhante, que ficará conhecida como NEP, Nova Política Econômica.

Stálin deu seu apoio incondicional a Lênin na implantação das medidas. Ironicamente, era na solução da questão nacional no novo con-

* Ele agrupa então à sua volta diversos homens de confiança, que logo associam as carreiras à sua: Molotov, Kaganovitch, Mikoian. Formou também seu próprio gabinete "secreto", tendo Ivan Tovstukha como principal assessor. Havia também Boris Bajanov (que se refugiou no Ocidente em 1928), Lev Mekhlis, Gricha Kanner, Aleksandr Poskrebytchev.

texto soviético que os dois homens iriam se bater de frente – o mesmo problema que os havia aproximado inicialmente. Foi em torno do "caso georgiano" que suas primeiras discordâncias se manifestaram. Era preciso redefinir as relações entre a Federação da Rússia e as repúblicas da União – Ucrânia, Bielorrússia, Geórgia, Azerbaijão e Armênia. Em 1922, Stálin foi colocado à frente de uma comissão encarregada de encontrar as respostas adequadas. O projeto que ele próprio redigiu reproduzia o modelo da Federação da Rússia, visando à adesão, com um status de autonomia, das repúblicas a essa Federação.[35] Fazia igualmente questão de que as três repúblicas caucasianas integrassem a Federação da Rússia como uma entidade única: repúblicas transcaucasianas. Os comunistas georgianos opuseram-se imediatamente, buscando salvaguardar sua independência política e defendendo um vínculo autônomo da Geórgia com a Federação da Rússia. Lênin solidarizou-se com eles. Stálin cedeu, a contragosto, às exigências de Lênin, que propôs a criação de um novo Estado, uma União das Repúblicas Socialistas Soviéticas, no âmbito da qual a Rússia teria direitos iguais aos das outras repúblicas. Em 30 de dezembro de 1922, um tratado sobre a formação da URSS estabeleceu as diretrizes da Constituição soviética de 1924.[36]

Porém, a despeito do caso georgiano, Stálin não se eximiu de manifestar reservas quanto à posição de Lênin. Criticou-o abertamente em privado e em sua correspondência com colegas, como Ordjonikidze ou Vorochilov. Considerava o "velho", tal como o chamava, ultrapassado e em idade de se aposentar. Referindo-se a ele como alguém que estava fora do jogo, o grupo de Stálin evoluía à margem do que pensava o *Vojd*.[37]

Em outubro de 1922, quando Lênin retomou as rédeas da situação, pouco tempo depois de sua síncope, não demonstrava mais a mesma capacidade de trabalho nem sua antiga tenacidade. Às vezes mostrava-se confuso e, não raro, deprimido. Sabia-se condenado. Quis então preparar sua sucessão. Estava com pressa e ditava incessantes memorandos, mensagens e cartas. Em 23 de dezembro, começou a ditar a M.A. Voloditcheva, uma das secretárias, sua "Carta ao Congresso", mais tarde conhecida como o "Testamento". Recomendava com insistência ao próximo congresso que executasse uma série de mudanças no sistema político soviético. Continuou a ditar a "Carta" diariamente até 26 de dezembro: "Penso que a presença no CC de membros como Stálin e Trótski é uma ameaça à estabilidade … . Ao ser nomeado secretário-geral, o camarada Stálin concentrou em suas mãos um poder imenso, e não estou certo de que saberá utilizá-lo sempre com suficiente prudência … . Por outro lado, o camarada Trótski … demonstra ao mesmo tempo excesso de segurança e entusiasmo para a administração das coisas." Em 4 de janeiro de 1923 ditou um "complemento" à "Carta": "Stálin é muito grosseiro … . Proponho aos camaradas … afastar Stálin desse posto." E enunciou as qualidades necessárias para ocupá-lo, que Stálin não detinha: ser tolerante, leal, educado, afável com os camaradas, menos volúvel. Obcecado pelas possíveis cisões no Partido após sua morte, queria acima de tudo salvaguardar essa unidade.*

Lênin exigiu que esse documento permanecesse secreto: apenas Krupskaia, sua esposa, estaria autorizada a abri-lo após sua morte. Lydia Fotieva, contudo, informou seu teor a Stálin e outros membros do Politburo. Nadia também estava ciente. O que pensava ela de tudo isso? Que eco provocaram-lhe as considerações de Lênin sobre seu marido? Nunca saberemos.

A "Carta" será lida por ocasião do XIII Congresso do Partido, em maio de 1924. Embora seu impacto sobre os delegados tenha sido dramático, eles acrescentaram-lhe uma recomendação no sentido de Stálin ser mantido no posto de secretário-geral, com a condição de que corrigisse seus defeitos. Stálin chegou a sugerir a própria demissão. Todos, inclusive Trótski, Kamenev e Zinoviev, recusaram-na.

A ESSE PANO DE FUNDO somava-se um conflito de ordem privada. Em 22 de dezembro de 1922, Stálin – encarregado desde o dia 18 da vigilância do regime prescrito a Lênin por seus médicos – criticou asperamente Krupskaia

* Em sua "Carta", Lênin lembrava o passado não bolchevique de Trótski, bem como os erros cometidos em outubro de 1917 por Zinoviev e Kamenev, que, em sua opinião, não haviam sido acidentais.

por ter deixado que o marido escrevesse cartas e ameaçou levá-la perante o Comitê Central. No dia seguinte, ela contou o incidente a Kamenev, e só o relatou a Lênin em 5 de março de 1923. Nervoso, este escreveu imediatamente a Stálin: "Estimado camarada Stálin. Você cometeu a afronta de telefonar para minha mulher e ofendê-la. Embora aceitando esquecer o que foi dito, ela não deixou de comentar o assunto com Zinoviev e Kamenev ... . Não tenho a intenção de esquecer o que foi feito contra mim, pois julgo desnecessário dizer que o que é feito contra minha mulher é feito contra mim. Devo então pedir-lhe para decidir se está ou não disposto a retirar suas palavras e desculpar-se ou se prefere romper qualquer tipo de relação entre nós. Meus respeitos, Lênin." Stálin respondeu imediatamente numa carta manuscrita, que transmitiu por intermédio de Voloditcheva. "Camarada Lênin. Há cinco semanas tive uma conversa com a camarada Nadejda Konstantinovna, que considero não somente sua esposa, como também uma velha camarada de partido, e disse-lhe aproximadamente o seguinte (ao telefone): 'Os médicos (nos) proibiram de dar a Ilitch informações políticas, pois eles estimam que é o meio mais eficaz de tratá-lo. Acontece, N.K., que você não respeita esse regime. Não podemos brincar com a vida de Ilitch...' Penso não ter dito nada de brutal ou intolerável, ou dirigido contra você, pois não tenho outro desejo senão seu pronto restabelecimento. Mais que isso, julgo meu dever zelar para que esse regime seja respeitado. Minha conversa com N.K. confirmou que minhas suspeitas eram infundadas; aliás, não podia ser de outra forma. Agora, se você acha que para preservar nossas 'relações' eu deveria retirar o que disse, retiro-o, embora me recuse a compreender onde está o problema, em que consiste meu erro e o que querem de mim. I. Stálin."[38]

Após sua síncope de 10 de março de 1923, Lênin não era mais capaz de escrever notas e cartas, tampouco de escutar a leitura de sua correspondência. É pouco provável ter sido informado da resposta de Stálin.

Durante o verão e o outono de 1923, seu estado melhorou ligeiramente: conseguia caminhar lentamente em seu quarto, apoiando-se numa bengala, e exprimir-se por meio de gestos e sinais. Em 18 de outubro, fez uma visita-relâmpago ao Kremlin, a seu apartamento. No dia seguinte, foi ao seu gabinete do Sovnarkom e fez um passeio de despedida por Moscou. Esgotado, retornou a Górki. Nos últimos meses de vida, viu pouca gente. Recebeu o irmão, Dimitri. Recusou-se a ver Bukharin, e alguns membros do Politburo ou do governo não podiam vê-lo senão de longe. Stálin e Trótski não procuraram mais cansá-lo com sua presença.[39]

Morreu em 21 de janeiro de 1924.

Muitos historiadores sugerem que, no fim da vida, Lênin teria se tornado inimigo de Stálin. Além do fato de Lênin, durante esse período de conflito, estar doente – logo, de certa forma, com o humor instável –, este não era seu primeiro incidente nem com Stálin nem com outros assessores próximos, como Zinoviev, Kamenev e, sobretudo, Trótski. Lênin nunca deixara de manifestar opiniões contrárias às de seus colaboradores. Quem sabe a cumplicidade que o ligava a Stálin teria sido mais forte que essa rusga de última hora? No meu entender, Lênin criticava em Stálin alguns traços de caráter, não suas insuficiências políticas. Quanto a Stálin, apesar das reservas e dessa querela final, a afeição que tinha pelo líder e a admiração que lhe dedicava eram profundas. Para ilustrar sua fidelidade, havia sempre um retrato de Lênin na parede de seu gabinete, acima do qual uma lâmpada permanecia acesa 24 horas por dia. Num outro recinto, reinava um busto de Lênin que Stálin levava consigo a cada vez que tirava férias.[40] Podemos igualmente pensar que consolidou seu poder mediante o culto a Lênin. Entretanto, creio que, com o tempo, Stálin era sincero com relação à memória daquele a quem devia grande parte de sua carreira política.

5. Entre vitórias políticas e reveses familiares

Uma família como as demais

Após a morte de Lênin, Nadejda Alliluyeva deixou o secretariado do Conselho dos Comissários do Povo e trabalhou por um tempo na redação da revista *Revolução e Cultura*, que era um suplemento do *Pravda*. Ali permaneceu até 1929, data em que começou a cursar a recém-criada Academia Industrial, terminando por especializar-se em fibras artificiais. Embora não cuidasse diretamente dos filhos, tentava, bem ou mal, criar uma atmosfera de família para Stálin. Nem por isso deixava de se sentir dividida entre seu senso do dever familiar, a necessidade de trabalhar e a indispensável formação profissional que os novos tempos exigiam. "Lamento que a família me pese tanto", escrevia ela a Maria Svanidze (ex-cunhada de Stálin, que se tornara sua grande amiga) em 11 de janeiro de 1926, quando estava grávida de Svetlana. "Em nossa época isso não é fácil, pois há uma penca de novos preconceitos. Se não trabalhamos, somos 'preguiçosas', ainda que julguemos o trabalho sem qualificação desprovido de interesse. Se eu me dedicasse agora à minha família, não poderia pensar na formação profissional ... . Você não pode imaginar como é difícil executar qualquer tipo de trabalho tendo apenas o salário como objetivo. É imprescindível ter uma especialização para evitar virar uma faz-tudo, o que acontece muito no trabalho de uma secretária."[1]

Em 28 de fevereiro, nasceu Svetlana. "Dei à luz uma bonita menina que chamamos Svetlana", escreveu Nadia à sogra em 14 de abril de 1926, emendando: "Iosif está muito ocupado, cansado e doente."

Com efeito, Stálin tinha problemas numa perna e reumatismo articular no braço. Foi esta, por sinal, a razão pela qual esteve frequentemente de licença durante essa segunda parte dos anos 20. Cuidava dos males contraídos nas prisões e locais de deportação, e de seu corpo fatigado pela guerra civil. Em julho de 1925, dirigira-se a Sotchi; como sempre, sua mulher o acompanhou nessa viagem. "Estou curado", ele escrevera a Molotov em 1º de agosto de 1925. "As águas de Matsesta, perto de Sotchi, são eficazes contra a esclerose, os nervos, a gota e o reumatismo." Em maio e setembro de 1926, retornou a Sotchi. Em sua correspondência com Molotov, dedicada exclusivamente às questões políticas, aludia a seus problemas de saúde. "Melhorei um pouco, mas meu braço continua doendo." Em julho de 1927, partiu novamente para se tratar. "Estou doente, acamado, por isso escrevo-lhe uma carta breve."[2] Suas mazelas físicas não o impediam de trabalhar e, sobretudo, de lutar pela sucessão de Lênin. Em seguida, ele suspendeu essas estadas em Sotchi e passou a desfrutar de seu tempo de lazer em sua datcha de Zubalovo.

A alegria reinava nessa *villa* ensolarada e sempre cheia de convidados. O alvoroço causado pelas crianças era ininterrupto e na época Stálin levava a vida tradicional de um chefe de família. Mais tarde, após a morte de Nadejda, as crianças, os parentes próximos e os avós Alliluyev continuarão na casa. Em Zubalovo, os pais de Nadia continuaram tendo um quarto; Stálin respeitou-os até o fim de suas vidas, ainda que, após 1937, tenha evitado encontrá-los o máximo possível. Nos anos 20, contudo, a família inteira estava presente. Reunia-se para almoçar ao redor de uma mesa armada na floresta. Confraternizava nos aniversários. Uma família feliz, cercada de amigos: foi a imagem que o casal Stálin e Alliluyeva deixou de seus primeiros anos de vida comum.

Os mais próximos de Stálin, os que ele via constantemente na época, eram Abel Enukidze – amigo de juventude georgiano e padrinho de Nadia –, Molotov, Vorochilov, Ordjonikidze, Mikoian e as famílias Svanidze e Alliluyev. Com o passar do tempo, outros companheiros de Stálin se juntarão ao círculo de íntimos: Kaganovitch, Bukharin, Kirov e, às vezes, o lendário chefe da cavalaria vermelha, Semion Budienny, que aparecia aos domingos com seu acordeão. À mesa, à sua direita, Stálin colocava sempre seu sogro. Nadia convivia com as mulheres dos colaboradores de Stálin sem com isso considerá-las verdadeiras amigas: Paulina Semionovna Jemtchujina (mulher de Molotov, talvez sua preferida), Dora Moisseievna

Khazan (mulher de Andreiev), Maria Markovna Kaganovitch, Esther Issaievna Gurvitch (segunda mulher de Bukharin). "Em Moscou, não vejo ninguém", escreve ela a Maria Svanidze em 1926. "Às vezes, isso me parece estranho, após tantos anos. Não tenho amigos chegados; isso talvez dependa do caráter de cada um. Curioso, sinto-me melhor com as pessoas que não estão no Partido (mulheres, naturalmente). Isso talvez se explique pela simploriedade desse pessoal."[3]

Na primeira parte dos anos 20, quando o casamento com Nadejda ainda parecia sólido, Stálin arranjava tempo e tinha prazer em fazer melhorias na datcha de Zubalovo, a despeito de suas preocupações políticas – estabilizar o regime soviético e consolidar seu próprio poder. Mandou derrubar as árvores que a cercavam para que a casa ficasse mais iluminada. Transformou a velha moradia numa residência moderna e agradável. O primeiro andar era reservado a ele e à mulher; crianças, parentes e convidados instalavam-se no térreo. Bosques, bétulas, um terreiro, uma colmeia, pés de framboesa e morango davam ao lugar um charme campestre que o dono da propriedade cultivava regularmente e com esmero.[4] Um universo aparentemente protegido e sereno, onde as cenas pastorais ornamentavam o lazer: colheita de cogumelos e frutas, corte do feno, eliminação das ervas daninhas. Stálin dedicava-se com certo prazer a esses trabalhos de jardineiro diletante. Nadia, por sua vez, construía uma área de recreação para as crianças: um gramado com um balanço e uma pequena cabana. Stálin instalou também uma sala de bilhar, seu jogo preferido, no qual formava quase sempre dupla com seu cunhado Pável para assegurar a vitória.[5] Entretanto, na maior parte do tempo, mesmo em férias, dedicava-se à leitura e ao trabalho. E, reminiscência georgiana, gostava de demorar-se horas à mesa com seus convidados. Com o tempo, seria ali que decidiria o destino do país, julgando, dissertando, conspirando... o que também era trabalho. Na realidade, nunca tirava férias de fato, e a própria noção de descanso lhe era estranha.

Durante esses anos 20, todos se tratavam informalmente. Passavam todas as noites e fins de semana juntos, na casa de um ou de outro. Nenhuma hierarquia existia entre eles, muito menos bajulações e subserviência. Cada um dizia o que pensava, às vezes até com violência.

Antes até de começar seus estudos, Nadejda já estava constantemente ocupada. Seu trabalho na revista, sua ação militante e sua vida conjugal deixavam-na quase invisível para os filhos. Também trabalhava para o marido, a quem ainda amava de todo o coração, datilografando seus artigos. Finalmente, era ela que administrava seu magro orçamento nos primeiros anos: nenhum supérfluo, muito menos artigos de luxo; o estafe administrativo veio mais tarde, na segunda parte dos anos 20.

Mesmo quando pôde dispor de mordomias, Nadia manteve um padrão de vida modesto, recusando o automóvel com chofer, usando sempre o transporte coletivo lotado, vestindo-se de maneira sóbria; poucos dos que conviviam com ela sabiam que era a mulher de Stálin. Sempre recusou o papel de primeira-dama do país. Nunca usou o nome de Stálin, preferindo manter o de solteira. Severa, reservada, retraída, agradava e intimidava às vezes. Na primeira parte dos anos 20, todos os depoimentos concordam quanto ao amor profundo, por vezes ciumento, que Nadia dedicava ao marido. À sua maneira, Stálin amava-a também. Foi sempre monogâmico, ainda que não indiferente aos encantos de determinadas mulheres.[6]

O primeiro grupo

Nessa época, Stálin frequentava ao mesmo tempo os pais de sua primeira mulher, os Svanidze, e os de Nadejda, os Alliluyev. Nadia era muito ligada à primeira família do marido. Simpatizava com as irmãs de Ekaterina e com o irmão, Aleksandr Semionovitch, conhecido como Aliocha, seu nome de clandestinidade. Nadia era particularmente amiga da esposa deste, Maria Anissimovna, que as crianças também chamavam de Marussia. Vinda de uma rica família judia de origem espanhola, quando conheceu Aliocha cantava na ópera de Tíflis. Aliocha continuava acima de tudo o amigo de juventude de Stálin, seu colega no seminário de Tíflis e aquele que lhe apresentara Kato, sua irmã, a primeira esposa a quem ele tanto amara. Bolchevique de primeira hora, pertencia à velha guarda dos comunistas georgianos; conhecera os tormentos da clandestinidade e do exílio. Estudara na Alemanha, na Universidade de Iena, e era poliglota. Após a Revolução, trabalhara como auxiliar no comissariado popular das Relações Exteriores da URSS e, em 1921-22, tornara-se comissário popular para as Finanças da Geórgia e Transcaucásia. Durante os anos 20 e 30, ocupou diferentes postos nos ministérios das Relações Exteriores, Finanças ou Comércio Exterior. Morava e trabalhava com frequência no exterior. Londres, Genebra, Berlim. Era um marxista culto, de formação ocidental.[7] Ele e Maria formavam um belo casal, elegante, distinto e sedutor. Casaram-se em 1921 em Tíflis. Maria era viúva e tivera um filho do primeiro casamento, Anatoli, que toda a família chamava de Tolia. Mais tarde, terão outro filho – que batizariam de John Reed, em homenagem ao famoso jornalista americano. Tinham uma datcha em Zubalovo, como a família de Pável Alliluyev e a de Mikoian. Até o fim de 1937, Aliocha foi um dos íntimos de Stálin não só como membro de sua família, mas como político e especialista em questões financeiras. Stálin os apreciava e considerava íntimos. A opinião de Aliocha e Maria sobre a vida cotidiana russa tinha um certo peso para ele.[8]

As irmãs Svanidze também eram presentes: Mariko, secretária de Enukidze, e Sachiko, que, embora vivesse na Geórgia, fazia frequentes visitas a Moscou, hospedando-se tanto na casa do ex-cunhado como na dela.

Os Alliluyev formavam o outro ramo próximo da família. Além dos pais de Nadia, havia os irmãos. Anna, mais velha, casada desde 1919 com Stanislav Redens, bolchevique de origem polonesa, que havia feito carreira na Tcheka e era um colaborador próximo de Dzerjinski, seu fundador. Desde o fim da guerra civil, ocupava cargos importantes na Tcheka, na Ucrânia. Nos anos 20, o casal morava em Carcóvia, onde nasceram seus filhos Leonid, em 1928, e Vladimir, em 1935.

Fiódor, irmão caçula de Nadia, enlouquecera após ter feito brilhantes estudos em matemática. Era a herança esquizofrênica da família de Olga, que também sofria de distúrbios psíquicos.[9] E Fiódor era mais propenso que as outras crianças. Em consequência de um choque recebido durante a guerra civil, mergulhou numa crise de nervos ainda muito jovem. Viverá, contudo, até os sessenta anos, sempre convivendo com enfermidades, embora devorando livros e escrevendo incessantemente artigos sobre assuntos de toda espécie. Recebia uma pensão. Stálin sentia compaixão por aquele homem problemático, mas evitava encontrá-lo.[10]

De toda a sua família, Nadejda preferia Pável, seu irmão mais velho, casado desde 1919 com Evguenia Aleksandrovna Zemlianitsina, uma bela jovem de Novgorod. Elegante, espirituosa e culta, essa loura alta de olhos azuis e maçãs do rosto salientes, atrevida, inteligente e cheia de vida, encantou Stálin, que não era indiferente a seu caráter aberto, sincero e corajoso. Em sua juventude, fizera teatro, com certo talento. Teve três filhos: Kyra, nascida em 1919, Serguei e Aleksandr, nascidos em Berlim em 1928 e 1931, respectivamente.

Nadejda identificava-se com o irmão, que efetivamente era muito parecido com ela, embora mais conciliador. Só desabafava com ele, seu grande confidente. Ele participara da guerra civil e trabalhava no Estado-maior da Academia Militar, com a patente de general. No fim dos anos 20, foi nomeado adido militar na embaixada soviética na Alemanha. Morou com a família em Berlim até meados dos anos 30. Segundo sua filha Kyra, Stálin, com ciúme dessa cumplicidade, afastou-o da irmã. Nessa época, porém, todos formavam uma grande família unida, gravitando em torno de Stálin, espécie de chefe de clã – que, apesar de russificado, ainda preservaria bem enraizados os costumes georgianos segundo os quais a família organizava-se em torno de um chefe, a quem ela devia fidelidade e devotamento total. Para todos, Stálin era um parente amado a quem podiam permitir-se dizer tudo e que podiam criticar, caso necessário. E, pelo menos até meados dos anos 30, ele os escutava.

Em 1926, imediatamente após o nascimento de Svetlana, Nadia pegou as crianças e deixou bruscamente o marido, indo refugiar-se na casa dos pais, em Leningrado. O que acontecera? Tradicional depressão pós-parto? Excesso de solidão devido à união com um marido eternamente ocupado?

Rompante de seu caráter irascível? Tratava-se acima de tudo de um drama humano resultante do choque entre dois temperamentos intransigentes. Qual dos dois era mais intransigente?, perguntavam-se Olga e Anna.[11] Esta foi a primeira fissura na vida do casal, embora, na véspera do nascimento de Vassili, Nadia já houvesse desaparecido por alguns dias sem deixar rastro. Stálin cedeu e telefonou para a mulher, pedindo-lhe insistentemente para voltar.[12] Dois meses depois da segunda evasão, pressionada pelos pais, solidários a Stálin, ela retornou. Tudo pareceu entrar nos eixos. Em 24 de dezembro, ela escrevia à mãe de Stálin como se nada houvesse acontecido: "Bom dia, querida Keke. Obrigada pelos presentes. Iosif ficou muito contente, pois adora seus doces. Estamos bem. Iosif adoeceu esses dias, teve uma gripe, com tosse. Agora tudo passou. Sente-se bem. Não pôde escrever a carta que a senhora tanto esperava. As crianças vão bem..."[13] Iacha continuava aprontando: encontramos nas cartas de Nadejda dirigidas à velha Ekaterina as mesmas recriminações contra ele: "preguiçoso", "não muito capaz", "um professor trabalha com ele diariamente para que ele consiga entrar na universidade" etc. Ela encampou as exigências de Stálin. Ele compreendera mal esse filho, que em seguida provará seu caráter e coragem. Por enquanto, Iakov continuava a enfrentar dificuldades na escola. "Perdi toda a esperança de que um dia ele venha a ser razoável. Ausência total de qualquer interesse e objetivo. Uma coisa verdadeiramente inexplicável. É muito triste e desagradável para Iosif (não conte para ele), que mostra-se bastante abalado com isso. Não há nada a fazer", escrevia ela a Maria Svanidze.[14]

Dessa época, entretanto, Iakov transmitia a impressão de um rapaz modesto, honesto, tímido, benevolente, que não tolerava a menor crítica a seu pai em sua presença.[15] Sempre em paz com todo mundo, gostava de jogar xadrez – e era excelente, ganhando todos os torneios quando estava na universidade.

STÁLIN E NADEJDA CONTINUAVAM a se amar, vigiando-se e sentindo ciúmes recíprocos: ela, abertamente; ele, em segredo. "Amando-se e temendo perderem-se, torturavam-se. Nessa luta constante, foi Nadia a primeira a sucumbir."[16]

Segundo os depoimentos da família, o amor devorador que ela sentia pelo marido ocupava todo o seu espaço afetivo, deixando-lhe pouco tempo para os filhos.[17]

O homem ponderado

No ardor das lutas cada vez mais numerosas, tanto pela sucessão de Lênin quanto com relação à linha política que seria adotada, Stálin – e esta foi uma das chaves de seu sucesso final – era visto pela maioria dos membros do Partido, certo ou errado, como um homem ponderado.[18] Soube encontrar as palavras necessárias para conciliar os extremos que se exprimiam aqui e ali. As respostas que dava ao clamor que o circundava eram impregnadas de bom senso. Nenhuma exacerbação: apenas equilíbrio. Mais tarde, no fim da década de 20, ele perdeu essa qualidade. A lógica do regime e a evolução real do país fizeram-no mais de uma vez abandonar o "centro da estrada" e derrapar para o terror. As revoluções nunca são feitas no centro. Stálin não fugiu à regra, ainda que, no início de sua carreira, houvesse optado por soluções consensuais. Passou bruscamente de um extremo a outro, "ora à direita da direita, ora à esquerda da esquerda". "Suas reviravoltas periódicas e repentinas são os esforços convulsivos de um homem de centro para manter o equilíbrio no âmago dos cataclismos de sua época. O que surpreende é a forma como ele soube manter esse equilíbrio, pois, a cada uma das guinadas que dava, qualquer chefe de qualquer setor teria soçobrado."[19]

Apenas um ano se passara desde a morte de Lênin e Stálin já conseguira, ajudado por Zinoviev e Kamenev, com quem formou um triunvirato, provocar a demissão de Trótski do cargo de comissário para a Guerra.* Contudo, também nesse caso, o homem de centro mostrou-se apaziguador. Zinoviev exigia represálias duríssimas contra Trótski, che-

* Trótski e seu grupo lutavam para liquidar a política da NEP a fim de promover o desenvolvimento da indústria pesada no país e instaurar um plano econômico centralizado.

gando a pedir sua prisão, mas Stálin discordou. Por ocasião do XIV Congresso do Partido, em dezembro de 1925, explicou sua posição: "Não concordávamos com os camaradas Zinoviev e Kamenev porque nos demos conta de que a política de cortar cabeças implicava maiores perigos para o Partido … . É um método sanguinário – e é sangue que eles pedem –, perigoso e contagioso; hoje fazemos cair uma cabeça, amanhã outra, depois uma terceira. Quem sobreviveria no Partido?"[20]

Além disso, Stálin sabia trabalhar a base do Partido, estruturar seu aparelho, formar seus quadros. Era mais acessível, para os responsáveis locais e militantes, que os demais dirigentes. Sabia escutar, detinha-se nos problemas das regiões e jurisdições. Era aberto e disposto a resolver tudo. Sempre isolado num canto da sala durante os congressos e conferências, fumava calmamente seu cachimbo, conversando com todos aqueles que desejassem expor-lhe seus problemas. Tornou-se o líder bolchevique mais confiável, deixando em todos os seus interlocutores uma profunda impressão de simplicidade e bom senso. Seus discursos eram otimistas e apaziguavam os temerosos.

Soube desde então criar uma organização sua, verdadeira máquina de poder através da qual era mantido a par de tudo o que acontecia em todos os setores da economia, incluindo as relações exteriores. A densa rede dos secretários do Comitê Central e de seus colaboradores, escolhidos tanto pela fidelidade quanto pela competência, permitiu-lhe recrutar na província o seu pessoal, que em seguida ele trouxe para a metrópole.

Uma vez eliminado Trótski, Stálin pôs fim à associação com Zinoviev e Kamenev. Tornou-se, a partir de 1925, o senhor incontestável do partido, embora a direção permanecesse colegiada e a oposição ainda pudesse exprimir-se. Por ocasião da controvérsia sobre a oportunidade da "revolução permanente", no outono de 1924, ele lançara a tese do "socialismo num único país", que, a despeito de não excluir a perspectiva da revolução mundial, dava uma resposta imediata às incertezas do momento e aos temores da maioria dos comunistas. A Rússia, pensava Stálin, primeiro país a fazer uma revolução proletária na História, podia, mesmo sem ajuda externa e malgrado seu isolamento, realizar, ao custo de grandes sacrifícios, uma nova revolução, a da edificação de uma sociedade socialista. Essa revolução seria a sua.

Para a etapa seguinte, Stálin procurou o apoio de Bukharin, Rykov e Tomski – a ala direita do Partido, que aceitava sua tese do "socialismo num único país". Isso não significava que partilhasse suas posições. Eles eram a favor de um processo evolutivo e pretendiam estimular a empresa privada, sobretudo no campo, a fim de criar uma classe média rica, ao passo que Stálin continuava a favor de um processo de caráter revolucionário. Por outro lado, defendeu seu aliado momentâneo, Bukharin, nos mesmos termos com que defendera Trótski. Quando Zinoviev e Kamenev acusaram Bukharin de abandonar a herança de Lênin, Stálin respondeu: "Por que essas difamações injustificadas contra Bukharin continuam? Estão pedindo o sangue de Bukharin? Não lhes daremos esse sangue."[21]

Assim que o contexto político mudou, Stálin abandonou seus novos aliados por outros ainda mais contemporizadores e, sobretudo, mais devotados à sua pessoa: Molotov, Vorochilov e Kalinin. Com essas alianças, o que estava em jogo era a NEP, sua essência, seu futuro. A Nova Política Econômica, implantada por Lênin em 1921, começava a perder o fôlego. Deveriam continuar nesse caminho? Ir adiante ou, ao contrário, refrear o passo? A economia mista valorizada pela NEP, o desabrochar da empresa privada, do comércio e da pequena indústria em detrimento do setor socialista/estatal, levantava problemas ideológicos e econômicos. Enquanto Bukharin preconizava uma cooperação e uma evolução harmoniosa dos dois tipos de economia, Trótski, Zinoviev e Kamenev declaravam imperioso e urgente desenvolver a indústria pesada, melhorar as condições de vida dos operários e dar um basta ao enriquecimento vertiginoso dos *kulaks*, os grandes agricultores. O país encontrava-se num beco sem saída. Stálin estava dividido entre sua ortodoxia bolchevique e a pertinência da politica pró-mujique de Bukharin. Tentou, num primeiro momento, encontrar uma posição intermediária, para em seguida passar bruscamente a uma política radical.

Após haver afastado Zinoviev da direção do Partido em Leningrado, em dezembro de 1925, e colocado em seu lugar o amigo Kirov, em outubro seguinte expulsou Trótski do Politburo e destituiu Zinoviev da presidência da Internacional comunista.

Em 7 de novembro de 1927, por ocasião dos festejos do 10º aniversário da Revolução de Outubro, Trótski e Zinoviev organizaram um cortejo à parte de seus partidários nas ruas de Moscou e Leningrado. Era demais: o Partido e seu secretário-geral não aceitaram que a oposição fosse tão longe. Trótski e Zinoviev foram expulsos do Partido e o XV Congresso, em dezembro, proibiu toda forma de oposição. Trótski, cuja facção se recusou a submeter-se às exigências do Comitê Central, foi deportado para Alma-Ata.*

Stálin vencera porque a maioria dos bolcheviques desejava então uma política monolítica, a fim de liquidar as múltiplas correntes que dividiam o Partido depois da morte de Lênin.

Sua associação com a direita – Bukharin, Rykov e Tomski – terminou com a derrota de seus adversários comuns. Seus sucessivos oponentes tentaram então, a fim de represar sua marcha inelutável para o poder total, ressuscitar o testamento de Lênin. Em 23 de outubro de 1927, durante o último confronto entre Stálin e Trótski, este último fez nova menção à "brutalidade" (*grubost*) de Stálin, que Lênin condenara. Ao responder, Stálin lembrou por sua vez as recomendações de Lênin concernentes a Trótski, descreveu a repercussão dos fatos de 1924 no Comitê Central e como as coisas de fato aconteceram: "Pedi ... [ao] Comitê Central para me dispensar de minhas funções de secretário-geral. O próprio Congresso discutiu a questão ... [todos] se juntaram para *intimar* Stálin a permanecer no cargo .... Nessas condições o que eu poderia fazer? Abandonar o cargo? Não é do meu caráter .... Um ano depois pedi novamente ao plenário para ser liberado, mas novamente me obrigaram a ficar. O que me restava fazer?"[22] Lênin criticava na época apenas as falhas de caráter de Stálin, não suas posições políticas – o que permitiu a Stálin acrescentar: "Ele fala apenas da brutalidade de Stálin. Ora, a brutalidade não é, nem pode ser, um vício na linha ou na posição política de Stálin."

* Ele foi retirado à força de seu apartamento no Kremlin pelos agentes da OGPU, levado em segredo para uma estação e embarcado no primeiro trem para Alma-Ata.

Por ocasião da primeira plenária do CC, após o XV Congresso, Stálin ofereceu mais uma vez sua demissão como secretário-geral a fim de cumprir o desejo de Lênin: "Penso que, até recentemente, determinadas circunstâncias levaram o Partido a necessitar de mim nesse posto, porque sou uma pessoa suficientemente brutal nas relações para constituir um antídoto à oposição... Agora, a oposição foi não apenas esmagada, como também expulsa do Partido. E temos sempre a recomendação de Lênin, que, a meu ver, deveria ser aplicada. Eis por que peço à plenária que me exonere de meu posto de secretário-geral. Asseguro-lhes, camaradas, que o Partido tem tudo a ganhar com isso." Sincero ou não, manobra tática ou desejo real de uma retirada provisória, certo é que Stálin queria acabar de uma vez por todas com aquela história de "Testamento". Sua proposta foi rejeitada por unanimidade, com uma abstenção. De qualquer maneira, ele triunfara: foi a última vez que uma instância do Partido abordou oficialmente esse documento de Lênin.

No fim de 1927, as cidades da Rússia viam-se ameaçadas pela fome. Em janeiro de 1928, o Politburo decretou medidas de emergência: batidas nos campos para confiscar as colheitas escamoteadas e buscas a fim de obrigar os *kulaks* a ceder o trigo. Em junho, novas medidas de emergência foram anunciadas. No mês seguinte, Stálin pediu ao Partido que "fosse firme com os *kulaks*",[23] e os funcionários que se opuseram foram exonerados. Os descontentes de todas as tendências tentaram unir-se contra o secretário-geral, que, conforme conseguia suas vitórias, deixava pelo caminho seus aliados de ontem, para em seguida marginalizá-los e, por fim, expulsá-los. "Ele nos estrangulará", resmungava Bukharin para Kamenev, que ele tentava cooptar desde o dia seguinte ao seu rompimento com Stálin, em 11 de julho de 1928. "É um intrigante sem princípios que subordina tudo a seu apetite de poder..."* – e terminava comparando

* Boris Suvatin, *Staline, aperçu historique du bolchevisme* (Paris, Plon, 1935, p.405-7). Kamenev registrou por escrito essa entrevista – que deveria permanecer secreta – a fim de divulgá-la

Stálin a Gêngis Khan. Tarde demais! Ninguém podia mais nada contra o secretário-geral.

Stálin controlara seus sucessivos oponentes, mas seu rival mais perigoso continuava sendo Trótski. Em 18 de janeiro de 1929, propôs ao Politburo expulsá-lo da URSS. A proposta foi aceita, apesar dos protestos de Bukharin. Quando Bukharin, Rykov e Tomski coligaram-se finalmente a Stálin antes do fim de 1929, este último tornou-se o soberano absoluto do Partido e do Estado.

Em dezembro desse mesmo ano, seu quinquagésimo aniversário, celebrado como uma festa nacional, consagrou sua vitória. Chegaram presentes de todos os cantos do país. A imprensa festejou o acontecimento com grandes manchetes e panegíricos. Uma biografia oficial foi publicada para a ocasião. Os muros das cidades estavam cobertos com seu retrato, as praças com seus bustos, ruas foram batizadas com seu nome. "Stálin é o Lênin de hoje." Ele ganhara. Agora era ele o *Vojd*.

Esse culto, que sequer existia meses antes, além da confirmação de uma vitória, serviu-lhe de para-raios contra as tempestades vindouras.[24] Tendo compreendido há muito tempo o lugar do czar no imaginário coletivo do povo, Stálin tentou, tão logo assenhoreou-se do poder total, substituí-lo. A coletivização forçada do campo e a industrialização intensa na cidade, que ele deflagrou em 1929, não podiam resultar senão em abalos cataclísmicos. Tais atitudes só podiam ser tomadas por um chefe amado, venerado e temido.

Um teórico contestado

Os clichês apresentando Stálin como teórico pífio e excelente administrador duraram pouco. A realidade era mais complexa: sem ser um intelectual, ele não deixava de ser um doutrinário. Em 1921, durante uma

para seus colegas. Em seguida, impressa clandestinamente pelos trotskistas, ela foi divulgada no estrangeiro. Stálin foi dos primeiros a lê-la, graças aos cuidados da GPU.

passagem por Naltchik, onde tratava seu reumatismo, Stálin debruçara-se sobre a estratégia e tática dos comunistas russos. Os rascunhos e anotações que fez na época resultaram em textos que viriam a se tornar fundamentais. Escreveu um ensaio, "O Partido antes e depois da tomada do poder", publicado em 28 de agosto de 1921 no *Pravda*, depois outro, intitulado "A respeito da estratégia e da tática dos comunistas russos", publicado no mesmo jornal em 14 de março de 1923. Por fim, sua obra mais importante, *As bases do leninismo*, foi extraída de uma série de conferências pronunciadas em 1924 na universidade do Partido, batizada de Sverdlov. Esse pequeno opúsculo transformou-o num dos principais ideólogos bolcheviques.

Sua sistematização do pensamento de Lênin por meio de um manual era um exemplo de seu método de interpretação e, além disso, do modo de difusão das próprias ideias. Esse texto foi "a contribuição mais importante de Stálin à torrente de documentos sobre Lênin e seu pensamento publicados pelo Partido após sua morte... Outros antes dele, como Bukharin e Zinoviev, haviam tentado apresentar a essência do leninismo como uma nova fase no desenvolvimento do pensamento marxista. Mas foi o livro de Stálin o mais bem-sucedido."[25] "Era a obra um tanto pesada de um professor de leninismo com perfeito domínio de seu tema e com sólidas opiniões, que ele sabia defender como ninguém. Para melhor ou para pior, Lênin encontrara um homem capaz de extrair um sistema de sua obra teórica."[26] A partir de então, Stálin teve apenas um objetivo: ser o discípulo de Lênin.

Mago da política, soubera, nesses anos 20 tumultuosos e semeados de emboscadas, dar aos bolcheviques o que a maioria deles esperava. Ele simbolizava as exigências do Partido a ponto de se confundir com ele.

Primeiras cisões

Enquanto Stálin avançava de forma inelutável para um poder cada vez mais absoluto – sem ser ainda, em 1928-29, o ditador que reinou mediante o terror entre 1936 e 1939 e no período que se seguiu –, sua vida privada deteriorava-se lentamente. Difícil datar o momento de ruptura e fazer a ponte entre sua parte de culpa – um homem cuja batalha pelo poder e credo revolucionário ocupavam a maior parte do tempo e da mente – e o que devia-se à sua mulher. Nas frequentes licenças que tirava para tratar seu reumatismo e seus pulmões frágeis, Nadia estava sempre com ele. Foi assim até 1929, quando ela ingressou na universidade, e mesmo depois. Apesar da falta de documentos reveladores, causas políticas[27] foram evocadas como raízes da crise do casal. Talvez ela tivesse cada vez mais dificuldade para acompanhar a carreira escarpada do marido, mas, para essa filha de velho bolchevique adaptada aos costumes de seu tempo, o contexto político não podia ser motivo para um rompimento. Nadia tinha ambições próprias, e Stálin respeitava suas escolhas. Ela estava a par de tudo, mas só interferia junto a ele para apontar a vida difícil de seus concidadãos, seu cotidiano penoso, ou uma injustiça menor da qual fora testemunha. As poucas cartas de que dispomos sugerem que, na época em que seu casamento se estilhaçava, cada um tentava de seu lado travar o processo de desgaste e mal-estar que, imperceptivelmente, começara a manifestar-se a partir da virada dos anos 30.

Além dos problemas conjugais, Stálin tinha discussões e preocupações com os filhos. Quando o casal saía de férias, ele deixava-os nas mãos das governantas e babás. Karolina Vassilievna Till, uma alemã da Letônia, cuidava do apartamento do Kremlin, administrava sua rotina, as refeições, o lar, as compras, e Natalia Konstantinovna servia de governanta para as crianças. Vassili também tinha um preceptor, Aleksandr Ivanovitch Muraviov. A mãe acompanhava de longe a evolução de sua prole com autoridade e intransigência. "Era uma mãe severa e exigente", lembra-se Svetlana, "que não nos fazia nenhum carinho. Mamãe era impiedosa." Lendo a correspondência Stálin/Alliluyeva, ele parece mais afeiçoado aos filhos que a mãe. Nessa época, era ele que intervinha para secar as lágrimas e consolar, sobretudo a filha, sua favorita. 'Meu pai me tomava sempre nos braços, não parava de me dizer que me adorava, me beijava, multiplicava os apelidos afetuosos: 'meu pardalzinho', 'minha mosquinha'... Não aguentava escutar uma criança chorar e gritar. Mamãe censurava-o, dizendo que ele me estragava."[28]

Um primeiro drama familiar, no entanto, eclodiu em abril de 1928. Iacha tentou o suicídio depois que o pai recusou-se a autorizar seu casamento com Zoia, uma moça que morava em Leningrado. Stálin considerava o filho jovem demais para fundar uma família e, não tendo concluído os estudos, carente de formação. Após uma briga com o pai, Iakov tentou matar-se com uma bala de revólver na cozinha de seu apartamento do Kremlin, saindo apenas ferido. Stálin fulminou: "Diga de minha parte a Iacha", escreve à mulher em 9 de abril, "que ele agiu como um patife e um chantagista, com o qual não tenho e não posso ter nada em comum. Que ele more onde quiser e com quem quiser."[29] E Iacha partiu para fazer o que queria – sinal de que não era tão fraco quanto pensava o pai. Mudou-se para Leningrado, casou-se e começou a trabalhar. Stálin pedira a Kirov para vigiá-lo discretamente.[30] Logo em seguida, Zoia deu à luz uma filha, Galina. O bebê não viveu nem um ano, e o primeiro casamento de Iacha desfez-se em virtude desse infortúnio. Retornou em seguida a Moscou e reconciliou-se com o pai. Dessa vez, com sua anuência, matriculou-se no Instituto dos Transportes. Almejando seguir uma carreira militar, também assistia a aulas noturnas, entrando mais tarde, no quarto ano, na faculdade da Academia de Artilharia do Exército Vermelho.[31]

Nadia seguia seu caminho. Independente, continuou a encontrar-se com Bukharin, mesmo após seu rompimento político com Stálin. Em 1927, comparecera ao enterro de Joffé, eminente diplomata amigo de Trótski, que se suicidou quando a luta contra a oposição estava no auge. Isso não significava que era uma oponente, e sim que desejava distinguir-se do marido, mostrar sua autonomia, e Stálin não parece tê-la repreendido.

Desde que se matriculara na Academia Industrial, ela tinha mais trabalho e menos tempo para cuidar do marido e, sobretudo, dos filhos. Stálin, no entanto, não se opusera a tal iniciativa. Pelo contrário. De junho a agosto de 1929, haviam passado férias em Sotchi: além das doenças que o atormentavam havia anos, Stálin tratava nesse verão uma pneumonia e um estertor nos pulmões. Sua velha tosse voltara. No fim de agosto,

Nadejda deixara-o sozinho e retornara a Moscou a fim de prestar os exames para a faculdade. O tom da carta que lhe enviou assim que chegou em Moscou é confiante e caloroso: "Como vai sua saúde, melhorou...? Viajei preocupada. Escreva sem falta. Segunda-feira, 2 de setembro, tenho uma prova de matemática; dia 4, de geografia física e dia 6 de russo. Admito que estou bastante ansiosa... É por isso que não quero fazer nenhum plano. Quando souber de tudo, escreverei e você me aconselhará sobre a maneira de empregar o tempo..." No mesmo estilo, informa-o das condições climáticas em Moscou, diz que não vê ninguém mas que soube que Górki também irá a Sotchi. "Talvez ele vá visitá-lo, pena eu não poder estar aí. É um prazer escutá-lo." E conclui num tom protetor, solícito e afetuoso: "Insisto para que se cuide. Beijo-o carinhosamente como você me beijou quando nos despedimos. Sua Nadia." (Carta de 22 de agosto de 1929.) Essa não parece a carta de uma oponente política nem de uma mulher que se sente abandonada, menos ainda de uma esposa apaixonada por outro.

Stálin, na resposta, interessava-se por seus estudos, seus exames, seus resultados. "Tateka! Os negócios que vão para o diabo... Quando tiver seis-sete dias livres, venha diretamente para Sotchi. Como vão os exames? Beijo minha Tateka." (Carta de 1º de setembro de 1929.) Não esqueçamos que se trata de um homem doente, no auge do poder, que está em vias de jogar seu país no sangue e no fogo, desencadeando a coletivização forçada da agricultura. Toda a sua correspondência é recheada de banalidades porque o relacionamento entre ambos é banal. Ela, esposa de um homem prestes a tornar-se o novo czar, conta-lhe com toda a simplicidade seus problemas de transporte, descreve as filas que se formam em Moscou para comprar leite e tenta timidamente interceder em favor de seu irmão Fiódor, do qual sente pena. Há alguma coisa de tocante nessas missivas triviais. Para ela, Stálin é um recurso, uma espécie de protetor a quem ela diz o que funciona e o que não funciona. "Em geral, não tenho sorte. Por exemplo, eu precisava estar na Academia Industrial às 9h da manhã. Saí às 8h30, o bonde enguiçou. Esperei o ônibus. Em seguida, para não me atrasar, peguei um táxi que, poucos metros adiante, enguiçou também. Tudo isso me fez cair na risada e, no fim de tudo, acabei esperando duas horas pelo início do exame." (Carta de 2 de dezembro.) Por fim, pede-lhe dinheiro, a exemplo de todas as esposas: "Iosif, se puder, envie-me 50 rublos. Na Academia Industrial, só pagam dia 15 de setembro e estou sem um copeque." (Carta de 16 de setembro.) Stálin escuta-a: promete-lhe interceder por um colega injustamente acusado pelo patrão e envia-lhe 12 rublos em vez dos 50 pedidos. Tudo parece correr bem na intimidade do casal. No dia 27, Nadejda escreve novamente: "Em suas últimas cartas você não escreve nada sobre sua saúde e a data de seu regresso. Entedio-me bastante sem você. Quando estiver curado, volte rápido. Escreva-me dizendo como se sente. Meus estudos vão bem, trabalho muito. Por enquanto ainda não estou cansada, mas deito-me às 11h." A resposta é imediata: "Volto dentro de uma semana. Um beijo grande." (Carta de 30 de setembro.)

Nadejda adaptara-se rapidamente à vida universitária, na qual convivia com outras mulheres de dirigentes, como Maria Kaganovitch ou Dora Khazan. Chegava ao trabalho sem guarda-costas e continuava a usar os transportes públicos desconfortáveis e defeituosos. A partir de 1930, com a guarda de Stálin reforçada, foi obrigada a andar com proteção e usar um carro particular. Porém, modesta, fiel à sua imagem, sempre deixava o carro a duas ou três ruas, percorrendo a pé os últimos cem metros a fim de não desembarcar de um automóvel oficial na frente dos colegas. Parecia feliz com essa vida nova; conhecia jovens de sua idade, entre os quais havia um moço rechonchudo e simpático chamado Nikita Kruchtchev. Ele não demorou a se aproximar dela e foi ela quem o apresentou a Stálin. Na época, ele era o chefe da organização do Partido na Academia. Em 1932, Kruchtchev assumiu a direção de uma jurisdição de Moscou, ao passo que Nadia era nomeada para a cúpula do Partido na cidade.[32]

Stálin, cuja vida política agora o mantinha cada vez mais distante da família, viajava muito sem a mulher, embora continuassem a se escrever com a mesma fidelidade e ternura. Tudo parecia tranquilo entre eles, apesar do contexto catastrófico do período. "Volte. Uma vez reunidos, tudo ficará bem." (Carta de Nadia de 27 de setembro de 1929.) "Quem sabe, você não volta por esses dias? Pena que tenha muita coisa para fazer. Mas é normal. Envio-lhe o sobretudo, porque, depois de sua viagem ao sul, você poderia se resfriar. ... Quando estiver de volta, conto tudo. ... Volte rápido, mesmo eu querendo que você descanse." (Carta de Nadia de 1º de outubro de 1929.) "Não se atrase, volte depressa!" (Carta de Stálin de 21 de junho de 1930.) "Escreva-me sobre tudo, minha Tototchka!" (Carta de 2 de setembro de 1930.) "Estamos à sua espera, mas não se apresse. Descanse bem." (Carta de Nadia de 30 de setembro de 1930.) "Estou entediado. É preciso que Satanka me escreva e também Vaska." (Carta de Stálin de 14 de setembro de 1931.)

Entretanto, às vezes precavidamente, noutras com sutileza, Nadia comunica a seu marido o que vai mal. "Sei que não gosta de minhas interferências, mas me parece que você deve intervir nesse episódio injusto." (Carta de 16-22 de setembro de 1929.) "Não sei se devo descrever-lhe as mazelas da vida moscovita, infelizmente por demais numerosas." (Carta de 6 de outubro de 1930.) "Os preços dispararam, as lojas estão cheias de mercadorias, mas ninguém compra. Não se aborreça se escrevo com tantos detalhes, mas eu gostaria que todas essas carências desaparecessem; todo mundo então se comportaria e trabalharia direito." (Carta de 16 de setembro de 1931.) "Continue a me informar", responde-lhe Stálin em 14 de setembro de 1931.

Evidentemente, a história desses anos não podia deixar inalterada sua vida íntima. Stálin empreendia então sua própria revolução e mergulhava o país numa segunda guerra civil. Estava mais absorvido do que nunca e seguramente a convivência com ele tornara-se muito difícil. Nadia não era o tipo de mulher que se sentisse abandonada face a um marido sobrecarregado. Viviam nessas condições desde o início, desde sempre. Nunca vira Stálin à toa. Chegava cada vez mais tarde da noite – às vezes inclusive dormia na datcha, acompanhado de seus colaboradores próximos. Ela acordava cedo para ir à aula, enquanto ele permanecia na cama até as 11h ou meio-dia. Seus ritmos de vida eram completamente diferentes.

Nadejda começou então a enfrentar problemas de saúde: fortes enxaquecas acompanhadas de um estado depressivo. De junho a agosto de 1930, partiu sozinha para o estrangeiro, em especial a fim de consultar um neurologista.[33] Permaneceu um tempo em Karlsbad, em seguida fez uma longa visita a seu irmão Pável, em Berlim. Stálin escreveu-lhe em 21 de junho: "Tateka! Escreva alguma coisa … . Como foi a viagem, o que você viu, se foi ao médico, o que ele pensa de sua saúde … . As coisas não vão mal. Entedio-me muito por aqui, Tototchka. Estou sozinho em casa, como um animal. Não fui ao campo – os negócios. Terminei meu trabalho. Amanhã ou depois de amanhã, penso em ver as crianças. Até logo. Não se atrase. Volte depressa. Beijo. Seu Iosif."

Em 26 de junho, teve início o XVI Congresso do Partido. Stálin redigiu o relatório político do CC e o discurso de encerramento, em 2 de julho. Mal terminou esse trabalho, escreveu à mulher: "Toteka! Recebi suas três cartas.[34] Não pude responder pois estive muito ocupado. Finalmente estou livre. O congresso terminará dia 10 ou 12. Estarei à sua espera; não se atrase. Se a sua saúde for um problema, fique mais tempo." Preocupado com os filhos, a quem foi visitar, fala das dificuldades de Vassili em aprender alemão e de seu descontentamento com a professora, que lhe parece estranha. (Carta de 2 de julho de 1930.)

Nadia acabou voltando somente no fim de agosto e foi passar uns dias com Stálin em Sotchi. Aparentemente, esse breve reencontro após meses de separação não foi um sucesso. Stálin, não obstante, escreveu-lhe assim que ela chegou a Moscou: "Como foi de viagem? Como vai? Algo de novo? Escreva-me tudo, minha Totutchka. Estou me curando aos poucos. Beijo-a carinhosamente." (Carta de 2 de setembro.)

Angustiada, preocupada, Nadia responde friamente. Pela primeira vez, exprime certo mal-estar diante da situação conjugal. Desde seu retorno da Alemanha, andava com um humor instável, ensimesmada, distante. "Nesse verão, não percebi que o prolongamento de minha presença lhe seria agradável, ao contrário. E ficar de mau humor não fazia nenhum sentido… Abel (Enukidze) diz que você voltará no fim de outubro. É verdade que permanecerá aí tanto tempo assim? Responda se não ficar muito satisfeito com a minha carta, mas, pensando bem, como preferir." (Carta de 19 de setembro.) Ela ainda precisava do esposo. Quanto a ele, gostaria que ela viesse passar as férias ao seu lado, ao passo que ela não acreditava muito nisso. E depois, ela devia começar seu trabalho. Enfim, ele não lhe dizia tudo, pensava: "Soube de tudo pela imprensa. Em geral, é muito desagradável." Entretanto, não o criticava por sua política. Temia sobretudo por ele, naquela nova atmosfera criada pela coletivização das terras. (Carta de 19 de setembro de 1930.)

Com frequência cada vez maior, Stálin passava as férias em Sotchi, onde tinha agora sua própria mansão, construída para ele pelo arquiteto Merjanov, conhecida como "a datcha 9". Por essa época Nadia ainda passava a impressão de uma mulher independente, sorridente, cuidada. Era cada vez mais ativa, a ponto de não encontrar mais tempo para os filhos: "Mamãe não estava quase nunca com a gente", lembra-se Svetlana. Entretanto, imperceptivelmente, durante esses anos 1930-31, à medida que os meses passavam, sua exuberância dava lugar à tristeza, até mesmo à melancolia. Como se devorada por uma profunda aflição – doença psíquica, amor inconfessável ou angústia de uma esposa que não conseguia mais acompanhar o marido? Uma lenda de família assevera que ela viveu, durante esse lapso de tempo, um amor platônico com o intrépido Mikhail Tukhatchevski e que era esse segredo inconfessável, esse amor impossível, que a tornava tão enigmática. Discreta por natureza, não falava nada. Nenhuma confissão, nenhum segredo exposto. Começava, no entanto, a pensar em abandonar Stálin, avaliam alguns amigos. Mudar de cidade, viver de outra forma, e tais projetos teriam começado quando concluiu seus estudos.[35] Teria planejado instalar-se com os filhos em Carcóvia, onde sua irmã morava com o marido Redens. Uma fábrica de fibras artificiais estava em construção: poderia trabalhar lá, recomeçar do zero, longe dos privilégios e honrarias.[36] Disse-o a Stálin? A correspondência do casal interrompe-se em setembro de 1931. As últimas cartas alternam missivas calorosas e recriminatórias, como se receasse aborrecê-lo e perdê-lo. "Uma moça me disse", escreve em 6 de outubro de 1930, "que o viu na casa de Kalinin no almoço. Você estava com uma aparência esplêndida; estava alegre e fez todo mundo rir; ficaram todos intimidados. Estou muito contente. Não se zangue com a minha carta estúpida … . Descanse bem em Sotchi." (Carta de 6 de outubro de 1930.) A resposta consiste numa explicação conjugal, trocista acima de tudo. "Toteka! Recebi sua carta. Você anda me adulando muito nestes últimos tempos. O que significa isso? Será que sou bom ou mau? ... Você faz alusão às minhas viagens. Repito que não viajei para lugar nenhum e que não tenho intenção de fazê-lo." (Carta de 8 de outubro de 1930.)[37]

Nessa época, Nadia volta e meia irritava-se pelos menores motivos. Em 1931, partiu novamente para a casa dos pais, com os filhos. Nova crise. É ela quem telefona para Stálin a fim de reconciliar-se com ele. Ao voltar, não ouviu uma palavra de crítica. Embora ele tenha se comportado como se nada houvesse acontecido, ela sentiu-se desestabilizada e seu amor-próprio, ferido. A vitória de Stálin era-lhe intolerável.[38]

Pediu então a Pável, seu irmão, que lhe trouxesse um revólver de Berlim, explicando-lhe que estava com medo. Na época, todas as personalidades importantes andavam armadas. Esse pedido, portanto, não parecia nem preocupante nem excepcional.[39] Pável presenteou-a então com um pequeno revólver, quase um brinquedo, com munição, que ela escondeu cuidadosamente. Já pensava no suicídio? Quando sentiu-se mal após ter bebido durante uma festa na Academia, Stálin ajudou a transportá-la para a cama. Enquanto a carregava e tentava acalmá-la, tiveram um breve momento de ternura. "Ah! Apesar de tudo, você continua me amando um pouquinho!" disse ela, em plena tormenta. Ainda teria necessidade dele? Nos últimos tempos, costumava fazer confidências nada veladas: "Estou cheia de tudo", "Tudo me enoja", "Nada mais me interessa".[40] Para ela, os filhos não eram uma tábua de salvação, uma fonte de vida. Alguma coisa se esfacelara. Quando? Como? Por quê? Para alguns membros de sua família, ela estava doente; tinha nervos frágeis.*

Uma longa carta dirigida à mãe de Stálin, em 12 de março de 1931, revela um estado de espírito perturbado em comparação com o tom antes sereno de sua correspondência rotineira entre elas. "A senhora está zangada comigo porque não escrevo há muito tempo. Não escrevi porque não gosto de escrever cartas, e não porque estou zangada ... . Meus amigos nunca recebem cartas minhas. Não porque eu não goste deles, mas porque

* Entrevista com Galina Djugachvili, Moscou, 7 de junho de 1995. Kyra e Vladimir Alliluyev pensam, por sua vez, que a doença minara os nervos de Nadejda.

não gosto de escrever." Não obstante, escreve-lhe uma longa e desconcertante missiva, expressando sua admiração pelo marido e aludindo à perspectiva de uma vida comum e duradoura: "Vivemos aparentemente bem. Todo mundo com saúde. As crianças estão bem crescidas. Vassia está com dez anos; em 28 de fevereiro Svetlana fez cinco. O pai é seu grande amigo. É uma menina direita … . Iosif prometeu escrever pessoalmente à senhora." A narração de uma vida trivial em família surpreende, ainda mais nesse período, quando sinais de crise entremeiam sua vida conjugal. "Todos esses anos, todos os verões, cogitamos ir até o Cáucaso para visitá-la. Mas sempre circunstâncias imprevistas impedem a viagem. Entretanto, o verão está próximo e talvez nos vejamos. Por que a senhora não vem nos visitar? Ficamos constrangidos porque a senhora nos paparica com seus presentes, quando não somos muito solícitos. Conto, porém, com sua bondade e espero que não esteja aborrecida conosco. Envio-lhe uma saudação das crianças, que, infelizmente, ainda não conhecem sua querida avó. Em todo caso, poderíamos corrigir isso." (Carta de 12 de março de 1931.)

Último depoimento, ainda mais desorientador no que se refere a seus verdadeiros sentimentos por Stálin: em 7 de novembro de 1932, Kruchtchev achava-se sentado a seu lado em uma das tribunas especiais, construídas para os figurões do regime, a fim de ver passar o cortejo comemorativo do aniversário da Revolução de Outubro. A praça Vermelha era varrida por um vento poderoso; chovia a cântaros e o frio era glacial. Nadia observava com preocupação a tribuna superior, onde Stálin se encontrava: "Ele está com frio", disse ela ao amigo Nikita. "Falei para ele colocar uma roupa mais quente, mas como sempre ele resmungou alguma coisa e saiu."[41]

Um suicídio misterioso

Era uma recepção para celebrar o 15º aniversário da Revolução de Outubro. Os Vorochilov recebiam a nata do poder soviético. Stálin e Nadia estavam presentes, bem como Aliocha Svanidze, o cunhado querido. O banquete aconteceu na noite de 8 de novembro. Nadejda queria, para essa festa, enfeitar-se com uma rosa amarela. Não encontrara senão brancas, o que a deixara contrariada.[42] À mesa, Stálin conversava com uma senhora sentada a seu lado; à sua frente, Nadia falava também, voluptuosamente, sem parecer prestar-lhes atenção. De súbito, dirigiu-se ao marido em termos agressivos. Agastado, os olhos no prato, ele respondeu em voz alta: "Tola!" Ela se levantou de um pulo e saiu correndo na direção de seus aposentos. Stálin só foi embora no fim da festa. Não se dirigiu para casa, preferindo dormir na datcha e levando Aliocha com ele. Durante a noite, Nadia telefonou-lhe várias vezes. A primeira vez foi Stálin quem atendeu, mas desligou, recusando-se a falar com ela. Das outras vezes, pediu a Aliocha que atendesse.* Molotov deixou um depoimento parecido: "Havia muita gente na casa de Vorochilov, no dia seguinte ao 7 de novembro de 1932. Stálin fez uma bolinha de miolo de pão e, diante de todos, atirou-a na direção da mulher de Egorov. Notei aquilo, mas não prestei mais atenção. Isso parece ter sido de alguma importância. Na minha opinião, Alliluyeva estava um pouco alta nesse momento. Estava tão perturbada que não se controlava mais. Deixou a festa na companhia de minha mulher, Paulina Semionovna."[43]

O roteiro da altercação varia segundo os membros da família Alliluyev. À mesa, Stálin atira em sua mulher bolinhas de papel – papel da embalagem de chocolates – para chamar sua atenção, uma maneira como outra

---

* Essa versão, fornecida por Galina Djugachvili, reproduz a história que circulou na família Svanidze, de acordo com o depoimento de Aliocha. (Cf. *Ded, otets, ma i drugui*, Moscou, Olimp, 1993, p.59.) Svetlana Alliluyeva afirma, segundo o relato que sua ama de leite lhe fez alguns meses antes de morrer, em 1956, que Stálin dormira no apartamento na noite do drama. Essa versão parece pouco plausível, levando-se em conta que, segundo essa mesma ama de leite, quando Nadia foi encontrada morta, os serviçais alertaram Ordjonikidze, Molotov, Vorochilov e os demais membros da família, e que, somente quando todos estavam presentes no salão, Stálin, despertando por si só, soube da horrível notícia. Podemos nos perguntar por que ninguém cogitou ir contar-lhe pessoalmente o que se passara em sua própria casa antes de alertar os amigos. (Cf. Svetlana Alliluyeva, *Vingt lettres à un ami*, Paris, Seuil, 1967, p.122-6.) Todos os membros da família de Stálin que encontrei são categóricos nesse ponto: Stálin passou a noite na datcha, só retornando para casa após a partida de sua mulher do domicílio dos Vorochilov.

qualquer de se dirigir a ela. "Ei, você, tome um gole!", disse-lhe. Irritada, de mau humor, ela respondeu: "Eu tenho nome. Que história é essa de 'Ei, você'?" Para estupor geral, levantou-se e deixou a sala precipitadamente. Paulina Molotova foi atrás dela para acalmá-la.[44]

A primeira versão reforça a hipótese do ciúme de Nadejda, a segunda a de sua irascibilidade à flor da pele e, eventualmente, a de sua irritação com o marido, embora todos sejam unânimes em reconhecer principalmente seu ciúme visceral.

Um terceiro roteiro do incidente foi adotado pela oposição: Nadia teria criticado Stálin por sua política de supressão dos *kúlaks*; teria denunciado a fome que grassava e apontado-o como responsável pelo descontentamento reinante no país. Stálin, louco de raiva, teria despejado sobre a mulher uma torrente de palavrões. E esta teria sido a razão de sua partida brusca da casa dos Vorochilov.*

Paulina e Nadia deram várias voltas pelo Kremlin. Falaram da Academia e dos estudos, conta-nos sua filha Svetlana. Mas parece que Nadia também teria dito a Paulina que não podia mais viver com Stálin, que, em suma, não queria mais viver, porque nunca poderia escapar-lhe. "E as crianças?", retrucou a amiga. "Precisa pensar nelas." "Isso não é importante", teria-lhe então respondido. E se encaminhou para seu destino, me contou Aleksandr Burdonski, seu neto, que ouvira essa versão de sua tia Anna, a irmã mais velha de Nadia. As recordações de Molotov são mais convincentes: "Elas passearam pelas dependências do Kremlin. Já era bem tarde. Nadia queixava-se de tudo. Falou da cabeleireira.** E por que ele flertara na festa? Estava morrendo de ciúme."[45]

---

* Victor Serge, *Portrait de Staline* (Paris, Grasset, 1940, p.94-5). Ele também sugere que Stálin, após as críticas de sua mulher, teria apresentado sua demissão. Diversos historiadores acreditaram nessa versão fantasiosa – sabemos que Stálin não apresentou demissão alguma após a morte de Nadejda. Mesmo um biógrafo tão honesto e lúcido como Deutscher inclinou-se pela versão da esposa oponente (*Staline* – edição definitiva, Paris, Gallimard, 1973, p.341). Num livro extravagante, espécie de romance popular que se apresenta como memórias apócrifas de um conselheiro próximo de Stálin, o autor reproduz a mesma versão. (Cf. Vladimir Uspenski, *Tainei Sovietnik Vodja*, t1, Moscou, "Prometei", 1993, p.186-90.)

** Trata-se da cabeleireira que fazia a barba de Stálin e cuja presença Nadejda não apreciava.

No dia seguinte, foi encontrada morta na cama, deitada de bruços, um travesseiro na cabeça e o pequeno revólver na mão. A porta estava trancada por dentro. Duas cartas escritas às pressas estariam à espera de Stálin em seu gabinete. Uma para ele, outra para os filhos. Carta política ou pessoal, na qual admoestações ao governante misturavam-se às que visavam simplesmente ao homem? A controvérsia ainda perdura. Para alguns, essa carta era acima de tudo um ajuste de contas com um marido que falhara. Para outros, uma crítica acerba à política de governo, cujo chefe supremo era seu marido. Raros foram os que a leram efetivamente, e estes não disseram quase nada. Mais tarde, a carta desapareceu.

Toda a família e os amigos mais chegados acorreram após a descoberta macabra. Olga, Pável, Evguenia, Anna, Ordjonikitze, Molotov e sua mulher. Para Kyra, filha de Pável, a ideia de que uma crítica política de Nadia – ainda que póstuma – pudesse atingir Stálin só podia ser uma piada. Ora, Stálin sentira-se profundamente afetado, arrasado, com essa carta: terrível, dura, insustentável, que o atingia na essência de seu ser, o homem que ele fora para aquela mulher a quem amava. Só por alusões, sabemos o que ela escreveu, por perífrases escapadas das raras pessoas que estavam lá quando a governanta, Karolina Till, que acabava de servir o café da amanhã, encontrou o quarto fechado.* Pável e sua mulher, Evguenia, foram os primeiros a lê-la, mas mantiveram silêncio. "Ela era impiedosa, cruel", afirma Kyra de maneira sibilina. Sua mãe nunca lhe dissera nada além disso. Segredo de família que todos carregaram consigo para o túmulo. Os Alliluyev jamais consideraram Stálin o responsável por esse suicídio, me garantiu ainda Kyra. Eles apontavam os problemas de saúde de Nadia e sua pesada herança psíquica.

* Paulina Molotova estava entre os que leram essa carta, tendo declarado à amiga E.V. Bestrova, comissária adjunta no ministério da Indústria Leve, que esta não tinha nenhuma conotação política. (Cf. Aleksandr Kolesnik, *Mife i pravda o seme Stalina*, Carcóvia, Prostor, 1990, p.64.) Em suas recordações, Molotov nega até mesmo a existência de uma carta. (Cf. Félix Tchuev, *Conversations avec Molotov*. Paris, Albin Michel, 1995, p.213.) Vladimir Alliluyev, da mesma forma, pensa que, considerando o estado no qual se encontrava aquela noite, ela estaria incapacitada de escrever o que quer que fosse (*Khronika odnoi semi, Aliluev Stalin*, Moscou, Molodaia Gvardia, 1995, p.31).

Para Stálin, começou então um período negro. Pável e Evguenia fizeram-lhe companhia por três dias e três noites, de tanto que temiam que ele imitasse Nadejda. Outros membros da família revezaram-se a fim de não deixá-lo sozinho. Falavam com ele. Seu estado era deplorável. "Por quê? O que fiz? Fui grosseiro com ela? Não a amei? Não a respeitei? Eu fazia tudo que ela queria. Ela podia ir aonde quisesse. Comprar o que quisesse. O que lhe faltava?" Horas e horas de conversas com Aliocha, Pável, Olga e Serguei. Confessou a Evguenia, sua cunhada, que perdera toda a vontade de viver. Acessos de raiva sucediam-se aos estados de prostração.

Soube então que fora Pável quem trouxera o revólver de Berlim. "Você lhe deu um presente estranho", ele lhe disse. A família esperava pelo pior: estava certa de que Stálin romperia com eles para sempre. Não aconteceu nada disso. Ao contrário. Em conformidade com os velhos costumes caucasianos, aproximou-se ainda mais dos pais de Nadia.[46] Visitava-os assiduamente, e a casa deles vivia aberta para ele. A solidão atormentava-o.

O suicídio deixou Stálin apreensivo e ele decidiu manter em segredo as circunstâncias da morte. Viveu o episódio como uma vergonha, uma traição. No pânico geral, resolveu dizer aos filhos que ela morrera de uma crise de apendicite aguda, e o comunicado à imprensa falou em morte súbita na noite de 9 de novembro. Essa mentira só fez engendrar rumores sobre a morte de Alliluyeva. Várias versões circularam, uma mais fantasiosa que a outra: alguém da guarda pessoal de Stálin a teria matado a mando seu porque ela o teria flagrado com outra mulher...; os círculos estrangeiros, sionistas principalmente, que Stálin incomodava, estariam por trás do assassinato; ela teria se suicidado porque amava um homem e não era correspondida; e até mesmo que teria tido um caso secreto com Iacha, filho mais velho de seu esposo, e Stálin, sabendo disso, a teria matado com as próprias mãos.[47] Esses rumores, que jamais vieram a receber qualquer tipo de prova e não merecem qualquer atenção, dão uma ideia da imaginação mórbida de um mundo desinformado. "Não podemos calar todas as bocas que lançam boatos", teria dito Stálin a seus colaboradores, exasperados.

Por que Nadejda Alliluyeva se suicidou? Como para todo ato trágico dessa dimensão, as causas abundam, para desembocar finalmente num beco sem saída. Dificuldades existenciais, depressão fruto de uma doença psíquica, crise conjugal, paixão oculta por outra pessoa ou, ao contrário, amor excessivo por um marido difícil de controlar, decepção com a evolução do regime diante das próprias aspirações revolucionárias, sentimento de culpa ante tantas tragédias engendradas pela coletivização forçada e cujo principal responsável ela sabia ser o marido. Circunstâncias que, reunidas, tinham tudo para desembocar no irreversível, no irreparável, materializado num momento banal de cólera.

A vida toda, Stálin interrogou-se sobre a causa desse suicídio e procurou o culpado.

A cerimônia do funeral aconteceu no Gum, grande loja de departamentos situada na praça Vermelha, em frente ao Kremlin e na época sede do Comitê Central Executivo. Na noite de 9 de novembro, os despojos haviam sido transferidos do Kremlin para o Gum, e o caixão fora exposto no salão. Além da família, colegas e amigos, estavam presentes todos os membros do Comitê Central e da Comissão de Controle, os dirigentes do Komintern e de outras organizações soviéticas e do Partido. Na guarda de honra: Molotov, Vorochilov, Kaganovitch e Mikoian. Stálin chegou no fim da cerimônia. Aproximou-se por um instante do caixão, debruçou-se a fim de dar o último beijo na testa da defunta e, subitamente, teve um gesto intempestivo: empurrou com as duas mãos o caixão, virou as costas acintosamente e foi embora.*

Em 10 de novembro, às 8h da manhã, uma multidão veio prestar-lhe as últimas homenagens. Milhares de operários e estudantes desfilaram

* O depoimento de Molotov contradiz o apresentado por Svetlana Alliluyeva: "Eu nunca o tinha visto chorar. Mas ali, diante dos restos mortais de Alliluyeva, vi lágrimas correrem pelo seu rosto .... Stálin aproximou-se do caixão no momento das despedidas ... e disse com muita tristeza: 'Eu não soube protegê-la.'" (Cf. Félix Tchuev, *Conversations avec Molotov*, Paris, Albin Michel, 1995, p.215.)

diante do caixão. Às 14h30, o féretro foi carregado ao som da Internacional e colocado no carro fúnebre, sem a presença de Stálin, que teria dito a Abel Enukidze: "Foi você que assistiu a seu batismo, é você que vai enterrá-la."[48] Abel Enukidze e Aliocha Svanitze* encabeçaram o cortejo fúnebre, que atravessou a cidade em direção ao histórico cemitério de Novodietichti. As ruas estavam tomadas pelo povo. Kaganovitch fez o elogio fúnebre. "Sepultamos um dos melhores e mais fiéis membros do Partido. Nadejda Sergueievna, educada numa família de velhos bolcheviques proletários, fiel à causa operária após a Revolução, era ligada ao movimento operário, ao nosso Partido. Durante e após a guerra civil, Nadejda Sergueievna foi uma fiel combatente da classe operária .... Era modesta e muito exigente consigo mesma. Nadejda Sergueivna deixou em nossos corações as melhores lembranças, a de um trabalhador ativo do Partido, de uma camarada, da melhor amiga daquele que dirige a grande luta do proletariado pela vitória do socialismo. Nós, amigos e camaradas, compreendemos as obrigações que devemos ao camarada Stálin. No instante dessa perda, nós, bolcheviques, fortalecemos mais ainda nossa vontade de lutar. Lutemos com mais força pelos ideais pelos quais lutou Nadejda Sergueievna Alliluyeva."[49] Bukharin também discursou na ocasião.

O *Pravda* de 10 de novembro publicou os pêsames de Górki, Krupskaia, da mãe de Stálin e das mulheres dos principais dirigentes do regime. Os professores e colegas da Academia Industrial exprimiram sua afeição àquela que se fora. Até embaixadores estrangeiros associaram-se a esse luto quase nacional.

Em 18 de novembro, Stálin publicou seus agradecimentos e expressou sua gratidão a todos os que haviam manifestado condolências pela "perda de minha íntima amiga e camarada Nadejda Sergueievna Alliluyeva Stálina". Era a primeira vez que Nadia recebia oficialmente o sobrenome Stálin.

---

* De longe, alguns confundiram Aliocha com Stálin, daí o rumor de que Stálin teria comparecido ao enterro.

Ele encomendou um monumento. Soberbo! O rosto de Nadia esculpido no mármore parecia vivo. Atrás, na base do pedestal, uma última homenagem pessoal: uma rosa – a que ela usava em sua última noite. Contudo, segundo sua filha Svetlana, ele jamais foi visitar o túmulo.*

Também mandou ampliar uma foto de Nadia sentada à mesa, em Zubalovo, um xale nos ombros. Parece feliz, radiosa. Mandou pendurar esse retrato em todos os aposentos do Kremlin.[50] Mais tarde, perto do fim da vida, mandou ampliar outras duas fotografias de Nadia, colocando uma delas em seu gabinete no Kremlin e pendurando a outra em seu quarto da datcha de Kumtsevo.[51] O homem envelhecido ainda evocava, principalmente com a filha, o drama dessa morte. Conversou também em termos igualmente sombrios com Sergo Beria.

Durante a guerra, o filho de Beria, de volta do front, oferecera um troféu a Svetlana – um revólver. Quando Stálin soube disso, convocou-o imediatamente. Era a primeira vez que o jovem Beria era convocado pelo chefe em pessoa e em particular: "Foi você que presenteou Svetlana com um revólver? Não sabe o que aconteceu em nossa casa com uma arma? Não? A mãe de Svetlana, que estava de mau humor, meteu uma bala na cabeça."

Sergo Beria ficou perplexo. Nunca em sua família ouvira dizer que a mãe de Svetlana havia se suicidado.

"Bom! Pode ir, embora numa situação como essa você normalmente merecesse ser punido."[52]

A segunda revolução

Foi durante esse período dramático de sua vida privada que Stálin empreendeu sua própria revolução. A guinada de 1928-29 abalou os fundamen-

* Alexei T. Rybin afirma que chegou a acompanhar Stálin em eventuais visitas noturnas ao túmulo da mulher, onde ele permanecia horas a fio sentado em silêncio. Segundo Vladimir Alliluyev, Stálin fez apenas uma visita ao túmulo, em outubro de 1941, quando Moscou foi cercada pelos alemães (*Khronika odnoi semi, Aliluev Stalin*, Moscou, Molodaia Gvardia, 1995, p.30).

tos da velha Rússia. O que estava em jogo então era o destino da União Soviética. Tudo começou com os impasses da NEP, com os camponeses recusando-se cada vez mais a fornecer trigo às cidades.

A divisão dos grandes latifúndios em pequenas propriedades proporcionara aos bolcheviques, entre 1917 e 1919, o apoio do campesinato. Stálin, por muito tempo alcunhado o pai dos camponeses, opusera-se a Lênin em 1906, defendendo a distribuição das terras, não sua nacionalização. Porém, na esteira do comunismo de guerra e da instauração da NEP, a capacidade dos campos de alimentar a população urbana diminuiu. Os *kulaks* pediam preços exorbitantes por sua produção, considerando o poder de compra das pessoas da cidade. Stálin tomara consciência desse problema em 1926. Numa carta dirigida a Mólotov, em 16 de setembro, vociferava contra os "aproveitadores da NEP"; propunha eliminar os que não respeitassem a política dos preços da colheita e exigia a promulgação de uma circular do Partido designando-os como "inimigos da classe operária" e determinando uma luta impiedosa contra eles. "Compreenda que, sem tais medidas, perderemos o campo para os elementos da NEP … . Sem essas medidas, não há salvação."[53] A situação dos campos ameaçava amotinar a classe operária urbana, que sustentava o regime. Face a tais dificuldades e infindáveis impasses delas resultantes, e sob a pressão dos acontecimentos, Stálin optou por métodos radicais. Ao seu estilo pragmático, enveredou na Segunda Revolução, que foi ainda mais abrangente e radical que a de 1917. Resultado: uma rápida industrialização da Rússia e uma coletivização geral da agricultura, que obrigou o mujique a trocar o carro de bois pelo trator e 10 milhões de analfabetos a tomar o caminho da escola.[54]

Stálin esperava a violência e a amplitude das tragédias deflagradas, ele que lutara em 1925 contra os que pretendiam atiçar "a luta de classes no campo"? Na época, ainda achava que, progressiva e moderadamente, era possível reorganizar parte da agricultura segundo normas coletivas. Também achava que os camponeses iriam aderir à coletivização ao perceberem que podiam lucrar com ela. Viveriam melhor, logo não sentiriam falta de suas minúsculas fazendas.

Com o passar do tempo, o trigo começou a escassear, reduzindo as possibilidades de exportação e, por conseguinte, de divisas necessárias à industrialização. A fome ameaçava a todos. Stálin entrara num círculo vicioso: para desenvolver a agricultura coletiva, precisava de uma indústria forte; para ter uma indústria forte, precisava apoiar-se numa agricultura coletiva. Então, mediante a violência, rompeu esse círculo. Não via outro caminho, se quisesse salvaguardar o que chamava de "a causa", a transformação da utopia em realidade, e edificar um socialismo apto a superar, por seu desempenho, o capitalismo.

Stálin começou por um retorno ao comunismo de guerra. "Brigadas de operários" foram enviadas aos campos para empreender buscas nas fazendas e confiscar o que fora desviado. Assim "os métodos de 'coerção administrativa', pregados por Trótski em sua época, foram amplamente utilizados por Stálin".[55] Essa política deu resultados num primeiro momento: em janeiro de 1928, as compras de cereais foram melhores do que no ano anterior. Em 1929, a safra já foi pior. Para conquistar o apoio dos camponeses pobres, o governo deu garantias de que, em todas as aldeias, 15% dos cereais confiscados seriam distribuídos entre eles. Isso não foi suficiente para convencer a grande maioria do campesinato médio a cooperar com o regime. Diante da situação, em meados de 1929 Stálin deflagrou bruscamente a coletivização geral da agricultura, sob a palavra de ordem: "Devemos esmagar os *kulaks*, eliminá-los como classe." Era uma declaração de guerra! "Essa política das fazendas coletivas foi uma luta terrível", ele mesmo dirá a Churchill cerca de dez anos mais tarde. Estimará em 10 milhões o número de seus oponentes. "Foi horrível. E isso durou quatro anos. Se quiséssemos evitar as fomes periódicas, era absolutamente indispensável para a Rússia cultivar a terra com tratores..." Os camponeses, porém, não queriam isso, uma vez que para eles tal necessidade vinha acompanhada da perda das próprias terras. Logo, todos que se opunham a isso "foram exterminados por seus trabalhadores", explicará Stálin a um Churchill pasmo.[56]

A princípio, lançara-se tateante na aventura. "Em seguida, arrastado pela força de seus atos, avançou a passos de gigante, sem trégua e sem descanso. Atrás dele marchava uma multidão de russos cansados e maltratados, uma geração inteira em busca do socialismo num único país."[57]

Acreditava cada vez mais que a repressão sem piedade, a mão de ferro, a violência erigida em política de Estado conseguiriam por si só transformar a Rússia e seu império. Trabalhava intensamente, cercado por estatísticas, gráficos e índices. Lia cada vez mais livros de economia, metalurgia, agricultura. Dava ordens e promulgava decretos. Achava que não existia "fortaleza inexpugnável para os bolcheviques", ao mesmo tempo em que era lúcido quanto ao gigantismo de sua iniciativa e a seu preço em termos de vidas humanas. Para os que viam em Stálin apenas um homem sedento de poder pessoal, essa política de 1928-29 provou o contrário: "Um homem cujo horizonte se visse limitado pela preocupação com o poder pessoal decerto não teria embarcado nessa terrível cruzada contra os camponeses."[58] Surpreendeu inclusive a própria mulher. Em março de 1931, ela escrevia à mãe de Stálin: "Fico admirada com sua força e energia. Só um homem saudável pode aguentar sua carga de trabalho." Ele desconcerta os historiadores: "Só um soberano absoluto, senhor de seus nervos e sentimentos, poderia ter persistido nessa empreitada, diante de tantos obstáculos."[59]

A fim de esmagar os camponeses que se recusavam a ceder seus cereais ou seu gado, para não falar nas terras, Stálin deflagrou uma guerra civil contra o campo. Amotinou camponeses pobres contra camponeses ricos, enquanto o campesinato médio, imprensado, continuava sem saber qual seria seu destino; a aldeia russa virou um pesadelo. Criou brigadas de "deskulakização", que colaboraram com os camponeses pobres e foram coordenadas por troicas.* A delação instalou-se: filhos denunciavam pais; mulheres, os maridos; vizinhos, os amigos. Aldeias inteiras foram metralhadas, e grupos armados entre os camponeses ricos organizaram a resistência. Os *kulaks* espalhavam boatos de que uma guerra era iminente, e as insurreições camponesas haviam alcançado todos os distritos

* A troica era composta pelo primeiro-secretário da organização do Partido, o presidente do comitê executivo do soviete e do chefe da OGPU (Diretório Político Unificado da Segurança de Estado).

vizinhos.[60] Dezenas de milhares de cartas chegavam a Moscou, dirigidas a Stálin: cartas angustiadas, pedindo socorro, manifestando medo e ódio, além de ameaças. Eram individuais, coletivas ou anônimas. Em sua grande maioria, denunciavam os abusos da coletivização.

No auge da fúria e do desespero, os camponeses matavam seu gado, destruíam as ferramentas agrícolas e queimavam as colheitas. Imensas terras cultiváveis foram então devastadas. A fome instalou-se nas cidades, sobretudo na estepe negra da Ucrânia.*

Vários milhões de camponeses foram vítimas da deskulakização. Mais de 2 milhões foram expulsos de suas fazendas. Mais de 1,8 milhão foram deportados. Criaram-se campos de trabalho forçado para a grande maioria desses camponeses deportados – eles escavavam canais, executavam os trabalhos pesados na construção das ferrovias, derrubavam florestas. A taxa de mortalidade era altíssima. Entre 300 e 400 mil camponeses foram classificados como "contrarrevolucionários", e boa parte deles fuzilada. O número exato é desconhecido até hoje.[61]

Essa operação desenrolou-se, "do início ao fim, na mais violenta das desordens, na anarquia dos ajustes de conta... Os deportados foram abandonados à própria sorte no meio da taiga, sem reservas de mantimentos ou utensílios. O frio e a fome faziam o resto. Na desordem reinante, contudo, os mais afortunados conseguem escapar e voltar para casa."[62]

Tudo isso levou Stálin – por astúcia, por razões táticas ou devido a uma real tomada de consciência quanto ao desastre deflagrado – a publicar em 2 de março, no *Pravda*, um artigo que ficou célebre, intitulado "A vertigem do sucesso", que denotava a vontade de uma espécie de pausa

---

* Segundo Aleksandr Iakovlev, a criação dos kolkhozes não engendrou uma violência generalizada. Nas regiões em que a terra não era fértil e de clima rigoroso – logo, cuja produção agrícola era pequena –, os camponeses pobres ingressaram sem problemas na coletivização, pois tinham tudo a ganhar. Nesses casos, os kolkhozes funcionaram a contento desde sua criação, e o padrão de vida melhorou nitidamente. Nas regiões férteis, porém, áreas de terras escuras, havia propriedades suntuosas, em geral no sul ou nas regiões do Volga. Lá a coletivização significava que as pessoas deviam abandonar suas riquezas. Não foi simples. (Cf. Aleksandr Iakolev, *Ce que nous voulons faire de l'Union Soviétique*, Paris, Seuil, 1991, p.55.)

antes de disparar a etapa seguinte. Nele, atribuía os excessos e abusos aos funcionários zelosos. Admitiu que, em diversos casos, a força havia sido empregada, que numerosos *kolkhozes* (as cooperativas agrícolas) funcionavam mal, e dizia ainda que fora mal compreendido. Em suma, determinava o fim dos excessos. A coletivização, no entanto, continuou a avançar após uma pequena interrupção de poucos meses. Foi só depois da fome de 1932-33 – provocada pela seca e a desorganização do trabalho agrícola – que Stálin ordenou um relaxamento de sua política agrícola, mudando as regras do jogo no interior do *kolkhoze*. Enquanto, no início, o camponês era transformado em operário agrícola, agora ganha o direito de participar da distribuição dos lucros e vender produtos no mercado, após ter pagado a cota do Estado. Pode igualmente possuir um pequeno pedaço de terra e algumas cabeças de gado. A maioria dos *sovkhozes* (as fazendas estatais mecanizadas) foi suprimida.

Quanto mais essa coletivização assassina e devastadora avançava, mais o país sentia necessidade de uma industrialização poderosa capaz de fornecer ao campo arrasado as ferramentas indispensáveis para se soerguer. Fazia-se urgente a aquisição de volumes maciços de máquinas, bem como a abertura de poços de petróleo, a expansão da rede elétrica , a construção de novas estradas e de uma infraestrutura técnica capaz de gerir tudo isso. Esse processo resultou nos vastos canteiros de obra de Dnieprostroy (a grande central hidrelétrica no Dniepr), Magnitogorsk (berço da metalurgia soviética) e de Kuznetsk (fábrica de máquinas-ferramentas e produtos químicos no Ural); na fábrica de máquinas agrícolas de Rostov; nas indústrias de tratores de Tcheliabinsk, Stalingrado e Carcóvia; nas indústrias de automóveis de Moscou e Sormovo; na de máquinas pesadas de Kraniatov, e em tantos outros conglomerados gigantes. Estes deveriam criar um "mundo novo", engendrar um "homem novo" capaz de lidar com a natureza e o atraso secular da Rússia.

Muitos jovens deixaram-se entusiasmar por essas tarefas prometeicas, pelo sonho de uma nova civilização, pela utopia em vias de realização. O setor industrial, construído a passos de gigante, punha fim ao desemprego que grassara durante o período da NEP. Toda uma categoria de operários beneficiava-se então com os novos canteiros de obras. Escolas técnicas inauguradas em toda parte davam-lhes a possibilidade de se reciclar e ter uma formação. Surgiu uma aristocracia operária. Uma nova inteligência brotou da lama e do sangue, exaltando o heroísmo e o entusiasmo dos pioneiros. Medíocre em seus valores e centros de interesse, ela priorizava a técnica. Eram os antecessores dos tecnocratas de hoje, os entusiastas de um socialismo primário, brutal e sumário.

Ao mesmo tempo, Stálin combatia as tendências à igualdade herdadas da Revolução de Outubro. Criou privilégios – ainda que os execrasse pessoalmente – e uma escala de recompensas materiais e morais para os melhores trabalhadores, a fim de incentivar o talento, a eficiência e o empenho.

Durante todo esse período, Stálin sentiu-se ameaçado; mostrava-se cauteloso e temia pela segurança de seus colaboradores. Os velhos reflexos do conspirador reapareciam, lembrando o homem do período pré-revolucionário. "Você fez bem em não partir", escrevia-lhe sua mulher em 12 de setembro de 1930, visivelmente preocupada com ele. "De todos os pontos de vista, é arriscado." Confirmando esse clima de apreensão em que vivia, Stálin respondeu-lhe em 24 de setembro de 1930. "Mandei espalhar por intermédio de Poskbreytchev [seu secretário] o rumor de que só estarei em Sotchi no fim de outubro. Eu o fiz para embaralhar as pistas. Abel [Enukidze] é o alvo desse boato. Eu preferia que você não comentasse isso com ninguém. Apenas Tateka, Molotov e talvez Sergo [Ordjonikidze] têm conhecimento de minha chegada." Em 11 de setembro de 1931, Stálin responde a Kirov, que lhe pedira autorização para embarcar num avião a fim de encontrá-lo em Sotchi: "Não aconselho a ninguém viajar de avião. Peço-lhe, portanto, que venha de trem. Stálin."

Começava então sua fobia de complôs: via-os em toda parte e acreditava piamente neles. É nesse estado de ânimos que se inscrevem os primeiros processos kafkianos liderados por Stálin.

Em 1928, os órgãos da GPU afirmam ter descoberto uma importante organização que visava a destruir a indústria carbonífera. Foi o processo dos "sabotadores", acusados de "contrarrevolução econômica". Cinquenta e três pessoas passaram pelo banco dos réus – apresentados sob a denominação comum de "o processo de Chakhti". Supunha-se que esses réus mantinham laços estreitos com os antigos proprietários da mina, emigrados, que, por sua vez, estariam em contato com os capitalistas ocidentais.

Em 1930, descobriu-se a existência de um partido integralmente formado por sabotadores, o Partido Industrial, cujos membros, que ocupavam altos cargos na indústria e no planejamento, pretendiam fazer fracassar o plano quinquenal. Agiam sob ordens de personalidades estrangeiras, entre as quais um ex-presidente da França, Raymond Poincaré. Stálin acreditou efetivamente na existência do complô e até mesmo na iminência de uma intervenção estrangeira. Uma longa carta manuscrita e sigilosa estampando a menção "para ser entregue em mãos", que enviou a Menjinski – que se tornara chefe da GPU após a morte de Dzerjinski em 1926 –, demonstra isso e expõe sua maneira bastante pessoal de dar um basta nas coisas: com violência, tortura e confissões arrancadas. "A questão da intervenção em geral e a data da intervenção em particular constituem um interesse primordial para nós. Eis as minhas propostas: A. Fazer da questão da intervenção e de seus prazos um dos pontos básicos das futuras confissões dos dirigentes do TKP 'Promparti' e, sobretudo, de Ramzin: 1) Por que a intervenção foi adiada de 1930 para 1932? Por que a Polônia não estava preparada? 3) Por que a Romênia não estava preparada? 4) Por que os países limítrofes ainda não entraram num acordo com a Polônia? 5) Por que a intervenção foi adiada para 1931? 6) Por que eles 'podem' adiá-la para 1932? 7) etc. B. Interrogue Laritchev e outros membros do CC do 'Promparti' da maneira mais severa a respeito da mesma questão e faça-os ler as informações fornecidas por Ramzin. C. Interrogue severamente Groman, que, pela confissão de Ramzin, declarou 'no centro unificado' que a intervenção foi postergada para 1932. D. Tire o couro dos soldados srs. Kondratiev, Yurovski, Tchialnov e outros que realizam manobras para não serem conectados à tendência intervencionista, mas que são (incontestavelmente!) intervencionistas, e interrogue-os duramente sobre as datas da intervenção. (Esses três devem ter informações, assim como Miliukov, à cuja casa eles foram para 'conversar'.) Se as informações fornecidas por Ramzin forem confirmadas e concretizadas nas confissões de outros acusados (Groman, Laritchev e companhia), será um sucesso importante para a GPU, pois os dados assim obtidos se tornarão patrimônio das seções do Komintern e dos operários de todos os países... Promoveremos uma vastíssima campanha contra os intervencionistas e deteremos as tentativas de intervenção por um ou dois anos. O que é muito importante para nós. Compreendido? Minhas saudações. I. Stálin."[63]

Essa carta de Stálin mostra o esquema geral dos processos e a mecânica das confissões durante todo o seu governo. Esse processo farsesco – uma vez que os catorze acusados foram condenados a uma pena de morte depois comutada em prisão perpétua, e alguns mais tarde libertados, como Ramzin – prefigura não obstante a encenação sinistra dos processos vindouros. Durante seu desenrolar, manifestações de massa de operários exigiam o fuzilamento dos traidores, enquanto a imprensa repercutia os debates.

Por outro lado, havia uma oposição real dentro do próprio Partido. A plataforma de Riutin, que circulou em 1932 e que pedia o afastamento de Stálin, prova que seu poder, cada vez mais absoluto, tinha seus antagonistas...

Contudo, não obstante os meios bárbaros, a URSS avançava. Os fatos primam pela ética, mas são inegáveis: em 1930, a produção industrial cresceu 80% em relação aos níveis de antes da guerra.[64] Stálin implantara, com brutalidade e crueldade, as bases de uma economia planificada mais racional, transformando um imenso país agrícola em país industrial, o que permitiu à Rússia suportar o tranco da invasão alemã em 1941 e, após a Segunda Guerra Mundial, tirar o melhor proveito político da vitória. Ao longo do tempo, os historiadores que se debruçaram sobre essa página da história mostraram-se ao mesmo tempo críticos e fascinados, comparando sucessivamente Stálin a Tamerlão, Cromwell ou Robespierre. No que se refere à história russa, foram sugeridos paralelos com Ivan o Terrível ou Pedro o Grande. Stálin, por sua vez, via-se simplesmente como o discípulo de Lênin.

6. O ditador

Durante os anos terríveis – quando colocou em jogo o futuro do país, a perenidade do regime e seu destino político – as poucas e lapidares cartas que Stálin enviou à mãe exprimem sofrimento e mostram que tinha consciência de que não cumpria suas obrigações como filho. Receava ter magoado a mãe, pedia notícias dela e preocupava-se em lhe oferecer melhores condições de vida: eis o *leitmotiv* de sua relação com Keke, cada vez mais perdida em sua Geórgia natal. "Há muito tempo não recebo carta sua. Será que está aborrecida comigo? Mas o que fazer? Sou muito ocupado. Envio-lhe 150 rublos, não posso mandar mais. Mas se precisar de dinheiro, fale comigo, enviarei o máximo que puder. Saudações aos amigos. Viva muitos anos. Seu Sosso." (Carta de 25 de abril de 1929.)

Em 22 de dezembro de 1931, quando a situação do país atingia um ponto crítico, Stálin escreveu novamente à mãe em seu estilo lacônico, deixando entrever a que ponto essa relação era importante para ele. "Claro que me sinto culpado por não lhe haver escrito. Mas o que fazer? Um imenso volume de trabalho desabou na minha cabeça e não tive tempo para uma carta. Cuide-se. Se precisar de alguma coisa, escreva. Nadia enviará os remédios. Seja forte e cuide da saúde. Viva mil anos. Seu Sosso." Patéticas e banais ao mesmo tempo, palavras apressadas, que, bem ou mal, revelam o desejo de manter um mínimo contato com essa pobre mãe, que ficara completamente para trás. É só em 24 de março de 1934 que encontramos, nessa correspondência espacejada, menção à morte de Nadejda. "Não se preocupe comigo. Aceitarei meu destino... Naturalmente, minha vida privada está difícil após a morte de Nadejda. Mas não é nada. Um homem corajoso deve permanecer corajoso."

Na realidade, para um homem da dimensão de Stálin, o que resta de espaço na vida privada após a morte da mulher e os horrores da coletivização?

Supostos amores e um caso verídico

Um rumor insistente, porém infundado, falava de uma relação quase matrimonial entre Stálin e uma certa Rosa Kaganovitch, irmã ou parenta de Kaganovitch, um de seus colaboradores mais próximos dos anos 30. O mito da terceira mulher de Stálin remonta a 1932, logo em seguida à morte de Nadejda. Dizia-se inclusive que se casara com Rosa. Essa Rosa intangível – já que a única irmã de Kaganovitch já morrera nessa época –, cuja existência é negada pela filha de Stálin mas confirmada pelo filho de Beria, constitui uma das páginas mais enigmáticas de sua vida privada. "Nada é mais inverossímil do que a história, que li mais de uma vez no Ocidente, da 'terceira mulher de Stálin', a imaginária 'Rosa Kaganovitch'",[1] afirma Svetlana Alliluyeva. Ela se esquece de que esse rumor já circulava na URSS antes de chegar ao Ocidente. Sergo Beria, que evoca a relação entre Stálin e uma mulher com o nome Kaganovitch, chega a afirmar que teriam tido um filho. Segundo Sergo, essa mulher, bonita e inteligente, agradava muito a Stálin e foi esse amor a causa do suicídio de Nadia. "Eu conhecia bem o filho de Stálin criado por Kaganovitch. O menino chamava-se Iura. Uma vez, perguntei à filha de Kaganovitch se ele era seu irmão. A moça, constrangida, não sabia o que responder. O menino parecia muito com um georgiano. Sua mãe foi embora para algum canto e ele ficou na família de Kaganovitch. Desconheço seu paradeiro depois de 1953 e nunca mais ouvi falar da sobrinha de Kaganovitch."[2]

Os alemães apropriaram-se desse boato em 1941 para transformá-lo num elemento de propaganda antissemita. Desde os primeiros dias da guerra, nos panfletos que eles lançavam sobre as posições do Exército Vermelho, era possível ler: "O chefe do Estado-maior Stálin é um agente do sionismo internacional. Prova disso é que é casado com a filha de Kaganovitch."[3] Quando o filho mais velho de Stálin, Iakov, foi feito prisioneiro em 7 de julho de 1941, no interrogatório que os alemães lhe infligiram, figura este insólito diálogo:

– Sabe que a segunda mulher de seu pai é uma judia? Os Kaganovitch são judeus?

– De forma alguma. Sua segunda mulher era russa. Sim, Kaganovitch é judeu. São apenas boatos. Sua primeira mulher foi georgiana e a segunda, russa.

– Mas o sobrenome da segunda mulher não é Kaganovitch?

– Não! São boatos.

– Quem é a mulher de seu pai agora?

– Ora, a mulher dele morreu em 1932. Alliluyeva era russa, de Dombas. Que ideia! O homem tem 62 anos. Era casado, não é mais.[4]

Esse rumor, portanto, teve ramificações internacionais e, segundo o neto de Stálin, Aleksandr Burdonski, subsiste como uma "lenda palaciana". Para toda a família de Stálin, essa intriga imaginosa, cujas origens remontam a uma época em que Kaganovitch convivia muito com Stálin, foi cultivada pelas omissões, mistérios e segredos da própria família de Kaganovitch. Maya, filha de Kaganovitch, afirma o contrário, evocando o medo que seu pai tinha só de pensar que tal rumor pudesse chegar aos ouvidos de Stálin.[5]

Os Kaganovitch, no entanto, foram íntimos da família de Stálin, a ponto de Anna Sergueievna cogitar, nos anos 30, casar Maya com Iacha, o filho de Stálin. Esse projeto foi abortado porque Iacha era demasiado independente para enquadrar-se.[6]

Outro caso amoroso, que logo assumiu ares de lenda, está associado ao nome da cantora estrela do Bolshoi, Vera Aleksandrovna Davidova, cujo talento, e talvez encantos, Stálin apreciava. Esse romance teria começado no dia seguinte à morte de Alliluyeva e durado um certo tempo. Num documentário para a tevê do início dos anos 90, Davidova conta que Stálin assediou-a e ela recusou, alegando que ele era casado. Num livro apócrifo, que se apresenta como as confissões da cantora, Leonid Guendlin[7] nos conta sobre os dezenove anos de relações íntimas que ela mantivera com Stálin. Hoje falecida, Davidova não pode mais restabelecer a verdade. Mas seus colegas do Bolshoi julgaram a história um escândalo e publicaram um comunicado na imprensa afirmando que nada do livro água com açúcar de Guendlin era verídico.*

Embora Svetlana Alliluyeva aceite a ideia de que Stálin cortejava a cantora,[8] e Aleksandr Burdonski pense que Stálin talvez se sentisse atraído por ela, nada permite confirmar esse relacionamento. Stálin frequentava assiduamente o Bolshoi, adorava a ópera, gostava de manter relações com os artistas e músicos e acompanhava atentamente a atividade dessa prestigiosa instituição, como atesta a rica correspondência que mantinha com ela. Teve aventuras amorosas ou casos passageiros com algumas estrelas? Por ora, nenhum arquivo ou confidência familiar permitem dar resposta definitiva a tal pergunta. "Stálin era um homem atraente", diz Molotov. "Devia seduzir as mulheres. Fazia sucesso com a elas."[9]

A VIDA PRIVADA DE STÁLIN durante o período que sucedeu à morte de sua mulher girou principalmente em torno dos filhos e das famílias de suas duas esposas, os Svanidze e os Alliluyev. Ora, é do seio da família Alliluyev que sai a mulher que viria a ocupar, durante quase uma década, grande parte do espaço afetivo de sua vida. Evguenia Aleksandrovna, mulher de Pável Alliluyev, irmão predileto de Nadejda, portanto cunhada de Stálin, tornou-se sua amante, seu porto seguro, sua confidente.** Relação profunda, amorosa, não prejudicada pelo poder cada vez mais imenso de Stálin. "Iosif brincava com Guenia: dizia-lhe que ela engordara muito. Era muito carinhoso com ela. Agora que eu sabia

---

* B. Zlatogorova, O. Lepechinskaia e N. Chpiler, "V intimnoi blizosti so Stalinem ne sostoiali" (*Argumenty i facty*, 41, 1994). O filho de Piotr Grigorevitch Solovev, que nos anos 30 foi o engenheiro-chefe responsável pela construção das datchas de Estado no Cáucaso, também atesta, baseando-se nas memórias de seu pai, que Stálin não manteve relações com Davidova e que, após a morte da mulher, passava férias sozinho ou acompanhado dos filhos. (Cf. V.P. Solovev, "Stalin v lifte ne ezdil", *Argumenty i facty*, 8, 1995.)

** Os netos de Stálin que entrevistei são unânimes em confirmar essa relação amorosa fundamental após a morte de Alliluyeva.

de tudo, observava-os", anotava em seu diário Maria Svanidze em 1º de outubro de 1934, sem se dar conta de que acabava de acertar no alvo. Sem exercer verdadeira influência sobre ele, Guenia ousava, contudo, dizer-lhe o que não ia bem no país, criticá-lo como governante e exprimir o que pensava, tão forte era o relacionamento.[10] Stálin precisava de alguém que não o adulasse, em quem pudesse confiar, de uma alma que o compreendesse e lhe fosse fiel. Acreditara nos sentimentos profundos de Nadejda e demonstrara-lhe as mesmas exigências. Sua morte, que continuava a obcecá-lo, e que ele considerava uma traição, o levava a transferir tais exigências para Guenia. Bonita, inteligente, culta, elegante, ela ocupava o espaço vazio deixado por Nadia, sem com isso substituí-la. Era o amparo moral e humano de Stálin.[11] Uma amizade amorosa e cúmplice mais que uma paixão. Stálin contou-lhe sobre a vida na Sibéria, revelando que na época fundara uma família. Falou-lhe de sua mulher Maria, que lhe dera um filho para o qual ela escolhera o patronímico do finado marido.[12]

Evguenia e Stálin encontravam-se com frequência e ela lhe perguntava, como Nadia fazia, como ele podia ter como colaborador próximo alguém como Beria. Recebia a mesma resposta: "O homem trabalha direito."[13] Ela convivia muito com Stálin clandestinamente, e também com o restante da família. Em 1936, durante uma recepção oferecida por Stálin em homenagem à nova Constituição, Guenia chegou com alguns minutos de atraso. Stálin espreitava sua entrada. Assim que a viu, disse-lhe: "Só você para ousar atrasar-se." No entanto, havia muita gente. "Como sabe disso?" espantou-se ela com a observação. "Meus olhos enxergam a dois quilômetros de distância."[14]

Aproveitando aquele relacionamento deveras singular, Beria sugeriu a Stálin nomeá-la governanta de sua casa. Mas Evguenia recusou. Tinha medo de que, se acontecesse alguma coisa a Stálin, fosse considerada responsável. A atmosfera reinante, mesmo nas altas esferas, estava impregnada de medo e ameaças.

Para escapar dessa relação impossível, no ano seguinte à morte de Pável, em 1938, ela voltou a se casar. Casamento de fachada ou real porta de escape? De todo modo Stálin não apreciou tal iniciativa. Convidou Kyra, filha de Evguenia, para jantar em Sotchi a fim de extrair dela informações sobre aquela união. Teriam continuado o relacionamento? Em 1941, enquanto toda a Moscou política e cultural deixara a capital, Stálin, decidido a não se mexer, julgava ainda poder contar com Guenia: pediu-lhe para partir com Svetlana, Galina (a segunda filha de Iacha) e com os seus próprios filhos para Sotchi. "Sou casada, agora tenho cinco filhos para cuidar. Vou para Svedlosk." Stálin zangou-se, mas ainda manifestou seu pensamento sobre a situação do país: "A guerra será longa, rude, mas alcançaremos a vitória."[15] E então, sob as bombas e o drama de uma Moscou cercada, a relação chegou ao fim.

Stálin começou então a desconfiar. Era realmente uma amiga? Não lhe escondia alguma coisa? Ou então, como sugere Svetlana numa carta que lhe escreveu em 1º de dezembro de 1945, não haveria alguém que o manipulava contra ela, como contra tantos outros? "No que se refere a Evguenia Aleksandrovna, parece-me que você suspeitou dela só porque ela se casou muito cedo. Ela me explicou pessoalmente porque as coisas se deram assim. De minha parte, não lhe fiz perguntas. Contarei tudo quando você vier. É muito desagradável ter essas dúvidas pairando à sua volta. Aliás, a questão não está ligada a Guenia e seu drama familiar. Lembre-se também do que falaram sobre mim. Mas quem? O diabo que o carregue."

Em 1947, Guenia e, semanas depois, Kyra serão presas. Mas essa é outra história, à qual precisaremos voltar...

Chefe de clã

Triste, sentindo-se traído, abandonado, arrasado, Stálin continuava a viver como antes, embora tudo houvesse mudado drasticamente. Incapaz de permanecer no lugar onde Nadia pusera fim a seus dias, trocara de apartamento no Kremlin com Bukharin. Ia cada vez menos a Zubalovo, preferindo, a partir de 1934, a casa de campo mais próxima – a Blijniaia, em Kuntsevo –, onde passou grande parte dos últimos vinte anos de sua vida. Fora o mesmo arquiteto, Miron Merjanov, quem a construíra, e quem projetará várias outras para ele, como a Dalniaia ("a Longínqua") e a Sokolovka.

A Blijniaia era uma casa moderna, com um pavimento superior, cercada por um jardim e um bosque.[16] Como na época de Nadia, Stálin ali recebia as famílias dos sogros. Cheio de atenções para com todos, alegrava-se tendo gente à sua volta e ouvindo o barulho das crianças. Eles, por sua vez, comoviam-se com seu infortúnio e tentavam demonstrar-lhe afeição e lealdade.

Stálin ocupava o térreo, alojando-se num único aposento. Mantinha o modo de vida austero e frugal de antes, apesar da decoração luxuosa dos ambientes. Dormia num divã. Sobre uma grande mesa deixava todos os seus dossiês, jornais e livros. Na hora das refeições, quando estava só, chegavam toda essa confusão para o lado a fim de liberar um espaço para servir os pratos. Um grande tapete oriental e a lareira eram o que davam um pequeno toque de conforto ao aposento.[17]

Para os membros de sua família, vê-lo e conviver com ele era uma imensa alegria, uma grande felicidade e, para alguns, uma honra. As cunhadas Anna, Evguenia e Marussia eram as primeiras a chegar, ou às vezes iam visitá-lo sozinhas, sem os maridos. Chegavam sem se anunciar, sem ser convidadas e até mesmo sem saber se o encontrariam em casa. Embora as crianças morassem no apartamento do Kremlin, ele pernoitava sistematicamente na datcha. Quando as tias ou os avós Alliluyev chegavam de surpresa, demoravam-se nos quartos das crianças. Quando Stálin aparecia, era uma alegria para Svetlana e Vassili. Sempre cercado pelos colaboradores mais próximos, com um paletó de verão nos ombros quando o inverno já se instalava em Moscou (sempre se atrasara para adequar o vestuário à estação), os braços carregados de dossiês e jornais (não gostava de pastas, nunca as usava), chegava finalmente em casa. A mesa então era posta rapidamente, e Stálin juntava todo mundo para jantar, achando para cada um uma palavra amiga ou uma pergunta solícita. Às vezes abriam uma garrafa de champanhe, e era ele quem fazia os brindes. Svetlana era então o centro das atenções. À mesa, ele a colocava a seu lado, dava-lhe os melhores pedaços e acariciava-a e beijava-a o tempo todo.

Para que seus parentes tivessem acesso a ele sem passar pelo protocolo, mandara instalar uma linha direta para que, como anota Maria Svanidze em seu diário, em 4 de novembro de 1934, "aqueles que precisassem de seus conselhos pudessem contatá-lo pessoalmente. Ele é bom e cordial."[18]

Como sempre, passava muito tempo em Sotchi ou em algum outro lugar no Sul. O verão, para ele, prolongava-se até o fim de outubro, e só então ele retornava finalmente a Moscou. Às vezes a família via-o em Zubalovo, agora domicílio dos filhos e avós. Stálin ia até lá a fim de reencontrar o cenário que o fazia lembrar Nadia. Os homens jogavam bilhar, as mulheres montavam espetáculos para as crianças. Stálin, calmo, porém não sem certo estoicismo, aguentava as cenas de Maria, que o criticava por haver mandado seu marido para a China, ou os queixumes de sua cunhada Sachiko. "Você gritou comigo e no dia seguinte desculpou-se por intermédio dos outros." "Eu sentia vergonha", escreve Maria em seu diário em 26 de novembro de 1934, "mas ao mesmo tempo estava satisfeita com nossas relações simples e amistosas." Ou sua irritação aveludada diante de Sachiko: "Sei que ela me prestou favores, bem como a outros velhos bolcheviques. Decidi agradecer, e ela sempre descontente. Ela escreve cartas por qualquer coisa e exige que eu lhe dedique tempo. Não tenho tempo para mim, e não tinha nem para minha mulher; aliás, ela sempre se zangava com isso. E a ela eu devo atenção?"[19]

Como chefe de clã, às vezes deslocava-se rodeado por esse mundinho, ora para ir ao teatro, ora para passear. Apesar de toda essa animação, era solitário, e essa solidão intrínseca não escapava aos que o cercavam. O assassinato de Kirov, em 1º de dezembro de 1934, só fez aumentar seu isolamento e sua desconfiança inata.

O assassinato de Kirov

"A meu amigo e irmão bem-amado, da parte do autor", escrevia Stálin a Kirov, em 23 de maio de 1924, como dedicatória de seu livro *Sobre Lênin e o leninismo*.[20] Stálin encontrara Kirov pela primeira vez em outubro de 1917, em Petrogrado. Desde 1909, Kirov vivia no Cáucaso do Norte, coincidência que os aproximou rapidamente. Reencontraram-se durante a guerra civil, e sua amizade datava dessa época. De todos os colaboradores próximos de Stálin, Kirov era o mais amado, aquele em quem ele depositava mais confiança. Stálin queria vê-lo sempre que possível, embora ele morasse em Leningrado, onde seu trabalho o absorvia. Gostava de frequentar os banhos russos com ele e, nesse ambiente, conversar sobre tudo: da alta política ao preço do pão. Foi Stálin quem pôs Kirov à frente da poderosa organização do Partido de Leningrado, dirigida até então por Zinoviev. Para Stálin, ele foi um amigo fiel e um colaborador eficiente. Nenhuma controvérsia de ordem política abalou a relação privilegiada entre os dois. Em 1931, Kirov passou as férias com Stálin, em Sotchi. Após a morte da mulher, Stálin passou a apreciar mais ainda sua companhia. Quando ia a Moscou, hospedava-se em sua casa.

Ora, dois anos após o suicídio de Nadejda, o tiro que bruscamente matou Kirov desferiu um golpe fatal num Stálin já ressabiado e desconfiado.

Em 1º de dezembro de 1934, às 16h30, na sede do soviete de Leningrado, no antigo Smolny – prédio famoso onde Lênin planejara a Revolução de Outubro –, Kirov foi assassinado por um homem chamado Leonid Nikolaiev, jovem comunista dissidente, deprimido e desempregado. Morreu na hora. O assassino foi preso no próprio local do crime. O assassinato foi considerado um fato hediondo e iníquo. A guerra civil estava longe, e o campo mais ou menos pacificado. Stálin julgou o atentado um complô tramado contra ele.

Na mesma noite, partiu para Leningrado em trem especial do governo, acompanhado de Vorochilov, Molotov, Jdanov e Iagoda. Chegaram na madrugada do dia seguinte. Stálin e seu grupo encaminharam-se diretamente para o hospital Sverdlov, onde repousava o corpo de Kirov, depois dirigiram-se à casa da viúva e, finalmente, ao local do crime, em Smolny. Stálin adentrou o saguão no meio daqueles que o cercavam para protegê-lo, precedido por Iagoda, que, empunhando um revólver, gritava: "Todo mundo de costas para a parede, com as mãos para cima!"[21]

Stálin de imediato colocou-se à frente do inquérito. Esteve com Nikolaiev, cuja vida prometeu salvar se denunciasse seus cúmplices. Mas não havia cúmplices. "Matei Kirov sozinho!" Isso não convencia Stálin. Queria a todo custo saber quem e por quê. Nikolaiev respondia às suas perguntas com gritos histéricos: "Foi por vingança! Perdoe-me!"[22]

Stálin e seus colaboradores partiram de Leningrado na madrugada de 3 de dezembro, deixando o interrogatório prosseguir sem a sua presença. A princípio, a NKVD pensara que Nikolaiev estava ligado a um grupo de guardas brancos terroristas. Eis a razão pela qual, nas horas que se seguiram ao atentado, desencadeou-se um novo terror vermelho na cidade. Em seguida, procuraram os conspiradores junto à velha oposição. Para Stálin, um ataque terrorista individual era coisa impensável. Acostumado desde sempre às lutas de facções e à guerra civil, não concebia efetivamente aquele drama senão como resultado de uma conspiração.

Em 2 de dezembro, quando os jornais noticiaram o assassinato, já se havia lido, no comunicado do governo, que Kirov fora morto por um assassino enviado pelos "inimigos da classe operária". Agora faltava arrancar a confissão do assassino a fim de que ele denunciasse os verdadeiros culpados. Esta era a lógica do clima da época. Em 7 de dezembro, aconteceram as primeiras prisões daqueles que Nikolaiev, sob tortura, apontara. Tratava-se de seus antigos camaradas do comitê de bairro do Komsomol de Vyborg.[23]

O inquérito e essas prisões criaram uma atmosfera pesada de suspeitas, medo e ódio que se exprimiam em comícios, na imprensa e no rádio. Milhares de cartas enviadas ao Partido de Leningrado exigiam a punição suprema para os assassinos. O tiro de 1º de dezembro de 1934 desencadeara uma verdadeira caça às bruxas. Os treze "cúmplices" apontados por Nikolaiev foram associados às pressas e sem muito discernimento ao assassinato. No mês de dezembro, devido a esse assassinato e a esse único assassino, fuzilaram-se 103 guardas brancos que nada tinham a ver com o episódio, depois mais treze inocentes cujo único crime era conhecer Nikolaiev e terem sido, uma dezena de anos antes, oposicionistas; e isso a despeito de Nikolaiev continuar a clamar sua verdade no tribunal, a saber, que agira sozinho. Em duas ocasiões, o presidente do tribunal, Ulrich, que, face à falta de provas e negação dos acusados, começava a duvidar, telefonou para Stálin. Nada o convenceu: "Fuzile-os todos!" teria então respondido.[24]

A maneira como o inquérito foi conduzido suscitou todo tipo de rumores, que envolviam até mesmo Stálin. Enquanto no princípio os investigadores ignoraram tudo o que podia explicar aquele ato solitário – razões pessoais, ressentimentos, inveja –, o terror* desencadeado por Stálin por causa desse assassinato levou seus oponentes, e em seguida Kruchtchev, a partir do XX Congresso, a designá-lo como o mandante do crime. Todos se enganavam, desprezando uma verdade demasiado simples e banal demais para lhes parecer digna de crédito.

STÁLIN CONTINUOU ANOS A FIO a procurar o culpado. A princípio atribuiu o crime a Zinoviev, ex-governante de Leningrado. Quem dizia Zinoviev dizia igualmente Kamenev e, em última instância, Trótski.

Em 23 de dezembro, os chefes da antiga oposição de esquerda, Zinoviev e Kamenev à frente, foram presos. Em 27 de dezembro, a justiça "revelou" que um "centro leningradense" de terrorismo acaba de ser descoberto. Composto, além de Nikolaiev, por vários ex-dirigentes do Komsomol da época de Zinoviev, esse centro planejava – tudo isso ainda de acordo com a Justiça – matar Stálin. Uma soma teria sido enviada por Trótski para esse fim.

EM JANEIRO DE 1935, Zinoviev, Kamenev e vários de seus ex-aliados políticos foram julgados por cumplicidade moral e condenados a dez anos de trabalhos forçados.

Mais tarde, por ocasião do primeiro julgamento de Moscou, em agosto de 1936, um acusado confessou ter tido a ideia de assassinar Kirov. Por ocasião do terceiro julgamento de Moscou, em março de 1938, "a oposição de direita", liderada por Bukharin, foi responsabilizada pelo assassinato.

* Antes de deixar Moscou e dirigir-se para Leningrado, na noite de 1º de dezembro, Stálin, louco de raiva, redigiu, com Kaganovitch, um decreto implacável: todas as investigações a respeito de atos terroristas deveriam ser solucionadas com agilidade. As condenações à morte seriam imediatamente executadas e os julgados não teriam direito a recorrer.

Iagoda, ex-chefe da NKVD, corréu nesse processo, declarou que Enukidze dera-lhe ordens para facilitar o assassinato de Kirov.

A despeito de todos os arquivos de que Kruchtchev dispunha, era impossível para ele, em 1961, apresentar uma versão mais convincente que a sugerida, entre 1934 e 1938, pela justiça stalinista. Inúmeros historiadores ocidentais, inclusive Roy Medvedev,[25] compraram a explicação que Kruchtchev apresentou na época: Stálin fora o mandante do assassinato, executado pelas mãos de Iagoda. A motivação? Stálin estaria com ciúmes da popularidade de Kirov e necessitava de um pretexto para desencadear uma repressão sangrenta contra os antigos figurões do Partido.

Esse pretenso ciúme a respeito de Kirov – que inúmeros historiadores julgavam democrata demais ou pouco radical para Stálin – se justificaria pelo fato de que Stálin teria ficado em minoria por ocasião do XVII Congresso do Partido, dito "Congresso dos Vencedores", em janeiro de 1934, perdendo a maioria para Kirov. Foi, com efeito, um congresso apoteótico para o socialismo em marcha no qual toda uma geração acreditava, mas Kirov "não era e não podia ser rival de Stálin".[26]

Mesmo não caindo na adulação e, em certos aspectos, sendo mais moderado que ele, Kirov aprovava integralmente a política de Stálin e admirava-o sinceramente. No fim do XVII Congresso, Kirov fora eleito para o CC e depois, durante a plenária do CC, tornara-se membro do Politburo, enquanto ainda conservava suas funções em Leningrado. Porém, diversos depoimentos e arquivos sugerem que ele foi cogitado para o lugar de Stálin. "Durante o congresso, ninguém sugeriu a eleição de Kirov para o posto de secretário-geral e, aliás, isso teria sido impensável", afirma um delegado. "Lembro-me perfeitamente de não ter ouvido nenhuma conversa sobre a eleição de Kirov para o posto de secretário-geral", lembra outro delegado. "Essa lenda provavelmente nasceu durante a campanha de propaganda que sucedeu a morte de Kirov... Várias recordações foram redigidas por aqueles que padeceram os sofrimentos dos campos após terem acreditado em Stálin e o divinizado. Daí sua rejeição à divindade derrubada de seu pedestal e a aspiração a substituí-lo por outro ídolo, assassinado justamente pelo que caíra..."[27]

A fraude nos resultados da eleição promovida por Kaganovitch, com a anuência de Stálin – porque mais de trezentos delegados teriam riscado seu nome das cédulas –, continua uma lenda. Testemunhas da época desmentem categoricamente tal alegação. "Lembro-me de nossa indignação ao ver as cédulas de votação com o nome de Stálin riscado. Quantas foram? Não me lembro exatamente, mas mais de três, parece"; "Duas ou quatro vozes, lembro-me mais exatamente, voltaram-se contra Stálin."[28] Molotov é igualmente inflexível neste ponto: "Suponho que Stálin, por sua vez, recebeu duas ou três bolas pretas, assim como eu... Tenho certeza de que ele teve sempre um ou dois votos contra si. Em todas as épocas. Ele sempre teve adversários."[29]

No início de novembro de 1960, uma comissão de historiadores sob ordens de Nikolai Chvernik, presidente da Comissão de Controle, abriu os documentos lacrados da Comissão de verificação dos votos do XVII Congresso. Segundo esse documento, que fornece a lista dos membros do CC candidatos ao conjunto das delegações e o número exato dos votos recebidos por cada um deles, Stálin foi eleito com apenas três votos contra e Kirov com quatro votos contra. Os únicos a ser eleitos por unanimidade foram Kalinin e Kodatski.[30]

Em suas *Recordações*, Kruchtchev evoca seis delegados que teriam sido contrários a Stálin e lembra que ele mesmo, eleito então pela primeira vez para o CC, também recebera seis votos contra.[31]

Independentemente das quimeras sobre um Kirov rival de Stálin, e do fato de Kirov ser um stalinista inquestionável, convém dizer igualmente que ele não tinha estatura para substituir Stálin. Como sugere Molotov, basta ler as atas dos congressos para constatar, sem qualquer sombra de dúvida, quem tinha mais autoridade, Stálin ou Kirov.[32]

Sinal suplementar de que Kirov nunca entrara no círculo infernal das suspeições stalinistas: as famílias de Kirov e a de sua mulher, Maria

Lvovna Markus, nunca foram vítimas da repressão. Sua mulher, que morreu em 1945, era pensionista do Estado.

Foi Kruchtchev, com efeito, quem pôs Stálin na berlinda por ocasião do assassinado de Kirov. Entretanto, nessa época, 1961, uma comissão encarregada de revelar a verdade estipulava em seu relatório conclusivo: "Nikolaiev agiu sozinho, e Stálin utilizou o assassinato de Kirov para isolar e liquidar os dirigentes da oposição zinovievista e seus partidários." Outra comissão, criada em 1963 e que funcionou até 1967, concluiu também que o autor do assassinato de Kirov fora de fato apenas Nikolaiev.

Em 1990, Aleksandr Iakovlev, que presidia a Comissão de Reabilitação das Vítimas do Stalinismo, afirmava que, "segundo os documentos existentes, nada prova que Stálin tenha sido o mandante do crime".[33]

O segundo luto

Voltemos a esses primeiros dias de dezembro de 1934 e acompanhemos Stálin em seu sofrimento pela perda de um amigo querido, pouco após a morte de sua mulher.

Embarcados em trem especial de Leningrado para Moscou, os restos mortais de Kirov foram expostos segundo os costumes soviéticos na sala das Colunas da Casa dos Sindicatos, no dia 5 de dezembro. Após a última homenagem do povo moscovita, as portas foram fechadas ao público às 22h, e apenas os convidados ilustres tiveram acesso à cerimônia de adeus. Além da família de Kirov e da de Lênin – representada por sua mulher Krupskaia, seu irmão Dimitri e sua irmã Maria –, a família de Stálin também compareceu: Anna e Redens, Aliocha e Maria, Pável e Evguenia. Às 23h chegaram os principais dirigentes: Stálin cercado por Vorochilov, Molotov, Ordjonikidze, Kaganovitch, Jdanov, Mikoian e muitos outros. Num tablado, a orquestra do Bolshoi tocava a marcha fúnebre de Chopin. Stálin aproximou-se do caixão, debruçou-se e depositou um beijo na testa do cadáver, murmurando: "Dorme tranquilo, querido amigo, nós o vingaremos."[34] Lágrimas corriam pelo seu rosto.

Todo mundo chorava. Os chefes estavam lívidos, e Sergo Ordjonikidze soluçava ruidosamente.

Essa pequena comunidade, a elite do poder vermelho, sentia-se ameaçada. "Ninguém queria ficar sozinho, os pensamentos eram sombrios. Todo mundo falava de Kirov", anota Maria Svanidze em seu diário. A família de Stálin reuniu-se em seu apartamento no Kremlin. Nos dias seguintes, seus parentes procuraram fazer-lhe mais companhia. Em 9 de dezembro, Maria e Evguenia levaram presentes para Svetlana, igualmente pesarosa com a morte de Kirov. Encontraram Stálin almoçando, curvado, pálido, o olhar esgazeado: "Dava pena olhar para ele. Sofria muito", declara Maria Svanidze. "Como é horrível ser testemunha da brusca fraqueza de tão grande homem..." Mais uma vez, Pável Alliluyev estava presente para acompanhá-lo durante esses primeiros dias. Foi passar um tempo com ele na datcha. "Fiquei completamente órfão", lhe teria dito Stálin, que contou também que Kirov cuidava dele como um filho. Consciente de sua solidão, ainda profunda, a família estava dividida entre o desejo de ajudá-lo e o constrangimento de vê-lo naquele estado de desespero. "Gosto tanto de Iosif", escreve ainda Maria em seu diário a respeito desse luto, "sinto-me ainda mais afeiçoada a ele, sobretudo depois da morte de Nadia. Vendo sua solidão, eu teria ido à sua casa com mais frequência, mas Aliocha está desconfiado: tem ciúme e medo de importunar. Aliocha disse que Iosif não gosta que as mulheres vão visitá-lo, mas não sou uma mulher com quem seja preciso respeitar as regras do protocolo. Sou amiga íntima de sua finada mulher, sou amiga de sua família, gosto de seus filhos e sou afeiçoada a ele, sem falar do respeito e da estima que sinto por esse grande homem do qual tive a sorte de ser muito próxima." Esse libelo é ainda mais comovente quando pensamos no trágico destino que esperava Maria. Mas não antecipemos.

Em 21 de dezembro, Stálin comemorou seu aniversário. Estavam todos presentes: além das famílias Svanidze, Alliluyev e Redens, apareceram os colaboradores mais próximos: Ordjonidkize, Andreiev, Molotov, Vorochilov, Tchubar, Manuilski, Enukidze, Mikoian, Beria, Lakoba, Poskrebytchev, Kalinin... Os filhos de Stálin também estavam na festa: Iakov, Vassili e Svetlana, bem como outras crianças da família. A noite foi alegre e calorosa. Stálin irradiava satisfação porque tinha à sua volta todos os seus seguidores.[35]

Todos, segundo o costume russo tornado soviético, fizeram brindes. Em seguida, Stálin abriu a vitrola e, sem consultar os convidados, colocou seus discos preferidos. Ninguém se chocou com isso e os convidados puseram-se a dançar com entusiasmo. Ainda apegado aos costumes caucasianos, ele incitava os homens a erguerem as mulheres e as rodopiarem no ar. Em seguida, os caucasianos entoaram canções tristes, e Stálin misturou-se a eles com sua voz de tenor. Estava realmente tão bem-humorado assim? Maria, relatando essa festa inesquecível para ela, diz ter percebido nele sombras dissimuladas por uma alegria de fachada, e uma atitude mais branda e humana: "Antes da morte de Nadia, ele era inexpugnável, um herói de mármore. E agora surpreende com atos que parecem banais, porém mais humanos."

Sergo Ordjonikidze recitou versos que compusera em memória de Kirov, e todos ficaram com os olhos marejados. Após um silêncio, os brindes recomeçaram. Nesse momento, Stálin ergueu seu copo para evocar a mulher falecida: "Permitam-me beber um copo por Nadia." Novo minuto de silêncio e recolhimento. Todo mundo se levantou e se aproximou de Stálin. Anna e Maria beijaram-no com afeição. Estava emocionado. Seu segundo brinde foi para Sachiko, sua cunhada georgiana, que criara Iacha. Indo em sua direção, disse: "Vocês não a conhecem, mas eu a conheço bem. Quando estávamos na clandestinidade, Sachiko nos ajudava por amor à irmã."[36]

Com efeito, Stálin conservou certa gratidão por Sachiko e, ainda que às vezes sua presença intrusiva o irritasse, ela sempre se hospedava no apartamento dele quando ia a Moscou. Sachiko morreu algum tempo mais tarde de câncer, enquanto sua irmã, Mariko, terá um destino trágico.

Os parentes

Após a morte da mulher, Stálin ficara sozinho para cuidar dos filhos. Como fazer quando se é Stálin e se é obrigado a conciliar pedaços de história com pedaços de vida privada? Ao estafe educativo já existente, ele acrescentou, para vigiar os filhos, agentes da NKVD. Introduzia assim, num domínio de vida tão privado, um processo que não conseguirá mais deter: uma simbiose entre ele e a polícia secreta. Estava consciente dos múltiplos problemas que os filhos tinham para superar: a perda da mãe, a convivência com um pai que virara um monumento e de quem sentiam cada vez mais medo de se aproximar de maneira natural e calorosa. As crianças passaram a viver, sem se dar conta disso, na mira da polícia, malgrado desfrutassem de uma vigilância dourada – disse Pauker, agente da NKVD, a Vlassik, chefe de sua guarda pessoal, ou mais tarde Beria. "Convém matricular Svetlana na escola, senão ela ficará ainda mais selvagem... Zelar atentamente para que Vassia não cometa tolices", escrevia Stálin a Efimovo, intendente da datcha de Zubalovo.

As crianças moravam no apartamento do Kremlin e Stálin, sempre que possível, ia vê-las na hora do almoço ou do jantar, antes de voltar para pernoitar na datcha. É desse período que data sua relação privilegiada com a filha. Quando estava em Sotchi para suas temporadas, agora rotineiras, escrevia-lhe regularmente, e suas cartas exprimiam uma profunda afeição: "Bom dia, meu pardalzinho. Não fique zangada comigo porque não lhe respondi imediatamente. Estava muito atarefado. Estou vivo, bem de saúde e vou bem. Um beijo muito grande no meu pardal."[37] Ou ainda: "Querida Svetlana. Recebi sua carta de 25 de setembro. Obrigado por não esquecer seu papaizinho querido. Não vou mal, estou bem de saúde, mas me aborreço sem você. Recebeu as romãs e ameixas? Mandarei mais se me ordenar. Diga a Vassia para me escrever também. Até logo. Um beijo grande. Seu papaizinho." Em pós-escrito, acrescenta: "Parabéns pelo seu primeiro concerto. É ótimo espalhar alegria."[38]

Uma espécie de jogo instaurou-se entre eles: ela era a "patroa", e ele, seu "secretário" a quem ela dava "ordens". Stálin escreve-lhe, ainda de Sotchi: "Obrigado por sua carta, minha Setanotchka. Estou despachando cinquenta ameixas para você, cinquenta pra Vassia. Se quiser mais ameixas ou outras frutas, escreva que providencio. Beijo." A filhinha desempenhou plenamente seu papel de "chefe": "Ao camarada Stálin, secretário n.1, ordem n.4: 'Ordeno que me leve com você. Setanka, a Chefe." E o pai responde: "Obedeço. Iosif S." (Carta de 21 de outubro de 1934).[39]

Fora essa correspondência pessoal, grande parte das informações de que Stálin dispunha sobre a evolução dos filhos provinha dos relatórios do intendente para o chefe da guarda e, mais tarde, para o chefe da polícia secreta. "Svetlana e Vassili estão bem de saúde. Os estudos de Svetlana vão bem. Vassia não estuda, é muito preguiçoso; o diretor da escola chamou três vezes... Todo fim de semana, eles vão a Zubalovo..."[40] Numa carta destinada a Svetlana em 8 de outubro de 1935, Stálin repercute esse relatório, sinal de que se mantinha regularmente a par do que os filhos faziam. "Chefinha! Recebi sua carta e seu cartão. Estou contente porque você não esqueceu seu papai. Envio-lhe algumas maçãs vermelhas. Dentro de poucos dias, mandarei tangerinas. Coma, divirta-se... Não mando nada para Vassia porque ele não estudou direito. Aqui, o tempo está lindo. Só estou um pouco triste por não estar com você. Até breve, chefinha..."

Outra responsabilidade familiar recaía sobre Stálin: sua mãe, quase esquecida na remota Geórgia. Nesse caso também, era a Beria e sua mulher Ninoi que incumbia a tarefa de zelar para que nada faltasse à solitária anciã, para que os melhores médicos fossem vê-la. Ela recebia regularmente os dirigentes da região ou altos dignitários do regime de Moscou: a visita à casa da mãe de Stálin tornara-se um ritual local. Teve também como hóspedes a mãe e a irmã de Dimitrov – encontro imortalizado em uma fotografia. Entretanto, apesar das atenções de que era objeto, não entendia direito o que seu filho fazia nem o que isso representava para ela. O fato de sequer conhecer os netos – exceto Iacha, a quem não via fazia tempos – confirmava-lhe o gosto amargo do abandono e de um triste fim de vida, após uma existência dura e precária. As cartas lacônicas que Stálin lhe enviava de quando em quando exprimiam de certa maneira esse descaso: "Bom dia, mamãe. Como vai indo a minha mãe? Recebi sua carta. Que bom que não me esqueceu. Vou bem de saúde. Se precisar de alguma coisa, escreva. Viva mil anos. Beijo. Seu filho Sosso." (Carta de 6 de outubro de 1934.)

Alguns meses mais tarde, escreve-lhe novamente para agradecer pelos envios regulares de compota de nozes, que ela nunca deixou de preparar para ele. "Bom dia, mamãe. Continua doente ou melhorou? Não recebo cartas suas faz algum tempo. Está zangada comigo, mamãe? No momento, sinto-me bem; não se preocupe comigo." (Carta de 19 de abril de 1935.).

Por essa época, o estado de saúde de Keke deteriorava-se lentamente: saía cada vez menos do quarto e só para ir à igreja. Stálin percebeu que devia despachar as crianças para lá e, finalmente, viajar para visitá-la. Em 11 de junho de 1935, escreve-lhe: "Sei que você não anda bem. Não deve temer a doença. Coragem, tudo passará. Envio-lhe meus filhos. Acolha-os e beije-os. São crianças adoráveis. Se puder, irei visitá-la também."

Dessa forma, em junho de 1935, Iakov, Vassili e Svetlana partiram para visitar a avó. Hospedaram-se na casa dos Beria. Passaram uma semana em Tíflis, mas só viram a avó uma vez. O contato com ela era difícil. Em primeiro lugar, Keke não falava uma palavra de russo. Seu quartinho escuro, que dava para um pátio interno, contrastava intensamente com a suntuosidade do velho palácio do governo. Os aposentos eram de grande simplicidade. As crianças, sobretudo Svetlana, admiraram-se com a modéstia do local, com a atmosfera vetusta das pessoas que a cercavam, com as mulheres vestidas de preto que se azafamavam em torno de sua avó deitada ou recostada em seu leito. Para ela, o momento era solene. Lágrimas nos olhos, apertou uma a uma em seus braços descarnados aquelas crianças perplexas com o cenário insólito. Murmurou palavras carinhosas, mas incompreensíveis para eles. Iacha compreendia o que ela dizia e serviu de intérprete. Comovida, sem conter as lágrimas, deu-lhes balas de cevada. Svetlana e Vassili, embaraçados e sem falar georgiano, não sabiam como preencher o vazio. Ao partir, Svetlana, embora tivesse apenas nove anos, espantou-se ao ver a mãe de seu pai viver tão humildemente.[41]

Era tarde demais para estabelecer relações verdadeiras com aquela anciã que sempre se recusara a compreender e acompanhar o filho, a instalar-se ao seu lado em Moscou e, sobretudo, a abandonar o que para ela era essencial: sua vida austera e devota.

O reencontro com Stálin, alguns meses depois, não foi menos superficial e desconcertante para ela. Em 17 de outubro do mesmo ano, ele irrompeu de maneira inesperada na casa dela. "A porta se abriu e eu o vi", contou ela alguns dias mais tarde aos jornalistas do *Pravda*, que foram entrevistá-la após essa visita amplamente coberta pela imprensa. "Passamos um dia agradável. Iosif Vissarionovitch ria e brincava muito. O encontro foi alegre. Desejo a todo mundo um filho assim", afirmou.[42]

Stálin passou o dia inteiro à cabeceira da mãe e só retornou a Moscou tarde da noite. A alegria de Keke misturava-se às lágrimas. Fazia tanto tempo que não via o filho! Por um momento esqueceu a velhice, a fraqueza e as doenças. Evocaram seu passado pobre naquele buraco perdido do mundo que era Gori e a vida difícil de Iosif em Tíflis. Ele lhe pediu notícias de seus colegas e amigos de antigamente. Stálin nunca ligou para sua família mais distante – tios, tias, primos, primas. Apesar de numerosos, eram como se nunca tivessem existido para ele.*

Com o bom humor dos grandes dias e fazendo de tudo para diverti-la, Stálin conseguiu, enquanto durou a visita, fazê-la feliz. Durante esse breve momento de intimidade renovada, a velha mãe aproveitou para esclarecer um ponto que a atormentava: o que fazia efetivamente seu filho, como seria seu futuro, motivo de suas constantes preocupações. Claro, sabia que ele se tornara um grande líder, mas não compreendia direito quais eram suas responsabilidades ou a extensão efetiva de seu poder. Deu-se então um diálogo estranho, que ficará na história:

– Iosif, o que você é agora?

– Secretário do CC do PC.

Isso não a ajudava muito: o que aquilo poderia querer dizer? Ele explicou então de outra forma, com palavras ao seu alcance.

– Mamãe, lembra-se do nosso czar?

– Claro.

– Pois bem! De certa forma, sou o novo czar.[43]

---

* A parentela do lado da mãe de Stálin incluía engenheiros, vinicultores, maestros, professores... Todos moravam na Geórgia e nunca pediram nada a Stálin, tentando sobretudo passar desapercebidos. Uma única prima de segundo grau, a velha Evfimia, desembarcou uma vez em Moscou especialmente para ver Iosif. Ele a recebeu, embora nunca a tivesse visto antes. (Cf. Svetlana Alliluyeva, "Kniga dlia vnutchek", *Oktiabre*, 6, 1991.)

E, quando ela finalmente compreendeu o que aquilo implicava, concluiu, com tristeza:

– Pondo tudo na balança, você teria feito melhor virando padre.

Stálin, divertido, contará esse episódio a vida inteira.

Em meio ao povo

No início dos anos 30, Stálin ainda cultivava o costume de passear sozinho ou na companhia de um amigo pelas ruas de Moscou. Naturalmente eram seguidos por guarda-costas, mas seus concidadãos podiam vê-lo de perto. A visita surpresa que fez ao metrô de Moscou, por ocasião da inauguração de suas primeiras linhas, mostra bem o clima desse período. Na noite de 22 de abril de 1935, a família e alguns assessores mais próximos de Stálin encontravam-se, como tantas outras vezes, em seu apartamento do Kremlin. Comemoravam o aniversário da babá de Svetlana. Aparentemente de bom humor, Stálin entretinha-se com sua filha quando, intempestivamente, ela quis visitar o metrô. Ideia encampada na hora por Maria Svanidze e Evguenia Alliluyeva, que se ofereceram para acompanhar a menina e a babá. Kaganovitch, chefe da construção do metrô, providenciou credenciais e encarregou um agente de vigiá-las. No momento em que se preparavam para sair, Stálin colocou na cabeça que ia acompanhá-las. Kaganovitch exprimiu seu receio diante daquela visita de improviso, para a qual não podia tomar todas as medidas de segurança necessárias. Ia se sentir responsável se acontecesse alguma coisa a Stálin. Tentou dissuadi-lo, propondo-lhe esperar até meia-noite, quando o metrô estaria fechado ao público. Nada feito, Iosif queria ir imediatamente. A aventura começou. Acomodaram-se todos em três automóveis, que se dirigiram à praça da Crimeia, e desembarcaram nas imediações do metrô. Na multidão que esperava na plataforma, alguns reconheceram, sem acreditar muito naquilo, Stálin, anônimo, sem guarda e sem protocolo. O trem chegou e, quando um carro foi liberado às pressas para ele e seus acompanhantes, as pessoas começaram a aclamá-lo. O trem esperou dez minutos antes de partir. O pequeno grupo desceu na estação de Chotnei para visitar as instalações e as escadas rolantes. Ali, Stálin não teve como escapar dos populares, e sua presença provocou uma agitação indescritível. As pessoas atiravam-se sobre ele, todos queriam tocá-lo, cumprimentá-lo, falar com ele. As damas do grupo, espremidas a ponto de sufocar, começaram a entrar em pânico. A guarda chegou a tempo. Mas a multidão enlouquecida comprimia-se cada vez mais a seu redor. Stálin estava feliz, alegre. Conversou com os mestres de obras do metrô e puxou conversa com as pessoas que tentavam tocá-lo. Embarcaram novamente e, na estação seguinte, Stálin, como todo mundo, dirigiu-se à escada rolante. O atropelo à sua volta era tão grande que a multidão derrubou um imenso lustre de vidro.

A VIAGEM CONTINUOU até Sokolniki. Terminaram o périplo na estação Smolenski. Nenhum carro os esperava lá; haviam sido despachados para Sokolniki. Stálin, que tomara o pulso de sua popularidade, agora estava convencido de que o povo precisava de um czar – com o qual decidiu definitivamente se identificar –, e quis prolongar o prazer. Apesar da garoa e das poças, que davam um caráter espontâneo, natural, à incursão, atravessaram a Arbat a pé. Finalmente, após dez minutos de passeio, os carros oficiais chegaram. Stálin continuava relutando em retornar. Mandou as mulheres e crianças para casa e continuou por um momento o programa sozinho. Finalmente entrou no carro e voltou diretamente para a datcha. No apartamento do Kremlin, mulheres e crianças estavam quase histéricas. Svetlana e Vassili choravam e as damas tiveram de tomar chá de valeriana.[44]

A obsessão do suicídio

Quando Stálin reunia-se com a família de Nadeja, evocava com frequência seu suicídio e infortúnio: "Ela acabou comigo!" dizia-lhes, perguntando-se ao mesmo tempo por que ela agira daquela forma. "Como Nadia, que desaprovou a tentativa de suicídio de Iacha, pôde suicidar-se?" Pergunta lancinante que deixava os presentes constrangidos. Como ela pudera deixar duas crianças sem mãe? – indagavam-se os mais velhos da família. "Não falemos das crianças, pois elas a esqueceram poucos dias depois. Mas a mim, ela deixou doente pelo resto da vida. Bebamos por ela!"[45] diziam-lhes Stálin. Evguenia tentava consolá-lo e fazê-lo compreender que Nadia estava doente: tivera uma menopausa precoce; sofria de acessos de calor e dores de cabeça. "Eu não sabia que ela tomava cafeína para se estimular", lamentava-se ele, repisando o drama incansavelmente. Todos compreendiam sua situação, à qual se somavam problemas ligados aos filhos, que, cada um à sua maneira, irritavam-no. Repreendia-os pela indiferença demonstrada diante da mãe, sua frieza e, no caso de Vassia, seus infindáveis problemas escolares.

Em novembro de 1935, Iacha voltou a se casar, dessa vez com uma jovem de origem judaica de Odessa, Iulia Isaacovna Meltzer. Quando a conhecera, por intermédio de Anna Alliluyeva, ela ainda era casada com um dirigente da Tcheka, colaborador de Redens, Nicolai Bessarabe. Após um relacionamento clandestino, ela o trocara por Iacha. Stálin não interferiu dessa vez,[46] mantendo-se neutro. Recebeu com cortesia sua nova nora em Zubalovo, gracejou com ela e chegou a fazer um brinde em sua homenagem. Ofereceu-lhes um apartamento de dois cômodos fora das muralhas do Kremlin, não longe de Sadova Koltzov. Em 1938, quando ela ficou grávida de Galina, o casal mudou-se mudou para um quatro quartos, na rua Granovski.*

A loucura assassina

Em 1935, encontrava eco em diversos lares a célebre frase de Stálin: "A vida agora é melhor, camarada. A vida ficou mais alegre. E quando se tem alegria de viver, o trabalho rende".[47] As condições de vida haviam melhorado; o racionamento fora abolido e os preços caíram. Os stakhanovistas supera-

* Galina Djugachvili, *Ded, otets, ma i drugui* (Moscou, Olimp, 1993, p.24). Na mesma época, Iakov teve um caso com uma certa Olga Golicheva, que deu à luz um filho, Evgueni, nascido em 10 de fevereiro de 1936 e hoje coronel no Exército russo. Embora Iakov lhe dê o sobrenome, nunca o receberá em seu lar oficial.

ram a meta e aumentaram a produtividade. A base popular do regime era sólida, e a aura de Stálin estava em seu auge. Continuava, entretanto, a governar mediante o terror, convencido de que só com uma dose de medo e fascínio, de repressão e heroísmo, de bem-estar (ainda que um tanto relativo) e incerteza, ganharia sua aposta política e econômica. Stálin, a exemplo de um grande número de velhos bolcheviques, como os que virão a ser suas vítimas, ficará marcado por toda a vida pelo período pré-revolucionário, pela conspiração, pela guerra civil prolongada, bem como pela outra guerra civil que fora a coletivização. Todos tinham dificuldade para sair da guerra e governar em tempos de paz. Acrescentava-se outro perigo: a ascensão de Hitler ao poder na Alemanha e a guerra civil na Espanha, que pairava como uma sombra, prelúdio de uma guerra futura contra o fascismo.[48] O espectro da Quinta Coluna assombrava a todos.

Sem que a família se desse conta – sobretudo em função da atitude benevolente de Stálin a seu respeito –, o país, o Partido e, por conseguinte, os colaboradores e o núcleo do poder rumavam inelutavelmente para um terror capaz de atingi-los. O assassinato de Kirov deixara feridas abertas. Para Stálin, era a confirmação da realidade de suas suspeitas. A oposição à sua pessoa continuava a existir, sem ganhar formas concretamente organizadas. Zinoviev, Kamenev, Bukharin e todos os que se haviam oposto a ele nos anos 20 permaneciam-lhe hostis, a despeito de um alinhamento de fachada e, no caso de alguns, de uma reintegração no Partido. "Esses homens provavelmente não eram espiões", esclarece retrospectivamente Molotov, em 1970, mas "no momento crucial, não podíamos contar com eles."[49] Stálin também sabia que Trótski continuava a manchar publicamente sua reputação. Após ter sido deportado para a Turquia, em 1929, Lev Davidovitch começara seu périplo de exilado: França, Noruega, finalmente o México, onde se radicou em 1936, foram sucessivamente suas terras de acolhida. Não parara de escrever e de arquitetar uma oposição a Stálin e a seu regime, que ele considerava o Termidor russo e uma degenerescência comparado ao período de Lênin. Criara em 1933 a IV Internacional, que se pretendia uma organização leninista liderada por ele. Publicava o

Boletim da Oposição, que Stálin lia com raiva, porém regularmente, como tudo que escrevia o exilado.* A ação de Trótski exacerbava-lhe a obsessão do complô e o temor do inimigo onipresente.** Ele temia os esforços de Trótski no sentido de dividir o movimento comunista internacional. "Durante os anos 30, a maneira como ele desafiava Stálin suscitava uma agitação permanente no movimento comunista, além do enfraquecimento de nossa posição na Europa ocidental e na Alemanha", recorda-se Pável Sudoplatov.[50] Em 1939, Stálin decidiu planejar o assassinato de Trótski. "A eliminação de Trótski se traduzirá na derrocada total do movimento, e não precisaremos mais gastar dinheiro para combater os trotskistas e impedi-los de destruir o Komintern ou nos destruir", explicava a Sudoplatov, principal coordenador desse assassinato.[51] O conflito com Trótski superava amplamente considerações de ordem pessoal. "Stálin não podia de forma alguma tratar Trótski como um simples autor de obras filosóficas no exílio; era um inimigo atuante e determinado que cumpria abater", reiterou recentemente Sudoplatov.[52]

Se a decisão de suprimir Trótski foi tomada em 1939, na cabeça de Stálin ela remontava ao menos a 1931, como atesta um documento de arquivo inédito datando desse período. Numa carta enviada pelo correio ao Politburo, Trótski aconselhara aos dirigentes soviéticos que não interferissem nos assuntos internos dos comunistas espanhóis ou, segundo suas próprias palavras, "não impusessem cisões do exterior". Furioso com o fato de Trótski ainda ousar dizer-lhe o que ele deveria ou não fazer, Stálin escreveu à mão, no cabeçalho dessa carta: "Penso que o sr. Trótski, esse presunçoso charlatão menchevique, merece ser abatido. Que ele conheça seu lugar. I. Stálin." Ao lado dessas linhas, Molotov acrescentara: "Sugiro não responder. Se Trótski falar, responderemos no espírito da proposi-

* Os principais livros em que ele critica Stálin são *História da revolução russa*, *Minha vida*, *A escola stalinista da fraude*, *A revolução traída* e, por fim, sua biografia sobre Stálin, que não terá tempo de terminar.

** Segundo Aleksandr Burdonski, neto de Stálin, foi Trótski quem suscitou nele essa espécie de paranoia que o levará a ver inimigos em toda parte. Entrevista com Aleksandr Burdonski, Moscou, 6 de junho de 1995.

ção do camarada Stálin." Esse documento foi encaminhado à leitura de todos os membros do Politburo.[53] Trótski tornou-se em seguida o pivô central dos processos de Moscou. Todos os roteiros de traição giravam em torno de um principal acusado – sempre ausente. E a obsessão de uma conivência com ele – real, potencial ou fantasiosa – deu lugar a um terror a princípio restrito aos círculos dirigentes, depois estendido por todo o país. Todos os processos políticos cujo principal promotor era Stálin baseavam-se em falsidades e confissões antecipadamente ditadas aos "culpados". Por outro lado, calcavam-se num temor real, o de uma oposição que poderia, sem o terror ou o contexto de guerra, voltar-se contra Stálin – que, na época, para a maioria, personificava os ideais de Outubro, o advento do socialismo na URSS e o desenvolvimento do comunismo no mundo. Continuava temendo, e muito, Trótski: o homem mantinha contatos com alguns diplomatas, altos funcionários, líderes próximos da antiga oposição. A abertura dos arquivos prova que, nos anos 30, Stálin enfrentava efetivamente uma oposição.[54] Esta, naturalmente, não podia alcançar as mesmas proporções que nos anos 20, mas antigos e novos oponentes interrogavam-se entre si sobre a maneira de se livrar dele. Outros criticavam severamente pontos específicos de sua política, e tais opiniões negativas iam surgindo por toda parte. Apesar da sutileza desse tipo de intervenção, Stálin terminava sempre, cedo ou tarde, por tomar conhecimento. Nunca esquecia nada. Não se precipitava para reparar a ofensa. Esperava o momento certo...

As diatribes de que Stálin era objeto na primeira metade dos anos 30 exacerbaram sua obsessão do complô – não raro inventado, às vezes possível. "O inimigo do povo" foi caçado em toda parte e terminou por ser encontrado no seio de cada família. Descobriu-se assim uma profusão de "renegados", "corruptos", "degenerados", em última instância, "traidores". A resistência – real ou imaginária – terminou por engendrar um universo de pesadelo, povoado por "oponentes". Detectou-se "toda uma série de grupos antipartido e contrarrevolucionários"; membros do Partido foram identificados como agentes duplos, "formações nacionalistas", desmascaradas, o teor de reuniões familiares ou conversas privadas, revelado, rumores e anedotas julgadas antissoviéticas, denunciados; os trotskistas, fustigados; e a vigilância face às "ramificações" oriundas da "plataforma" de Riutin, redobrada. Em suma, constantemente em pé de guerra, a OGPU-NKVD promovia uma caça aos grupos dissidentes, resíduos das antigas oposições trotskistas e "oportunistas de direita". "Em reuniões na casa de uns e outros e encontros ocasionais", estipula um relatório da Inspeção Operária e Camponesa datado de fevereiro de 1933, "eles exaltavam Trótski, denegrindo a linha do Partido e seus dirigentes, afirmando que o Comitê Central estava desviando-se do 'caminho leninista', que o padrão de vida das massas trabalhadoras caíra... Dezessete membros desse grupo foram desmascarados. Seis deles foram expulsos do Partido. Seu dossiê foi transmitido à OGPU..."[55] As "organizações" ou "partidos" que eram liquidados procuravam invariavelmente "derrubar o poder soviético", "suprimir os kolkhozes" e introduzir o fascismo na Rússia. "Esse grupo promovia uma propaganda antissemita, exigindo a introdução na Rússia soviética de métodos fascistas de luta contra os judeus (pogroms)."[56] O país vivia numa atmosfera de espionagem e delação contínua. Todos eram intimados a permanecer em alerta.

Quando, em 1936, começou a série dos sinistros processos públicos contra homens que haviam participado da Revolução de Outubro, as confissões arrancadas foram tão inverossímeis que é difícil imaginar que o próprio Stálin tenha acreditado nelas. O essencial para ele e sua equipe era aniquilar toda veleidade de independência e oposição. Uma vez na engrenagem da dúvida, da suspeita, do ostracismo e da detenção, a confissão era praxe: verdade ou mentira, isso não tinha mais qualquer importância. Todos os meios eram válidos para humilhar os acusados e fazê-los admitir os piores crimes.*

* Em suas conversas com Félix Tchuev, Molotov dá uma explicação mirabolante para essas confissões: "O que surpreende nesses processos públicos é que homens como Bukharin, Rykov etc. tivessem confessado coisas que pareciam sem pé nem cabeça... Penso que era um meio de travar a luta contra o Partido num processo público, assumindo tantos crimes que a acusação perdia toda a credibilidade... Faziam isso para sugerir que todas as outras imputações eram forjadas." (*Conversations avec Molotov*, Paris, Albin Michel, 1995, p.305).

A máquina judiciária moía constantemente vidas humanas, destinos eram destruídos, famílias, dizimadas. Do terror larvado passou-se ao terror puro e simples, para desembocar no Grande Terror – *Ejovschina*, a partir do nome de Ejov, que assumiu o comando da polícia secreta após a saída de Iagoda. Uma sociedade em delírio denunciava; alguns por credo político, outros por inveja ou interesse. Daí a responsabilidade de parte do povo: mais da metade das pessoas presas ou fuziladas era vítima de delações. Os setenta casos de "grupos", "blocos", "casos", "complôs" considerados "organizados" fizeram no total 2 ou 3 mil vítimas. Muitas outras foram presas e quase sempre fuziladas, vítimas por sua vez dos espiões, do excesso de zelo dos poderes locais e dos carreiristas de toda estirpe.[57] O terror vindo "de cima" encontrava um eco "embaixo", nas profundezas da sociedade.

O Grande Terror foi um dos momentos mais alucinantes da história soviética. Stálin deu oficialmente o sinal dos expurgos em escala nacional por meio de uma resolução do Politburo, em 2 de julho de 1937. As troicas proliferavam. A partir dos relatórios que lhe comunicavam os responsáveis em nível local, regional e das repúblicas, Ejov estipulava cotas de prisioneiros para cada cidade ou aldeia, dividindo-os em duas categorias: a primeira destinava-se ao paredão de fuzilamento, a segunda às prisões ou campos de trabalho. Em Leningrado, o grande coordenador do expurgo foi Jdanov, em Moscou foi Kruchtchev. Por excesso de zelo, este último pediu para fazer parte da troica, o que lhe foi negado.[58] O contágio sanguinário era tão forte que alguns dirigentes regionais, uma vez alcançados seus objetivos, pediam ao Centro autorização para ultrapassar as cotas, desencadeando assim uma nova onda de prisões e execuções.[59]

A loucura assassina ganhou tal amplitude que Stálin resolveu desvencilhar-se de Ejov, criando uma comissão especial encarregada de investigar a NKVD.* O resultado foi um relatório que serviu de base para a redação de uma resolução secreta, "Sobre as prisões, o ministério público e a condução do processo", aprovada pelo Sovnarkom e o CC em 17 de novembro

* A comissão era formada por Malenkov, Molotov, Vychinski e Beria.

de 1938. Foi como por ocasião da coletivização das terras, quando Stálin escrevera seu artigo sobre "A vertigem do sucesso", a fim de refrear um movimento que ele mesmo deflagrara: agora, tentava conter o processo, mas de maneira menos pessoal. Esse relatório consistia num grande libelo contra as formas delirantes assumidas pelos expurgos, as prisões em massa e as grosseiras violações da lei... Em 23 de novembro, Ejov demitiu-se e foi substituído por Beria. Muito tempo depois, em 1973, Molotov ainda achava que Ejov estabelecera sozinho as cotas de prisões por região e distritos e que foi esta a razão de ter sido fuzilado.[60]

"Stálin evidentemente não pode ser considerado responsável por todas as decisões individuais que foram tomadas."[61] Ainda assim, se por um lado ele não é o único responsável pela histeria coletiva que arrastou milhares e milhares de vidas humanas,* por outro não deixa de ser, face à História, o principal mentor da repressão. Foi ele quem criou a atmosfera e as estruturas que degeneraram na carnificina. O caráter paroxístico de seu sistema de governo atingiu seu ponto culminante quando uma parte de sua própria família viu-se igualmente arrastada pelo turbilhão.

A família dizimada

Os mais próximos de Stálin, os que o admiravam, amavam e visitavam, mergulharam, imperceptivelmente – depois dolorosamente – no pavor.

Com o passar do tempo, membros do Politburo, comissários do povo, às vezes inclusive hóspedes estrangeiros, haviam se misturado à família, formando um grande grupo: o círculo dos íntimos de Stálin. Os grandes processos de 1936-38[62] e o expurgo dos generais de 1937 foram acontecimentos atrozes para os Alliluyev e os Svanidze, que começaram a ter dificuldade para compreendê-los e mais ainda para acompanhá-los. En-

* Para o período que vai de 1934 a 1956, contabilizam-se ao menos 2 milhões de mortos, dos quais meio milhão teria sido executado durante os dois anos mais terríveis da repressão: 1937 e 1938. (Cf. Nicolas Werth, "Goulag: les vrais chiffres", *L'Histoire*, setembro de 1993.)

contramos ecos dessas reações não raro incrédulas, às vezes perplexas, no diário de Maria Svanidze. "Tudo isso vai além do que eu poderia imaginar para a desonestidade e vileza humanas", anota ela em 20 de novembro de 1936, quando a imprensa coloca na berlinda Piatakov e Radek – principais acusados do segundo processo de Moscou. Ela acredita piamente nas acusações: "Esses doentes morais mereceram sua sorte. Às vezes perco meus pontos de referência, acho que estou enlouquecendo, de tão terrível e sem sentido que é tudo isto... Como pudemos aceitar tais atos, como pudemos ser tão cegos e confiar nesse bando de patifes? Inacreditável. Suas raízes estenderam-se até as instituições mas importantes, eles tinham protetores nos altos escalões. Não me admira Piakov estar entre eles, assim como tantos outros." Nesta narrativa podemos entrever como ela foi também atingida pela loucura – que era tamanha que ela própria julga ver em toda parte traidores que gostaria de desmascarar.

Todos continuavam a jantar na casa de Iosif, a festejar seu aniversário e a preparar o *réveillon* ao seu lado. O tempo ordenava-se segundo um mesmo calendário: o seu.

A primeira pessoa próxima de Stálin a tombar foi Abel Enukidze, velho amigo georgiano e, acima de tudo, padrinho de Nadejda. Caído em desgraça em junho de 1935, foi preso e fuzilado em 1937. Em seguida foi postumamente considerado culpado pelo assassinato de Kirov e apontado no julgamento de Bukharin em 1938 como aquele que teria dado ordens a Iagoda para planejar o crime. Stálin certamente não acreditava naquele gênero de especulação, mas suas desavenças com Abel não eram recentes. O que o havia tornado vulnerável e imperdoável aos olhos de Stálin era o fato de ele, seu "filho adotivo", ser trotskista: após descobrir que um diplomata soviético lotado na embaixada de Oslo mantinha contatos regulares com Trótski, Stálin ficou sabendo que Enukidze sabia disso há muito tempo e não lhe comunicara nada.[63]

Mariko, cunhada de Stálin, havia sido secretária de Enukidze entre 1927 e 1934. Foi presa em 1937 e condenada a dez anos de campo. Segundo uma fonte oficial, teria sido executada em 3 de março de 1942,[64] enquanto, para a família, ela morreu no local do exílio.

Mas foi a morte de Ordjonikidze que constituiu o luto mais sofrido para a família. Maria Svanidze registrou como a notícia foi recebida pelo grupo mais próximo de Stálin. Convencida da veracidade das acusações feitas durante o segundo processo de Moscou (janeiro de 1937), ela anota em 5 de março: "A execução deles não me satisfaz. Eu gostaria de torturá-los, queimá-los por todas as suas patifarias. Vendedores da pátria, lama no corpo da pátria. E quantos são ainda? Eles mataram Kirov, mataram Sergo."

Com efeito, Ordjonikidze, o amigo querido, morrera em 18 de fevereiro desse apocalíptico ano de 1937. Para Maria, isso devia-se às "baixezas de Piatakov e de seu bando". "Sofremos muito com a partida de Sergo." O mesmo cerimonial dispensado a Kirov foi adotado: a sala das colunas, a música fúnebre, a guarda de honra, as lágrimas. Sergo, porém, suicidara-se...

Por quê?

Stálin ajudara e defendera Sergo muitas vezes durante suas carreiras comuns: primeiro em 1921, por ocasião do X Congresso do Partido, quando alguns delegados do Cáucaso do Norte haviam recusado sua candidatura alegando que ele era demasiado violento. Fora graças a Stálin e Lênin que ele pudera então conservar seu lugar no CC. Uma grande conivência também unira Stálin a Sergo em 1922, no episódio da Federação Transcaucasiana e do conflito com os comunistas georgianos quanto às condições de sua entrada na União. Stálin, que contava com a gratidão de Ordjonikidze, ficara perplexo ao saber alguns meses mais tarde que ele estava metido em conspirações cujo objetivo era limitar o poder do secretário-geral. Durante o verão de 1923, numa carta dirigida a Kamenev, Zinoviev fez-se eco da oposição de Sergo ao grande poderio de Stálin.[65] Stálin, entretanto, não o manteve por muito tempo no ostracismo por essa deslealdade, sobretudo porque em seguida Sergo apoiou-o em sua luta contra Trótski. Foi-lhe igualmente fiel quando Stálin defendeu-se contra Zinoviev e Kamenev. Stálin, portanto, se manteve atento à suscetibilidade inata de Ordjonikidze, como atesta uma carta a Molotov em 4 de setembro de 1926. "Vi Sergo. Ele está furioso contra o decreto do CC referente à sua advertência. Considera esse decreto uma punição imerecida. Interpreta a proposta de nomear Sergo em Rostov no lugar de Mikoian como a confirmação de que este último é visto como seu superior ... . Julgo conveniente satisfazê-lo, uma vez que ele está zangado em virtude do erro de formulação. Poderíamos corrigir assim: 'satisfazer o pedido do camarada Ordjonikidze de ser liberado de suas responsabilidades de primeiro-secretário do comitê regional da Transcaucásia'."[66]

Stálin tampouco pareceu rigoroso com Ordjonikidze quando seu nome foi evocado por Bukharin por ocasião de suas conversas com Kamenev em 1928: "Sergo nada tem de um homem corajoso. Ia à minha casa, vituperava Stálin da maneira mais ofensiva e, no instante decisivo, traiu."[67]

Os verdadeiros conflitos, antes de mais nada de ordem econômica, entre Stálin e Ordjonikidze aconteceram após o assassinato de Kirov, quando o poder decidiu opor os stakhanovistas aos sabotadores a fim de criar um clima de vigilância e luta contra o inimigo. Sergo, então ministro da Indústria Pesada, repudiou essa política, julgando possível opor-se aos stakhanovistas sem com isso ser sabotador. Stálin entendeu-se mais uma vez com seu impetuoso amigo, uma vez que o *Pravda* de 7 de junho de 1936 aponta o enfraquecimento do apoio político ao movimento stakhanovista. Porém, durante os meses seguintes, Ordjonikidze perdeu terreno: a evolução geral dos acontecimentos lhe escapava, ele não tinha mais nenhuma influência sobre as decisões do Politburo e, para coroar tudo, seu assessor Piatakov fora preso.

O Politburo – segundo um velho costume leninista – aproveitou uma doença de Sergo para mandá-lo de férias, de 5 de setembro a 5 de novembro de 1936, em Kislovotsk. É ali que, em outubro, ele toma conhecimento da prisão de seu irmão mais velho, Papulia, na Geórgia. Chamou Stálin em seu socorro. Sem resultado. Foi essa prisão que terminou por gerar o confronto entre os dois.

Stálin transformara as prisões dos parentes próximos de seus colaboradores num método de verificação do grau da fidelidade deles a sua pessoa e sua política. Todos passaram pela provação. Sergo recusou-se a jogar o jogo. Defendeu a inocência do irmão junto a Stálin* – e essa temeridade

* Papulia Ordjonikidze será fuzilado em novembro de 1937.

teve consequências nefastas sobre sua saúde. Em 9 de novembro, sofreu uma crise cardíaca, acompanhada de um breve desmaio.

Em 17 de fevereiro de 1938, o conflito exacerbou-se definitivamente. Por ocasião de um encontro privado, Ordjonikidze talvez tenha manifestado claramente sua oposição às prisões sem fim, tanto no setor da indústria pesada como em muitos outros. Essa conversa parece ter-se desenrolado serenamente. Em seguida, ele participou da reunião do Politburo. Já de madrugada, de seu apartamento do Kremlin, Ordjonikidze ainda conversou com Stálin por telefone. Desta vez com violência, pois, pouco antes de seu retorno, os agentes da NKVD haviam realizado buscas em sua casa.

"Por que o nervosismo, Sergo? Esse organismo pode fazer buscas em minha casa a qualquer momento", teria-lhe dito Stálin.

Aparentemente irritado, Ordjonikidze deixou precipitadamente seu apartamento para ir à casa de Stálin. Mais de uma hora e meia de intermináveis conversas. Nenhum documento que pudesse nos esclarecer sobre o que falaram foi conservado. Em 18 de fevereiro, Sergo não saiu de seu quarto e recusou-se a ver quem quer que fosse. No crepúsculo, disparou uma bala na cabeça. Assim que soube da notícia, Stálin, acompanhado de outros membros do Politburo, irrompeu em seu apartamento, declarando que o motivo oficial daquela morte seria um infarto.*

Ordjonikidze morreu provavelmente porque não conseguira convencer Stálin a desistir do terror. Na época, seu suicídio foi visto, por aqueles que se opunham à política de Stálin, como um ato desesperado e uma recusa a avalizar a repressão. Entre os colaboradores de Stálin – os poucos que tomaram conhecimento do suicídio –, seu gesto foi interpretado como um ato dirigido contra ele. "Ele colocou Stálin numa posição difícil", dirá, já nos anos 80, Molotov. No entanto, era um stalinista devotado que sempre tomara o partido do líder. "... era um ato dirigido contra Stálin, isso é evidente. E contra a linha, sem dúvida, contra a linha."[68] Molotov exprime assim o que Stálin também pensou até o fim da vida.

* O.V. Khlevniuk, *Stalin I Ordjonikidze, Konflikt v Politburo v 30-e gode* (Moscou, Rossia Molodaia, 1993, p.111-7). Nos últimos tempos, Ordjonikidze andava de fato doente. Passara por uma cirurgia e perdera um rim, sofrera uma crise cardíaca e frequentemente tirava licenças no trabalho.

O TERROR, PORÉM, não dava trégua. Maria Svanidze como tantos outros, persistia em ver "inimigos" em toda parte: "Sumiços de pessoas célebres que ocupavam elevadas posições, que gozavam da confiança, que havam sido condecoradas diversas vezes, provou-se que todas elas eram inimigos de nossos regime, traidores de seu povo, vendidos a nossos inimigos. Tenho necessidade de exprimir meu descontentamento e minha confusão. Como pudemos permitir tudo isso? Como é possível que os inimigos tenham proliferado a esse ponto? Frequentemente, na rua, olho os rostos, estudos seus traços... Como se dissimularam esses milhares de pessoas... que não queriam aceitar o regime soviético?" escreve Maria em 7 de agosto de 1937. Essa profissão de fé exprime claramente o grau de cegueira coletiva. Em dezembro, ela e o marido foram presos e acabaram passando uma noite no campo destinado aos "inimigos do regime soviético", aos "traidores do povo", que Maria denunciava com tanto vigor apenas alguns meses antes.

Voltavam de uma recepção na casa de Pável e Guenia. Trajavam-se com elegância: ela de longo, ele de smoking. À sua porta, os agentes da NKVD estavam à espera. Não lhes deram tempo sequer de trocar de roupa. Na casa dos Alliluyev, estavam arrumando as coisas; Kyra ainda se lembra que enxugava a louça quando Tolia, filho de Maria, em lágrimas, veio às 4h da manhã anunciar-lhes a terrível notícia.[69]

Por quê? "Não fazemos ideia!" A memória dessa prisão continua dolorosa para a família. Talvez porque... Aliocha era orgulhoso, não querendo parecer parente de um grande homem. Talvez houvesse dito a Stálin coisas que este não queria mais ouvir, críticas ao terror, às prisões em massa. Eram todos georgianos. Para Stálin, com seu senso de clã caucasiano, a família deveria permanecer unida, apoiando-o incondicionalmente. Haviam falado demais? "Maria às vezes criticava Stálin quando conversava com minha mãe", lembra-se ainda Kyra. Nesse terrível ano de 1937, Aliocha e Pável costumavam visitar Stálin. Tinham cada vez mais dificuldade de aproximar-se dele. Demoravam-se, contudo, em seu apartamento, permanecendo horas a esperá-lo nos quartos das crianças. Estariam tentando chamá-lo à razão? "Inclusive acabaram discutindo", conta Svetlana,[70] explicando os mecanismos psicológicos de Stálin face a seus opositores: "Meu pai não tolerava que alguém contradissesse os julgamentos que ele fazia sobre os homens. Se houvesse repudiado alguém que conhecia há muito tempo, se já o houvesse classificado no fundo de seu coração na categoria dos inimigos, era impossível conversar com ele sobre o personagem maldito. Mudar de opinião, convencer-se de que não era um verdadeiro inimigo, era um procedimento de que ele era incapaz, e os que tentavam forçá-lo a isso não suscitavam senão sua fúria."

No entanto, houve uma época em que Stálin respeitava Aliocha e levava sua opinião em conta. Em 1926, Nadia escreveu a Maria: "Iosif me pede para transmitir suas saudações. Ele a estima muito." Essa confiança prolongara-se até esse fatídico ano de 1937.

Svetlana considera Beria o instigador do expurgo do qual a família de Stálin foi vítima.[71] Ele não aceitava que outros georgianos – que por sinal não gostavam dele – tivessem acesso à confiança do líder. É possível que tenha insinuado que Aliocha e sua mulher estavam contra Stálin, que falavam mal dele. Talvez houvesse forjado documentos fornecendo a prova escrita de suas defecções. Quando Stálin deixou-se convencer – ainda que no início houvesse duvidado –, nem o passado, nem o grau de parentesco, nem os anos de amizade o fizeram mudar de opinião. Impossível reconsiderar. Ele sofria e, mais uma vez, sentia-se traído. Só restava ao acusado o reconhecimento dos erros, crimes e outros delitos. Era imperioso "confessar"!

Aliocha não confessou nada. Tinha algo a confessar? Foi condenado a uma pena inicial de dez anos, e Maria, a oito. Ele por conivência com potências estrangeiras, ela porque ocultara a atividade antissoviética do marido, participara de conversas antissoviéticas, desaprovava o terror e tinha intenções terroristas contra a direção do Partido e do governo. Seria possível que Stálin acreditasse nesses disparates? As razões, suas razões, deviam ser outras. Aliocha foi enviado para as imediações de Ukhta, Maria para Dolinsk, no Cazaquistão. No auge do desespero, ela escreveu a Stálin e pediu a Guenia que fizesse a carta chegar a suas mãos. Stálin zangou-se como sempre quando intercediam por alguém. Pediu enfaticamente à amiga que nunca mais repetisse aquele gesto. Maria foi então transferida para um campo mais severo.[72] O que estaria pensando agora daquele homem a quem tanto amara e admirara? Aquele Iosif sobre o qual apenas dois anos antes ela escrevera: "Que inteligência analítica, que psicologia excepcional" (17 de novembro de 1935)? Aquele querido parente próximo a quem enviara votos de aniversário asseverando-lhe que lhe faltavam palavras para exprimir todas as coisas boas que lhe desejava (26 de dezembro de 1935)? O que podia pensar Aliocha, amigo de juventude, graças a quem Stálin conhecera a primeira esposa, o cúmplice dos anos na Geórgia?

Quando, em 1941, uma onda de terror varreu os campos – a aproximação da guerra e, em seguida, o avanço dos exércitos alemães sobre o território soviético haviam exacerbado o medo da Quinta Coluna –, os condenados a penas longas foram fuzilados. Em 23 de janeiro de 1941, a Corte Suprema da URSS substituiu inúmeras privações de liberdade pela pena de morte. Essa nova condenação atingiu Aliocha em 20 de agosto de 1941; nesse mesmo dia, foi executado por ordens expressas de Beria, que interviera pessoalmente junto a Stálin. Ele se recusou a pedir perdão a Stálin como este exigira: "De que devo pedir perdão? Não cometi nenhum crime." Quando soube destas últimas palavras, Stálin teve ainda mais certeza de sua traição. "Aliocha Svanidze era um grande liberal", explica Molotov. "Um europeu. Alimentava-se de Ocidente. Stálin tinha consciência disso e, quando surgiu a oportunidade – Aliocha falara demais –, tomou uma decisão rude. E Beria jogou lenha na fogueira..."[73]

"Falara demais", esse *leitmotiv* ainda hoje é evocado pela própria família na tentativa de compreender a desgraça que recaiu sobre vários dos seus.

Em 3 de março de 1942, a mesma sentença atingiu Maria, mulher de Aliocha, e Mariko Svanidze, irmã da primeira mulher de Stálin, e elas foram igualmente executadas no mesmo dia. Esse fim, entretanto, é controverso: a maioria das testemunhas fala de mortes devido a doenças nos campos, ainda que um arquivo registre as execuções.[74]

Em 2 de novembro de 1938, um novo luto mergulhou a família no desespero. Pável, irmão favorito de Nadejda, morreu subitamente de um infarto. Voltava de férias e dirigira-se imediatamente ao trabalho, no prédio da direção dos Blindados. Ali, não encontrou nenhum de seus colaboradores próximos. Todos haviam sido presos. Ele telefonou na mesma hora para Stálin. Imediatamente depois, desabou em seu gabinete, bem no meio do aposento. Todos acreditaram naquele infarto, julgando que seu coração cansado falhara face à descoberta do terror em seu próprio local de trabalho.[75] Porém, sua mulher e seus filhos sustentam outra versão: ele teria morrido envenenado!

Ao chegar de férias, Pável estava bem de saúde, descansado, bronzeado. Por volta das duas da tarde, alguém telefonou para sua casa e perguntou à mulher o que ele comera de manhã. Disseram que ele se sentira mal e fora levado para o hospital. Ela não teve mais notícias. Quando telefonou para seu gabinete, responderam-lhe que estava tudo bem. Quando se dirigiu ao hospital, ele já estava morto. "Por que não veio mais cedo? Ele quis lhe dizer alguma coisa na hora da morte" disseram-lhe assim que chegou. Morte bem misteriosa.

Em seu gabinete, Pável teria bebido água de uma garrafa. Quem o teria envenenado, se foi esse o caso? Talvez Stálin, talvez Beria, pensa ainda hoje Kyra. E conclui, categórica: "Beria separou Stálin de todos os seus parentes."[76]

Com a morte de Pável, a situação de Guenia torna-se insustentável. Seu marido nada soubera de seu relacionamento com Stálin. Nenhum ciúme poderia existir entre eles. Beria então propõe a Stálin nomeá-la governanta em sua casa. Mas Guenia tinha medo de que envenenassem Stálin também, de tal forma estava longe de associá-lo à morte do marido. Em 1947, quando ela mesma for presa, a polícia secreta lhe imputará, entre muitos outros crimes, o envenenamento de Pável. Note-se que esse rumor também havia circulado em 1938.

Em 20 de novembro de 1938, foi a vez de outro membro da família cair. Stanislav Redens, marido de Anna, chefe da NKVD no Cazaquistão no momento de sua prisão, viu-se igualmente vítima de Beria. Após ocupar um posto importante na Tcheka, na Ucrânia, Redens tornara-se comissário do povo no Ministério do Interior da Transcaucásia. Na época, era superior hierárquico de Beria, com quem rapidamente se desentendera. Em seguida foi transferido para Moscou, sempre na Tcheka. Quando Beria foi nomeado para Moscou, em agosto de 1938, despacharam Redens para o Cazaquistão. Percebendo a chegada da tempestade, ele tocou no assunto com Stálin. Teriam discutido?

Mal chegou à direção da NKVD, em novembro, Beria livrou-se de todos que o haviam incomodado anteriormente, promovendo uma caça às bruxas para eliminar os homens de confiança de Ejov.* Anna, velha amiga de Stálin, irmã mais velha de Nadia, procurou-o desesperada e lhe suplicou que a ajudasse a libertar o marido. "De acordo", teria respondido Stálin. "Vou convidar Molotov e você virá com Serguei. Chamarei Redens aqui e examinaremos o caso." O encontro foi marcado, porém, para estupor geral, o velho Alliluyev desistiu no último minuto. Anna foi à casa de Stálin acompanhada pela mãe, Olga. A ausência de Serguei irritou Stálin e tudo terminou em briga. O "exame do caso" não aconteceu; o destino de Redens estava selado. A atitude de Serguei Alliluyev permaneceu um mistério para todos.[77]

Redens foi acusado de ligação com o Estado-maior polonês, de espionagem para a Polônia, de haver trabalhado para a polícia secreta do czar, escondido seu passado menchevique e protegido inimigos do povo.[78] "Se Pável estivesse vivo, Beria nunca teria ousado prender Redens", pensou Anna, que terminou por conseguir um encontro com o marido. No momento das despedidas, ele sussurrou-lhe: "Case-se!" Ela compreendeu então que tudo estava perdido. Ainda assim, passou a vida inteira a procurá-lo. Ele foi fuzilado em 12 de fevereiro de 1940 (e reabilitado em 1961).

O TERROR VARRERA ASSIM os principais membros da família de Stálin, que tinham sido igualmente seus melhores amigos. O sistema que ele construíra

---

* Beria mandou fuzilar a maioria dos quadros intermediários e superiores do aparelho montado por Ejov e os substituiu por homens de sua facção georgiana. (Amy Knight, *Beria*, Paris, Aubier, 1994, p.141.)

e pusera em marcha dizimara os seus e, de certa maneira, aniquilara-o como ser humano. Não lhe restava senão afundar mais ainda na incompreensão e na indiferença.

Conforme radicalizava o terror, perdia qualquer noção de apego ou afeição, ou mesmo de piedade, e as relações com a mãe, já bastante tênues, esgarçaram-se. Após a visita-relâmpago que lhe fizera em 1935, sua correspondência tornou-se cada vez mais rara, e ela também, resignada, deixou de lhe dar sinal de vida. Stálin, contudo, ciente de seu estado de saúde, retomou em 1937 a correspondência lacônica com ela. "Como vai vivendo, minha mãe?" escreveu-lhe em 10 de março. "Dizem que você está ótima: é verdade? Se for, fico muito contente." Não se preocupava mais com o silêncio dela, não se desculpava pelo seu. Em 13 de maio, quando ela estava realmente muito doente – contraíra uma pneumonia –, enviou-lhe um xale, um casaco, remédios e um telegrama desejando-lhe, à maneira caucasiana, mil anos de vida. Ela morreu em 4 de junho.

Stálin não compareceu ao enterro. Quando sabemos o que fez durante esse ano de 1937, não admira não ter podido ou desejado prestar a última homenagem à mãe. Mandou entregar uma coroa na qual era possível ler em russo e georgiano: "A minha mãe querida e amada. Da parte de seu filho Iosif Djugachvili (Stálin)." Não enviou sequer os filhos à cerimônia, como se o terror o houvesse feito esquecer qualquer senso de dever filial. Por ordens suas, a imprensa não noticiou o acontecimento e ele recusou todo tipo de pêsames, de onde quer que viessem. Na Geórgia, em contrapartida, foi decretado luto nacional, e a imprensa cobriu a morte. Apesar de sua fé profunda, a velha mãe de Stálin foi enterrada segundo os ritos soviéticos, ao som dos acordes da "Internacional". O Stálin de 1937 não podia mais, como o Stálin de 1908 fizera com a esposa, oferecer um serviço religioso à mãe. Com Keke, Stálin enterrou a essência de sua vida humana.

7. Líder em tempos de guerra

Após destruir boa parte da família, Stálin viu-se, no resquício de vida privada que subsistira ao terror, face a uma existência das mais penosas. Além disso, seu poder desmesurado logo viria a deparar com a prova da guerra.

Em 1938 mudou-se novamente, passando a habitar uma elegante ala do século XVIII nas dependências do Kremlin. Os aposentos ocupavam todo o primeiro andar: salão, sala de visitas, sala de jantar, quartos, biblioteca, gabinete de trabalho. No andar de cima, ficavam seus escritórios, que pertenciam ao Comitê Central. Bastava portanto descer um andar para estar em seus aposentos. Após o jantar, que perdurava até meia-noite, retirava-se para sua datcha, a Blijniaia, só retornando lá pelas duas ou três da tarde do dia seguinte. Manteve essa rotina até a guerra, não vendo os filhos senão na hora do jantar.

Mergulhava cada vez mais no trabalho, nos "negócios", como ele mesmo dizia, sua paixão. Trabalhava cada vez mais, ignorando a idade e as múltiplas doenças que lhe provocavam dores diárias. Continuava a levar, apesar do cenário suntuoso que o cercava, uma existência austera. A peliça justa e forrada que ele usava desde a guerra civil acompanhava-o todos os invernos. Usou-a a vida inteira. Para cada estação, tinha um único terno, puído. O restante do guarda-roupa resumia-se à japona de frente de batalha e ao uniforme de marechal. Quando morreu, conta Molotov, "não havia com que vesti-lo apropriadamente. Sua túnica estava rota nos punhos, foi preciso cerzir, limpar..."[1]

Fumando e trabalhando freneticamente, até mesmo nas férias acompanhava os "negócios" sem jamais relaxar de verdade. Controlava tudo, apesar da amplitude descomunal de suas tarefas. Trabalhava à noite, às vezes até de madrugada, tinha uma excepcional capacidade de concentração e conhecia perfeitamente cada assunto.

Em seus momentos de lazer, assistia a um filme em casa depois da meia-noite, ou ia a espetáculos de teatro ou ópera. Sozinho com Svetlana, só entrava no camarote que lhe era reservado quando as luzes estavam apagadas. Geralmente instalava-se num canto recuado. Após o fim do espetáculo, sobretudo estreias, ia falar com os artistas. Também escutava muita música, sem no entanto saber tocar nenhum instrumento. Gostava particularmente das canções populares russas e georgianas, como atesta sua ampla discoteca. Como na mocidade, lia vorazmente.

A biblioteca de Stálin[2] oferece ao pesquisador um imenso campo de investigação sobre o homem, sua psicologia e seus interesses, que merece ser explorado no futuro.

Começou a formá-la a partir de 1920, gradativamente, em seu apartamento do Kremlin. Constituía-se em grande parte de edições impressas antes da Revolução: obras de Marx, Engels, Plekhanov, Lafargue, Rosa Luxemburgo, Lênin, dos utopistas franceses, dos grandes escritores russos – principalmente Tolstói, Tchekhov e Górki. Ao longo do tempo, acrescentou tudo que a literatura soviética produzia, até o mais modesto escritor. Havia também livros de economia, tecnologia, ciências exatas. Por fim, possuía todos os trabalhos do Partido, do Komintern, das organizações estatais. Stálin anotava seus livros à mão. A leitura dessas notas escritas à margem de cada página é uma fonte valiosa para apreendermos seu pensamento no calor da hora.

Eram raros aqueles que ele ainda podia convidar para seus aniversários, ou por ocasião dos feriados nacionais ou de fim do ano: só lhe restavam na equipe os membros do Politburo e os comissários do povo. Os velhos Alliluyev visitavam-no cada vez menos, embora Olga, separada do marido há alguns anos, ainda morasse no Kremlin, num pequeno apartamento, cercada de badulaques e velhas fotografias. Ela continuava a abordá-lo como antes, com simplicidade e sem cerimônia, sendo a única que podia lhe falar de tudo sem arriscar-se a qualquer rompante.

Às vezes Serguei aparecia e ficava horas esperando-o para jantar. À mesa, sentava-se, como antes, ao lado de Stálin, mas não lhe dizia mais nada. Permanecia prostrado como uma sombra, testemunha muda dessa família devorada pelo terror. Nunca pedira a Stálin para salvar os seus, nem mesmo Redens, cuja prisão e execução destruíram a vida de sua filha. Só interferiu uma vez em favor de um membro da família, mas preferiu dirigir-se a Beria. Ivan Pavlovitch Alliluyev, vulgo Altaiski, era seu sobrinho. Preso em 1938, havia sido condenado a cinco anos de exílio. Foi indultado em 1940 graças à sua intercessão.[3]

Com o tempo, as visitas de Serguei ao genro foram escasseando, apenas uma ou duas vezes por ano. Se houvesse muita gente em torno de Iosif, sussurrava-lhe antes de sumir: "Bem, vou para casa. Passo em outra oportunidade."[4]

Stálin, com sua falta de sensibilidade e compaixão, aparentemente não sentia nem remorso nem constrangimento diante dos sogros ou dos próprios filhos, que se mostravam perplexos com o desaparecimento dos principais membros de suas famílias. "Mas onde eles se meteram? Por que nossa casa está tão desabitada?", perguntava-se Svetlana em 1938-39. "Eu sentia à minha volta, e cada vez mais, apenas o vazio, a ausência, o deserto de um mundo onde só me restavam a escola e a babá."[5]

Durante esse mesmo período, começou também o expurgo da equipe doméstica (a velha cozinheira, a criada, a intendente etc.), tanto no Kremlin como nas duas datchas principais, Blijniaia e Zubalovo. As novas contratadas, chamadas agora "encarregadas de serviço", cada vez mais numerosas, eram selecionadas pela polícia secreta; uma vez escolhidas, tornavam-se automaticamente suas colaboradoras. Como se não bastasse, a NKVD fez menção de lançar-se contra a babá de Svetlana. Diante das lágrimas da filha, Stálin interveio e a babá permaneceu na casa deles até sua morte, em 1956.[6]

A partir de 1937 os filhos de Stálin também passaram a andar com guarda-costas. Cursavam "escolas-modelo", restritas aos figurões do regime, e em seguida Vassili partiu para a Crimeia a fim de concluir sua formação. Se o desempenho escolar de Svetlana não criava problemas para Stálin, o de Vassili, em contrapartida, dava-lhe aborrecimentos sem fim. "Vassili é um jovem mimado, de capacidades medianas, um pouco selvagem, um pouco mentiroso", escrevia ele a V.V. Martechin, professor do filho, em 8 de junho de 1938. Stálin era severo também com sua prole, sem nenhuma complacência. Acrescentou: "Ele gosta de subjugar os adultos que percebe fracos, é um pouco vaidoso. Foi estragado por aqueles que não o viam senão como filho de Stálin. Estou satisfeito que o senhor seja o único professor que age com Vassica como faz com os outros, exigindo que ele se curve às regras da escola... Infelizmente, não tenho a possibilidade de cuidar pessoalmente de Vassia." Imaginamos a perplexidade do professor que recebia em 1938 esse gênero de missiva da parte de um Stálin que, em outros casos, não se constrangia em demitir os professores que julgava demasiado condescendentes com o filho. Quase em estado de êxtase, o professor respondeu: "Sua resposta, que me deixou uma impressão indelével, é a expressão da simplicidade e espontaneidade características dos gênios."[7]

Vassia estava atrasado nos estudos; não fazia os deveres, acordava tarde e passava a maior parte do tempo na hípica. Gostava de cavalos e queria ser cavaleiro. Como se destacava em todos os esportes, decidiu ser piloto militar. Era instável, caprichoso, impulsivo. Sua vida familiar, ou melhor, sua falta de vida familiar prejudicara-o mais que aos outros filhos de Stálin. Amava sinceramente o pai e sofria com sua falta de confiança e com a severidade de sua opinião. Era uma criança atormentada. Um irmão que tentara o suicídio e uma mãe que o consumara, depois o desparecimento da família – não faltavam motivos para desestabilizá-lo. Passava a maior parte do tempo com os guarda-costas e empregados; convivia pouco com o pai. Começou a beber muito jovem.

Durante as férias, retornava da Crimeia a Moscou para ver o pai. Frequentava o rinque de patinação, moda na época, e lá conheceu aquela que viria a ser sua esposa, Galina Burdonskaia, aluna no Instituto Poligráfico. Impressionou a moça sobrevoando em seu pequeno avião a estação de metrô Kirovskaia. Casaram-se no fim de 1940 e partiram juntos para Lipetsk, onde Vassili servia.

Vigília de armas

Em março de 1939 realizou-se o XVIII Congresso do Partido. A população alimentou as esperanças de uma distensão, um pouco de calma, ainda que precária, especialmente já que alguns indivíduos haviam sido reabilitados. Por ordem expressa de Stálin, um número significativo de militares, vítimas do expurgo do exército em 1937,* deixou a prisão ou retornou do exílio. Consciente da chegada iminente da guerra e da fraqueza de um Exército solapado pela repressão que golpeara sua alta hierarquia, Stálin tentava salvar o que ainda pudesse. Libertava os que haviam escapado à pena capital ou às doenças contraídas durante sua deportação. Por exemplo, para citar apenas os mais conhecidos, Rokossovski, Meretskov, Gorbatov, Tupolev, Landau e muitos outros foram soltos.[8]

Essa situação extravagante, em que se libertavam pessoas ontem acusadas dos piores crimes e hoje inocentadas exclusivamente por vontade do governante e em virtude das necessidades do momento, não parecia perturbá-lo. O marechal Rokossovski teve direito, após seus feitos na frente de batalha da Segunda Guerra Mundial, a esta conversa surrealista:

– Bateram no senhor? – perguntou Stálin.

– Sim, camarada Stálin – respondeu Rokossovski.

– Há muita gente entre nós ainda disposta às piores coisas para agradar a seus superiores.

– Tenho muito medo que o ano de 1937 se repita para mim.

– Não haverá mais ano 1937 – concluiu Stálin.[9]

Em 1939, Stálin sabia que a guerra com a Alemanha era inevitável. Quatro anos antes procurara aliados para conter Hitler. Com o passar do tempo, foi obrigado a render-se à evidência: as democracias ocidentais lhe recusavam qualquer pacto antifascista. Após o Acordo de Munique, toda esperança de aliança com elas havia evaporado. A expansão alemã para

---

* O expurgo do Exército atingira a elite, a nata do corpo dos oficiais, que fizera a guerra civil e criara o Exército Vermelho. Esse golpe desfechado contra as forças armadas foi uma catástrofe nacional.

o leste não preocupava especialmente as chancelarias europeias. O pacto germano-soviético teve origem nessas recusas, sendo o único meio que a URSS tinha de ganhar tempo. Ele destinava-se a instaurar uma trégua antes do ataque final. Preparado no maior sigilo, o pacto de "não agressão" foi assinado em 23 de agosto de 1939 por Molotov – então comissário do povo no ministério das Relações Exteriores – e por Ribbentrop, ministro das Relações Exteriores do III Reich. Em 28 de setembro, complementaram-no com um tratado de "amizade e boa vizinhança".

Paralelamente, foram firmados protocolos secretos, descobertos em 1946 por ocasião do julgamento de Nuremberg mas que, do lado soviético, permanecerão tão bem-escondidos que os originais só serão encontrados após a desagregação da URSS, em dezembro de 1991. Eles fazem parte dos grandes segredos de Stálin, herança vergonhosa que, de secretário-geral em secretário-geral, foi transmitida sob a condição de que nada fosse revelado. Os soviéticos e até mesmo a maioria de seus governantes ignoraram sua existência. Eles registravam a partilha da Polônia entre a Alemanha e a URSS, bem como a divisão de parte da Europa em "esferas de influência", a URSS herdando as regiões orientais da Polônia, a Lituânia, a Letônia, a Estônia, a Bessarábia e a Bucovina.

Em 1º de setembro de 1939, a Alemanha nazista atacou a Polônia, dando início à Segunda Guerra Mundial. Em 17 de setembro, por sua vez, as tropas soviéticas atravessaram a fronteira entre a URSS e a Polônia, avançando aproximadamente atá a linha Curzon – fronteira russo-polonesa reconhecida em 1918. Ao penetrar por cerca de duzentos a trezentos quilômetros a oeste, a URSS recuperava os territórios perdidos por ocasião do tratado de Riga em 1920, em sua maioria ocupados por bielorrussos e ucranianos. Com essa operação, adiantava as linhas estratégicas a partir das quais a Wehrmacht podia lançar seu ataque contra os centros vitais da União Soviética.

Em 23 de dezembro de 1989, Aleksandr Iakolev – presidente de uma comissão encarregada de estudar, a partir dos arquivos, a lógica do pacto – concluiu tratar-se de um mal necessário.

Com efeito, ao assinar um pacto com Hitler – obra-prima da *Realpolitik*, mas também de cinismo –, Stálin esperava adiar por um ano e meio, ou mesmo dois, um eventual confronto. De fato, a URSS estava nitidamente menos preparada para enfrentar uma guerra em 1939 do que em 1941. Stálin estava informado de que Hitler pretendia garantir "um espaço vital" e planejava apoderar-se da Ucrânia, primeira etapa de sua marcha para o leste. O tratado de 28 de setembro de 1939 deteve-o nessa ambição. Esse pacto também ajudou Stálin a evitar uma agressão japonesa. Os japoneses foram obrigados a modificar seus planos e a adiar *sine die* sua intervenção na União Soviética. Para a hierarquia militar alemã, aliás, esse pacto foi visto como uma traição de Hitler aos interesses do Reich.[10]

"Operação Barba Ruiva"

Na noite de 22 de junho de 1941, no entanto, o "plano Barba Ruiva" foi finalmente executado: os exércitos do III Reich irromperam na URSS sem declaração de guerra. O *Drang nach Osten* ["avanço para o leste"] dos militaristas alemães estava prestes a se concretizar. A guerra-relâmpago de Hitler contra a Rússia soviética deveria concluir-se, segundo ele, com uma vitória antes mesmo do fim da guerra contra a Inglaterra.

O governo soviético não esperava a invasão naquele momento. "Eu sabia que a guerra ia estourar, mas contava ainda ganhar alguns meses", confidenciou Stálin a Churchill em agosto de 1942, quando este último censurou-o por não ter levado em conta sua advertência de abril de 1941 sobre a iminência do ataque.

Com efeito, visando adiar o evento, Stálin recusara-se a se mexer, para não levar Hitler a antecipar sua entrada na guerra. Até o último minuto, recusara-se a soar o alarme a fim de evitar as "provocações". Quando finalmente assinou a ordem de ataque, esta chegou às tropas das fronteiras quando a ofensiva alemã já começara.[11]

O PANDEMÔNIO DOS PRIMEIROS meses de guerra alimentou duas lendas: a de um Stálin ingênuo que acreditava em Hitler e a de um Stálin deprimido durante os dias que se seguiram a invasão. Com a segurança de um protagonista da História, Molotov varreu tais interpretações: "Stálin teria confiado em Hitler? Quando não confiava em nenhum dos seus? Longe disso! E tinha suas razões. Hitler teria enganado Stálin? Mas o resultado desse logro é que ele foi obrigado a tomar veneno, enquanto Stálin viu-se à frente de metade do mundo."[12]

Com vistas a essa guerra, que ele aguardava mas que esperava postergar o máximo possível, Stálin tornara-se, em 6 de maio de 1941, presidente do Sovnarkom. Era sua primeira função pública oficial. A noite em que a guerra estourou surpreendeu a todos os dirigentes políticos e militares soviéticos. Inclusive Stálin. Longe de se lamentar, ele tomou as rédeas da situação com determinação. Às 2h, todo o Politburo encontrava-se em seus aposentos, no Kremlin. Até as 3h, quando Schulenburg foi comunicar a Molotov que a guerra estourara, Stálin e Molotov redigiram imediatamente a mensagem ao povo que este último leria no rádio no dia 23 de junho ao meio-dia. Stálin, por sua vez, só veio a manifestar-se na mesma rádio em 3 de julho. Precisava de um recuo de alguns dias para captar a situação em toda a sua complexidade e encontrar as palavras necessárias para a mobilização geral. O discurso que fez na ocasião marcou a passagem do revolucionário para o estadista.

Logo no primeiro dia da guerra, recebeu em seu gabinete um fluxo ininterrupto de visitas, sinal de que não estava nem inconsolável nem paralisado pelo pânico. Somente no dia 22 de junho, de 5h45 da manhã até meia-noite, trabalhou sucessivamente com Molotov, Beria, Timochenko, Mekhlis, Jukov, Malenkov, Mikoian, Kaganovitch, Vorochilov, Vichnevski, Kuznetsov, Dimitrov, Manuilski, Kuznetsov, Mikoian, Molotov, Vorochilov, Beria, Malenkov.[13]

No dia seguinte à invasão alemã, 23 de junho, Stálin criou o Stavka – Estado-maior geral –, articulando sob suas ordens os principais chefes militares e alguns membros do Politburo. Em 30 de junho foi instaurada uma comissão de Estado para a Defesa. O Stavka tinha sua sede no Kremlin.

Um sistema de comunicação permitia a Stálin dirigir-se a toda a hierarquia militar, até ao mais humilde comandante. Em 19 de julho, tornou-se igualmente comissário do povo para a Defesa, assumindo assim inteira responsabilidade pela condução da guerra. Trabalhando dezoito horas seguidas, dormindo frequentemente no sofá de seu gabinete, de uniforme, como um soldado, manipulava todos os cordões do front – era o próprio front...

A captura de Iakov

"Vá! Entre na guerra!" teria dito Stálin a seu filho mais velho no início das hostilidades.

Iakov obedeceu e foi capturado como prisioneiro em 16 de julho de 1941, em Lesno, perto de Vitebsk. A unidade que ele chefiava foi cercada e ele caiu nas mãos dos alemães. Stálin soube da notícia pela rádio alemã e por meio de panfletos distribuídos em Moscou, que diziam: "Camaradas soldados, não acreditem na mentira segundo a qual os alemães torturam e matam os prisioneiros. Isso é um embuste. Os soldados alemães tratam bem os prisioneiros. O povo está sendo enganado e atemorizado. Evitem o derramamento de sangue e passem para o lado dos alemães." Ao mesmo tempo eram divulgadas fotografias de dois oficiais alemães escoltando Iakov, assim legendadas: "O filho de Stálin, o tenente-major do 14º Regimento de Artilharia da 14ª Divisão de Tanques, rendeu-se e entregou-se espontaneamente aos alemães. Se um oficial soviético tão conhecido rendeu-se dessa forma, isso mostra claramente que toda resistência ao Exército alemão é inútil. Parem a guerra, passem para o nosso lado." O panfleto trazia no verso a cópia de um texto manuscrito: "Querido pai, fui tomado como prisioneiro, mas estou bem de saúde. Logo serei transferido para um campo para oficiais na Alemanha. Estou sendo bem-tratado. Espero que esteja passando bem. Saudações a todos. Iakov."[14] Os alemães divulgaram igualmente uma fotografia de Iakov vestindo a jaqueta de couro que usava antes da guerra. Isso foi suficiente para despertar as suspeitas de Stálin. Como haviam obtido aquela foto? Quem era o traidor? No outono de 1941, prenderam a mulher de

Iakov, Iulia, que a princípio foi isolada na Lubianka, sede da polícia secreta, depois na cidade de Engels. Permaneceu ali até a primavera de 1943. Sua filha Galina, com três anos de idade, ficou com Svetlana, que cuidou dela como se fosse sua. Quando Iulia deixou a prisão, Stálin deu-lhes um apartamento modesto, onde elas passaram a morar juntas, e passou a enviar-lhes dinheiro e mantimentos. Galina continua a morar no mesmo lugar.[15]

No entanto, no início da guerra, após a partida de Iakov, Iulia e sua filha achavam-se instaladas no Kremlin. Em seguida, refugiaram-se em Sotchi, junto com o que restava da família de Stálin. Mais uma vez, Stálin não hesitou em mandar prender um de seus parentes.

Mal soube da detenção de Iakov, ele passou a fazer de tudo para libertar o filho. Vários destacamentos foram organizados, formados, entre outros, por voluntários espanhóis.*

Em 12 de março de 1945, Stálin recebeu um depoimento sobre o cativeiro do filho de abril a junho de 1942. Estava num campo situado ao sul da Baviera, junto com 27 generais soviéticos e outras personalidades do alto-comando. Durante esse período, Iakov mostrara-se corajoso, tenaz, inabalável. Os alemães utilizavam-no em trabalhos de construção. Era constantemente molestado: diariamente, fotógrafos, jornalistas fascistas e agentes da Gestapo o visitavam para arrancar informações. Ele, contudo, respondia invariavelmente: "Amo minha pátria, jamais falarei mal de meu país."[16] Os alemães haviam tentado, em vão, alistá-lo no exército de Vlassov – o general russo que passou para o lado dos alemães, formou uma divisão recrutada sobretudo entre prisioneiros soviéticos, ucranianos e bálticos e lutou até o fim da guerra contra os Aliados. Em julho de 1942, Iakov foi transferido para o campo "H-S", em Lübeck. Teve então como companheiro de cativeiro o filho de Léon Blum, Robert, com quem divi-

* Entrevista com Santiago Carrillo, Málaga, 23 de abril de 1983. A propósito, Dolores Ibarruri também escreve em suas memórias que haviam formado na URSS, em setembro de 1942, um destacamento especial para libertar Iakov. Esse grupo foi aniquilado pelos alemães. Citado por Dimitri Volkogonov, *Staline, triomphe et tragédie*... (Paris, Flammarion, 1991, p.105). Documentos de arquivo comprovam a extrema perturbação de Stálin face ao destino do filho. (Cf. *Moskovski Novosti*, 2-9 de abril de 1995.)

diu a cela por um tempo. Nesse campo, havia 1.200 prisioneiros: franceses, belgas, iugoslavos, poloneses e um único oficial soviético: Iakov Djugachvili. Era vigiado ininterruptamente. Digno, recusava qualquer ajuda material oferecida pelos colegas. Negava-se a ficar de pé diante dos oficiais alemães, o que lhe valeu a masmorra. Enquanto a imprensa alemã afirmava que Iakov fazia declarações contra seu país, ele não cessava de bradar: "É mentira o que os jornais alemães falam sobre mim!" Continuava otimista quanto ao desfecho da guerra: "Não duvido um instante da derrota da Alemanha e do triunfo definitivo do Exército Vermelho." Em setembro de 1942, oficiais iugoslavos prepararam sua fuga escavando um túnel que dava na cela de Djugachvili, a mais próxima da saída do campo. Quando o comandante soube da existência desse túnel, Iakov foi colocado na masmorra e transferido alguns dias mais tarde, de avião, para um destino desconhecido.*

Após a batalha de Stalingrado, Hitler sugeriu a Stálin trocar seu filho pelo marechal Paulus. Stálin recusou. Explicou mais tarde à filha que não negociava com os nazistas, enquanto um rumor atribuía-lhe esta réplica: "Não troco um soldado por um marechal."

Durante seu cativeiro, Iakov deu provas de coragem e dignidade, como atestam os autos de seu interrogatório, datados de 18 de julho de 1941.

– Sinto vergonha perante meu pai de continuar vivo!, disse a seus carcereiros.

– O senhor se oporia a que declarássemos no rádio que é nosso prisioneiro? Ou pensa que isso é indiferente para seu pai?

– Não, não convém dizer isso no rádio...

– Por quê? Porque seu pai ocupa o posto mais importante ou porque acha que ele o renegará?

– Não escondo: isso é uma vergonha![17]

Não é difícil imaginar sua reação ao ouvir no rádio a declaração de Stálin segundo a qual não existiam prisioneiros militares, e sim traidores da pátria.

---

* Em 5 de março de 1945 chegou à casa de Stálin o depoimento do general iugoslavo Stepanovitch, que narrava seu tempo de cativeiro ao lado de Iakov... Cf. Dimitri Volkogonov, op.cit., p.438-9, e *Moskovski Novosti*, 2-9 de abril de 1995.

Iakov tentou escapar com um grupo de oficiais poloneses. Tentativa abortada. Foi transferido para um campo mais severo, o Sachsenhausen. Cada vez mais deprimido, negava-se a comer. Na noite de 14 de abril de 1943, recusando-se a entrar em seu pavilhão, dirigiu-se para a zona proibida. A sentinela atirou e ele morreu na hora. Em seguida, seus restos mortais foram lançados contra os arames farpados de alta tensão e o relatório do chefe de campo concluiu que fora uma tentativa de fuga. Foi incinerado no local, no crematório.

Em 1946, outro depoimento chegou aos ouvidos de Stálin, relatando em detalhes a morte de Iacha. Às 7h da noite, ele deambulava em frente a seu pavilhão. O soldado alemão que o vigiava ordenou que ele entrasse. Iacha recusou e pediu para ver o comandante do campo. Responderam-lhe que iriam chamá-lo ao telefone. Mas Iacha continuou a caminhar em direção aos arames farpados, ultrapassando assim a zona neutra. A sentinela advertiu-o diversas vezes. Ameaçou abrir fogo. Iacha rasgou então a camisa e respondeu: "Atire!" O soldado atirou, atingindo-o na cabeça. Iakov permaneceu 24 horas estirado no lugar, morto, até que o diretor do campo recebesse ordens de Himmler para retirar o cadáver. A testemunha não sabia efetivamente se Iacha fora morto pela corrente de alta tensão dos arames farpados ou pelo disparo de fuzil. Após a cremação, suas cinzas foram guardadas numa urna e despachadas para Berlim.[18]

Stálin já sabia da morte do filho. Entre os que o haviam informado sobre o destino de Iakov estava o rei Leopoldo da Bélgica, que deu a notícia a Svetlana no verão de 1945. "Os alemães fuzilaram Iacha. Recebi uma carta de pêsames de um oficial belga, um príncipe, creio... Ele foi testemunha da execução... Os americanos libertaram os outros." "Ele ficou sem ar", lembra-se Svetlana, "como se golpeado pela notícia, mas não queria falar nada."[19]

Se Stálin admitira precipitadamente que o filho estava perdido – dizia com amargura que os bárbaros o fariam sofrer até a morte –, a mulher de Iacha, seguindo uma velha tradição russa segundo a qual enquanto não se vê o cadáver do desaparecido é possível esperar sua volta, acreditou até o fim de seus dias que o marido preferira não voltar e fora reconstruir sua vida. Após a guerra, muita gente alimentou essa lenda, contando-lhe todo tipo de histórias sobre Iacha vivo, a ponto de a família crer nisso até hoje.[20]

Moscou sitiada

Em outubro de 1941, Hitler lançou um ataque direto contra Moscou. Os alemães cercaram a capital e o ministério foi evacuado para Kuibytchev. Stálin não se mexeu. Essa imagem de Stálin, sozinho no Kremlin, com os alemães às portas de Moscou, permanece na História como o melhor exemplo da força que um mito pode exercer no moral de um povo.

Moscou começara a esvaziar-se durante o verão. Crianças, idosos, altos funcionários, ministros, intelectuais, todos fugiam. No outono, num dia de meados de outubro, um pânico indescritível e súbito tomou conta da cidade. As lojas de alimentação foram invadidas, algumas inclusive saqueadas. Uma massa compacta de pessoas dirigia-se para a estação de Kazan. A polícia começara a instalar barreiras a fim de represar a multidão incontrolável, que nada parecia capaz de conter. Essa febre durou um dia inteiro. Então, ao pôr do sol, baixou bruscamente. As pessoas começaram a voltar para casa sem que a polícia as coagisse. O rumor, como um grito anestésico, atravessara a cidade e chegara aos ouvidos de todos: "Stálin continua em Moscou!"

Sozinho, num velho Packard conversível, atrás de seu motorista, Stálin percorria as ruas da cidade, fazendo o trajeto que levava à estação de Kazan. Afundado dentro do carro, muito pálido, saudava com a mão os moscovitas que o olhavam, pasmos e resserenados ao mesmo tempo. Se ele continuava em Moscou, por que ir embora? Fizeram meia-volta; haviam compreendido a mensagem. "Formidável! O mito triunfou novamente!" conta-nos Giulio Ceretti, dirigente comunista italiano. "À noite, eu ficara sabendo por um secretário russo que nem tudo se desenrolara pacificamente no Kremlin, com a direção da polícia sugerindo o uso da violência. Segundo os boatos, Stálin repelira, com um gesto de nojo, a triste sugestão e pedira que baixassem a capota do carro... O resultado estava ali, eu o tinha diante dos olhos, pois assistira a essa conversa muda entre Stálin e a multidão moscovita, primeiro na rua Gorki, mais tarde perto da estação de Kazan."[21]

Em todo caso, os colaboradores de Stálin tentaram convencê-lo a partir, colocando à sua disposição um trem especial e, no aeroporto, quatro aeronaves, entre as quais seu avião pessoal. Sem que ninguém ousasse lhe falar abertamente, alguns sondavam suas intenções:

– Camarada Stálin, quando devo evacuar de Moscou o regimento de segurança?

– Se necessário – respondia Stálin –, eu mesmo conduzirei esse regimento ao ataque.[22]

Beria, Malenkov e Kaganovitch finalmente atreveram-se a sugerir que ele partisse para Kuibytchev. Então, para deixar as coisas bem claras, na noite de 16 de outubro Stálin reuniu seus agentes, guarda-costas e motorista: "Nada de evacuação. Permaneceremos aqui até a vitória. Todos vocês ficam comigo."[23]

Em 7 de novembro de 1941, do alto do mausoléu de Lênin, diante das tropas do Exercito Vermelho que partiam diretamente da praça Vermelha para a frente de batalha situada a apenas poucos quilômetros, Stálin pronunciou um de seus discursos mais célebres, misturando, numa simbiose espantosa, as páginas gloriosas da história russa e os símbolos da Revolução de Outubro: "Camaradas soldados e marinheiros vermelhos, comandantes e trabalhadores políticos, partidários e partidárias! O mundo inteiro considera-os uma força capaz de aniquilar as hordas de bandidos alemães. Os povos escravizados da Europa, sob o jugo dos invasores alemães, veem-nos como libertadores. Uma grande missão libertadora lhes é atribuída. Sejam dignos dessa missão. A guerra que vocês travam é uma guerra libertadora, uma guerra justa. Para essa guerra, inspirem-se no glorioso exemplo de nossos grandes ancestrais: Aleksandr Nevski, Dimitri Donskoi, Kuzma Minin, Dimitri Pojarski, Aleksandr Suvorov, Mikhail Kutuzov! Que a bandeira vitoriosa do Grande Lênin os una sob seu pendão."[24]

Numa Moscou bombardeada pela força aérea alemã, Stálin continuou a trabalhar no Kremlin, embora passasse a maior parte do tempo em sua datcha, a Blijnaia. Às vezes, durante os bombardeios, acompanhado por um de seus colaboradores, subia ao terraço, de onde observava as respostas da artilharia soviética. Em 1941 e 1942, a zona onde se situava a datcha de Stálin foi bombardeada. A NKVD recebeu a informação secreta de que uma bomba caíra nas imediações de sua casa, sem no entanto explodir. Falava-se também de uma espécie de "máquina infernal" que havia sido instalada sob as fundações da casa. As informações foram transmitidas a Stálin. "Então vamos procurá-la!" E, com um aparelho detector, Stálin e seus guardas puseram-se a explorar o local; não encontraram bomba, mas todo tipo de objetos metálicos.[25]

Ele manteve, durante toda a guerra, o mesmo ritmo de trabalho: noite e dia, dia e noite. Dormia geralmente pela manhã, por volta das 6 horas. Seus guarda-costas o encontravam num sofá, atrás da escada, ou no terraço, sentado numa cadeira, o gorro sobre o rosto para protegê-lo do sol. Continuava a sofrer de reumatismo e sentia dores constantes nas pernas – razão de seus vaivéns ininterruptos durante as reuniões de trabalho em seu gabinete. Também padecia de uma angina de peito e era hipertenso. Apesar de tudo, não se cuidava. Nada podia detê-lo em sua determinação de dirigir a guerra, de acompanhar o máximo possível das operações e da diplomacia. Saiu dessa provação, aos 67 anos, fisicamente mirrado, envelhecido, ainda mais franzino, os cabelos grisalhos e ralos.

O front

Stálin esteve no front? Tema controverso, após Kruchtchev declarar, em seu relatório secreto, que Stálin coordenou as operações de guerra a partir de um mapa-múndi. Naturalmente, os principais líderes políticos evitavam o teatro de guerra. Molotov confessa: "Estive em Leningrado em 1941. Em seguida, fui substituir Koniev e fustigar um pouco Jukov. Era, creio, em 1942 ou 1943. Foram estas minhas visitas ao front."[26] Stálin também efetuou algumas viagens, porém mantidas em completo sigilo, inclusive para sua equipe. A imprensa nunca chegou a noticiá-las. Durante a defesa de Moscou, deslocou-se duas vezes. Em outra ocasião, visitou a região de Volokolamsk: quando se decidiu pela visita, bruscamente, convocou Jukov e Beria para lhes comunicar sua intenção de partir naquele mesmo dia. Também esteve uma vez em Leningrado, no momento em que o Exército Vermelho preparava uma grande ofensiva. Misterioso por natureza, mostrava-se ainda mais enigmático durante esse período de guerra. Jamais informava antecipadamente a quem quer que fosse o que pretendia fazer. Sua chegada inesperada era um acontecimento. Em geral acompanhado da guarda pessoal, deslocava-se também com dois destacamentos da NKVD, um à sua frente, outro à sua volta. Passava um tempo nos postos de comando, de onde examinava a linha de ataque dos alemães.[27]

Após a conferência de Teerã, Stálin visitou uma Stalingrado em ruínas. Passeou pelas ruas e esteve no Estado-maior do marechal Paulus. Durante um trajeto, seu carro bateu em outro, dirigido por uma mulher. Stálin ordenou a seu motorista que parasse e desceu. Reconhecendo-o, a pobre da moça sentiu-se tão intimidada que caiu no choro. Repetia, soluçando: "Sou eu a culpada!" Stálin tranquilizou-a: "Não chore. A guerra é a culpada, não a senhora. Nosso carro é blindado e não foi danificado e a senhora, ora, a senhora consertará o seu."[28]

Um amor impossível

No período em que Iakov encontrava-se prisioneiro e Vassili no front, Svetlana partiu, a princípio para Sotchi, depois para Kuibytchev.

Num primeiro momento, o que restava de família a Stálin – os avós Alliluyev, Anna Sergueievna e os dois filhos, Iulia e Galina, a babá de Svetlana – foi com ele para Sotchi. Em setembro, voltaram todos para Moscou. Iulia foi presa, Galina permaneceu um tempo com os Alliluyev, e em seguida juntou-se a Svetlana em Kuibytchev.

Svetlana morava numa residência particular com Olga, a pequena Galina e Galia – mulher de Vassili, que deu à luz ali mesmo, em outubro, seu filho Aleksandr. Serguei Alliluyev, por sua vez, preferira ir para Tíflis.

"Querido pai", escreveu Svetlana a Stálin em 19 de setembro de 1941. "Sempre me aborreço sem você quando viajo para algum lugar, mas agora faço questão absoluta de vê-lo. Se concordar, irei de avião, para dois ou três dias... Querido papai, você não imagina como tenho vontade de ir, nem que seja por um dia, a Moscou... Durma bem, sei que você dorme pouco, isso é inadmissível, caro camarada secretário. Mil beijos, minha alegria, meu querido papai."[29]

Em 28 de outubro, Svetlana chegou efetivamente a Moscou para visitar o pai. Encontrou-o rodeado de mapas, despachos, telefones e visitas. Ele mal teve tempo de lhe perguntar: "Como vão as coisas em Kuibytchev?" Viram-se novamente em janeiro de 1942, e foram dois dias na companhia de um homem esmagado pelo trabalho e constantemente em alerta.

Em junho daquele ano, a família de Stálin retornou a Moscou, onde permaneceria até o fim da guerra. Uma má notícia os esperava ali: haviam explodido Zubalovo, temendo a chegada dos alemães. Outra casa havia sido reconstruída não longe dali, mas não era a mesma coisa. Espremeram-se na nova residência. Mas daí em diante formavam um mundo heterogêneo, que perdera a coesão. O que haveria de comum entre Anna, desesperada pela perda do marido, Galina, sozinha no mundo com um pai prisioneiro dos alemães e uma mãe presa pelos próprios compatriotas, e Vassili, que levava uma vida opulenta, cercada por sua corte – atletas, atores, aviadores –, invadindo a casa e promovendo bebedeiras sem fim? Na volta do ano letivo, Svetlana e a pequena Galina retornaram para o Kremlin, para o apartamento de Stálin.[30]

Em plena guerra, durante o inverno de 1942-43, Svetlana teve seu primeiro caso amoroso e sua primeira desavença séria com o pai. Jovem estudante, iniciou um flerte platônico com um homem de quarenta anos, Alexis Kapler, que ela conhecera no grupo de Vassili. Começaram indo ao cinema e fazendo programas nas cercanias da datcha, depois, por ocasião de um banquete, igualmente promovido por Vassili, dançaram o foxtrote. A adolescente sentiu-se lisonjeada e seduzida por aquele homem de teatro que lhe dava atenção. Ele ia esperá-la na saída do colégio, levava-a à galeria Tretiakov e acompanhava-a ao teatro. Tendo a guerra por pano de fundo, um amor impossível nasceu sob o olhar vigilante do guarda-costas de Svetlana. Ignorando toda prudência, Kapler publicou no *Pravda*, no fim de novembro de 1942, um artigo sob forma de carta dirigida à bem-amada, no qual, relatando a batalha de Stalingrado, insinuava evocações líricas relativas a seus passeios moscovitas na companhia da moça. Como podemos imaginar, Stálin era informado a cada dia a respeito desse namoro precoce. Num primeiro momento, tentou chamá-la à razão por meio de alusões; uma pessoa de sua guarda pessoal tentou assustar o namorado. Em vão: Svetlana passava a maior parte de seu tempo livre com Kapler, entre as salas de cinema, o teatro e os passeios noturnos. Em 28 de fevereiro, em seu aniversário de dezessete anos, levou o namorado a um apartamento vazio que pegou emprestado graças ao irmão. Momento de emoção, beijos trocados em silêncio e tristes despedidas – pois Kapler, consciente do perigo, dera um jeito de ser despachado para Tachkent, onde devia realizar um filme. Dois dias mais tarde, porém, foi preso. Na Lubianka, viu-se às voltas com o próprio Vlassik, chefe da guarda de Stálin, que desejava certificar-se de que tudo voltara efetivamente à ordem. Oficialmente, foi acusado de manter relações com estrangeiros: cinco anos de privação de liberdade. Contudo, quando foi solto, em 1948, cometeu o erro de voltar à capital, onde estava proibido de pisar. Foi novamente preso e condenado a cinco anos suplementares. Para Svetlana, a coisa terminou com duas bofetadas que a marcaram. Stálin bateu-lhe pela primeira vez na vida: "Nós em meio a uma guerra dessas, e eis com o que ela se preocupa...", disse à babá, petrificada num canto do quarto.[31] A partir desse 3 de março de 1943, as relações entre Stálin e a filha querida mudaram sob muitos aspectos.

Vassili, contudo, dava mais dores de cabeça. Stálin não tolerava sua vida dissoluta e suas bebedeiras; em certa ocasião, providenciou para que passasse dez dias numa solitária. Vassia, no entanto, esteve na guerra e lutou com coragem. Efetuou 27 missões de combate, derrubou um aparelho inimigo e foi ferido por estilhaços de obus em 4 de abril de 1943. De toda forma, considerando seus feitos de guerra, suas condecorações foram exageradas: duas ordens da Bandeira Vermelha, a ordem de Aleksandr Nievski e a ordem Suvorov de segunda classe. Tendo começado na guerra como coronel, foi promovido a brigadeiro em 1946 e, um ano depois, a tenente-general.[32] Apesar de irascível e dissimulado, era um bom piloto. Mas seu caráter, a queda pela bebida e as más companhias levaram-no frequentemente à beira do abismo. De todos os filhos de Stálin, foi o que melhor proveito tirou de sua posição. Embora o pai não estivesse realmente satisfeito com a fulgurante carreira de Vassili, seu nome bastava para que fizessem o máximo por ele. Ninguém sabia que ele não gozava de grande estima junto ao pai. Foi um playboy *avant la lettre*, mecenas dos esportes equestres e promotor de cerimônias aéreas militares. Suas estripulias matrimoniais também irritavam Stálin. Quando sua mulher engravidou pela segunda vez – de sua filha Nadejda, nascida em 1942 –, ele cultivou todo tipo de aventuras galantes. Stálin deu então a Galina um belo apartamento, recursos para viver e julgou a nora bem tola quando esta se reconciliou com o marido infiel.[33]

Os Aliados

Durante os quatro anos da guerra, com uma Aliança que apostava na união e na vitória final, apesar dos obstáculos de todo tipo, a estatura de Stálin se impôs.

Desde o início dos anos 30, quando começara a receber visitas de estrangeiros, ele sabia seduzir, tranquilizar, transmitir segurança. Ninguém percebia a impostura. Todos sucumbiam – do político ao escritor, do diplomata ao militante. Era com uma imagem de franqueza e simplicidade que Stálin se apresentava a seus principais interlocutores ocidentais. Só o fato de encontrá-lo constituía um acontecimento para eles. Sua aparência de homem "ponderado", o ambiente em que vivia, desprovido de todos os símbolos ostentosos do poder, e sua silhueta franzina e frágil, contrastando com o cenário grandioso do Kremlin, deixavam estupefatos seus convidados.

Sua tendência ao segredo, o véu que se estendia sobre sua vida privada, seu isolamento manifesto, sua pseudodiscrição teriam como objetivo único esconder o horror que subjazia ao regime? O enigma Stálin nasceu graças a uma mística da clausura, do obscurecimento, do mistério calculadamente dosado. Mas também pelo aspecto plural do personagem, do homem de múltiplas facetas, dotado de uma força de sedução extrema e um domínio da conversa sigilosa, personalizada de acordo com o interlocutor. A maioria dos que o visitavam registrou em suas recordações, diários íntimos, correspondência e conversas o encontro com Stálin.[34] O choque era ainda maior na medida em que se esperava ver um ogro, uma personalidade brusca e rude, distante e altiva. Ora, era o contrário que descobriam. Essa falta de brilho embaralhava as cartas: julgavam-no desinteressado, indiferente à glória e aos prazeres, pouco afeito ao poder. Claro, a obstinação e a desconfiança eram visíveis, e seus motivos essenciais, compreensíveis: governar de maneira determinada – a que ele concebia – e sozinho. Lastimavam sua solidão; julgavam-no sincero, honesto e justo; sua capacidade de escuta era apreciada – sabia deixar o outro à vontade –, sua franqueza era sem artifício. Nunca era questionado sobre o que todos sabiam – expurgos, julgamentos, execuções –, e todos se inclinavam perante o revolucionário, ignorando deliberadamente o tirano.

A entrada na guerra permitiu que Stálin tivesse acesso aos grandes políticos do mundo ocidental, e seu charme encantou-os como encantara os visitantes dos anos 30, em sua maioria os mais brilhantes escritores do século. No fim de julho de 1941, recebeu Harry Hopkins, confidente íntimo do presidente Roosevelt; em setembro, Harriman e Beaverbrook; em agosto de 1942, Churchill. Finalmente, entre 28 de novembro e 2 de dezembro de 1943, Stálin encontrou Churchill e Roosevelt em Teerã. A correspondência de guerra[35] dos chefes da Grande Aliança ilustra esse entendimento, que hoje tenderíamos a considerar mítico, mas que foi, malgrado as dificuldades políticas, real. Entre a admiração e a desconfiança, entre o fascínio e a suspeita, entre a cumplicidade e a reserva, essa Aliança se forjou e atravessou os tempos de guerra. Para além da *Realpolitik*, uma espécie de fascínio difuso pairava sobre a complexidade da relação. A estatura do czar vermelho era imponente e sedutora. Churchill gostaria de poder encontrar-se com Stálin uma vez por semana; Roosevelt esperava revê-lo.[36]

Datam desses anos de guerra as descrições mais cativantes de Stálin feitas por seus aliados. "Nenhuma palavra vã, nenhum gesto inútil, nenhuma afetação... uma máquina perfeitamente ajustada, uma máquina inteligente", anota Harry Hopkins em seus papéis.[37] "Grande chefe revolucionário, estrategista e estadista profundo", pensava Churchill, que por três anos manteve com ele "relações estreitas, difíceis, mas sempre de um interesse palpitante e até mesmo cordiais em determinados momentos".[38] O general De Gaulle esboça um retrato perspicaz: "Comunista habilidoso como marechal, ditador dissimulado e astuto, conquistador com ar bonachão, de tudo fazia para iludir. Mas sua paixão era tão rude que não raro aflorava, não sem uma espécie de feitiço tenebroso."[39]

O episódio de Katyn

Em 13 de abril de 1943, os serviços de propaganda do III Reich divulgaram que valas comuns haviam sido descobertas na floresta de Katyn (região de Smolensk). Achavam-se lá enterrados cerca de 10 mil militares poloneses, assassinados em março-abril de 1940 por ordens de Stálin. Na realidade, em Katyn mesmo foram encontrados apenas 4.143 cadáveres. Contudo, outros ossuários foram descobertos em seguida, chegando-se a cifras controversas, mas de toda forma pavorosas: 15 mil, segundo os poloneses, 22 mil segundo os últimos números fornecidos pelos russos nos dias de hoje. Começou então um dos episódios mais macabros da Segunda Guerra Mundial. O governo polonês no exílio, em Londres, apropriou-se do litígio, encampando as acusações alemãs. Em 25 de abril, enviou um memorando às nações aliadas e exigiu, como os alemães, um inquérito *in loco* feito pela Cruz Vermelha internacional. Em 26 de abril, o governo soviético rompeu relações diplomáticas com o governo polonês de Londres. Foi o início de um conflito que iria erodir a Grande Aliança, que foi se ramificando e permaneceu, até a derrocada da URSS, uma causa capital do contencioso polonês-russo.

Hoje sabemos que a decisão de destruir a elite militar polonesa sediada em solo soviético foi tomada no Politburo e que todos os seus membros assinaram o decreto. Esse documento infame veio a constituir, como os protocolos que haviam acompanhado o pacto germano-soviético, uma pesada herança, que os sucessores de Stálin, alçados à hierarquia do Partido, foram obrigados a carregar sob o maior sigilo.

A maneira como Stálin negou os fatos perante seus aliados é ainda hoje um modelo do gênero: a mentira erigida em razão de Estado. Em 21 de abril, enviou uma dupla mensagem confidencial a Churchill e a Roosevelt. Sua versão – que permaneceu sendo a de toda a historiografia soviética até Gorbatchev – era a seguinte: o crime fora obra dos alemães. "As autoridades hitleristas, após haverem consumado um crime monstruoso contra os oficiais poloneses, representam uma comédia judiciária; para essa encenação, utilizaram alguns elementos poloneses com tendências fascistas." Para Stálin, "essa campanha hostil foi organizada após um contato e um acordo prévio entre Hitler, o inimigo dos Aliados, e o governo de Sikorski".[40] Churchill acreditou em Stálin, porém, ao mesmo tempo, tentava aparar as arestas com os poloneses. "A propaganda alemã lançou essa história precisamente para criar uma brecha nas fileiras das Nações Unidas...",[41] respondeu a Stálin. E foi essa versão que se impôs, ainda que tenha sido desmentida no julgamento de Nuremberg, com o tribunal recusando-se a acusar o III Reich nesse episódio.

A ação de Stálin, além de tratar-se de um crime inominável, e a despeito do segredo que ele soube impor a seus herdeiros durante mais de meio século,* denotava sua vontade de mudar de uma vez por todas as relações da Rússia com a Polônia. Mais uma vez, foi o general De Gaulle quem melhor compreendeu seus motivos profundos: "Ao ouvi-lo, rosnando, mordendo, eloquente, percebia-se que o caso polonês era o objeto principal de sua paixão e o centro de sua política. Ele declarou que a Rússia empreendera uma 'grande guinada' com respeito a essa nação que fora sua inimiga há séculos

---

* Molotov também guardará esse segredo e sua mentira subjacente. À pergunta que lhe é feita em 1974 sobre o destino dos oficiais poloneses prisioneiros na URSS, que se acreditava fuzilados pelos soviéticos, ele respondeu: "Eles são capazes de dizer isso. Existe uma declaração do governo soviético a esse respeito. Atenho-me a ela. Mais tarde, formou-se uma comissão..." E, para concluir, acrescentou: "Todos os nacionalistas – sejam poloneses, russos, ucranianos ou romenos – estão dispostos a tudo; são doidos varridos." (Cf. Félix Tchuev, *Conversations avec Molotov*, Paris, Albin Michel, 1995, p.86.)

e na qual agora queria ver uma amiga."[42] Persuadidos ou não, os Aliados compreenderam que, no que se referia à Polônia, Stálin não negociaria.*

A luta antifascista, em cujo âmbito Stálin aparecia como um aliado incontornável, e a derrota do III Reich pelo Exército Vermelho, que na batalha de Stalingrado soube imprimir à guerra uma virada decisiva, deram ao mito Stálin uma dimensão internacional, projetando sobre sua pessoa a força vitoriosa da História. Era aos gritos de "Por Stálin!" e "Viva Stálin!" que muitos iam combater e morrer.

Excelente empresário de seu próprio personagem – a ponto de a ele sucumbir, rompendo sem perceber os laços com a realidade –, Stálin vive, alimenta-se e sonha com abstrações. A morte era outra abstração? A inocência das pessoas que ele matava ou enviava para o desterro não o perturbava. O número das vítimas sacrificadas à realização do sonho não passava de uma questão estatística. Não foi ele quem declarou um dia que "uma morte é uma tragédia; 1 milhão, apenas uma estatística"? "O senhor é inimitável", disse-lhe o general De Gaulle quando o encontrou em dezembro de 1944, em Moscou.

O caso Morozov

Durante a guerra, a vida privada de Stálin tornara-se inexistente. Não jantava mais em seu apartamento do Kremlin, voltando direto para Kuntsevo na companhia de seus colaboradores, que agora eram seu único convívio estável.

No outono de 1944, Svetlana casou-se com Grigori Morozov, um colega de colégio de Vassili e seu instrutor no Movimento dos Pioneiros, quando ela mesma era pioneira. Viu-o pela primeira vez numa festa de aniversário de Vassili. Ela tinha seis anos e ele onze.

---

* Em abril de 1987, o general Jaruzelski levantou a questão do massacre diante de Gorbatchev. Criou-se então uma comissão formada por historiadores soviéticos e poloneses e pesquisas foram empreendidas na URSS para se descobrir a verdade. Cf. o *Pravda* de 22 de abril de 1987. Mas Gorbachev também guardou o segredo de Stálin até o fim de seu governo.

Grigori Iosipovitch Morozov, russo de origem judaica, foi acima de tudo um amigo de Vassili. Parceiro de jogo e das farras do filho de Stálin, dividiam a carteira na sala de aula. Seu amor por Svetlana esboçou-se quando ela era estudante de história e ele terminava seus estudos em direito internacional. Estava alistado no Exército Vermelho, no 76º Regimento, onda cumpria seu serviço militar desde outubro de 1939, quando a guerra estourou. Partiu para o front em 25 de junho de 1941 e, em fevereiro de 1942, foi ferido e em seguida declarado inválido.

Quando Svetlana comunicou ao pai a decisão de casar com Morozov, obteve sua concordância sem grandes problemas. Em 18 de maio de 1944, feliz por ter obtido a bênção, o casal foi à casa da irmã de Grigori, Vera, para comemorar o acontecimento com ela e o marido, abrindo duas garrafas de champanhe. No dia seguinte, sozinhos, dirigiram-se à prefeitura, onde a carteira de identidade de Svetlana deixou apavorado o funcionário de serviço. Verificação feita, foram unidos perante a lei.

Os cônjuges instalaram-se no Kremlin. Ali, Morozov conheceu não só Stálin, como a nata do poder. Tinha acesso à biblioteca do sogro, praticava tiro com Beria, encontrava os filhos dos membros do Politburo.* Uma vida confortável, agradável, estudiosa – uma vez que os dois continuavam seus cursos na universidade. Em maio de 1945, nasceu-lhes um filho (o filho da vitória), a quem chamaram Iosif e que foi entregue aos cuidados de duas amas de leite, a de Svetlana e a de Galina (filha de Iakov). Iosif se tornaria, ao lado desta última, o neto preferido do avô.

O casal separou-se em fevereiro de 1948, sem qualquer intromissão de Stálin. "Ele nunca exigiu que nos separássemos", assevera Svetlana, que alega razões pessoais para explicar o divórcio. Não obstante, às 9h da

---

* Existem contradições entre o que dizia Svetlana Allilluyeva em seus livros sobre o casamento com Morozov e o que ele mesmo conta. Intrigado com algumas dessas inverdades (ela declarava que o pai criticava o marido por não ter estado no front; apontava a recusa do pai a vê-lo; nunca escrevera que haviam morado juntos no Kremlin etc.) e tendo lhe comunicado isso, ela se explicou asseverando que, considerando a época, queria proteger a ele e ao filho, a fim de que figurassem antes como vítimas de Stálin. Respostas de Grigori Morozov às perguntas de Lilly Marcou, Moscou, 11 de outubro de 1995.

noite do dia 8 de fevereiro, quando Morozov deixou seu apartamento do Kremlin para dirigir-se ao de seus pais, o pesado portão que bateu atrás dele selou definitivamente um período de sua vida.

Fora da moldura oficial da família de Stálin, nada mais podia protegê-lo. Poucas horas mais tarde, às 4h30 da manhã, os agentes da NKVD prenderam seu pai alegando que este mantinha relações com a família Alliluiyev. A brutalidade dos homens da polícia secreta não tinha limites: reviraram o apartamento dos velhos Morozov a fim de apagar todo vestígio de suas relações com Svetlana – fotografias, cartões-postais, cartas, diários íntimos: tudo que encontraram foi confiscado. O pai de Grigori foi encarcerado e isolado numa cela, só retornando em 1954, após a morte de Stálin. Quanto a Grigori, passou três anos desempregado, tendo além disso que sustentar a mãe. Pagou muito caro por ter sido casado com a filha de Stálin por quatro anos.[43]

Stálin deixou em Grigori Morozov a recordação de um homem fora do comum, porém severo, cruel, às vezes beirando o sadismo e sem qualquer sentimento de piedade.

Valentina Vassilievna Istomina

Em 1937-38, após o grande expurgo dos empregados domésticos de Stálin, caras novas surgiram em sua vida privada, entre elas a de uma moça de nariz arrebitado e bom humor inalterável. Trabalhou os primeiros três anos em Zubalovo, depois foi transferida para a Blijniaia, onde permaneceu até a morte de Stálin, tendo se tornado mais tarde governanta de sua datcha.

O relacionamento de ambos talvez tenha começado durante os difíceis anos da guerra, ou por ocasião dos felizes momentos da vitória. Valentina acompanhava Stálin em todas as suas viagens, oficialmente como sua intendente, mas secretamente como sua companheira. "E, ainda que ela fosse sua mulher, isso não diria respeito a ninguém...", afirma Molotov em 1977, como se confirmasse o já sabido.[44] O velho cansado voltava às inclinações da juventude, quando se casara, no início do século, com uma modesta costureira, submissa, conscienciosa e boa dona de casa, que o amava como a um deus sem nada pedir em troca. Valetchka soube ganhar a confiança do *Vojd* numa época em que sua desconfiança beirava a paranoia. Ela administrava toda a intendência. Amável, simpática, modesta, apagada, fiel, dedicava a Stálin um amor incondicional. Com ela, ele não corria o risco de nenhum contratempo, de natureza alguma. Ela preocupava-se com sua saúde, zelando para que ele se cuidasse minimamente, embora jamais tenha conseguido lhe impor uma rotina mais saudável ou ao menos um check-up sério. Submissa, fazia o que era preciso dentro dos limites demarcados. A bondade e o amor dessa mulher do povo eram tudo que lhe restava de vida privada, com a garantia de que nunca seria traído. "Era o tipo de mulher que não criava problema, e era do que ele precisava na época", me explicou, para justificar a natureza desse relacionamento no mínimo espantoso, seu neto, Aleksandr Burdonski. Como conciliar uma vida íntima junto a tal mulher – não obstante seu devotamento e eficiência – com a imagem do vencedor a cujos pés, em 24 de junho de 1945, os regimentos de infantaria, cavalaria e tanques lançaram as bandeiras do III Reich? Como imaginar esse homem, cuja aura tinha agora alcance mundial, dividindo sua solidão com a governanta? Esse homem que simbolizava o triunfo para a história, em cujo nome milhares de partidários, soldados, resistentes, através de toda a Europa, estavam dispostos a morrer, esse emblema de uma revolução constantemente vitoriosa, vivendo no maior segredo, em suas múltiplas datchas, com uma camponesa?

Cada vez mais recluso, afastava-se dos familiares, convivendo cada vez menos com os filhos e raramente com alguns dos netos.

Os momentos da vitória, viveu-os à altura de sua lenda, tentando fazer contato com os velhos amigos ou pura e simplesmente com os cidadãos, ao sabor dos reencontros.

Um dia, em maio de 1944, quando finalmente pôde desfrutar de alguns instantes de trégua, Stálin constatou, por acaso, que possuía muito dinheiro num cofre cujas chaves eram guardadas por seu principal secretário,

Poskrebytchev. Perplexo com o nível em que chegara a perda de contato com as coisas mais elementares da vida, perguntou de onde vinha aquele dinheiro. O secretário explicou-lhe que aquela soma mirabolante representava seus salários de deputado acumulados, já que sua única despesa consistira em pagar as cotas ao Partido. Stálin refletiu: pela primeira vez estava de posse de um montante daquele porte. O que fazer com ele? Suas despesas pessoais – seu padrão de vida, suas datchas, seu pessoal, tudo era pago pelo Estado. Onde então empregaria aquela soma? Alguns dias maias tarde, ordenou que enviassem vultosas ordens de pagamento a seus velhos amigos de Gori: "Ao meu amigo Petia, 40.000 rublos; 30.000 rublos para Gricha; 30.000 rublos para Dzeradze; 20.000 rublos para Glurdjidze, da parte de Sosso, em 9 de maio de 1944." Todas eram acompanhados de um bilhete em georgiano: "Gricha, aceite um presentinho de minha parte. Seu Sosso, em 9 de maio de 1944"; "Bom dia, Iosif. Enviei-lhe um presentinho, Petia lhe entregará. Viva mil anos. Sosso, em 9 de maio de 1944."[45]

Sentiu então necessidade de aproximar-se das pessoas simples, de compreender suas vidas, num país ensanguentado durante quatro anos por uma guerra total. É nesse âmbito que se situa sua viagem ao sul, durante o verão de 1946. Tirava finalmente férias de verdade, e pela primeira vez desde 1937 fazia uma pausa.

Uma imensa comitiva pôs-se em marcha para esse périplo quase principesco. Stálin parava nas cidades, saía do carro para falar com os transeuntes. Hospedava-se na casa dos funcionários do Partido. Valetchka participava da procissão. Essa mulher enérgica, embora quase analfabeta, percebeu claramente a hipocrisia dos cortesãos, as mentiras e as adulações, a maneira como escondiam de Stálin a verdadeira situação do país. Enquanto a fome grassava na Ucrânia e a escassez reinava em toda parte, os chefes locais apresentavam relatórios entusiastas, cobrindo Stálin de presentes: frutas e legumes selecionados e feixes de trigo que simbolizavam uma riqueza inexistente. Mas os motoristas desses *apparatchiks* contavam a verdade aos criados, não escondendo a pobreza em que todos viviam. "Como é possível que não se envergonhem de enganá-lo!" lamentava ela ainda anos mais tarde. "E agora jogam tudo em cima dele."[46] Na realidade,

Stálin estava informado de que a fome era grave na Ucrânia e conhecia o padrão de vida miserável da maioria.

Embora com uma vida privada em farrapos e uma saúde deteriorada, Stálin saiu da guerra como um dos grandes vencedores da História; o culto que lhe prestavam ultrapassava as fronteiras do comunismo mundial: "Pois a vida e os homens elegeram Stálin! Para representar na terra suas esperanças sem limites", escrevia Paul Éluard em dezembro de 1949. Ele simbolizava todos aqueles que o fascismo havia esmagado. "Barbison está chegando!" regozijavam-se os italianos, comparando-o a uma espécie de justiceiro inflexível que levaria ao coração da Europa o comunismo para alguns, a justiça e a liberdade para outros. O sonho, o mito, as quimeras fizeram o resto. No âmbito reservado de sua família, palavras simples bastavam para exprimir o essencial:

– Parabéns pela vitória – disse-lhe sua filha ao telefone em 9 de maio de 1945, comovida.

– Sim, a vitória! Obrigado. Parabenizo-a igualmente. Como vai você?[47]

8. O recluso

A DESAGREGAÇÃO DA GRANDE ALIANÇA e o começo da Guerra Fria lançaram um véu sobre a imagem de Stálin. Continuava a fascinar, a tranquilizar, mas desnorteava. O que ele pretendia?, começavam a se perguntar seus ex-aliados.

A política de contenção

Finda a guerra, Stálin demonstrava grande lucidez: "A Grande Aliança nasceu exclusivamente em virtude da existência de um inimigo comum, Adolf Hitler, que deflagrou a guerra para impor sua hegemonia sobre a Europa. Esse laço não existe mais, e teremos de estabelecer nossas relações sobre novas bases. O que não será fácil."[1] À suspeita, que se tornara uma certeza para Stálin, de que os amigos de ontem eram os inimigos de hoje, respondia, no campo adversário, a certeza, que logo se tornaria obsessiva, quanto aos desígnios expansionistas do Kremlin. Eis a origem da política de contenção preconizada e aplicada pelos americanos a partir de 1947.

A atmosfera da Guerra Fria, pela qual Stálin tinha grande parte de culpa, reforçou o mito e isolou ainda mais o homem. As visitas rarearam e ele mesmo aceitava receber cada vez menos. Não tinha mais o que retocar em sua imagem: deixava à História a tarefa de fazer seu julgamento. "O que deseja a União Soviética e até onde a Rússia pretende chegar?" perguntou-lhe, em 1947, o embaixador dos Estados Unidos em Moscou, Walter Bedell Smith. Para ele, como para tantos outros anteriormente, tratava-se mais uma vez de desvendar aquela imagem lisa, calma, impenetrável do homem mais misterioso do planeta. "A ordenação e o caráter detalhado de suas observações me fizeram pensar que ele tinha uma memória notável e um grande poder de concentração", espantava-se o embaixador, enquanto esperava a resposta decisiva:

"Não iremos muito mais longe", respondeu Stálin, fitando seu interlocutor nos olhos.[2] Isso significava conservar as fronteiras de 1939-40 e manter sobre a Europa do Leste a influência que ele julgava ter adquirido na conferência de Ialta.

Esse Stálin da Guerra Fria, esse recluso cada vez mais fechado em si mesmo, era senhor absoluto ou líder de uma tendência minoritária no Politburo? Tal interrogação deve-se à defasagem entre suas promessas oficiais e a política aplicada. Os visitantes também impressionavam-se com seu envelhecimento brusco, consecutivo aos esforços da guerra; foi vítima de um ataque cardíaco no fim de 1945 e de um segundo em 1947. As opiniões sobre ele não eram mais unânimes, suas aparições públicas rareavam e o segredo absoluto que pairava sobre sua vida privada tornava-o ainda mais enigmático. O homem da rua, os diplomatas sediados em Moscou, as visitas interrogavam-se sobre aquele homem acerca de quem, afora sua imagem pública, ignorava-se tudo. Para todos, sua vida privada se encerrara em 1932, por ocasião da morte de sua segunda mulher. "Ele estava tão isolado de todos e idealizado", conta sua filha, "que o vazio se instalara à sua volta e não havia ninguém a quem dizer qualquer palavra."[3]

Deixando de vê-lo com assiduidade, as pessoas esqueciam que o tempo também passava para ele e que ele envelhecia como todo mundo. Ainda se apresentava de pé no mausoléu de Lênin para assistir às paradas de 1o de maio e 7 de novembro, mas era difícil distinguir seus traços hirtos. Comparecia igualmente uma vez por ano ao Festival dos Esportes, no imenso estádio do Dínamo. Às vezes, percebia-se sua silhueta ao fundo de seu camarote do Bolshoi.

Longe dos olhos, perto do coração. Seus retratos eram afixados até nas mais remotas cabanas das aldeias mais distantes. O tirano tornara-se o pai da nação, um pai punitivo mas vitorioso, que a maioria adotara e via como imutável. Quando, depois de anos, trocaram o retrato oficial, as pessoas espantaram-se ao ver que Stálin também tinha cabelos grisalhos.

Autorretrato

A biografia oficial, costume soviético, foi vigiada de muito perto por Stálin, desde o início de sua trajetória. A primeira "biografia autorizada" data de 1925, quando seu secretário pessoal, Ivan Tovstukha, fez de tudo para esboçar um perfil de seu chefe. Esse texto sumário reúne todos os ingredientes em que se basearam as sucessivas biografias oficiais de Stálin, organizando-se em torno de dois paradoxos: bolchevique desde o início de sua ação revolucionária e seguidor incondicional de Lênin.[4]

É em 1947 que aparece a versão definitiva da biografia oficial. Publicada sob os auspícios do Instituto Marx-Engels-Lênin, trata-se de uma obra coletiva de historiadores e ideólogos, sob a direção pessoal de Stálin.[5] Para milhares e milhares de comunistas pelo mundo, "o livrinho vermelho" dos anos da Guerra Fria. Embora a cronologia dos fatos seja bastante próxima da realidade e alguns episódios relativamente exatos, a perspectiva é inteiramente focalizada em Stálin, espécie de *deus ex machina*. Escrito no estilo repetitivo característico de Stálin, num tom monocórdio e sóbrio, o livro é atravessado por um fio condutor: a continuidade entre Lênin e Stálin. Recheado de esquecimentos e omissões – os nomes dos oposicionistas e das vítimas do terror são desprezados ou denegridos –, busca forjar uma história da Revolução de Outubro e do Estado soviético como obra exclusiva de dois homens: Lênin e Stálin, impregnados de noções abstratas como "o Partido", "o povo", "as massas", "os bolcheviques". O mesmo procedimento é aplicado ao período da Segunda Guerra Mundial, quando o par Stálin/povo aparece sozinho e sutilmente para relatar, num tom grandiloquente, os fatos e os feitos. É a imagem edulcorada da guerra, em que o papel de Stálin, como em tantas obras artísticas e literárias da época, vê-se sacralizado.

Sem qualquer referência a sua vida privada, a qualquer dimensão humana, o personagem do *Vojd* atravessa a narrativa como um produto do pensamento marxista, como o estandarte das lutas operárias e nacionalistas dos povos subjugados. É essa imagem que ele quer legar à posteridade. Não é difícil, portanto, imaginar sua fúria quando, aproximadamente na mesma época, Anna Sergueievna, sua cunhada, publicou um livro de recordações no qual Stálin não é tratado em abstrato, mas como cunhado.

O segundo expurgo na família

A solidão e o descontentamento que Stálin continuava a sentir face à evolução dos filhos, nenhum dos quais lhe parecendo digno das expectativas que criara, levavam-no a remoer o passado com mais frequência. Principalmente no que se refere à segunda mulher, Nadejda, e seu suicídio, que ele nunca aceitara nem compreendera. O luto ainda não parecia consumado: ele continuava a procurar um culpado. Quanto mais envelhecia, mais pensava na mulher. Teria sido a sensação dessa vida privada frustrada, opressiva, aflitiva que o levou a atacar o último bastião da família?

No contexto de uma nova onda de prisões, Guenia e sua filha Kyra foram detidas no fim de 1947, e Anna em janeiro de 1948. Sem exceção, essas mulheres próximas de Stálin por diferentes razões não escaparam às suas suspeitas e à sua necessidade de fazer calar toda testemunha de sua vida privada, num momento em que ele se transformava num verdadeiro monumento. Anna e Guenia sem dúvida eram falastronas, maledicentes, e ignoravam o básico: que, em suas conversas de salão, toda referência a Stálin, pessoal ou humana ou mesmo banal, era um sacrilégio. O Stálin do pós-guerra era ainda mais irracional que o dos anos 30.

Simultaneamente a Guenia, prenderam seu marido, Nicolai Molotchnikov, que tinha origens judaicas. Anna, já viúva e com filhos ainda pequenos, foi sozinha para a prisão. Nesse mesmo ano, outras figuras importantes, como Paulina, mulher de Molotov, e Lozovski – membro do Comitê Central, ex-comissário adjunto para as Relações Exteriores –, ou a acadêmica Lina Stern, conheceram o mesmo destino. Foram igualmente detidos os principais nomes da cultura de língua iídiche, operação precedida do assassinato de Mikhoels – famoso por sua arte, mas também por suas atividades durante a guerra à frente do Comitê Antifascista Judaico. Essa coincidência, ou essa lógica, de um novo expurgo escapa a toda compreensão. Stálin confinou os últimos membros de sua família ao mesmo tempo em que empreendia uma campanha antissemita sem precedentes na URSS. Como interpretar essa interseção?*

Convém mergulhar na atmosfera da época para tentar compreender esse amálgama baseado em relações mais ou menos mundanas ou de amizade. Guenia, por intermédio do marido, frequentava Mikhoels e outras personalidades de origem judaica ligadas ao Comitê Antifascista Judaico. Ela e sua família foram presas quase ao mesmo tempo em que dois membros do comitê, Goldstein e Grinberg, os quais, após terem sido cruelmente espancados, acusaram os principais membros do grupo de promover atividades antissoviéticas. Seus depoimentos serviram de pretexto para a supressão, um ano mais tarde, do mencionado comitê e a prisão de seus líderes.[6] Ora, Goldstein e Grinberg eram amigos de Guenia e seu marido. As mesmas acusações também foram dirigidas contra o velho Morozov, suspeito das mesmas cumplicidades com meios potencialmente sionistas. A conspiração assim montada sugeria que a comunidade judaica dos Estados Unidos teria manifestado grande interesse pelo casamento de Svetlana com Morozov. E tudo convergia para o projeto de criação de uma república judaica na Crimeia. Dessa forma, o que sobrava da própria família de Stálin viu-se envolvida num episódio que afetou a todos os judeus até o fim dos anos 40 e início dos 50.

Em janeiro de 1948, quando foi presa, Anna só teve tempo de murmurar: "Que maldição é essa que atinge os Alliluyev?" Foi acusada a partir das denúncias, obtidas sob coação, dos interrogatórios tristemente célebres de Guenia, seu marido e Kyra: "Participação ativa em reuniões antissoviéticas, divulgação de boatos sobre Stálin, calúnias a ele dirigidas – porque o

* Lydia A. Chatunovskaia, mulher culta, amiga de Mikhoels e de Guenia, igualmente vítima da repressão, escreverá mais tarde um livro nos Estados Unidos, *A vida no Kremlin*, no qual faz uma associação entre esses dois expurgos, que ela concebe como um "caso" Mikhoels-Alliluyev, montado por Stálin "como uma ação antissemita de grande alcance" e como o prelúdio de um processo em vias de preparação e que devia dar o sinal "de uma solução final para a questão judaica" à maneira stalinista. (Cf. Guennadi Kostyrtchenko, *V plenu u krasnovo pharaona*, Moscou, Mejdurnarodnye Otnochenia, 1994, p.95-6 – um livro fundamental sobre as perseguições a judeus no fim do governo de Stálin.)

acusara de haver acabado com sua vida particular… . Todo o seu grupo exprimia abertamente opiniões negativas sobre o poder soviético e seus dirigentes." Foi condenada a cinco anos de prisão[7] e, tal como Guenia e tantos outros, só veio a ser solta em abril de 1954. Não se beneficiaram nem da anistia de 27 de março de 1953, nem da prisão de Beria em junho do mesmo ano. Isso significaria que Kruchtchev tinha interesse em manter na prisão o máximo de tempo possível vítimas da campanha antissemita dos últimos anos stalinistas, como sugere o filho de Anna, Vladimir?[8]

"Por que prenderam minhas tias?" indaga Svetlana, perplexa, ao pai. "Elas falaram demais. Sabiam coisas demais. Isso era usado pelo inimigo", respondeu-lhe Stálin, ainda acreditando firmemente em sua lógica e na realidade de suas suspeitas.[9]

Era o caso de Kyra, sua sobrinha, a quem Stálin gostava de dizer: "Kirka, você é uma cabeça de vento, não lhe direi nada", e a quem convidava para jantar, durante o verão de 1939, em Sotchi. O que ela fizera? Apenas aludira várias vezes, a seus amigos, à morte da tia, assunto tabu, cometendo o extremo sacrilégio de haver divulgado seu suicídio, ao passo que a versão oficial era outra. Após seis meses na prisão de Lefortovo, foi exilada em Ivanov, onde podia continuar a fazer teatro. Só foi libertada em 1953, após a morte do ilustre tio.[10]

Quando saíram da prisão, Anna e Guenia estavam acabadas, aniquiladas. Para Anna, a vida terminara. Com tendências esquizoides, nunca se recuperou desses longos e solitários anos de cela. Sonhando retomar atividades profissionais e sociais, acabou internada num hospício, onde morreu em agosto de 1964, porque uma noite, apesar de seus protestos, trancaram a porta de seu quarto. Conservara, de seus longos anos de isolamento, uma fobia de portas fechadas. Antes de sua morte, desgastada e sem forças, Anna ainda defendia seu cunhado, rejeitando as críticas de Kruchtchev: "É um exagero, todo mundo exagera por aqui! Agora jogam tudo em cima de Stálin. Mas Stálin também tinha dificuldades, nós sabemos, sua vida era complicada, nem tudo era simples … . Quantos anos ele mesmo não passou no desterro? Não podemos esquecer isso! Não podemos esquecer seus méritos!"[11] Estava sendo sincera.

Para Evguenia, as coisas eram ainda mais dolorosas. Stálin era o homem que ela amava, e amou até o fim. Quando seus filhos vieram buscá-la na porta da prisão, suas primeiras palavras foram:

– Viram? Stálin não deixou de me ajudar.

– Mas ele morreu há mais de um ano!

Foi um drama. Evguenia quis ir imediatamente a Kuntsevo, onde ele morrera, a fim de reencontrar suas lembranças, recolher-se no lugar onde ele passara os últimos momentos. Essa visita aconteceu. Vagando pela casa vazia, despersonalizada, Evguenia procurava Stálin. Não retomou sua vida comum com o marido, passando a dedicar-se aos filhos e netos. Ainda pensava no homem que a marcara para sempre. Em sua casa havia um retrato de Stálin, do qual nunca mais se separou. O relatório de Kruchtchev escandalizou-a, assim como à sua cunhada Anna: "Eles são todos culpados, todas essas pessoas – Kruchtchev e os outros –, e seu pai é o bode expiatório deles", dizia a Svetlana.[12]

Em sua família, ninguém pensava que Stálin pudesse ser o responsável por sua prisão: a ordem emanava certamente de outra pessoa! Era-lhes impossível criticar diretamente Stálin por seus infortúnios.[13]

Evguenia morreu em 1974 ainda acreditando nisso. Quanto a Kyra, confessou-me que, apesar de seus sofrimentos, apesar da maldade e da astúcia de que sabia que o tio era capaz, ainda o amava.[14]

Os únicos membros da família a nunca terem sido incomodados foram os velhos Alliluyev. Serguei morreu em junho de 1945 de um câncer no estômago e Olga, em 1951, de um infarto fulminante.[15] Quanto a Fiódor, irmão de Nadejda, faleceu pouco depois de Stálin, em 1955.

Os "casos"

Assim que a guerra terminou, Stálin voltou à política de repressão: as nuvens anunciadoras de uma nova onda de terror despontaram imediatamente após a vitória de Stalingrado. Ainda que não houvesse assumido proporções comparáveis ao terror de massa de 1937, estava claro que a breve liberalização do início da guerra não vigorava mais. Stálin só sabia governar pela força, visivelmente convencido de que apenas a tensão e o medo eram eficazes. O Partido devia retomar as rédeas do país para captar as energias necessárias à reconstrução, assim como fora obrigado a recorrer às forças da nação para o esforço de guerra. Stálin conhecia a extensão do desastre, o estado calamitoso do país, o perigo do despertar dos nacionalismos mais heterogêneos. Recusando o plano Marshall, que implicava um direito de inspeção dentro da URSS, e acirrando as consequências da Guerra Fria, que se iniciara com a política de contenção preconizada pelos americanos, preferiu retrair-se e isolar ainda mais o país. Seria esta a razão dos "casos" que começaram oportunamente por distrair a opinião pública? Ou, degradado física e psicologicamente não sendo mais, portanto, o único a dar as cartas, tornara-se mais vulnerável a manipulações, no momento em que tinham início as lutas por sua sucessão? Seja como for, a questão se colocava: Stálin continuava a ser o único maestro dessa nova onda de terror, acantonado no topo do poder, mas deixando a culpa recair no aparelho do Partido? Seu cansaço, suas doenças, as longas férias que tirava à beira do mar Negro, de fim de agosto ao início de dezembro, atestavam uma erosão de seu poder absoluto? Desistindo de cuidar diretamente de sua sucessão, é possível que tenha sido vítima de tramas de bastidores, intrigas palacianas que ele nem sempre controlava. Porém, mesmo manipulado, permanecia o único capaz de dar sinal verde à deflagração de um novo expurgo.

Mais irracional que os outros, o "caso de Leningrado" serviu para liquidar tecnocratas herdeiros de Jdanov – o qual, após a guerra, pavoneava-se como delfim presumido. Foi resultado das maquinações de Beria e Malenkov para se vingar de um rival perigoso, embora já morto.*

* Esse expurgo, perpetrado em 1949-50, atingiu diversos funcionários do Partido e do Estado, todos ligados a Andrei Jdanov, morto em agosto de 1948. Os líderes dos "leningradenses" condenados foram Nicolai Voznessenski, Alexei Kuznetsov e Mikhail Rodionov. Todo seu passado atesta sua fidelidade e adesão absolutas a Stálin; nunca

Jdanov era o responsável pela *jdanovchtchina*, lançada em 1946 para controlar os intelectuais e coibir a influência ocidental na literatura e na arte. Stálin decerto estava por trás dele, confirmando assim sua nova imagem de líder nacional em osmose com a história ancestral da Rússia e seus temores perante o Ocidente. Beria, que alimentava ambições desmedidas, não aceitava a expansão do poder de Jdanov: ninguém, afora Stálin, deveria fazer-lhe sombra.[16]

Jdanov morreu de um infarto fulminante em agosto de 1948, legando a Beria o lugar de vice. Este último, por sua vez, fragilizou-se, ao mesmo tempo devido à campanha antijudaica promovida, entre outros, contra ele, e pelo "caso dos Mengrell", que o implicava diretamente.* Foi assim que Kruchtchev apareceu, em 1950, como um expressivo rival para Beria e seu comparsa da época, Malenkov.

Quem se escondia por trás do "caso" mais complexo dos últimos anos de Stálin, o "caso da Crimeia", cujo alvo eram os judeus de forma geral? Essa campanha antissionista, tingida de antissemitismo, não dissimulava outra, que visava à liquidação dos camaradas mais próximos de Stálin, supostamente para dar lugar a uma nova geração de dirigentes mais jovens? Uma vez que as elites não eram renovadas mediante eleições e Stálin não sabia aposentar aqueles de quem desejava se livrar, urdia complôs que resultavam em julgamentos e condenações. Tudo isso, decerto, não passa de suposições,

---

estiveram envolvidos em nenhuma polêmica com quem quer que fosse no âmbito do Partido. Haviam sido – porque mais jovens – cogitados para substituir veteranos com Molotov, Mikoian e Vorochilov. Ainda assim, terminaram todos os três fuzilados, junto com diversos colaboradores, em setembro de 1950. Em dezembro de 1954, Victor Abakumov (que fora ministro da Segurança do Estado de 1946 a 1951) e vários de seus assessores serão acusados de haver montado de ponta a ponta esse "caso" de Leningrado, sendo por sua vez condenados à morte.

* Os Mengrell são uma etnia georgiana, da qual Beria foi o representante mais ilustre. Esse "caso" estourou em dezembro de 1952, quando se apontaram supostas conspirações descobertas na Geórgia em 1951-52. A limpeza subsequente atingiu alguns protegidos de Beria; e, se aparentemente sua posição não se viu afetada por essas depurações, estava claro, para os iniciados, que ele se tornara vulnerável. Stálin conhecia sua sede de poder, sabia-o mais perigoso que os demais e queria transformá-lo no bode expiatório de todos os "casos" que estouraram depois da guerra.

pois o hipotético expurgo final, que tem suas origens nos acontecimentos de 1948-49, não aconteceu em virtude da morte de Stálin. Tentemos desemaranhar esse novelo, no qual fatos reais misturam-se a rumores e calúnias, a fim de eventualmente sugerir alguns elementos de resposta.

Como todos os ditadores, Stálin aprazia-se em instigar rivalidades entre seus colaboradores. Embora tenha conservado uma amizade póstuma por Jdanov (apreciou quando Svetlana casou-se em segundas núpcias, em 1949, com seu filho Iúri), ainda assim Stálin aceitou que liquidassem seus sucessores. Continuou a se dar com Beria até o fim de seus dias, apesar de estar – já há um certo tempo – louco para se livrar dele. A partir de 1949, relegou ao limbo Molotov, Mikoian e, parcialmente, Vorochilov – o mais fiel dentre os fiéis –, que não pediam nada e não interferiam muito nas lutas pelo poder. Chamou Kruchtchev, que estava na Ucrânia, e nomeou-o secretário da organização do partido de Moscou, como um contrapeso ao duo Beria-Malenkov.[17] Além disso, conseguiu isolar, em 1945-46, os grandes chefes militares vencedores da guerra,* passíveis de lhe fazer sombra. Embora ainda parecesse deter as rédeas do poder e escolher seus colaboradores, além de conspirar e forjar "casos" de ponta a ponta, chafurdava, contudo, entre um Beria que ele não conseguia liquidar nem afastar e um Molotov, de quem desejava desvencilhar-se sem sujar as mãos. Daí a dificuldade de fazer a ponte entre as ações concretas e os desígnios ocultos.

Molotov

Cada vez mais desconfiado e paranoico, Stálin via complôs em toda parte, ao passo que, por suas costas, Beria tecia sua teia de aranha, aproveitando ao máximo as fraquezas do chefe. No fim dos anos 40, portanto, Stálin começou a suspeitar que Molotov, bem como Mikoian e Vorochilov, eram

* Em 1945 Jukov gozava de uma popularidade praticamente igual à de Stálin. Os principais chefes militares foram então afastados da vida pública. Por exemplo, Jukov foi nomeado comandante da região militar de Odessa, depois do Ural (Cf. Nicolas Werth, *Histoire de l'Union Soviétique*, Paris, PUF, 1990, p.384-5.)

agentes a serviço dos governos ocidentais. Se Molotov era suspeito desde 1949, se perdeu seu posto de ministro das Relações Exteriores e sua mulher foi presa, nem por isso deixou de ser convidado para as recepções de Stálin até o fim de 1952. Vorochilov, por sua vez, perdeu o ministério da Defesa, mas sua esposa, judia, não foi presa. Contradições de um ditador em declínio que não confiava mais em ninguém, sequer o suficiente nas próprias suspeitas para levar a cabo suas excomunhões. Reunia cada vez menos o Politburo, limitando-se a governar o país de seus jantares na Blijniaia, para os quais só convidava os favoritos do momento. O afastamento de Molotov, Mikoian e Vorochilov permanece misterioso, cabendo indagar qual teria sido o papel desempenhado por Beria e Malenkov nessa perda de influência.

Molotov permaneceu fiel a Stálin até morrer, em 1986: não parecia guardar rancor por seu ostracismo, as suspeitas de que fora vítima e os perigos que correra entre o fim de 1952 e início de 1953, quando ainda ocupava o cargo honorífico de primeiro vice-presidente do Conselho dos Ministros da URSS e lidava diretamente com Stálin. Os sentimentos que continuou a cultivar por Stálin, desafiando ventos e marés, são um raro exemplo de lealdade. "Simples. Um homem muito bom e sociável. Bom camarada", dizia ele em 1972. "Eu o conhecia bem"; "Stálin tinha muito talento e espírito de iniciativa. Não havia pessoa melhor. Não passávamos de caipiras", pensava ainda em 1975; "de minha parte, a despeito dos erros de Stálin, considero-o um grande homem, um homem insubstituível! Não havia ninguém igual na época", reiterava em 1981. Para concluir, de forma definitiva: "Até agora, Stálin não foi substituído por ninguém."[18] Como explica seu afastamento, a deportação de sua mulher, sua desgraça, que poderia ter resultado em processo, ou pior? Depoimentos colhidos aqui e ali sugerem que Molotov não deixou de captar sua significação, porém, no balanço geral da História, permaneceu um stalinista convicto. "Ele era adulado, todos queriam agradá-lo. Daí sua confiança em Kruchtchev e sua desconfiança com relação a mim"; "Eu não figurava mais entre os primeiros assessores, ou apenas pró-forma".[19] Molotov atribui a própria queda ao declínio físico e psíquico de Stálin: "Com a idade, todo mundo pode ser acometido de esclerose em diferentes níveis. Mas em Stálin isso era mais que visível; além disso, ele foi ficando muito suscetível e desconfiava de todo mundo. Seu último período, a meu ver, foi muito perigoso. Ele resvalava para certos excessos."[20]

Após o XIX Congresso, em outubro de 1952, Molotov foi ceifado do Politburo. Tornou-se então membro do Praesidium, criado na época e formado por 25 pessoas, mas que não detinha poder algum e raramente se reunia. O conselho do Praesidium tinha dez membros e nem Molotov nem Mikoian faziam parte dele.* Nos últimos meses de vida, Stálin não convidava mais seus velhos companheiros para reuniões políticas, para um jantar ou uma sessão de cinema. "Observem que nos últimos anos Stálin não gostava mais de mim. Acho que ele estava errado. Teríamos que aprofundar essa questão."[21]

E, não obstante, Molotov curvou-se a tudo que o chefe lhe pedia. A ele, que amava sua mulher, Stálin disse em outono de 1948: "Divorcie-se!" Paulina curvou-se igualmente: "Se for bom para o Partido, devemos fazê-lo", resignou-se. Divorciaram-se prontamente. E, tempos depois, em fevereiro, de 1949, ela ainda assim foi presa, acusada de preparar um atentado contra Stálin.[22] O fato de ter sido presa concomitantemente a outras personalidades de origem judaica fez com que a campanha antissemita fosse interpretada como um sinal precursor ou um pretexto para deflagrar o expurgo dos velhos companheiros de Stálin, Molotov à frente. Os fios do complô que a polícia secreta tramava passavam dessa vez pelo sionismo internacional – bode expiatório desse fim de reinado. Em 5 de janeiro de 1953, Paulina foi convocada a Moscou de seu local de exílio, Kustanai, no Cazaquistão. Enfrentou imediatamente os interrogatórios resultantes das denúncias (igualmente forjadas, claro) de certos médicos presos, que a acusavam de ser uma "judia nacionalista". Stálin esperava assim atingir Molotov, acusando-o de conluio com os serviços secretos norte-americanos? Sua mulher foi obrigada a sofrer durante dois meses o inferno das perguntas e acusações. E tudo se interrompeu bruscamente

* Esse escritório, oficioso, era formado por Stálin, Beria Malenkov, Kruchtchev, Vorochilov, Kaganovitch, Saburov, Pervukhin e Bulganin.

em 2 de março, após uma última conversa privada com seu Cérbero. Em seguida, foi o silêncio angustiante e a espera pelo pior. No mesmo momento, era interrogado Ivan Maiski, ex-embaixador em Londres e vice-ministro das Relações Exteriores no momento em que Molotov estava à frente do ministério.[23] Tudo isso parece confirmar a vontade de Stálin de incriminar aquele que fora seu brilhante braço-direito por conluio com o sionismo internacional.

Em todo caso, isso corresponde perfeitamente ao que o próprio Molotov sabia: em sessão do Politburo, Stálin mostrou-lhe o processo que acusava sua mulher de manter contato com uma organização sionista, com Golda Meir (então embaixatriz de Israel em Moscou e velha amiga de Paulina), com Mikhoels, bem como de cumplicidade no projeto de criação de uma república autônoma judaica na Crimeia.

Paulina passou mais de um ano na prisão e outros três exilada no Cazaquistão. Molotov não tinha mais notícias da mulher. Sabia apenas que continuava viva, graças aos murmúrios de Beria em sessão do Politburo. Foi libertada por ordens deste último no dia seguinte ao enterro de Stálin. Quando Molotov foi pegá-la na porta da prisão, sua primeira pergunta foi sobre Stálin: como ia ele? Nunca mudou de opinião a respeito do líder.[24]

Depois que Stálin apontara-o abertamente como direitista, Molotov compreendera que todas as acusações dirigidas contra sua mulher não eram senão pretextos para sua própria desgraça. "Procuravam me atingir, queriam fazê-la confessar que estava envolvida num complô, precisavam envolvê-la para me sujar, como se diz. Convocaram-na insistentemente para interrogá-la, para fazê-la dizer que no fundo eu não concordava com a linha geral do Partido. Era esta a situação."[25]

Desconfiado, irascível, extravagante, Stálin parecia perdido, estendendo a desconfiança a seus servidores mais próximos: o secretário pessoal Poskrebytchev e o chefe dos guarda-costas, Vlassik. Nesse caso, é possível que o papel de Beria tenha sido determinante: afinal, os dois homens, a serviço de Stálin há longos anos, tinham acesso direto a ele. Beria, que queria controlar tudo, desejava exclusividade. O tenente-geral Vlassik, que trabalhava para Stálin desde 1928, foi preso em 16 de dezembro por Beria, que o interrogou pessoalmente. Acusado de ter dado provas de indulgência com relação aos médicos envenenadores, terminou exilado. O secretário pessoal de Stálin, que também tinha mais de vinte anos de serviço, e que estava a par de todos os segredos do *Vojd*, foi afastado por pressão de Beria em novembro de 1952. Muito antes de sua própria destituição, haviam detido sua mulher, que, após três anos de reclusão, foi fuzilada sem que Stálin levantasse um dedo para ajudar seu colaborador mais próximo, apesar de seu pedido de socorro. Poskrebytchev, por sua vez, foi acusado de passar documentos secretos, mas nem por isso foi preso. Entocado em seu apartamento, esperava o que viria em seguida...

Quando lhe apetecia, contudo, Stálin salvava algumas personalidades das garras de Beria. Quando este último quis atacar Jukov, ele lhe disse: "Não lhe darei Jukov. Conheço-o; não é um traidor." Defendeu da mesma forma o físico Kapitsa, que se negara a trabalhar na bomba atômica sob a direção de Beria. Finalmente, opôs-se a que tocassem no marechal Voronov, que ele mesmo arrancou das masmorras da polícia secreta.[26]

Resta examinar de perto o cometa que foi a campanha antissemita e seu desfecho, o "caso dos Jalecos Brancos": com tudo o que sabemos atualmente, é possível associá-lo ao que deveria ter sido o expurgo no alto escalão, cujos alvos principais seriam Molotov e Beria.

A "questão antissemita"

Stálin era antissemita?

"Stálin não era antissemita, como às vezes se afirma", diz Molotov. "Reconhecia no povo judeu numerosas qualidades: a capacidade de trabalho, a coesão, o dinamismo político."[27] "Stálin não era antissemita. O que ele fez pertencia à esfera do jogo político", pensa também Sergo Beria. "Todos os dirigentes antes e depois de Stálin usaram a carta judaica como uma espécie de trunfo... Entre os amigos de Stálin, bem como em seu secretariado, havia muitos judeus. Isso nunca o incomodou."[28] "Stálin não era um antissemita primário como procuram pintá-lo hoje", confidenciou-me alguém que o conheceu de perto e faz questão de manter o anonimato. "O início de sua campanha contra os judeus correspondeu a uma época em que ele se identificava cada vez mais com um líder nacional que assumia toda a herança da velha Rússia, incluindo o antissemitismo." Em sua própria família havia muitos judeus: seu filho Iacha casou-se com uma judia; sua filha Svetlana fez o mesmo e parentes próximos como Aliocha Svanidze eram casados com judias. Seus netos preferidos, Galina Djugachvili e Iosif Alliluyev, eram parcialmente judeus.

Seja como for, quaisquer que fossem seus sentimentos íntimos a esse respeito, o que conta face ao julgamento da História é sua responsabilidade na campanha movida em 1948, que ressuscitou de forma duradoura o velho antissemitismo popular. Ditada por considerações internas – luta contra os cosmopolitas e nacionalistas de todas as cores a fim de mobilizar o povo em torno de temas patrióticos necessários ao esforço de reconstrução –, pelo contexto da Guerra Fria, na qual a URSS sentia-se ameaçada e obrigada a fechar-se, ou pretexto para um expurgo vindouro no escalão mais alto do poder, fato é que as consequências revelaram-se desastrosas para os judeus da URSS.* Os paradoxos de Stálin face a essa complexa questão foram objeto de diversos estudos; fornecerei apenas suas linhas-mestras a fim de ressaltar as novas interpretações surgidas com a abertura parcial dos arquivos.

O regime soviético reprimiu toda e qualquer manifestação antissemita até o fim dos anos 40. Pelos termos da lei, isso permaneceu válido até a dissolução da URSS. Na época de Stálin, até o fim dos anos 30, os judeus eram como os demais: na oposição, nos campos ou alinhados com o poder – no governo, na diplomacia, na polícia secreta, no Exército Vermelho. Em

* "Faltava apenas designar um novo inimigo, e este, por ora, assumira o rosto do sionismo internacional." (Cf. Aleksandr Iakovlev, *Ce que nous voulons faire de l'Union soviétique*, Paris, Seuil, 1991, p.144.) "Os sentimentos a respeito dos judeus que Stálin começa a perseguir em 1948 eram absolutamente idênticos ao que inspirara anteriormente o expurgo dos *kulaks*, dos trotskistas ou dos quadros do Exército. Stálin era tanto antissemita quanto anticamponês, tanto antivelhos bolcheviques quanto antimilitar." (Cf. Adam Ulam, *Staline, l'homme et son temps*, t.II, Paris, Calmann-Lévy/Gallimard, 1977, p.296.)

1931, em resposta à pergunta de uma agência de notícias judaico-americana, Stálin fez uma declaração importante a esse respeito, na qual tratava o antissemitismo como uma forma extrema de chauvinismo radical, "o resquício mais perigoso do canibalismo". "O antissemitismo é perigoso para os trabalhadores; é um caminho equivocado, que os desvia do caminho verdadeiro e os extravia na selva. Eis por que os comunistas, seguindo nesse aspecto o espírito da Internacional, não podem ser senão inimigos jurados e implacáveis do antissemitismo. Na URSS, o antissemitismo é perseguido da maneira mais severa, como fenômeno profundamente hostil ao regime soviético. Atividades antissemitas incorrem, segundo as leis da URSS, na pena de morte."[29] Essa citação, diversas vezes evocada a fim de apontar sua boa-fé ou sua hipocrisia, era frequentemente comparada a outra, mais ambígua, cujos fatos remontam a 1907, quando Stálin apresentou, no jornal *Bakinskii proletarii* (O Proletário de Baku), o relatório do V Congresso do Partido, realizado em Londres. Citava então a piada de um delegado bolchevique, G.A. Alexinski, deputado na II Duma de Estado, que definira os mencheviques como uma "facção judaica" e os bolcheviques como uma "facção puramente russa" do congresso, e que sugeriu que os bolcheviques deviam "organizar um pogrom no Partido".[30] Naturalmente a leviandade com a qual ele escreveu sobre o assunto pode suscitar interpretações sobre um antissemitismo precoce, interpretações de que não compartilho.

Veio a guerra. Os nazistas distribuíam panfletos antissemitas por toda parte: "Queremos apenas matar os judeus!"; "Esta guerra é uma conspiração judaica! É no interesse dos judeus que vocês estão lutando!" O invasor repisava diariamente sua propaganda. Num primeiro momento, muitos ucranianos, e não apenas eles, aderiram ao movimento. Stálin, conhecendo a intensidade do antissemitismo popular, intimida-se. Em vez de combater a propaganda nazista, transforma o assunto num tabu. Daí essa ambiguidade, difícil de compreender em suas razões profundas; o silêncio total, opaco na URSS sobre o Holocausto. O extermínio dos judeus mal foi mencionado na imprensa. Não obstante, foi por ordens de Stálin que os judeus foram evacuados dos territórios invadidos pelos alemães e despachados para o Cazaquistão, o Uzbequistão e outras Repúblicas da Ásia Central, escapando assim da morte certa.[31]

Dentre os 20 milhões de soviéticos mortos durante a Segunda Guerra Mundial, 2,5 milhões eram judeus. Não se falou disso depois da guerra. Um recatado véu de silêncio ou esquecimento cobre o martírio judaico na rica literatura e cinema soviéticos dedicados à Grande Guerra Patriótica.

No entanto, os judeus ajudaram a URSS em guerra, e Stálin soube utilizar seu patriotismo e a solidariedade da diáspora. Em 1942, a fim de fazer a ligação com as organizações judaicas e sionistas espalhadas pelo mundo, foi criado o Comitê Antifascista Judaico. Esse comitê, formado por judeus com funções elevadas ou intelectuais de renome, foi colocado sob a autoridade de Salomon Lozovski, e seu presidente era Salomon Mikhoels, o maior ator do teatro iídiche. Paulina Jemtchujina, esposa de Molotov, também era membro. Por intermédio desse comitê, somas importantes entravam no erário público. Os judeus americanos ajudavam a URSS em guerra.

Em 15 de fevereiro de 1944, Mikhoels, Fefer e Hofstein, com a anuência de Lozovski, teriam enviado a Stálin uma carta propondo-lhe a criação de uma república judaica na Crimeia. Embora esse documento conste efetivamente dos arquivos, nunca saberemos se a ideia de criar essa república vinha dos que assinaram a carta ou se foi forjada com o objetivo de desacreditar o Comitê Antifascista. Em todo caso, se não foi a causa das perseguições e prisões que se seguiram, foi certamente seu pretexto – daí a fórmula "caso da Crimeia", que significou a supressão do dito comitê em 20 de novembro de 1948, anunciando a prisão de seus principais dirigentes.

Antes dessa data, Stálin apoiou a criação do Estado de Israel. Em 14 de maio de 1947, na tribuna da ONU, Andrei Gromyko evocou com ardor "os sofrimentos extraordinários que o povo judeu padeceu durante a última guerra... Nos territórios sobre os quais estendeu-se a dominação hitlerista, os judeus foram quase inteiramente exterminados."[32] A URSS era então a única grande potência a sustentar sem reservas a causa judaica. Esse apoio foi reiterado em 1948, quando a Tchecoslováquia forneceu armas ao Haganá. No mesmo momento, começou na URSS a caça às bruxas contra o nacionalismo judaico. Não era a primeira contradição de Stálin nesse terreno.

O desaparecimento de Salomon Mikhoels em 13 de janeiro de 1948 foi o estopim da tragédia. Oficialmente morto num acidente de carro, na realidade havia sido ignobilmente assassinado por ordens de Stálin.[33] Este foi o sinal precursor da destruição sistemática de toda a cultura de língua iídiche e o início da primeira perseguição oficial contra os judeus na história da URSS. Além de uma campanha virulenta na imprensa contra os "cosmopolitas" e os "vagabundos sem passaporte", contra os "renegados" e os que russificavam seu nome, ele baniu os judeus das altas esferas do Exército, da diplomacia, dos ministérios, do mundo do espetáculo e da mídia.

Com o mesmo cinismo anteriormente empregado para refrear por um momento o processo de coletivização (1930), ou, mais tarde, do terror (1938), Stálin declarou em março de 1949: "Camaradas, é inadmissível divulgar os verdadeiros nomes de escritores que assumiram pseudônimo, isso cheira a antissemitismo." Graças a essa intervenção, os ataques na imprensa cessaram por um breve período. Nas prisões, contudo, os que haviam sido detidos continuavam a sofrer um interrogatório brutal e terminavam por reconhecer terem praticado atividades de espionagem e fomentado ações antissoviéticas. Os dirigentes mais implacáveis durante esse expurgo foram Malenkov, Suslov e Chkiriatov.

O "caso da Crimeia", envolvendo o Comitê Antifascista Judaico e iniciado em 1948, conheceu seu desfecho trágico em agosto de 1952: após um julgamento a portas fechadas e no maior sigilo, o resultado foram treze condenações à morte. Lembremos que a pena de morte fora abolida em 1947 e restabelecida em 1950. Todos os detentos eram acusados de espionagem em prol das potências estrangeiras e de participação numa conjuração urdida pelo Comitê com vistas a separar da União Soviética a quase ilha da Crimeia. Apenas Lina Stern foi condenada ao exílio; os outros – os mais conhecidos sendo Salomon Lozovski, Peretz Markish, David Bergelson, Lev Kvitko, Veniamin Zuskin, David Hofstein, Itzik Fefer e Boris Chimeliovitch – foram fuzilados.

Com o passar do tempo, o clima foi ficando mais pesado, prenhe de imprevistos e propício a rumores apocalípticos. As lutas no topo do poder exacerbavam-se, Stálin manobrava ou era manipulado, e na base o antissemitismo se espalhava, contribuindo para criar um ambiente deletério. Em 13 de janeiro de 1953, o *Pravda* anunciou na última página a prisão de um "grupo de médicos sabotadores"; eram catorze, judeus em sua grande maioria. Acusados da morte de Jdanov e de Chtcherbakov, e também de haverem planejado os assassinatos dos marechais Vassilievski, Koiev e de outras personalidades militares, admitiram igualmente trabalhar para "a organização burguesa-nacionalista judaica internacional Joint". A abertura dos arquivos com a correspondência mantida pelo secretariado do Comitê Central após a denúncia do complô dos médicos permitiu constatar o interesse peculiar que Kruchtchev dispensava a esse "caso". Com efeito, parece ter sido ele quem incitou Stálin a investir naquele novo "complô".*

Teria sido esse "caso" o último sinal de um esforço do poder para desacreditar os judeus como um todo, o primeiro ato do expurgo, no alto escalão, dos últimos companheiros de Stálin, ou apenas fruto de intrigas palacianas, por instigação de Kruchtchev na circunstância? Difícil resolver. O "caso dos Jalecos Brancos", entretanto, mobilizou as classes populares. Como na Idade Média, viam-se envenenadores em toda parte – nos hospitais, nas farmácias –, e todo médico, sobretudo judeu, era visto como potencial assassino. O efeito do "complô" foi fulgurante; uma psicose coletiva instalou-se. O antissemitismo popular, até então recalcado, ressuscitara. Entre os múltiplos boatos que correram na época, um dava conta da iminente deportação dos judeus para a Sibéria ou o Birobidjão. Ele foi alimentado por uma carta que circulava oficiosamente em Moscou, entre a intelligentsia de origem judaica, e que muitos assinaram, na qual suplicava-se a Stálin que protegesse os judeus evacuando as grandes cidades. Essa missiva estava ligada a outro rumor, segundo o qual o julgamento dos médicos terminaria com execuções públicas capazes de atiçar a fúria popular.[34]

---

* Cf. Amy Knight, *Beria* (Paris, Aubier, 1994, p.257-62). A autora aponta, de maneira convincente, tal hipótese. Além do fato de Kruchtchev ser profundamente antissemita, desenha-se na época uma conivência entre ele e o marechal Koniev, um dos delatores, que escreveu a Stálin uma longa carta afirmando estar sendo envenenado por seus médicos. Guennadi Kostyrtchenko confirma essa hipótese.

Esse projeto de deportação, alimentado pela campanha antissemita – prisões, banimentos, julgamentos, execuções –, parece não ter passado de um rumor. Sudoplatov afirma que nunca se cogitou executar o plano.[35] Guennadi Kostyrtchenko, que trabalhou a partir dos arquivos inéditos desse período do reinado de um Stálin envelhecido, concorda que nada demonstra a existência de um plano de deportação e que tal rumor "refletia as angústias e a mentalidade da comunidade judaica europeia do pós-guerra, que vivera uma imensa tragédia e esperava, como que por força de inércia, uma nova catástrofe nacional."[36]

Esses medos advinham de fatos concretos que podiam resultar em tal "solução"; mas também refletem os traumas de uma sociedade desinformada que chafurdava em todo tipo de psicoses, obsessões e pavores.

Diante dessa questão, assim como de tantas outras, Stálin permanece enigmático, paradoxal, dúbio, para não dizer múltiplo. Os documentos de arquivos e depoimentos confirmam suas contradições, sua faceta imprevisível, desnorteante, que ainda nos causa perplexidade. Teria ele mesmo consciência do caminho que tomava, nesse terrível inverno de 1952-53? Embora, após 1949, tenham entrado na linha de mira, o expurgo de Molotov, Mikoian, Vorochilov não aconteceu. Teria acontecido se Stálin houvesse sobrevivido? Quem sabe?

Fim de reinado

Embora Stálin houvesse isolado seu país do resto do mundo, "uma notável recuperação econômica foi observada nos cinco anos que se seguiram à guerra".[37] Isolados, pobres e esgotados, os soviéticos espalharam canteiros de obras, montaram fábricas, reconstruíram represas e recuperaram minas inundadas, deixando-as em condições de serem exploradas. Graças a esse esforço sobre-humano, a produtividade aumentou e as metas do plano quinquenal foram ultrapassadas em todas as indústrias de base. Entre

1947 e 1952, os salários dos trabalhadores aumentaram. Em 1º de março de 1949, Stálin começou a baixar os preços dos artigos de grande consumo: 10% menos para o pão, farinha, manteiga, carne, embutidos e conservas e artigos de lã; 28% menos para a vodca; 20% menos para os perfumes e as bicicletas; 30% para os relógios. Isso repercutiu igualmente nos preços praticados nos restaurantes, cantinas, cafés e outros pontos de alimentação coletiva.[38] Nos anos seguintes, os preços continuaram a cair.

Durante os últimos anos do reinado de Stálin, o nível cultural dos soviéticos melhorou e, mais importante, os programas sociais ganharam impulso; sobretudo as aposentadorias, férias remuneradas, pensões às famílias vítimas da guerra e mães de famílias numerosas.[39] Nesse período foram implantadas as bases das conquistas sociais do regime soviético, que se perpetuarão até o fim da URSS e as quais os sucessores de Stálin só farão herdar.

A face oculta do iceberg stalinista foram sem dúvida alguma os campos de confinamento: foi nesse mesmo período que seu número aumentou, bem como o de exilados e deportados (prisioneiros de guerra soviéticos, "elementos estrangeiros" das regiões recém-incorporadas, colaboradores, membros de grupos nacionalistas deportados em massa). "O sistema concentracionário certamente conheceu seu apogeu durante os anos do pós-guerra",[40] sobretudo no período 1948-52.

Por ocasião do septuagésimo aniversário de Stálin, em 21 de dezembro de 1949, sua popularidade estava no auge. Chegavam presentes de todas as partes do globo e os dirigentes do comunismo mundial foram a Moscou para celebrar o acontecimento. Da profusão de objetos valiosos que recebeu, não guardou nada para si, julgando que os presentes não lhe pertenciam enquanto pessoa, e sim como símbolo. Doou tudo a um museu – o Museu dos Presentes de Stálin.

Aparentemente enjoado das honrarias, pediu aos colaboradores que não lhe discernissem condecorações ou outras "estrelas". Queria evitar que o colocassem novamente perante um fato consumado, como em 1945, quando lhe atribuíram o título de Herói da União Soviética, o de "generalíssimo" e a ordem da Vitória sem consultá-lo. Furioso, convocara então sua equipe e fizera uma cena. Foi só em 1950, para os festejos do 1º de maio, que aceitou as condecorações de 1945. A reboque, recebeu igualmente uma ordem de Lênin pelo septuagésimo aniversário.

"Vocês estão paparicando o velho... Mas isso não lhe devolve a saúde", teria dito, cansado de tantos louros.[41]

Estava no auge da glória e à beira do abismo ao mesmo tempo. Em 1952-53, mergulhou numa solidão absoluta. Viajava cada vez menos, não saía mais de Moscou e passava a maior parte do tempo em Kuntsevo. Haviam construído, ao lado de sua velha datcha, uma casinha de madeira, mais fresca, que comportava um grande aposento central com uma lareira. Passava ali os dias, praticamente sem ver a família – a filha, o filho, os netos. Nas horas de descanso, só lhe restavam como companhia os agentes de sua guarda pessoal e Valentina. Reunia-os e contava histórias de sua vida. Às vezes, pedia-lhes conselhos relativos a assuntos corriqueiros.[42]

Dentre seus últimos contatos com as pessoas simples, há essa história espantosa, datando de 17 de julho de 1949. Num dia chuvoso, quando se dirigia para sua datcha de Semenovskoe, seu carro passou por um ponto de ônibus onde se aglomeravam várias pessoas. Stálin ordenou ao motorista que parasse. "Essas pessoas estão molhadas, vamos levá-las para suas casas. Convide-as para entrar no carro", disse a seu guarda-costas. Este saiu, aproximou-se dos populares e convidou-os, da parte de Stálin, a juntarem-se a ele. Ninguém se mexeu, todos o olhavam como se fosse um lunático. Ele voltou para prestar contas a Stálin. "É porque você não sabe falar com o povo", respondeu, descendo do carro. Aproximou-se do ponto de ônibus e puxou conversa. Como não havia espaço, foram necessárias duas viagens para levar todo mundo. Acanhados, os passageiros a princípio mantiveram silêncio; em seguida, graças à habilidade de Stálin, a conversa se animou. Num dado momento, visivelmente à vontade, Stálin contou-lhes sobre a morte de seu filho Iakov durante a guerra. Então, uma adolescente atreveu-se igualmente a contar seu drama: seu pai morrera no front. Passado um tempo, ela recebeu da parte de Stálin um uniforme escolar e uma pasta.[43]

Se por um lado apreciava os encontros casuais, por outro detestava as ovações da massa. Sofria também com os trens especiais, que o isolavam ainda mais, os trens vazios, as plataformas vazias, em terreno descoberto. Não podia mais nada contra um sistema que ele mesmo forjara e que o isolava cada vez mais de todo contato humano. E, às vezes, quando o assédio era exagerado, ele não conseguia mais suportar.

No verão de 1951, passou suas últimas férias na Geórgia, retorno nostálgico a um país não obstante esquecido. Informados de sua chegada, os georgianos quiseram vê-lo. Na estação de Kutaisi, portanto, onde seu trem parou, ele teve direito a uma acolhida delirante: as pessoas subiram no trem em movimento, quase se jogando sob as rodas, escalando os vagões, berrando, atirando flores, agitando os filhos. Essa multidão enlouquecida era sincera e exprimia um sentimento profundo. Stálin, porém, acostumado a trajetos solitários, ficou irritadíssimo com aquelas efusões.[44] Aonde quer que fosse, as pessoas o seguiam, saindo de suas casas para saudá-lo, colocando tapetes à sua passagem e obrigando-o a sair do carro para sentar à mesa com elas. Prisioneiro de um amor popular que lhe era indiferente, foi obrigado a desistir do que teria sido uma visita de adeus a Gori e Tíflis.

Svetlana separou-se do segundo marido, Iúri Jdanov, com quem teve uma filha, Katia. Deu a notícia ao pai em 10 de fevereiro de 1952, uma vez consumado o divórcio. "Eu gostaria de pedir seu conselho, pois não tenho mais ninguém a quem recorrer (é desagradável contar com a generosidade de Iúri Jdanov...). Quero muito encontrá-lo. Por favor, não se zangue comigo por informá-lo *post factum*. Sua filha inoportuna."[45] Seu pai ajudou-a em sua nova vida de jovem mãe divorciada com dois filhos, alugando para ela um apartamento na famosa "casa do Cais", que pertencia ao governo e onde ela morou até sua partida da URSS, em dezembro de 1966. Ele estava satisfeito por ela se instalar fora das muralhas do Kremlin. Nunca omitira aos filhos que as datchas, apartamentos, carros oficiais, todo aquele padrão de vida não lhes pertencia, não era propriedade deles. Em todo caso, só voltou a ver a filha no outono, e isso porque ela insistiu para que ele a visitasse. Em 28 de outubro, escreveu-lhe: "Estou louca de vontade de estar com você. Simplesmente, sem nenhum 'motivo'. Se permitir, e não for incomodá-lo, passarei dois dias em sua casa para as festas de 8 e 9 de novembro. Se for possível, levarei meus filhos. Para nós, seria uma verdadeira festa. Estou bem, instalei-me na cidade e sou grata pela ajuda que me deu." As alegrias de ser avô foram uma descoberta tardia e fugaz para Stálin. Momento de relaxamento para o homem ensimesmado, frio e taciturno que se tornara durante esses anos 50, a presença dos netos o distraiu, e ele enchia Iosif e Katia de presentes.[46]

Svetlana esteve mais uma vez com o pai em 21 de dezembro, por ocasião de seu aniversário. Encontrou-o ainda mais ressequido, embora houvesse parado de fumar. Estava doente, mas seu médico pessoal, o professor Vinogradov, fora preso. Stálin só confiava nele. Beria também conseguira convencê-lo de que o respeitável acadêmico "era suspeito". Ao tomar conhecimento de sua prisão, ficara furioso, recusara-se a consultar outros médicos sugeridos pelo próprio Beria, mas nada fizera para libertar aquele de quem realmente precisava. Então, automedicava-se com remédios caseiros: gotas de iodo, comprimidos indicados por Poskrebytchev (farmacêutico por formação), sem se cuidar muito, fazendo sauna – o que não era recomendado para sua hipertensão – e ingerindo, como sempre fizera, pequenos goles de vinho georgiano à mesa.

Nunca esquecia, nas raras visitas da filha, de enfiar em sua bolsa montes de dinheiro – que retirava de seus salários intactos de deputado. Não fazia a mínima noção do que representava o dinheiro, não colocava os pés numa loja há muitos anos. Adotara aquele hábito de ajudá-la desde o seu primeiro divórcio, e sempre lembrava de acrescentar uma soma "para a filha de Iacha".[47]

Essa visita de dezembro de 1952 foi a última que Svetlana fez ao pai. Só voltaria a revê-lo já agonizante. Nesse ínterim, porém, manteve uma conversa estranha com ele ao telefone, que esclarece o clima pesado que se instaurara então na cúpula do poder. Foi em janeiro ou fevereiro de 1953. Stálin deu-lhe um rápido telefonema:

– Foi você que me enviou a carta de Nadirachvili?

Ela não enviara nada – sobretudo porque, de acordo com uma regra não escrita, a família, Svetlana no caso, estava proibida de servir de pombo-correio para o pai.

– Você o conhece? – perguntou Stálin.

– Não, papai, não conheço.

Ele desligou.

Aparentemente, Nadirachvili, como o nome indica, era um georgiano que se debatia para escapar das garras de Beria, que há anos o perseguia, prendera-o e que, em suas palavras, queria matá-lo. Ele conseguira fugir. Em seguida, escrevera a Stálin, em cujas mãos a missiva chegara por canais desconhecidos, fazendo este último pensar na filha como possível intermediária. Tudo sugere que Nadirachvili informava Stálin coisas graves a respeito de Beria, sobre quem reunira diversos documentos comprometedores. Stálin teria comentado a carta com Beria? Manifestamente, o temor era generalizado. Como Stálin morreu pouco tempo depois dessa conversa telefônica, Svetlana deparou-se, no dia seguinte ao enterro de seu pai, com aquele georgiano à sua porta. Ele chorava por Stálin, chorava por seu destino, gritando que seu pedido chegara tarde demais. Mal aquele homem acuado partiu, ela recebeu um telefonema de Beria, visivelmente a par da visita, procurando rastros. Como Nadirachvili dissera a Svetlana que queria ver Vorochilov ou Jukov, ela, perplexa quanto ao mistério que cercava aquele homem, foi ter com Vorochilov, que também se mostrou temeroso. Lívido, quase chegou a admoestá-la, explicando-lhe que Stálin delegara a Beria todos os assuntos relativos à Geórgia. Svetlana ficou igualmente alarmada. Só em 1991 ousaria evocar essa história banal e, ao mesmo tempo, simbólica da atmosfera que reinava nas altas esferas do poder.[48]

SERÁ QUE, ao observar o fogo na lareira de seu bangalô de madeira ou contemplar o crepúsculo de seu terraço de Kuntsevo, Stálin sentia, no limiar da velhice, algum remorso face a todas aquelas vítimas pelas quais era incontestavelmente o principal responsável? A pergunta não faz muito sentido, uma vez que ele sempre teve a convicção de que o fim justificava os meios. Tinha fé em sua causa, certeza de havê-la servido o melhor possível e da correção de sua política, ainda que às vezes, aqui e ali, reconhecesse determinados "erros". "Sei", dissera a Molotov durante a guerra, "que depois que eu morrer lançarão um monte de infâmias sobre meu túmulo. Mas o vento da História as varrerá inexoravelmente."[49]

Após ter feito o balanço dos crimes e erros de Stálin, Kruchtchev concluíra em seu relatório secreto: "Agindo como agiu, Stálin estava convencido de ter atuado no interesse da classe trabalhadora, no interesse do povo, pela vitória do socialismo e do comunismo. Não podemos dizer que seus atos eram os de um déspota tomado pela vertigem do poder. Ele estava convencido de que aquilo era necessário para os interesses do Partido, das massas trabalhadores, para defender as conquistas da Revolução. É nisso que reside a tragédia."[50]

Epílogo

Em 27 de fevereiro de 1953, às 8h da noite, Stálin acomodou-se no camarote geralmente reservado para ele no Bolshoi, a fim de rever pela enésima vez *O lago dos cisnes*, de Tchaikovsky. Depois do espetáculo, pediu ao diretor do teatro para agradecer aos artistas de sua parte. Em seguida, voltou para casa, na Blijniaia, onde continuou a trabalhar em seu gabinete, como de costume, até as 3h da manhã. Em 28 de fevereiro, após assistir a um filme em seu apartamento do Kremlin, na companhia de Beria, Malenkov, Kruchtchev e Bulganin, partiu com eles para Kuntsevo para um daqueles jantares tardios que ele apreciava e aos quais seus colaboradores não tinham como fugir. Foi somente às 4h da manhã que seus convidados retornaram a suas casas. Após a partida dos convidados, Stálin chamou seus guardas, disse que ia se deitar e que eles também podiam descansar. O auxiliar do comandante da datcha, P. Lozgatchev, estranhou aquilo: nunca antes Stálin lhes havia dito coisas daquele tipo. Em 1º de março, o ritmo de vida e de trabalho de todos que cuidavam de Stálin – guarda-costas, secretários, domésticos – foi o mesmo de sempre. Stálin acordava tarde, dormindo geralmente por volta das 5h ou 6h da manhã. No entanto, em torno de meio-dia, o guarda-costas espantou-se com a ausência de qualquer barulho em seu gabinete e seu quarto. Ninguém entrava em seus aposentos sem se anunciar, ou ousava apresentar-se sem que ele chamasse. À medida que o tempo passava, a preocupação aumentou e todos puseram-se a espreitar qualquer movimento proveniente do quarto. Mas nada se ouvia. Perguntavam-se como agir. Para grande alívio de todos, a luz se acendeu no gabinete de Stálin por volta das 18h30. Todos se sentiram melhor e passaram a esperar que ele os chamasse. Mas nada aconteceu. Silêncio!

Nenhum sinal de atividade. Nada nesse momento, nada mais tarde, nem às 20 horas, nem às 22 horas… Os guardas estavam perplexos. Tudo bem que era domingo, mas, para Stálin, nunca havia repouso, e os domingos ou feriados desenrolavam-se tal qual o resto da semana. Às 22h30, angustiado, o sr. Starostin pediu a seu auxiliar Lozgatchev para verificar o que estava acontecendo. Estavam com tanto medo que nada fizeram, como se Stálin ainda pudesse estar dormindo ou ter passado o dia inteiro sem pedir nada. Este é o exemplo típico de um modo de vida estranho, em que o devotamento e o medo misturados resultavam numa ineficiência que beirava o absurdo. "Você é o chefe, vá na frente", respondeu Lozgatchev a Starostin. Estavam ambos divididos entre duas angústias contraditórias. Por fim, Lozgatchev decidiu-se a colocar a correspondência do dia debaixo do braço e dirigir-se ao gabinete de Stálin. Eram entre 22h30 e 23 horas. Sabendo que Stálin detestava que entrassem em seus aposentos na ponta dos pés, procurava caminhar num passo firme, sem aparentar subserviência (o que Stálin sempre lhes proibira) ou ansiedade. Atravessou assim três salas desertas. Foi somente quando entrou totalmente por acaso no pequeno refeitório que um quadro aterrador ofereceu-se à sua vista. Stálin estava no chão, perto da mesa, quase deitado, desesperadamente apoiado nos cotovelos. Não perdera a consciência, mas não conseguia mais falar. Quanto tempo ficara naquela posição desconfortável? Fora vítima do ambiente deletério que reinava a sua volta e pelo qual era o único responsável. Lozgatchev tremia como uma folha e só conseguiu perguntar estupidamente: "O que houve, camarada Stálin?" Este não podia articular mais uma palavra, e respondeu com um balbucio. Observando em volta, Lozgatchev percebeu, ao lado de Stálin, sobre o tapete, o *Pravda* e seu relógio de bolso. Na mesa, um copo e uma garrafa de água mineral. Stálin quisera beber e pegar o jornal, enquanto consultava o relógio, quando se sentira mal? Pelo telefone interno, o agente chamou seus colegas Starostin e Tukov para socorrê-lo, bem como a criada Matriona Butussova. Outra pergunta tola: "Camarada Stálin, quer se instalar no sofá?" Com um débil movimento da cabeça, ele indicou que sim. Com muito esforço, instalaram-no num sofá que se achava naquele pequeno refeitório e deram-se finalmente conta de que tinham de chamar um médico com toda a urgência, ainda mais que Stálin devia estar há horas naquela posição. Ele lhes indicou que estava com frio.[1]

Como constata Svetlana Alliluyeva (ela própria só teve coragem de narrar os últimos momentos da vida do pai em 1991), se colaboradores próximos como Vlassik ou Poskrebytchev estivessem lá, teriam sabido como agir e, graças à sua posição, teriam assumido a responsabilidade de chamar imediatamente um médico. Mas Beria também conseguira criar um vazio em torno de Stálin, deixando-o ainda mais solitário e, portanto, vulnerável.[2]

Starostin, chefe da guarda pessoal, ligou para a MVD (que se tornaria a KGB após a morte de Stálin) e falou com Ignatiev,* que, embora dirigisse o ministério da Segurança de Estado, não se mexeu e aconselhou aos desafortunados e desamparados guardas que ligassem para Beria. Com o *Vojd* inválido, Beria aparentemente era o único em condições de tomar decisões, e todos receavam fazer qualquer coisa sem ele, mesmo com a vida de Stálin em risco. Ainda desamparados, os guardas transferiram mais uma vez Stálin do pequeno refeitório para um cômodo ao lado, onde ele geralmente dormia. Grave erro, deslocar a vítima de um ataque: mas como poderiam saber disso sem a presença de um profissional? Como o doente tremia de frio, tentaram cobri-lo com um xale. Tudo se fazia de maneira improvisada, às pressas e em pânico. Matriona Butussova tentou com dificuldade abaixar as mangas arregaçadas da camisa de Stálin e deixou Lozgatchev a sós com ele. O chefe dos guardas ligou para Malenkov a fim de alertá-lo para o estado desesperador de Stálin. Malenkov tampouco se mexeu; meia hora mais tarde, ligou de volta para o guarda para dizer que não conseguia encontrar Beria e que ele mesmo fosse procurá-lo. Passaram-se mais quarenta minutos: Beria estava inacessível. Por fim, ele mesmo telefonou e ordenou: "Não falem nada e não liguem para mais

---

* Semion Ignatiev substituíra Abakumov, em julho de 1951, à frente do ministério da Segurança do Estado, posto que ocupou até a morte de Stálin. Foi sob seu mandato que ocorreram a condenação à morte dos dirigentes do Comitê Antifascista Judeu e o "caso dos Jalecos Brancos". Quando os médicos forem reabilitados, ele será exonerado, mas, como protegido de Kruchtchev, permanecerá no Comitê Central até aposentar-se, em 1961.

ninguém." Confinaram Stálin em sua doença, prisioneiro de si mesmo, sem ninguém competente ou responsável para tomar as rédeas da situação. Starostin alarmou-se, fez barulho, bradou que de toda forma cumpria chamar um médico, mas foi o mesmo que pregar no deserto. Valentina estava lá, impotente, num estado de desespero completo. Para todos, foi uma noite terrível e sem fim.

Às 3h, ouviram-se os pneus de um automóvel e todos imaginaram ser o médico, mas foram Beria e Malenkov que entraram. Sem se aproximarem muito do doente, observaram-no de longe e Beria concluiu com segurança que Stálin não tinha nada: dormia profundamente. Foi o seu diagnóstico face aos estertores do doente. "Não entrem em pânico", disse. "Não se preocupem mais e sobretudo não perturbem o camarada Stálin." Em vão, os guardas tentaram protestar que o estado de Stálin era grave, argumentando que ele necessitava de cuidados urgentes. Nem Beria nem Malenkov lhes deram ouvidos e, girando nos calcanhares, saíram da sala. Visivelmente contrariado por Starostin haver alertado tanta gente, Beria chegou a questioná-lo sobre a pessoa que o nomeara para aquele posto: "O senhor é um imbecil e não é digno de trabalhar na casa de Stálin. Cuidarei do senhor mais tarde." A ameaça era clara; se quisesse salvar a cabeça, tinha de parar de procurar socorrer o chefe.

Lozgatchev mantinha-se à cabeceira de Stálin. Nunca se esquecerá dessa noite. Ninguém tirava os olhos do relógio de parede, que avançava impassivelmente; 4h, 5h, 6h, 7h horas da manhã. E sempre a mesma imobilidade, ninguém chegava, nenhum médico aparecia. Os sinais de traição estavam claros para todos: os principais dirigentes, Beria à frente, esperavam a morte de Stálin.

Às 7h30, Kruchtchev apareceu para comunicar que os médicos estavam para chegar. Um pouco antes, Tukov telefonara para pedir ajuda a Molotov e informá-lo do estado desesperador de Stálin, mesmo sabendo que ele já estava marcado e, portanto, com menos poder que os demais. Verdadeiramente preocupado, este respondera: "Estou chegando!", e lhe aconselhou que avisasse a todos os membros do Politburo.

Por fim, em 2 de março, entre 8h30 e 9h da manhã, uma equipe de dez médicos do Kremlin, todos professores ou acadêmicos, fez sua entrada.

De toda forma, haviam perdido entre doze e catorze horas de primeiros socorros! Um conselho médico foi instalado numa pequena sala. Demonstrando grande preocupação e temendo a amplitude do desastre, os médicos, com dificuldades para tirar a camisa de Stálin a fim de auscultá-lo, viram-se obrigados a cortá-la com uma tesoura. O diagnóstico era inapelável: hemorragia cerebral. Socorrido tarde demais, não havia muita coisa a ser feita. Aplicaram-lhe sanguessugas, injeções de cânfora, ajudaram-no a respirar com balões de oxigênio. Foram efetuados eletrocardiogramas antes das radiografias dos pulmões. Convinha tentar uma intervenção cirúrgica? Tarde demais! Nenhum cirurgião teria corrido esse risco, sobretudo porque, para assustá-los, Beria não parava de repetir: "Os senhores têm certeza de poder garantir a vida do camarada Stálin?"

Todos esses médicos eram sumidades, mas nenhum deles jamais examinara Stálin anteriormente; procuraram seu histórico médico para tomar conhecimento das últimas observações feitas pelo acadêmico Vinogradov – o médico preso que era o único a conhecer o estado de saúde do doente. Nada encontraram. Mais tarde, quando já era inútil, o histórico foi descoberto no hospital do Kremlin.

Svetlana conhecia a verdade sobre a morte do pai desde 1966, quando uma das empregadas, que se manteve à cabeceira de Stálin até o fim, veio contar-lhe tudo que sabia, e que correspondia à versão fornecida pelos guarda-costas.[3]

Os filhos de Stálin só foram alertados no dia 2 de março. Malenkov ligou para Svetlana, depois Kruchtchev e Bulganin a receberam na datcha, onde ela permaneceu até o fim. Melhor que qualquer um, ela pôde descrever mais tarde o ambiente delirante que reinava no local. Todos, sinceramente ou não, pareciam arrasados; apenas Beria, extremamente excitado, procurava "não parecer nem muito nem pouco esperto". Sentada próximo ao pai, Svetlana segurava-lhe a mão, beijava-a, apertava-a: será que ele a reconhecia?[4] A agonia foi longa e terrível.

Quando Vassili chegou, estava bêbado. Como os empregados lhe haviam sussurrado que seu pai permanecera sem socorro durante pelo menos doze horas, ele pôs-se a berrar: "Canalhas! Vocês mataram meu pai. Estão matando meu pai!" Como em seguida ele continuou a espalhar aos quatro ventos que haviam envenenado Stálin, foi preso em 28 de abril de 1953 e condenado a oito anos de prisão.*

A notícia da doença de Stálin começou a vazar. O telefone tocava ininterruptamente. Vários médicos e professores telefonavam para se oferecer como voluntários. Alguns insistiam, julgando possível salvá-lo. Até países vizinhos telefonaram para a datcha. Porém, à medida que o tempo passava, o estado de Stálin piorava. Os membros do Politburo revezavam-se à sua cabeceira. Molotov e Mikoian também haviam sido convidados, embora não fossem membros da direção. De tempos em tempos, Stálin abria os olhos, fazia um esforço para mexer os lábios, mas ninguém entendia direito o que ele queria dizer. Assim que manifestava qualquer sinal de recuperação da consciência, Beria acorria e beijava-lhe a mão.

Em 5 de março, o pulso do doente começou a baixar. Num dado momento, Beria aproximou-se do leito e dirigiu-se a ele: "Camarada Stálin,

* Cada vez mais debilitado pela bebida e na impossibilidade de construir um verdadeiro lar, Vassili – que teve quatro esposas, quatro filhos legítimos e três adotados – passou grande parte de sua vida na prisão após a morte do pai. Em seguida a um encontro particular com Kruchtchev, em março de 1955, foi transferido da prisão de Vladimir, em Moscou, para o hospital do ministério do Interior, em função de uma úlcera no estômago. Pediram-lhe para mudar de sobrenome e chamar-se Vassiliev, como o codinome de seu pai durante a guerra. Ele recusou categoricamente. Um mês depois de voltar para casa, causou um acidente, ao dirigir embriagado. Retornou a Vladimir, ficando preso até janeiro de 1960. Em abril do mesmo ano, foi novamente condenado à prisão, onde ficou até o outono de 1961. Em seguida, foi exilado em Kazan por cinco anos, com uma pensão de general reformado. Morreu em 19 de março de 1962 e, em seu túmulo, consta o sobrenome Djugachvili. Oficialmente, morreu em consequência do alcoolismo; alguns dirão que foi durante uma briga num bar. Porém, para seus filhos, Aleksandr e Nadejda, tratou-se de um assassinato. Svetlana, sua irmã, acha que o "ajudaram a morrer". Ele não dissera sempre a sua mulher, Galina, que não sobreviveria ao pai por muito tempo? Embora o governo tenha feito de tudo para que o enterro passasse despercebido, toda Kazan o acompanhou, e os veteranos de guerra debruçaram-se sobre o caixão abrindo seus casacos forrados de condecorações. Homenagem tácita ao pai através do filho. Entrevista com Aleksandr Burdonski e Nadejda Stálina, os únicos filhos presentes em seu funeral. Para mais detalhes sobre a carreira e a vida de Vassili Stálin, cf. Aleksandr Kolesnik, *Khronika jizni semi Stalina* (Moscou, SP Ikpa, 1990, p.74-114).

fale-nos alguma coisa. Todos os membros do Politburo estão aqui." Vorochilov puxou-o pela manga e sussurrou: "Seria preferível que os amigos da casa falassem: ele deveria reconhecê-los mais facilmente." Valentina aproximou-se então de Stálin, mas ele então vivia seus últimos segundos. Ela pousou a cabeça sobre seu peito e começou a pranteá-lo dolorosamente, como fazem as mulheres do povo face à morte.[5]

Já fazia tempo que doenças crônicas vinham comprometendo a saúde de Stálin: além de dores nas pernas, sua hipertensão agravava-se e a angina de peito fazia-o sofrer constantemente. Apesar disso, continuava sem se cuidar. Podia almoçar ou jantar às horas mais inverossímeis: às 15, 17, 20 ou 22 horas. A hemorragia cerebral fora consequência desse ritmo de vida e da falta de cuidados diários. Contudo, a maneira como "cuidaram" dele após seu ataque sugere fortemente uma espécie de assassinato por omissão de socorro.[6] Os médicos foram chamados apenas quando seu estado verificou-se efetivamente desesperador.

Molotov sempre achou, durante sua longa vida, que o papel desempenhado por Beria na morte de Stálin era obscuro. Paralelamente, interrogava-se quanto à troica Beria-Malenkov-Kruchtchev, que tinha grande interesse na morte de Stálin, e quanto a Bulganin, que poderia ter tido certa participação.[7]

A versão do envenenamento tampouco parece impossível a Molotov. Beria teria envenenado Stálin na véspera do dia em que ele sofreu o ataque?* Vlassik também estava persuadido de que Stálin fora assassinado. Previra isso quando fora preso: "Os dias de Stálin estão contados. Resta-lhe pouco tempo de vida." O próprio Beria gabou-se disso, alardeando por ocasião dos festejos do 1º de maio de 1953 a Molotov: "Fui eu que o eliminei... Salvei vocês todos!"[8] Essa declaração tinha como principal objetivo

* Para a neta de Stálin, Nadejda, é o que sugere a marca de uma injeção que teria sido observada pelos guardas no momento em que o recolheram no chão. Conversa com Nadejda Stálina, Moscou, 17 de junho de 1995.

conquistar adeptos na luta pelo poder, ao passo que a situação de Molotov claudicava desde janeiro-fevereiro de 1953.

Assim que o cadáver de Stálin foi levado, Beria ordenou a evacuação da datcha. Todos os empregados e guarda-costas foram dispensados com uma única palavra de ordem: bico calado. Nada do que se passara entre 1º e 5 de março na Blijniaia deveria vazar. A casa foi trancada, fechada a cadeado.* Eis a razão pela qual o comunicado oficial, que informou ao povo e ao mundo inteiro a morte de Stálin, apontou seu apartamento do Kremlin como local da morte. Todas as testemunhas se calaram. Algumas até 1966, outras até 1973, a própria filha até 1991.

Às 4 horas da manhã do dia 6 de março, a voz grave de Leviatan, o mais famoso locutor moscovita, anunciou: "Atenção...! Atenção...! Moscou no ar..." Num ritmo lento, separando cuidadosamente as sílabas, leu o texto do comunicado que anunciava a morte de Stálin, ocorrida no dia 5 de março às 21h50. Em 9 de março, foi realizado o funeral. A exemplo de Lênin, Korov, Ordjonikidze, e tantos outros ilustres do bolchevismo, os restos mortais de Stálin ficaram expostos na histórica Sala das Colunas da Casa dos Sindicatos. A dor misturada ao medo deu lugar a cenas de pânico: mais de quatrocentas pessoas morreram pisoteadas na confusão. Como se prevendo os riscos da reação popular, o comunicado conclamava a vigilância e a disciplina dos comunistas. Moscou transformou-se numa cidade enlutada e, em todos os recantos do imenso país, os trens eram tomados de assalto, as pessoas escalavam os tetos dos vagões. Todos queriam chegar o mais rápido possível a Moscou a fim de prestar a última homenagem ao pai da nação, espelho da Revolução e da Rússia.

Os herdeiros de Stálin intimidaram-se diante daquela multidão enlouquecida, desamparada, cega, insuflada por sentimentos complexos porém intensos, que ameaçavam varrer tudo a sua passagem. Assim como a morte de Stálin refletira seu reinado, seu enterro refletia seus paroxismos.

---

* Quando se inventariou os bens pessoais de Stálin, quase nada foi encontrado. Ele não possuía nenhum objeto de valor. Móveis baratos, poltronas revestidas com capas. Nenhum objeto antigo. Na parede, reproduções em papel com molduras de madeira. No chão, dois tapetes. Stálin dormia com um cobertor do Exército. (Cf. Dimitri Volkogonov, *Staline, triomphe et tragédie...*, Paris, Flammarion, 1991, p.99.)

Notas

Prólogo (p.11-4)

1. Cf. a esse respeito o excelente ensaio de Aleksandr Zinoviev, *Le héros de notre jeunesse*, Paris, Julliard/Âge d'Homme, 1984.

1. Sosso (p.15-33)

1. Centro Russo de Conservação e Estudo dos Documentos em História Contemporânea. Acervo Stálin: coleção 558, inventário 4, dossiê 2. Num formulário da polícia preenchido por Stálin quando é preso em 1908, consta 1881 como data de nascimento. Coleção 558, inventário 4, dossiê 91.
2. G. Elisabegachvili, "Minhas recordações sobre o camarada Stálin". Coleção 558, inventário 4, dossiê 665.
3. Texto datilografado de Serguei Alliluyev: "No fogo da Revolução". Coleção 558, inventário 4, dossiê 668.
4. Piotr Kapanatze: "Stálin em Gori e Tíflis". Coleção 558, inventário 4, dossiê 665.
5. Iosif Iremachvili, *Stalin und die Tragödie Georgiens*, Berlim, Volksblatt-Druckerei, 1932, p.5-6.
6. Svetlana Alliluyeva, *En une seule année*, Paris, R. Laffont, 1970, p.319.
7. Registro da direção do seminário, 1894. Cf. coleção 558, inventário 4, dossiê 10.
8. Observações sobre o aluno Iosif Djugachvili durante o ano letivo 1894-95. Coleção 558, inventário 4, dossiê 13.
9. Coleção 558, inventário 4, dossiê 23.
10. Robert C. Tucker, *Staline révolutionnaire, 1879-1929, essai historique et psychologique*, Paris, Fayard, 1975, p.70.
11. Serguei Alliluyev, texto datilografado citado. Coleção 558, inventário 4, dossiê 668. E Piotr Kapanatze, texto datilografado citado. Coleção 558, inventário 4, dossiê 665.
12. Registro das punições, 1896-97. Coleção 558, inventário 4, dossiê 32.
13. Robert C. Tucker, op.cit., p.71.
14. "A rosa desabrochou", publicado em 14 de junho de 1895; "A lua clara no céu", publicado em 22 de setembro de 1895; "À lua crescente", publicado em 11 de outubro de 1895; "A Raphael Eristavi", publicado em 24 de outubro de 1895; "Sobre a terra, ele deambulava qual uma sombra de uma porta a outra", publicado em 25 de dezembro de 1896 e, por fim, "Velho Ninika", publicado em 28 de julho de 1896. Cf. todos esses poemas em sua tradução russa. Coleção 558, inventário 4, dossiê 600.

15. Coleção 558, inventário 4, dossiê 53.
16. Idem.
17. Coleção 558, inventário 4, dossiê 67.
18. Isaac Deutscher, *Staline* – edição definitiva, Paris, Gallimard, 1973, p.58.
19. Relatório do comissariado de Tíflis. Coleção 558, inventário 4, dossiê 72.
20. Relatório sobre a atividade do círculo social-democrata. Coleção 558, inventário 4, dossiê 72.
21. Entrevista a Emil Ludwig, dezembro de 1931. Publicada na versão oficial das *Obras* de Stálin, essa entrevista foi traduzida em diversas línguas e é citada por todos os seus biógrafos.
22. Adam. B. Ulam, *Staline, l'homme et son temps*, t.I, "La montée", Paris, Calmann-Lévy/Gallimard, 1977, p.44.
23. "Nota da redação", n.1, setembro de 1901, "Le Parti social-démocrate de Russie et ses tâches immediates", n.2-3, novembro-dezembro de 1901, in Stálin, *Œuvres*, t.I, 1901-7, Paris, Nouveau Bureau d'Édition, 1975, p.19-56.
24. Robert C.Tucker, op.cit., p.79.
25. Dossiê do gabinete do prefeito de Baku. Coleção 558, inventário 4, dossiê 74.
26. Coleção 558, inventário 4, dossiê 537.
27. Coleção 558, inventário 4, dossiê 74.
28. Coleção 558, inventário 4, dossiê 649.
29. Coleção 558, inventário 4, dossiê 75.
30. "Stalin i Khachim", *Batumskaia demonstratsia 1902 goda*, Moscou, Partizdat, 1937, citado por Isaac Deutscher, *Staline* – edição definitiva, Paris, Gallimard, 1973, p.68-9.
31. Informação sobre o início da instrução, 22 de maio-23 de agosto de 1902. Coleção 558, inventário 4, dossiê 79.
32. Idem.
33. Idem.
34. Idem.
35. Isaac Deutscher, op.cit., p.78-9.

2. Koba (p.34-48)

1. Svetlana Alliluyeva, *Vingt lettres à un ami*, Paris, Seuil, 1967, p.55-7.
2. Robert C. Tucker, *Staline révolutionnaire, 1879-1929, essai historique et psychologique*, Paris, Fayard, 1975, p.84.
3. Coleção 558, inventário 4, dossiê 84.
4. Coleção 558, inventário 4, dossiê 537.
5. Stálin, *Œuvres*, t.I, 1901-7, Paris, Nouveau Bureau d'Édition, 1975, p.154-62.
6. Robert C. Tucker, op.cit., p.87.
7. Stálin, *O Lenine*, Moscou, Gospolitzdat, 1951, p.22-3.
8. Dimitri Volkogonov, *Staline, triomphe et tragédie...*, Paris, Flammarion, 1991, p.27.

9. Serguei Alliluyev, texto datilografado citado. Coleção, 558, inventário 4, dossiê 668.
10. Roy Medvedv, *Semia tirana...*, Nijni Novgorod, Leta, 1993, p.29.
11. Cf. comunicado da morte da primeira mulher de Stálin in Coleção 558, inventário 4, dossiê 97.
12. In *Proletariatis Brdzola* (A Luta do Proletariado), n.7, 10 de setembro de 1904. Cf. Stálin, *Œuvres*, t.I, op.cit.
13. Robert C. Tucker, op.cit., p.98.
14. S. Veretchtchak, "Stalin v tiurme (Vospominania polititcheskogo zakliutchennogo)", *Dni*, 22 de janeiro de 1928, citado por Robert C. Tucker, op.cit., p.99.
15. Coleção 558, inventário 4, dossiê 84.
16. Recordações das personalidades políticas, militares e outras da União Soviética e outros países que se referem a encontros com Stálin, sua vida e suas atividades. Coleção 558, inventário 4, dossiê 649.
17. Cf. o registro do hospital onde ele foi tratado de tifo. Coleção 558, inventário 4, dossiê 103.
18. Coleção 558, inventário 4, dossiê 107.
19. Coleção 558, inventário 4, dossiê 111.
20. Relatório do comissariado de Baku de 21 de fevereiro de 1911 ao departamento da polícia de São Petersburgo. Coleção 558, inventário 4, dossiê 126.
21. Coleção 558, inventário 1, dossiê 29. Para a reação de Lênin face à posição de Stálin nessa querela doutrinal, cf. Robert Tucker, op.cit., p.127-8.
22. Stálin, *Œuvres*, t.II, 1907-13. Paris, Éditions Sociales, 1954, p.334.
23. Carta ao governador de Vologodsk, datada de 27 de outubro de 1911. Coleção 558, inventário 4, dossiê 70.
24. Questionário referente a Iosif Djugachvili, na ocasião sob a vigilância oficial da polícia, 1911. Coleção 558, inventário 1, dossiê 4.353.
25. Essa missiva foi enviada para a cidade de Totma, na região de Vologda. Coleção 558, inventário 2, dossiê 75.
26. Coleção 558, inventário 1, dossiê 5.389.
27. Telegrama enviado ao diretor do comissariado de São Petersburgo, Moscou, em 29 de outubro de 1912. Coleção 558, inventário 4, dossiê 192.
28. Coleção 558, inventário 4, dossiê 157.

3. Stálin (p.49-64)

1. Anna Alliluyeva, *Iz vospominania*, Moscou, Sovetsky Pisatel, 1946, p.185-7.
2. Isaac Deutscher, *Staline* – edição definitiva, Paris, Gallimard, 1973, p.139-40.
3. Intitulado "A questão nacional e a social-democracia", esse estudo foi publicado na revista teórica do Partido, *Prosvechtchenie* (A Instrução), n.3-5, março-maio de 1913, assinado K. Stálin – era a primeira vez que assinava com esse pseudônimo. Em 1914, foi reproduzido em livro com o título *A questão nacional e o marxismo*, pelas

Edições Priboi, em São Petersburgo. Em 1920, foi reeditado pelo comissariado do povo para as Minorias Nacionais na *Antologia de artigos de Stálin sobre a questão nacional*, Tula, editora estatal.

4. Lênin, "O programa nacional do POSDR", *Social-democrata*, n.32, 28 de dezembro de 1913.
5. Isaac Deutscher, Boris Suvarin e Bertrand Wolf endossavam o ponto de vista de Trótski; Robert Tucker, Richard Pipes, Robert McNeal, Adam Ulam e Alan Bullock demonstraram que Stálin fora de fato o autor desse estudo.
6. Robert C. Tucker, *Staline révolutionnaire, 1879-1929, essai historique et psychologique*, Paris, Fayard, 1975, p.132-3.
7. Coleção 558, inventário 4, dossiê 219.
8. Coleção 558, inventário 1, dossiê 48.
9. Adam Ulam, *Staline, l'homme et son temps*, t.I, "La montée", Paris, Calmann-Lévy/ Gallimard, 1977, p.143-4.
10. Anna S. Alliluyeva, op.cit., p.118.
11. Coleção 558, inventário 1, dossiê 54.
12. Coleção 558, inventário 1, dossiê 5.393.
13. Coleção 558, inventário 1, dossiê 49.
14. Coleção 558, inventário 2, dossiês 74 e 89.
15. Citado por Robert. C. Tucker, op.cit., p.134.
16. Ibid., p.135.
17. Adam B. Ulam, op.cit., p.145.
18. Cartas, artigos e memórias sobre o exílio em Turukhansk. Coleção 558, inventário 4, dossiê 667.
19. Coleção 558, inventário 1, dossiê 5.168.
20. Coleção 558, inventário 1, dossiê 51.
21. Robert C. Tucker, op.cit., p.181. Fonte: depoimento de Lev Kamenev.
22. Coleção 558, inventário 1, dossiê 5.169.
23. Coleção 558, inventário 1, dossiê 5.391.
24. Coleção 558, inventário 1, dossiê 53.
25. Coleção 558, inventário 1, dossiê 55.
26. Coleção 558, inventário 1, dossiê 57.
27. Depoimento de A. Baikalov citado por Robert C. Tucker, *Staline révolutionnaire, 1879-1929, essai historique et psychologique*, Paris, Fayard, 1975, p.137
28. Dimitri Volkogonov, *Staline, triomphe et tragédie...*, Paris, Flammarion, 1991, p.32.

4. Na torrente da Revolução (p.65-84)

1. Anna Alliluyeva, *Iz vospominania*, Moscou, Sovetsky Pisatel, 1946, p.165-8.
2. Entrevista com Nadejda Stálina, Moscou, 17 de junho de 1995.
3. Svetlana Alliluyeva, *Vingt lettres à un ami*, Paris, Seuil, 1967, p.58.
4. Ibid., p.109.

5. Robert C. Tucker, *Staline révolutionnaire, 1879-1929, essai historique et psychologique*, Paris, Fayard, 1975, p.140.
6. Cf. a íntegra do relatório de Stálin sobre a questão nacional apresentado na conferência do RSDRP de 24 de abril de 1917, in Coleção 558, inventário 1, dossiê 59.
7. A respeito da política de Lênin e Stálin sobre a questão nacional, cf. a análise de Hélène Carrère d'Encausse, *L'Empire éclaté*, Paris, Flammarion, 1978, p.11-34.
8. Anna Alliluyeva, op.cit., p.175.
9. Ibid., p.180.
10. Robert C. Tucker, op.cit., p.152.
11. Ibid., p.157.
12. Coleção 558, inventário 1, dossiê 5.298.
13. Coleção 558, inventário 1, dossiê 3.662.
14. Coleção 558, inventário 1, dossiê 4.388.
15. Stálin, "Carta a Lênin" de 7 de julho de 1918, p.110 in *Œuvres*, t.4, novembro 1917-dezembro 1920, Paris, Éditions Sociales, 1955.
16. Serguei Alliluyev, *Memórias*, 1913-1917, texto datilografado. Coleção 558, inventário 1, dossiê 663.
17. Stálin, op.cit.
18. Dimitri Vokogonov, *Staline, triomphe et tragedie*..., Paris, Flammarion, 1991, p.44-5.
19. Carta de 10 de julho, p.112, op.cit.
20. Coleção 558, inventário 1, dossiê 432.
21. Coleção 558, inventário 1, dossiê 4.745.
22. Coleção 558, inventário 1, dossiê 3.278.
23. Coleção 558, inventário 1, dossiê 293.
24. Aleksandr Kolesnik, *Khronika jizni semi Stalina*, Moscou, SP Ikpa, 1990, p.28.
25. Ibid., p.17-8.
26. Galina Djugachvili, *Ded, otets, ma i drugui*, Moscou, Olimp, 1993, p.57.
27. Svetlana Alliluyeva, *Vingt lettres à un ami*, Paris, Seuil, 1967, p.40-1.
28. Aleksandr Kolesnik, op.cit., p.18.
29. Roy Medvedev, *Semia tirana*..., Nijni Novgorod, Leta, 1993, p.36.
30. *Iosif Stalin v obiatiakh semi*, Iz lichtnovo arkhiva, Moscou, Editora Q, 1993, p.6 e 8.
31. Idem.
32. Ibid., p.10.
33. Robert C. Tucker, op.cit., p.176.
34. Dimitri Volkogonov, op.cit., p.56.
35. Hélène Carrère d'Encausse, *L'Empire éclaté*, Paris, Flammarion, 1978, p.17.
36. Ibid., p.17-20.
37. Reproduzo aqui pesquisas de Nicolas Werth sobre a coleção Lênin e a coleção Ordjonikidze, arquivos que se encontram no Centro Russo de Conservação e Estudo dos Documentos de História Contemporânea.
38. Citado por Dimitri Volkogonov, *Le Vrai Lénine*, Paris, Robert Laffont, 1994, p.381-2.
39. Ibid., p.389-90.
40. Alexei T. Rybin, *Riadom s I.V. Stalinem*. Coleção 558, inventário 4, dossiê 672.

5. Entre vitórias políticas e reveses familiares (p.87-124)

1. *Iosif Stalin v obiatiakh semi*, Iz lichtnovo arkhiva, Moscou, Editora Q, 1993, p.154-5.
2. *Pisma I.V. Stalina V.M. Molotovu 1925-1936*, Sbornik Documentov, Moscou, Rossia Molodaia, 1995, p.37-9 e 107.
3. Carta a Maria Svanidze de 11 de janeiro de 1926.
4. Svetlana Alliluyeva, *Vingt lettres à un ami*, Paris, Seuil, 1967, p.40-5.
5. Entrevista com Kyra Alliluyeva, Moscou, 16 de junho de 1995.
6. Entrevista com Nadejda Stálina, Moscou, 17 de junho de 1995.
7. Svetlana Alliluyeva, op.cit., p.50.
8. Ibid., p.90.
9. Aleksandr Kolesnik, *Mife i pravda o seme Stalina*, Carcóvia, Prostor, 1990, p.64.
10. Svetlana Alliluyeva, op.cit., p.79.
11. Vladimir Alliluyev, *Khronika odnoi semi, Aliluev Stalin*, Moscou, Molodaia Gvardia, 1995, p.26.
12. Galina Djugachvili, *Ded, otets, ma i drugui*, Moscou, Olimp, 1993, p.57.
13. *Iosif Stalin v obiatiakh semi*, op.cit., p.12.
14. Carta já citada.
15. Entrevista com Galina Djugachvili, Moscou, 7 de junho de 1995.
16. Idem.
17. Vladimir Alliluyev, op.cit., p.28.
18. A formulação é de Isaac Deutscher, *Staline* – edição definitiva, Paris, Gallimard, 1973, p.305.
19. Ibid., p.306.
20. Cf. o XIV Congresso do Partido Comunista pan-unionista (b). Relatório estenografado, Moscou, 1926, p.502. Citado por Adam B. Ulam, *Staline, l'homme et son temps*, t.I, "La montée", Paris, Calmann-Lévy/Gallimard, 1977, p.287.
21. Idem.
22. *Pravda*, 2 de novembro de 1927, citado por Robert C. Tucker, *Staline révolutionnaire, 1879-1929, essai historique et psychologique*, Paris, Fayard, 1975, p.310.
23. Isaac Deutscher, op.cit., p.322.
24. Antes de mim, sovietólogos renomados sugeriram esta ideia, em especial Moshe Lewin e Robert Tucker.
25. Robert C. Tucker, op.cit., p.268. Durante o ano de 1924, com o mesmo fim competitivo: quem seria o melhor exegeta de Lênin? Trótski publicou *O novo curso*, Bukharin fez um longo relatório, "Lênin marxista" e Zinoviev uma conferência, "V.I. Lênin, gênio, mestre, chefe e homem".
26. Ibid., p.270.
27. Roy Medvedev, *Semia tirana...*, Nijni Novgorod, Leta, 1993.
28. Svetlana Alliluyeva, op.cit., p.111.
29. *Iosif Stalin v obiatiakh semi*, op.cit., p.22.
30. Galina Djugachvili, op.cit., 1993.

31. Dimitri Volkogonov, *Staline, triomphe et tragédie...*, Paris, Flammarion, 1991, p.103.
32. Roy Medvedev, *Semia tirana...*, Nijni Novgorod, Leta, 1993, p.43.
33. Entrevista com Kyra Alliluyeva, Moscou, 12 de junho de 1995. Cf. também Vladimir Alliluyev, op.cit., p.29.
34. As cartas de Alliluyeva enviadas da Alemanha não são conhecidas e não se encontram nos arquivos pessoais de Stálin. Cf. *Iosif Stalin v obiatiakh semi*, Iz lichtnovo arkhiva, Moscou, Editora Q, 1993, p.29.
35. Entrevista com Aleksandr Burdonski, Moscou, 6 de junho de 1995.
36. Idem.
37. Cf. a correspondência de Stálin com sua mulher em *Iosif Stalin v obiatiakh semi*, op.cit., p.22-42.
38. Galina Djugachvili, op.cit., p.58.
39. Entrevista com Kyra Alliluyeva, Moscou, 12 de junho de 1995.
40. Svetlana Alliluyeva, op.cit., p.122-3.
41. Depoimento citado por Roy Medvedv, op.cit., p.43.
42. Entrevista com Aleksandr Burdonski, Moscou, 6 de junho de 1995.
43. Félix Tchuev, *Conversations avec Molotov. 140 Entretiens avec le bras droit de Staline*, Paris, Albin Michel, 1995, p.213.
44. Svetlana Alliluyeva, op.cit., p.124; entrevista com Aleksandr Burdonski e Kyra Alliluyeva. Ver também Vladimir Alliluyev, op.cit.
45. Félix Tchuev, op.cit., p.213.
46. Entrevista com Kyra Alliluyeva, Moscou, 12 de junho de 1995.
47. Aleksandr Kolesnik, op.cit., p.6-9. Boris Suvarin tampouco se constrangia ao evocar o "assassinato de Nadejda Alliluyeva" em 1967. Cf. *Contrat social*, vol.XI, n.3, 1967.
48. Vladimir Alliluyev, op.cit., p.29.
49. Aleksandr Kolesnik, *Khronika jizni semi Stalina*, Moscou, SP Ikpa, 1990, p.30-1.
50. Svetlana Alliluyeva, op.cit., p.118.
51. Aleksandr Kolesnik, *Khronika jizni semi Stalina*, op.cit., 1990,
52. Sergo Beria, *Moi otets Lavrenti Beria*, Moscou, Sovremenik, 1994, p.48.
53. *Pisma I.V. Stalina V.M. Molotovu 1925-1936*, op.cit., p.88-90.
54. Isaac Deutscher, op.cit., p.304-5.
55. Dimitri Volkogonov, *Staline, triomphe et tragédie...*, Paris, Flammarion, 1991, p.121.
56. Sir Winston Churchill, *Mémoires sur la Deuxième Guerre Mondiale*, vol.IV, Paris, Plon, 1951, p.93.
57. Isaac Deutscher, op.cit., p.305.
58. Adam Ulam, op.cit., p.361.
59. Isaac Deutscher, op.cit., p.340.
60. Relatório de informação da OGPU sobre o desenrolar da campanha de coletas 1928-1929 in Nicolas Werth e Gaël Moullec, *Rapports secrets soviétiques, 1921-1991*, Paris, Gallimard, 1994, p.112-3.
61. Os dados acima são os mais confiáveis. Cf. Nicolas Werth e Gaël Moullec, *Rapports secrets soviétiques, 1921-1991*, Paris, Gallimard, 1994, p.90.

62. Idem.
63. Coleção 558, inventário 1, dossiê 5.276.
64. Dimitri Volkogonov, *Staline, triomphe et tragédie...*, Paris, Flammarion, 1991, p.138.

6. O ditador (p.125-63)

1. Svetlana Alliluyeva, *En une seule année*, Paris, R. Laffont, 1970, p.339.
2. Sergo Beria, *Moi otets Lavrenti Beria*, Moscou, Sovremenik, 1994, p.72.
3. Aleksandr Kolesnik, *Mife i pravda o seme Stalina*, Carcóvia, Prostor, 1990, p.4.
4. Autos do interrogatório do prisioneiro militar, o tenente Iakov Djugachvili. Foi em 31 de janeiro de 1946 que Merkulov enviou a Stálin o texto original do interrogatório de Iakov, realizado em 18 de julho de 1941 e encontrado nos arquivos do ministério alemão da Aviação. Cf. *Iosif Stalin v obiatiakh semi*, Iz lichtnovo arkhiva, Moscou, Editora Q, 1993.
5. Cf. Félix Tchuev, *Conversations avec Molotov. 140 Entretiens avec le bras droit de Staline*, Paris, Albin Michel, 1995, p.216. Tentei esclarecer pessoalmente esse episódio com Maya Kaganovitch, que, num primeiro momento, aceitou uma espécie de entrevista. Mas quando compreendeu que em minha lista de perguntas havia esse enigmático caso amoroso entre Stálin e um membro da família Kaganovitch, desmarcou o encontro, alegando não ter nada a me dizer e declarando respeitar a posição do pai, que nunca se pronunciara sobre o assunto.
6. Entrevista com Galina Djugachvili, Moscou, 7 de junho de 1995.
7. Leonid Gendlin, *Isnovede liuovnitse Stalina*, Minsk, Krok Unerad, 1994, 399p.
8. Svetlana Alliluyeva, op.cit., Paris, R. Laffont, 1970, p.339.
9. Félix Tchuev, op.cit., p.215.
10. Entrevista com Aleksandr Burdonski, Moscou, 6 de junho de 1995.
11. Entrevista com Nadejda Stálina, 17 de junho de 1995.
12. Entrevista com Kyra Alliluyeva, Moscou, 12 de junho de 1995.
13. Idem.
14. Idem.
15. Idem.
16. Svetlana Alliluyeva, *Vingt lettres à un ami*, Paris, Seuil, 1967, p.32-4.
17. Idem.
18. Maria Svanidze, "Dnevnik", in *Iosif Stalin v obiatiakh semi*, op.cit.
19. Idem.
20. Coleção 558, inventário 1, dossiê 4.554.
21. Depoimento citado por Alla Kirilina, *L'Assassinat de Kirov, destin d'un stalinien, 1888-1934*, Paris, Seuil, 1995, p.96.
22. Ibid., p.149.
23. Ibid., p.152.
24. Ibid., p.181-2.

25. Roy Medvedev, *Le stalinisme. Origines, histoire, conséquences*, Paris, Seuil, 1972.
26. Alla Kirilina, op.cit., p.192. Esse livro, baseado em arquivos e escrito por uma pesquisadora imparcial, desfaz duas mentiras: 1) Stálin encomendou o assassinato de Kirov; 2) Stálin havia sido minoria no XVII Congresso e era Kirov que pretendiam colocar em seu lugar.
27. Depoimentos citados por Alla Kirilina, op.cit., p.195-6.
28. Ibid., p.197.
29. Félix Tchuev, op.cit., p.255.
30. Alla Kirilina, op.cit., p.199.
31. Ibid., p.200.
32. Félix Tchuev, op.cit., p.255.
33. Aleksandr Iakovlev, *Ce que nous voulons faire de l'Union Soviétique*, Paris, Seuil, 1991, p.44.
34. Depoimento citado por Alla Kirilina, op.cit., p.240.
35. Svetlana Alliluyeva, *Vingt lettres à un ami*, op.cit., p.33.
36. Grande parte do relato dessa noite de 21 de dezembro de 1934 foi extraída do diário de Maria Svanidze, "Dnevnik", op.cit., p.169-71.
37. Coleção 558, inventário 1, dossiê 5.123.
38. Coleção 558, inventário 1, dossiê 5.124.
39. Para grande parte dessa correspondência, ver Svetlana Alliluyeva, *Vingt lettres à un ami*, op.cit., p.112-3 e p.164-9.
40. Relatório de Efimov a Vlassik de 22 de setembro de 1935, ver *Iosif Stalin v obiatiakh semi*, op.cit., p.53-4.
41. Svetlana Alliluyeva, *Vingt lettres à un ami*, op.cit., p.213-4.
42. *Pravda*, 23 de outubro de 1935, citado in *Iosif Stalin v obiatiakh semi*, op.cit.
43. Diálogo contado por L.S. Spirin em *Nezavisima Gazetta*, de 13 de abril de 1992, citado por Roy Medvedev, op.cit., p.21-2.
44. Cf. Maria Svanidze, "Dnevnik", op.cit., p.173-6.
45. Ibid., p.176-8.
46. Entrevista com Galina Djugachvili, Moscou, 14 de junho de 1995.
47. Stálin fez essa declaração por ocasião da I Conferência dos Stakhanovistas, reunidos no Kremlin entre 14 e 17 de novembro de 1935. Cf. Stálin, *Œuvres*, t.XIV, 1934-40, Paris, NBE, 1977, p.62.
48. Alan Bullock, *Hitler et Saline, vies parallèles*, Paris, Albin Michel/Robert Laffont, 1991, t.I, p.522.
49. Félix Tchuev, op.cit., p.298.
50. Pável Sudoplatov et al., *Missions spéciales...*, Paris, Seuil, 1994, p.101.
51. Ibid., p.109.
52. Ibid., p.115.
53. Coleção 558, inventário 2, dossiê 67.
54. Entrevista com Mikhail Panteleiev, historiador russo que estudou a repressão dos anos 30. Moscou, 13 de junho de 1995.

55. Nicolas Werth, Gaël Moullec, *Rapports secrets soviétiques, 1921-1991*, Paris, Gallimard, 1994, p.494.
56. Ibid., p.494-5.
57. Aleksandr Iakovlev, op.cit., p.48.
58. Amy Knight, *Beria*, Paris, Aubier, 1994, p.126.
59. Idem.
60. Félix Tchuev, op.cit., p.303.
61. Alan Bullock, *Hitler et Staline, vies parallèles*, Paris, Albin Michel/Robert Laffont, 1991, t.I, p.536.
62. Nicolas Werth, *Les Procès de Moscou*, Bruxelas, Complexe, 1987.
63. Exponho aqui os resultados das pesquisas realizadas por Mikhail Panteleiev, que teve a gentileza de comunicá-los a mim.
64. *Iosif Stalin v obiatiakh semi*, op.cit. p.194.
65. O.V. Khlevniuk, *Stalin i Ordjonikidze...*, Moscou, Rossia Molodaia, 1993, p.13. Esse livro constitui a pesquisa mais atualizada a respeito das relações entre os dois homens.
66. *Pisma I.V. Stalina V.M. Molotovu 1925-1936*, Sbornik Documentov, Moscou, Rossia Molodaia, 1995, p.82-4.
67. Boris Suvarin, op.cit., p.406.
68. Félix Tchuev, op.cit., p.259.
69. Entrevista com Kyra Alliluyeva, Moscou, 12 de junho de 1995.
70. Svetlana Alliluyeva, *Vingt lettres à un ami*, Paris, Seuil, 1967, p.72.
71. Ibid., p.91. Cf. também Vladimir Alliluyev, que defende o mesmo ponto de vista, *Khronika odnoi semi, Aliluev Stalin*, Moscou, Molodaia Gvardia, 1995.
72. Entrevista com Kyra Alliluyeva, Moscou, 12 de junho de 1995.
73. Félix Tchuev, op.cit., p.214-5.
74. *Iosif Stalin...*, p.193.
75. Svetlana Alliluyeva, *Vingt lettres à un ami*, op.cit., p.68, e Aleksandr Kolesnik, op.cit., p.63.
76. Entrevista com Kyra Alliluyeva, Moscou, 12 de junho de 1995.
77. Vladimir Alliluyev, *Khronika odnoi semi, Aliluev Stalin*, Moscou, Molodaia Gvardia, 1995, p.89-90.
78. Ibid., p.78.

7. Líder em tempos de guerra (p.164-91)

1. Félix Tchuev, *Conversations avec Molotov. 140 Entretiens avec le bras droit de Staline*, Paris, Albin Michel, 1995, p.246.
2. Coleção 558, inventário 3.
3. Dimitri Volkogonov, *Staline, triomphe et tragédie...*, Paris, Flammarion, 1991, p.251.
4. Svetlana Alliluyeva, *Vingt lettres à un ami*, Paris, Seuil, 1967, p.62.

5. Ibid., p.72.
6. Ibid., p.139.
7. *Iosif Stalin v obiatiakh semi*, Iz lichtnovo arkhiva, Moscou, Editora Q, 1993, p.54-5 e 57-8.
8. Dimitri Volkogonov, op.cit., p.244.
9. Félix Tchuev, op.cit., p.87.
10. Aleksandr Iakovlev, *Ce que nous voulons faire de l'Union Soviétique*, Paris, Seuil, 1991, p.128.
11. Paul-Marie de la Gorce, *39-45, une guerre incongrue*, Paris, Flammarion, 1995, p.267.
12. Félix Tchuev, op.cit., p.42.
13. *Istoritcheskii Archiv*, 6, 1990, e excertos em Pável Sudoplatov et al., *Missions spéciales...*, Paris, Seuil, 1994, p.531-3.
14. Aleksandr Kolesnik, *Mife i pravda o seme Stalina*, Carcóvia, Prostor, 1990, p.65-6.
15. Entrevista com Galina Djugachvili, Moscou, 7 e 14 de junho de 1995.
16. *Iosif Stalin v obiatiakh semi*, op.cit., p.92-3.
17. Ibid., p.69-89.
18. Ibid., p.96-100.
19. Svetlana Alliluyeva, op.cit., p.177.
20. Galina Djugachvili, *Ded, otets, ma i drugui*, Moscou, Olimp, 1993, p.86.
21. Giulio Ceretti, *À l'ombre des deux T, 40 ans avec Maurice Thorez et Palmiro Togliatti*, Paris, Julliard, 1973, p.284-5.
22. Félix Tchuev, op.cit., p.65.
23. Coleção 558, inventário 4, dossiê 672.
24. Stálin, *Œuvres*, t.XVI, 1941-49, Paris, Noveau Bureau d'Édition, 1975, p.38.
25. Coleção 558, inventário 4, dossiê 672.
26. Félix Tchuev, op.cit., p.61
27. Sergo Beria, *Moi otets Lavrenti Beria*, Moscou, Sovremenik, 1994, p.181-3.
28. Coleção 558, inventário 4, dossiê 672.
29. *Iosif Stalin v obiatiakh semi*, op.cit., p.90-1.
30. Svetlana Alliluyeva, op.cit., p.184.
31. Ibid., p.187-95.
32. Dimitri Volkogonov, op.cit., p.15-6.
33. Entrevista com Nadejda Stálina, Moscou, 17 de junho de 1995.
34. Lilly Marcou, *Les Staline vus par les hôtes du Kremlin*, Paris, Gallimard, 1979, 254p, col. Archives.
35. *Correspondance secrète de Staline avec Roosevelt, Churchill, Truman et Attlee, 1941-1945*, 2 vol., Paris, Plon, 1959.
36. Ibid., t.1, p.270 e 274.
37. Robert Sherwood, *Le Mémorial de Roosevelt, d'après les papiers de Harry Hopkins*, Paris, Plon, 1950, p.206.
38. Sir Winston Churchill, *Mémoires sur la Deuxième Guerre Mondiale*, vol.IV, Paris, Plon, 1951, t.IV, p.70.

39. Charles de Gaulle, *Mémoires de guerre*, t.III, Paris, Plon, 1959, p.61.
40. *Correspondance secrète de Staline avec Roosevelt, Churchill, Truman et Attlee, 1941-1945*, 2 vol., Paris, Plon, 1959, p.170.
41. Ibid., p.174.
42. Charles de Gaulle, op.cit., p.69-70.
43. Idem.
44. Félix Tchuev, op.cit., p.242.
45. Coleção 558, inventário 2, dossiê 190.
46. Declarações reproduzidas por Svetlana Alliluyeva, op.cit., p.201.
47. Ibid., p.199.

8. O recluso (p.192-217)

1. Citado por Daniel Yergin, *La Paix saccagée, les origines de la guerre froide et la division de l'Europe*, Paris, Balland, 1980, p.8.
2. Walter Bedell Smith, *Trois Années à Moscou, 1946-1949*, Paris, Plon, 1950, p.39-49.
3. Svetlana Alliluyeva, *Vingt lettres à un ami*, Paris, Seuil, 1967, p.204.
4. Ivan Tovstukha, *Joseph Stalin* (biografia autorizada), in Georges Haupt, Jean-Jacques Marie, *Les Bolcheviks par eux-mêmes...*, Paris, Maspéro, 1969. Um primeiro esboço data de 1917.
5. *Iosif Vissarionovitch Stalin, Kratkaia biografia*, Moscou, Institut Marksa-Engelsa-Lenina, 1947.
6. Aleksandr Iakovlev, *Ce que nous voulons faire de l'Union soviétique*, Paris, Seuil, 1991, p.142.
7. Vladimir Alliluyev, *Khronika odnoi semi, Aliluev Stalin*, Moscou, Molodaia Gvardia, 1995, p.243.
8. Ibid., p.248.
9. Svetlana Alliluyeva, op.cit., p.207.
10. Entrevista com Kyra Alliluyeva, Moscou, 12 de junho de 1995.
11. Svetlana Alliluyeva, op.cit., p.77.
12. Citado por Rosamond Richardson, *The Long Shadow. Inside Stalin's Family*, Londres, Abacus, 1993, p.208.
13. Ibid., p.241.
14. Entrevista com Kyra Alliluyeva, Moscou, 12 de junho de 1995.
15. Svetlana Alliluyeva, op.cit., p.54 e 64.
16. Amy Knight, *Beria*, Paris, Aubier, 1994, p.219.
17. Ibid., p.233-4.
18. Félix Tchuev, *Conversations avec Molotov. 140 Entretiens avec le bras droit de Staline*, Paris, Albin Michel, 1995, p.44, 218, 222 e 224.
19. Ibid., p.230.
20. Ibid., p.249.

21. Félix Tchuev, op.cit., p.313.
22. Idem.
23. Guennadi Kostyrtchenko, *V plenu u krasnovo pharaona*, Moscou, Mejdurnarodnye Otnochenia, 1994, p. 354-5.
24. Félix Tchuev, op.cit., p.314.
25. Ibid., p.315.
26. Alan Bullock, *Hitler et Staline, vies parallèles*, Paris, Albin Michel/Robert Laffont, 1991, t.II, p.429-30, que cita o diário de Mikoian publicado no *Komsomolskaia Pravda*, em 21 de fevereiro de 1986, bem como as recordações do almirante Issakov em *Zvezda*, 3, 1988.
27. Félix Tchuev, op.cit., p.232.
28. Sergo Beria, *Moi otets Lavrenti Beria*, Moscou, Sovremenik, 1994, p.340.
29. Citado no *Livre noir...*, textos reunidos por Ilya Ehrenburg e Vassili Grossman, Paris, Solin/Actes Sud, 1995, p.43-4.
30. Stálin, *Œuvres*, t.II, 1907-13. Paris, Éditions Sociales, 1954, p.55-6.
31. Isaac Deutscher, *Essai sur le problème juif*, Paris, Payot, 1968, p.98-9.
32. Discurso de Andrei Gromiko à ONU, publicado como anexo ao livro de Alain Gresh e Dominique Vidal, *Palestine 47, un partage avorté, Bruxelas, Complexe, 1987.*
33. Para mais detalhes sobre esse assassinato, ver Pável Sudoplatov et al., *Missions spéciales...*, Paris, Seuil, 1994, p.368.
34. Iakov Rapoport, *Souvenirs du procès des Blouses blanches*, Aix-en-Provence, Alinéa, 1988, p.26.
35. Pável Sudoplatov et al., op.cit., p.382.
36. Guennadi Kostyrtchenko, *V plenu u krasnovo pharaona*, Moscou, Mejdurnarodnye Otnochenia, 1994, p.95-6.
37. Alan Bullock, op.cit., t.II, p.416-7.
38. Dimitri Volkogonov, op.cit., p.445-6.
39. Idem.
40. Nicolas Werth, *Histoire de l'Union Soviétique*, Paris, PUF, 1990, p.361-5.
41. Dimitri Volkogonov, *Staline, triomphe et tragédie...*, Paris, Flammarion, 1991, p.456-7.
42. Coleção 558, inventário 4, dossiê 672.
43. *Idem*.
44. Svetlana Alliluyeva, op.cit., p.211.
45. *Iosif Stalin v obiatiakh semi*, Iz lichtnovo arkhiva, Moscou, Editora Q, 1993, p.103-4.
46. Svetlana Alliluyeva, art.cit.
47. Svetlana Alliluyeva, op.cit., p.219-20.
48. Svetlana Alliluyeva, art.cit.
49. Coleção 558, inventário 4, dossiê 672, e Félix Tchuev, op.cit., p.270.
50. *Rapport secret de Nikita Khrutchev sur Staline*, apresentado em 24 de fevereiro de 1956 ao XX Congresso do PCUS, Paris, Denoël, 1970.

Epílogo (p.218-25)

1. Alexei Rybin reuniu, entre 1975 e 1983, os depoimentos dos que conviveram com Stálin em seus últimos dias, mas os poucos trechos publicados só o foram durante a perestroica. Utilizei o texto datilografado, que é o mais completo e que se encontra nos arquivos de Stálin: coleção 558, inventário 4, dossiê 672.
2. Svetlana Alliluyeva, art.cit.
3. Idem, e coleção 558, inventário 4, dossiê 672.
4. Svetlana Alliluyeva, *Vingt lettres à un ami*, Paris, Seuil, 1967, p.21-8.
5. Dimitri Volkogonov, *Staline, triomphe et tragédie...*, Paris, Flammarion, 1991, p.502.
6. A. Avtorkhanov, *Staline assassiné, le complot de Beria*, Paris, Presses de la Renaissance, 1980, 293p. O autor desse livro defende a tese do complô contra Stálin, fomentado por Beria com a cumplicidade de Malenkov, Kruchtchev e Bulganin.
7. Félix Tchuev, *Conversations avec Molotov. 140 Entretiens avec le bras droit de Staline*, Paris, Albin Michel, 1995, p.265-6.
8. Ibid., p.270.

Bibliografia

Obras

Histoire du Parti communiste (bolchevique) de l'URSS..., Paris, Bureau d'Édition, 1939.
MacNeal, Robert H. (org.), *Stalin's Works. An Annotated Bibliography*, Stanford (Calif.), Stanford University, Hoover Institution on War, Revolution and Peace, 1967.
Stálin, *Neizvestnyj Stalin* (escritos de 1934-52), Moscou, Russkoie Slovo, 1994.
_____, *Œuvres*, t.XIV, 1934-40, t.XVI, 2 vols, 1941-49, Paris, Nouveau Bureau d'Edition, 1975, 1977.
_____, *Socinenija 1901-1934*, Moscou, Gospolitizdat, 1946-51, 13 vols. Tradução inglesa: *Works 1901 – January 1934*, 13 vols, Moscou, Foreign Language Publishing House, 1952-54.; *Works, 1934-53*, 3 vols (org. Robert Macneal), Stanford, Hoover Institution on War, Revolution and Peace, 1967; tradução francesa: *Oeuvres*, 1901-1923..., 5 vols, Paris, Éditions Sociales, 1953-55.

Correspondência

Correspondance secrète de Staline avec Roosevelt, Churchill, Truman et Attlee, 1942-1945..., 2 vols, Paris, Plon, 1959.
Iosif Stalin v obiatiakh semi, Iz litchnovo arkhiva, Moscou, Edições Q, 1993.
Pisma I.V. Stalina V.M. Molotovu, 1925-1936, Moscou, Rossia Molodaia, 1995.

Documentos

Werth, Nicolas & Gaël Moullec, *Rappports secrets soviétiques, 1921, 1991. La société russe dans les documents confidentiels*, Paris, Gallimard, 1995.

Depoimentos

Amba, Achmed, *I Was Stalin's Body Guard...*, Londres, F. Muller, 1952.
Bajanov, B.G., *Avec Staline dans le Kremlin*, Paris, Éditions de France, 1930.
Beria, Sergo, *Moi otets – Lavrentii Beria*, Moscou, Sovremenik, 1994.
Beriejkov, Valentin, *J'étais interprète de Staline. Histoire diplomatique 1935-1945*, Paris, Éditions du Sorbier, 1985.

Ceretti, Giulio, *À l'ombre des deux T. 40 ans avec Maurice Thorez et Palmiro Toligatti*, Paris, Julliard, 1973.
Dimitrievsky, S., *Dans les coulisses du Kremlin*, Paris, Plon.
Djilas, Milovan, *Conversations avec Staline...*, Paris, Gallimard, 1971.
Feuchtwanger, Lion, *Moscow 1937. My Visit Described For My Friends...*, Londres, V. Gollancz, 1937.
Gorbatov, Aleksandr V., *Les années de ma vie. Un général soviétique dans les camps de Staline*, Paris, Stock, 1966.
Guinzbourg, Evguenia S., *Le vertige. Chronique des temps du culte de la personnalité,* Paris, Seuil, 1967.
Hochschild, Adam, *The Unquiet Ghost: Russians Remember Stalin*, Nova York, Viking, 1994.
Iremachvili, Iossif, *Stalin und die Tragödie Georgiens*, Berlim, Volksblatt-Druckrei, 1932.
Krivitsky, Walter G., *Agent de Staline*, Paris, Coopération, Paris, Gallimard/Julliard, 1940.
Marcou, Lilly. *Les Staline, vus par les hôtes du Kremlin*, Paris, Gallimard/Julliard, 1979.
Orlov, Alexander, *The Secret History of Stalin's Crimes*, Nova York, Random House, 1953.
Pascal, Pierre, *Mon journal de Russie, 1916-1927*, 4 vols, Lausanne, 1975-82.
Sadoul, Jacques, *Notes sur la révolution bolchevique...*, Paris, Éditions de la Sirène, 1919.
Simonov, Konstantin M. & L.I. Lazarev (orgs.), *Glazami tcheloveka moievo pokolenia: razmychlenia o I.V.Stalin*, Moscou, Novosti, 1989.
Soljenitsyn, Aleksandr, *Une journée d'Ivan Denissovitcht*, Paris, Julliard, 1963.
Sudoplatov, Pável et al., *Missions spéciales, mémoires du maître espion soviétique Soudoplatov*, Paris, Seuil, 1994.
Tchuev, Félix, *Conversations avec Molotov, 140 entretiens avec le bras droit de Staline*, Paris, Albin Michel, 1995.

Memórias

Chtemenko, Serguei M., *L'État-major general soviétique en guerre, 1941-1945*, Moscou, Edições Progresso, 1971.
Churchill, Sir Winston, *La Deuxième Guerre Mondiale*, 6 vols, Paris, Plon, 1948-1954.
Davies, Joseph E., *Mission à Moscou*. Coletânea de despachos confidenciais ao Departamento de Estado, cartas oficiais e pessoais, notas de uma agenda e do diário pessoal do autor, compreendendo fatos e comentários registrados até outubro de 1941, Montreal, L'Arbre, 1944.
Eden, Anthony, *Mémoires...*, 3 vols, Paris, Plon, 1960-1965.
Gaulle, Charles de, *Mémoires de guerre*, t.III – *Le Salut, 1944-1946*, Paris, Plon, 1959.
Harriman, Averell, *Paix avec la Russie...*, Paris, Arthaud, 1960.
____ & Elie Abel, *Special Envoy to Churchill and Stalin, 1941-1946*, Nova York, Random House, 1975.
Hull, Cordell, *The Memoirs...*, 2 vols, Nova York, Macmillan Company, 1948.
Jukov, Gueorgui K., *Mémoires...*, 2 vols, Paris, Fayard, 1970.

Kennan, George F., *Memoirs, 1925-1950*, Londres, Hutchinson, 1967.
Khrutchev, Nikita S., *Souvenirs...*, Paris, Laffont,1971.
Koniev, Ivan S., *Sapiski komanduiuchtchevo frontom 1943-44*, Moscou, Nauka, 1972.
Mandelstam, Nadejda, *Contre tout espoir, Souvenirs*, 2 vols, Paris, Gallimard, 1970-1973.
Meretskov, Cyril A, *Au service du peuple*, Moscou, Edições Progreso, 1971.
Sherwood, Robert E. *Le mémorial de Roosevelt, d'après les papiers de Harry Hopkins...*, 2 vols, Paris, Plon, 1950.
Smith, Walter Bedell, *Trois années à Moscou, 1946-1949*, Paris, Plon.
Stettinius, Edward R., *Yalta, Roosevelt et les Russes...*, Paris, Gallimard, 1951.
Truman, Harry S., *Mémoires...*, 2 vols, Paris, Plon, 1955-1956.

Ensaios

Astier de la Vigerie, Emmanuel d', *Sur Staline*, Lausanne, Claire-Fontaine, 1967.
Boffa, Giuseppe & Gilles Martinet, *Dialogue sur le stalinisme*, Paris, Stock, 1977, 253p.
Brossat, Alain, *Le stalinisme entre histoire et mémoire*, Paris, Éditions de l'Aube, 1991.
Elleinstein, Jean, *Histoire du phénomène stalinien*, Paris, Grasset, 1975.
Fuwa, Tetsuzo, *Stalin and Great Power Chauvinism*, Tóquio, Shin'nihon Shuppan, 1982.
Laqueur, Walter, *Stalin: The Glasnost Revelations*, Nova York, Scribner's, 1990.
Laurat, Lucien, *Staline, la linguistique et l'impérialisme russe*, Paris, Îles d'Or, Plon, 1951.
Martens, Ludo, *Un autre regard sur Staline*, Bruxelas, EPO, 1994.
Medvedev, Roy, *Faut-il réhabiliter Staline?* Paris, Seuil, 1969.
_____, *Le stalinisme, origines, histoire, conséquences*, Paris, Seuil, 1972.
_____, *Staline et le stalinisme*, Paris, Albin Michel, 1979.
Mehnert, Klaus, *Stalin versus Marx. The Stalinist Historical Doctrine...*, Londres, Allen and Unwin, 1952.
Pisier-Kouchner, Evélyne (org.), *Les interprétations du stalinisme*, Paris, PUF, 1983.
Razumikhin, Aleksandr M. (org.), *Vojd, khoziain, diktator*, Moscou, Patriot, 1990.
Rigby, T.H. (org.), *Stalin, Great Lives Observed*, Englewood Cliffs (NJ), Prentice Hall, 1966.
Tucker, Robert C., *La politique soviétique. Essai sur la pensée politique stalinienne et post-stalinienne*, Paris, Payot, 1967.
_____ (org.), *Stalinism: Essays in Historical Interpretation*, Nova York, W.W. Norton, 1977.
Volkoff, Vladimir, *La trinité du mal ou Réquisitoire pour servir au procès posthume de Lénine, Trotski, Staline*, Paris, Fallois, 1990.
Zinoviev, Aleksandr, *Le héros de notre jeunesse*, Paris, Julliard/L'Âge d'Homme, 1984.

Textos sobre a família

Alliluyev, Vladimir, *Khronika odnoi semi Alliluyev Stalin*, Moscou, Molodaia Gvardia, 1995.

Alliluyeva, Svetlana, *Vingt lettres à un ami...*, Paris, Seuil, 1967.
_____, *En une seule année...*, Paris, Robert Laffont, 1970.
Djugachvili, Galina, *Ded, otets, ma i drugui*, Moscou, Olimp, 1993.
Kolesnik, Aleksandr, *Khronika jizni semi Stalina*, Moscou, IKPA, 1990.
_____, *Mife i pravda o semi Stalina*, Carcóvia, Prostor, 1990.
Medvedev, Roy, *Semia tirana...*, Nijni Novgorod, Leta, 1993.
Richardson, Rosamund, *The Long Shadow, Inside Stalin's Family*, Londres, Abacus, 1993.

Biografias

Biografias favoráveis

Barbusse, Henri, *Staline. Un monde nouveau vu à travers un homme*, Paris, Flammarion, 1935.
Basseches, Nikolaus, *Staline...*, Paris, Spes, 1951.
Benoît, Jean, *Staline*, Paris, Resma, 1969.
Bloch, Jean-Richard, *L'Homme du communisme, portrait de Staline*, Paris, Éditions Sociales, 1949.
Delbars, Yves, *Le vrai Staline*, 2 vols, Paris, Editions Je Sers, 1950-51.
Graham, S., *Stalin, An Impartial Study of the Life and Work of Joseph Stalin...*, Londres, E. Benn, 1931.
Granier, Lén, *Staline*, Lyon, Gutenberg, 1945.
Instituto Marksa-Engelsa-Lenina, *Iosif Vissarionovitch Stalin, Kratkaia biografiia...*, Moscou, 1947.
Ludwig, Emil, *Staline...*, Paris, Éditions des Deux-Rives, 1945.
Montagu, I.G.S., Stalin. *A Biographical Sketch of the Man Who Leads the URSS*, Londres, Communist Party of Great Britain, 1942.
Murphy, J.T., *Staline*, Paris, Éditions Universelles, 1945.
Windecke, Christian, *L'Ascension de Staline, du séminaire au Kremlin...*, 2ª ed., Neuchâtel/Paris, Delachaux/Niestlé, 1943.

Biografias críticas

Antonov-Ovsenko, Anton V., *Portret tirana*, Moscou, Gregori Pejdz, 1994.
Beladi, Laszlo & Tamas Krausz, *Stalin*, Moscou, Izdatelstvo Politiceskoi Literatury, 1990.
Besedovsky, Grigori & Maurice Laport, *Staline, "l' homme d'acier"*, Paris, A. Redier, 1932.
Elleinstein, Jean, *Staline*, Paris, Fayard, 1984.
Essad-Bey (pseud.), *Stalin...*, Berlim, G. Kiepenheuer Verlag, 1931.
Fischer, Louis, *Vie et mort de Staline...*, Paris, Calmann-Lévy, 1953.
Hartmann, Maurice, *Staline*, Paris, Éditions Éclectiques, 1979.
Hingley, Ronald, *Joseph Salin, Man and Legend*, Londres, Hutchinson, 1974.

Laver, John, *Joseph Stalin: From Revolutionary To Despot*, Londres, Hodder and Stoughton, 1993.
Lewis, Jonathan & Whitehead, Phillip, *Stalin: A Time for Judgement*, Londres, Methuen, 1990.
Lyons Eugene, Stalin, *The Czar of All The Russias*, Nova York, J.B. Lippincott, 1940.
Marie, Jean-Jacques, *Staline*, Paris, PUF, 1995.
_____, *Staline, 1879-1953*, Paris, Seuil, 1967.
Payne, Robert, *The Rise and Fall of Stalin*, Nova York, Simon and Schuster, 1965.
Raguza, Imam (pseud.), *La vie de Staline*, Paris, Fayard, 1938.
Rubel, Maximilien, *Stalin in Selbstzengnissen und Bilddokumenten*, Hamburgo, Rowohlt, 1975.
Serge, Victor, *Portrait de Staline*, Paris, Graset, 1940.
Smith, Edward Ellis, *La jeunesse de Staline, les premières années d'un revolutionnaire insaisissable...*, Paris, Stock, 1968.
Suvarin, Boris, *Staline, aperçu historique du bolchevisme*, Paris, Plon, 1935.
Trótski, Lev, *Staline...*, Paris, Grasset, 1948.
Volkogonov, Dimitri, *Staline, triomphe et tragédie*, Paris, Fllamrion, 1991.
Volkov, Fiódor D., *Vzlet i padenie Stalina*, Moscou, Spektr, 1992.

Biografias universitárias

Agosti, Aldo, *Stalin Iosif V. Dzugasvili (1879-1953). Un protagonista degli anni che sconvolsero il mondo*, Roma, Riuniti, 1983.
Bullock, Alan, *Hitler et Staline, vies parallèles*, 2 vols, Paris, Albin Michel / Robert Laffont, 1991.
Conquest, Robert, *Staline*, Paris, Odile Jacob, 1993.
Deutscher, Isaac, *Staline...*, edição definitiva, Paris, Gallimard, 1973.
Levine, Isaac Don, *Stalin*, Nova York, Cosmopolitan Book Corporation, 1931.
McNeal, Robert Hatch, *Stalin: Man and Ruler*, Basingstoke, Macmillan, 1988.
Tucker, Robert C., *Staline révolutionnaire, 1879-1929, Essai historique et psychologique...*, Paris, Fayard, 1975.
_____, *Stalin in Power. The Revolution from Above, 1928-1941*, Nova York, W.W. Norton, 1990.
Ulam, Adam B., *Staline, l'homme et son temps...*, 2 vols, Paris, Calmann-Lévy / Gallimard, 1977.
Wolfe, Bertram D., *La jeunesse de Lénine; Lénine et Trotski; Lénine, Trotski, Staline...*, 3 vols, Paris, Calmann-Lévy, 1959, 1959.

Biografias de colaboradores próximos de Stálin

Knight, Amy, *Beria*, Paris, Aubier, 1994.
Medvedev, Roy, *All Stalin's Men*, Oxford, Basil Blackwell, 1983.
Rosenfeldt, Niels Eridk, *Knowledge and Power: The Role of Stalin's Secret Chancellery in the Soviet System of Government*, Copenhague, Rosenkilde & Bagger, 1992.
Vaskberg, Arcadi, *Vychinski, le procureur de Staline...*, Paris, Albin Michel, 1991.

Obras gerais

Andrew, Christopher & Oleg Gordievsky, *Le KGB dans le monde, 1917-1990*, Paris, Fayard, 1990.
Boffa, Giuseppe, *Storia dell'Unione Sovietica*, 2 vols, Roma, Mondadori, 1979.
Grieger, Manfred et al., *Stalins Schatten: Stalin und die westeuropaïschen Kommunisten*, Neuss, Marxistische Blätter, 1989.
Heller, Michel & Aleksandr Nekrich, *L'Utopie au pouvoir. Histoire de l'URSS, de 1917 à nos jours*, Paris, Calmann-Lévy, 1982.
Labica, Georges, *Le marxisme-léninisme*, Paris, Bruno Huisman, 1984.
Leonhard, Wolfgang, *Kreml ohne Stalin*, Colônia, Politik und Wirtschaft, 1960.
Mercalov, Andrei (org.), *Istoria I stalinizm*, Moscou, Izdatelstvo Politiceskoi Literatury, 1991.
Mongili, Alessandro, *Staline et le stalinisme*, Paris, Casterman, 1995.
Procacci, Giuliano, *Il Partito nell'Unione sovietica, 1917-1945*, Roma, Laterza, 1975.
Werth, Nicolas, *Histoire de l'Union Soviétique*, Paris, PUF, 1990.

Revolução de Outubro

Carr, Edward Hallet, *La Révolution bolchevique*, 3 vols, *1917-1923*, Paris, Minuit, 1969-1974.
Coquin, François-Xavier, *La Révolution Russe*, 7ª ed., Paris, PUF, 1982.
Daniels, Robert V., *Red October, The Bolshevik Revolution of 1917*, Nova York, Scribner's, 1968.
Ferro, Marc, *La Révolution de 1917*, 2 vols, Paris, Aubier, 1967 e 1976.
Pipes, Richard (org.), *Revolutionary Russia*, Cambridge (Mass.), Harvard University Press, 1968.
Schapiro, Léonard, *Les révolutions russes de 1917. Les origines du communisme moderne*, Paris, Flammarion, 1987.
Shapiro, Leonard, *Les origines de l'absolutisme communiste. Les bolcheviks et l'opposition 1917-1922*, Paris, Albatros, 1957.

Guerra civil e comunismo de guerra

Ferro, Marc, *Des soviets au communisme bureaucratique...*, Paris, Gallimard/Julliard, 1980.
Footman, David, *Civil War in Russia*, Londres, Faber and Faber, 1961.
Laloy, Jean, *Le socialisme de Lénine*, Paris, Desclée de Brouwer, 1967.
Pethybridge, Roger William, *The Social Prelude to Stalinism*, Londres, Macmillan, 1974.

Os anos 20

Bettelheim, Charles, *Les luttes de classes en URSS, 1917-1923*, Paris, Maspéro, 1974.
_____, *Les luttes de classes en URSS, 1923-1930*, Paris, Maspéro, 1977.

Broué, Pierre, *Le parti bolchevik*, 2ª ed., Paris, Minuit, 1972.
Carr, Edward Hallet, *The Interregnum, 1923-1924*, Londres, Macmillan, 1954.
_____, *Socialism In One Country, 1924-1926*, 3 vols, Londres, Macmillan, 1958.
_____, *The Foundations of a Planned Economy, 1926-1929*, Londres, Macmillan, 1969.
Carrère d'Encausse, Hélène, *Le grand défi. Bolcheviks et nations, 1917-1930*, Paris, Flammarion, 1987.
_____, *Lénine, la Révolution et le pouvoir*, Paris, Flammarion, 1979.
_____, *Staline, l'ordre par le terreur*, Paris, Flammarion, 1979.
Daniels, Robert V., *The Conscience of the Revolution, Communist Opposition in Soviet Russia*, Cambridge (Mass.), Harvard University Press, 1960.
Lewin, Moshe, *Le dernier combat de Lénine*, Paris, Minuit, 1967.
_____, *La paysannerie et le pouvoir soviétique, 1928-1930*, Paris, Mouton, 1966.
Nikolaevsky, Boris, *Les dirigeants soviétiques et la lutte pour le pouvoir...*, Paris, Denoël, 1969.
Rosenberg, Arthur, *Histoire du bolchevisme*, Paris, Grasset, 1967.
Schapiro, Léonard, *De Lénine à Staline, histoire du Parti Communiste de l'Union soviétique*, Paris, Gallimard, 1967.
Ulam, Adam B., *Les bolcheviks*, Paris, Fayard, 1973.
Volkogonov, Dimitri, *Le vrai Lénine*, a partir dos arquivos secretos soviéticos, Paris, Robert Laffont, 1995.

Os anos 30

Antonov-Ovseyenko, Anton, *The Time of Stalin, Portrait of a Tyranny*, Nova York, Harper and Row, 1980.
Avtorkhanov, Adburahman, *Staline au pouvoir...*, Paris, Les Îles d'Or.
Bettelheim, Charles, *Les luttes de classes en URSS, 1930-1941*, 2 vols, Maspéro, 1981.
Brzezinski, Zbigniew K., *La purge permanente, la politique dans le totalitarisme soviétique*, Paris, Les Îles d'Or, 1958.
Conquest, Robert, *La grande terreur. Les purges staliniennes des années 30*, Paris, Stock, 1970.
Dallin, David J. & Boris Nicolaevsky, *Le travail forcé en URSS*, Paris, A. Somogy, 1949.
Davies, Robert William, *The Industrialization of Soviet Russia, 1929-1930*, 2 vols, Londres, Macmillan, 1980.
Fainsod, Merle, *Smolensk à l'heure de Staline...*, Paris, Fayard, 1967.
Getty, John A., *Origins of the Great Purges. The Soviet CP Reconsidered, 1933-1938*, Cambridge (Mass.), Cambridge University Press, 1987.
Ivanov, Anatoli M., *Logika Kosmara*, Moscou, Russkij Vestnik, 1993.
Kemp-Welch, Anthony, *Stalin and the Litterary Intelligentsia, 1928-1939*, Basingstoke, Macmillan, 1991.
Khlevniuk, O.V., *Stalin I Ordjonikidze, Konflikt v Politburo v 30-e gode*, Moscou, Izdatelskii Tzentr, Rossia Molodaia, 1993.

Kirilina, Alla, *L'Assassinat de Kirov, destin d'un stalinien, 1888-1934*, Paris Seuil, 1995.
Kotkin, Stephen, *Magnetic Mountain: Stalinism as a Civilization*, Berkeley (Calif.), University of California Press, 1995.
Maramov, Grigori B., *Kremlevskii cenzor: Stalin smotrit kino*, Moscou, Kinocentr, 1992.
Reiman, Michal, *La nascita dello stalinismo*, Roma, Riuniti, 1980.
Werth, Nicolas, *Être communiste en URSS sous Staline*, Paris, Gallimard/Julliard, 1981.
_____, *Les procès de Moscou*, Bruxelas, Complexe, 1987.

A Guerra, 1941-1945

Bialer, Seweryn (org.), *Stalin and His Generals, Soviet Military Memoirs of World War II*, Nova York, Pegasus, 1969.
Edmonds, Robin, *The Big Three: Churchill, Roosevelt and Stalin in Peace and War*, Nova York, Norton, 1991.
Erickson, John, *The Soviet High Command...*, Londres, Macmillan, 1962.
Grigorenko, Piotr, *Staline et la Deuxième Guerre Mondiale...*, Paris, L'Herne, 1969.
Istoria velikoi Otetchestvennoi Voiny Sovetskovo Soiuza, 6 vols, Moscou, 1960-1965.
La Gorce, Paul-Marie de, *39-45, une guerre inconnue*, Paris, Flammarion, 1995.
Nekritch, Aleksandr, *L'Armée rouge assassinée, 22 juin 1941...*, Paris, Grasset, 1968.
Perlmutter, Amos, *FDR and Stalin: A Not So Grand Alliance, 1943-1945*, Columbia (MO), University of Missouri Press, 1993.
Suvorov, Victor, *Le brise-glace*, Paris, Orban, 1989.
Tokaev, G.A., *Stalin Means War...*, Londres, Weidenfeld and Nicholson, 1951.
Werth, Alexander, *La Russie en guerre*, 2 vols, Paris, Stock, 1964-1965.

A Guerra Fria

Aron, Raymond, *Espoir et peur du siècle*, Paris, Calmann-Lévy, 1957.
_____, *Le grand schisme*, Paris, Gallimard, 1948.
Fontaine, André, *Histoire de la Guerre Froide*, 2 vols, Paris, Fayard, 1966-1967.
Kardelj, Edvard, *Memorie degli anni de ferro*, Roma, Riuniti, 1980.
Marcou, Lilly, *La Guerre Froide, l'engrenage*, Bruxelas, Complexe, 1987.
Schulman, Marshall D., *Beyond the Cold War*, New Haven (Conn.)/Londres, Yale University Press, 1966.
_____, *Stalin's Foreign Policy Reappraised*, Cambridge (Mass.), Harvard University Press, 1963.
Yergin, Daniel, *La paix saccagée, les origines de la Guerre Froide et la division de l'Europe*, Paris, Balland, 1980.

A diplomacia

Hentsch, Guy, *Staline négociateur, une diplomatie de guerre*, Neuchâtel, La Baconnière, 1967.
Kennan, George F., *La Russie soviétique et l'Occident, quarante années d'histoire*, Paris, Calmann-Lévy, 1962.
Laloy, Jean, *La politique extérieure de l'URSS, 1917-1975*, Paris, Cours IEP, 1972.
Levesque, Jacques, *L'URSS et sa politique intenationale, de Lénine à Gorbatchev*, Paris, Armand Colin, 1988.
Ulam, Adam B., *Expansion and Coexistance, A History of Soviet Foreign Policy, 1917-1967*, Nova York, F.A. Praeger, 1968.
Werth, Alexander, *Russia: The Post-War Years*, Londres, R. Hale, 1971.

Fim de reinado

Avtorkhanov, Adburahman, *Staline assassiné, le complot de Beria*, Paris, Presses de la Renaissance, 1976.
Bortoli, Georges, *Mort de Staline*, Paris, Robert Laffont, 1973.
Kolendic, Anton, *Les derniers jours, de la mort de Staline à celle de Beria, mars-décembre 1953*, Paris, Fayard, 1982.
Rapoport, Iakov, *Souvenirs du procès des Blouses blanches*, Aix-en-Provence, Alinéa, 1988.
Salisbury, Harrison E., *Moscow Journal, The End of Stalin*, Chicago (Ill.), University of Chicago Press, 1962.

Agradecimentos

Agradeço profundamente a Robert C. Tucker, que foi o primeiro, e já se vão quinze anos, a me incentivar a dar minha versão histórica do personagem Stálin. Mil obrigadas a Nicolas Werth, que, com a precisão de um metrônomo, me apontou a Coleção 558, que guarda alguns dos arquivos mais importantes sobre Stálin. Agradeço-lhe igualmente por ter me mantido a par, e comunicado à medida que as explorava, das pesquisas mais abalizadas sobre Stálin realizadas na Rússia. Agradeço finalmente pela leitura competente, crítica e valiosa que fez de meu original. Minha imensa gratidão a Jean-François Leguil-Bayart, diretor do Ceri, que me ajudou intelectual e materialmente a efetuar esta longa e difícil pesquisa.

Agradeço igualmente às seguintes pessoas, que, de uma maneira ou de outra, me ajudaram: os netos de Stálin, Galina Djugachvili, Nadejda Stálina e Aleksandr Burdonski; sua sobrinha Kyra Alliluyeva e seu ex-genro Grigori Morozov, que de boa vontade me transmitiram suas recordações, as de seus pais e sua própria experiência.

Em Moscou, meus amigos russos estiveram sempre presentes para me auxiliar: Mikhail Panteleiv, Alexei Kojemiakov, Andrei Gratchev, Arkadi Vaksberg, Suria Sadekova, Nina Drozdova. Cyril Anderson, diretor do Centro Russo de Conservação e Estudo dos Documentos em História Contemporânea, Olega Naumov, responsável pelos arquivos, as sras. Rogovaia e Adibekova, Andrei Doronin, todos me ajudaram com amizade e eficiência a encontrar os arquivos Stálin, dando-me plenas condições de trabalho e obtendo, nos prazos mais curtos, fotocópias e microfilmes.

Marie-Paule Rochelois leu com atenção os originais; Jeanne Baisseitova me ajudou com competência a decifrar os manuscritos de Stálin; Colette Jaffrelot digitou meu original com precisão; Gregory Calès prestou valiosa assistência informática; Jean-Pierre Joyeux, documentarista no Ceri, conseguiu documentos e artigos difíceis de encontrar; Marie-Édith Semence, bibliotecária-chefe da faculdade de Ciências Políticas, colocou à minha disposição os livros necessários e estendeu seus prazos de devolução.

Índice onomástico

A marca FSC é a garantia de que a madeira utilizada na fabricação do papel deste livro provém de florestas de origem controlada e que foram gerenciadas de maneira ambientalmente correta, socialmente justa e economicamente viável.

Este livro foi composto por Mari Taboada em Dante Pro 11,5/16 e impresso em papel offwhite 70g/m² e cartão triplex 250g/m² por Geográfica Editora em fevereiro de 2013.